国家出版基金项目
NATIONAL PUBLICATION FOUNDATION

"十三五"国家重点图书出版规划项目
教育部人文社会科学重点研究基地重大项目

瞿林东◎主编

中国古代史学批评史

第 二 卷

中国古代史学批评的初步发展

（魏晋南北朝时期）

王 姝◎著

CMS | 湖南人民出版社

主编简介

瞿林东，1937 年 12 月生，安徽肥东人。1964 年本科毕业于北京师范大学历史系；1967 年研究生毕业于该系中国史学史专业，师从著名历史学家白寿彝教授。现为北京师范大学资深教授、历史学院博士生导师。全国古籍整理出版规划领导小组成员、教育部社会科学委员会委员兼历史学部召集人、中国历史研究院学术咨询委员会委员。教育部人文社会科学重点研究基地北京师范大学史学理论与史学史研究中心原主任。主要从事历史学的理论与中国史学史研究，出版《唐代史学论稿》《中国古代史学批评纵横》《中国史学史纲》《中国史学的理论遗产》《史学在社会中的位置》等专著、论集；主编《历史文化认同与中国统一多民族国家》（五卷本）、《中国古代历史理论》（三卷本）、“马工程”教材《中国史学史》、《中华大典·历史典·史学理论与史学史分典》（三卷本）等书；发表《中国史学的遗产、传统和当前发展趋势》《论中国马克思主义史学的史学观》《历史学的理论成就与中国史学史研究的发展》《关于当代中国史学话语体系建构的几个问题》等论文、评论四百余篇。2017 年 9 月，北京师范大学出版社出版《瞿林东文集》（十卷本）。

总　目

总　序

◎瞿林东

一、中国古代史学批评史研究的对象

中国古代史学批评史是一个新兴的学科，我们只有在明确了它的研究对象与研究范围之后，才可能对其学术定位作出某种设想或建议。这就要求我们从什么是中国古代史学批评史谈起。

什么是中国古代史学批评史？顾名思义，它是指在中国古代史学上，那些具有批评意识的史学家、思想家、政治家或其他学人，针对史学发展中出现的各种问题而提出自己的看法。这些看法中既包含相同或相近的意见，也存在分歧和异趣，甚至完全相反的观点。对这些意见、分歧、观点进行互相讨论、辩难的史学活动、史学现象，我们称之为史学批评。史学批评既不是“挑眼”，也不是“吹捧”，不论是相同的意见还是不同的意见，均重在“发现”并提出问题；对问题的阐说，则启发时人与后人，或加以发扬，或引以为戒，这就是史学批评的产生及其意义。如此一个个史学批评个案之间的联系，构成了某一时期或某一时代的史学批评史；一个个时代的史学批评史，构成连续不断的中国古代史学批评史。对中国古代史学批评史进行研究，可以揭示批评者与被批评者的异同，可以概括某一时期或某一时代史学批评的特点，并以此探索、揭示中国古代史学批评史发展的全貌及其规律，进而为提炼出理论问题提供依据。

中国古代史学批评史研究的范围，从纵向上看，大致说来，上起春秋时期，下迄清代；从横向上看，它包括史学家、思想家、政治家及各方面学人对史学的批评，其涉及的文献亦不限于史部，经部、子部、集部也在考察范围之内。我们希望在研究中能够发掘一些有关史学批评的新资料和以往较少涉及的知识领域，尤其希望在研究中提出一些新的问题，并对其作出合理的阐述，从而通过集体的努力，使中国古代史学批评史成为一门外延清晰、内涵丰富、特色鲜明的学科。

那么，怎样为中国古代史学批评史作学科定位呢？第一，从宏观领域来看，中国古代史学批评史属于“中国历史”一级学科范围。第二，从研究内容与特点来看，中国古代史学批评史与中国古代史学史关系密切，离开中国古代史学史，中国古代史学批评史就成了无源之水、无本之木，也就无从谈起；同时，史学批评中提出的问题及相关的论述，都可能涉及理论上的分析，而脱离了史学理论的史学批评，就会成为没有思想、没有内涵的材料堆砌。有鉴于此，可以认为，中国古代史学批评史是“史学理论与史学史”这个二级学科之下的一个三级学科。

为了明确中国史学史的研究与撰述同中国史学批评史的研究与撰述之联系及区别，以凸显中国史学批评史的性质和特点，我们有必要对此作进一步的阐述。概括说来，中国史学史研究，是研究中国史学发展的面貌及其规律；中国史学批评史研究，是研究中国史学史上存在于其间的一个最活跃的内部动因即批评与反思，包含批评的意识、批评的思想、批评的理论与方法及各方面成果（思想成果和著述成果）。尽管史学批评史同史学史存在密切的关联，但毕竟是两个不同的研究对象，因而提出问题的方式和视角不同，撰述的主要内容也有所不同。这一联系与区别，是不应模糊的。

具体说来，史学批评史研究不同于史学史研究之处，主要有以下几点：

第一，具有更为广泛的史料来源。这是因为，史学批评不仅十分关注史家群体的史学观点，而且对于非史家群体之史学观点也十分关注，展示出比一般史学史研究更为丰富的内容和史料来源。

第二，是考察认识史学社会影响力的重要根据。史学成果在受众中的种种反映，一方面成为史学批评研究的对象，另一方面也是史学工作者借以进一步认识史学之社会影响力的根据。

第三，促进史学概念内涵的深化和理论的生成、发展。这是因为，史学批评所展开的范围必然涉及一定程度上的“主题重复”，如春秋时期的“良史”与汉唐时期的“良史”以及宋以后的“良史”，自有内在的联系，但其内涵却大大丰富了，史学批评对此作进一步研究，无疑会促进这一领域的理论研究。又如从司马迁论“古今之变”到郑樵论“会通之义”，再到章学诚论“通史家风”，也是如此，等等。

本书题为《中国古代史学批评史》而未以“评论史”命名，也是意在突出研究者提出问题的方式和视角。记得十几年前，有位记者问我：您的《中国古代史学批评纵横》一书，为什么不用“评论”而用“批评”？我一时语塞，觉得很难回答这个问题，说明自己并不很清楚它们之间有何异同，再说我另有一本论集，书名就是《史学与史学评论》。由于《中国古代史学批评纵横》这本小书受到一些同行尤其是中青年朋友的关注，这些年来，研究史学批评的学人逐渐多了起来，似乎用“批评”一词也就习以为常了，因而很少有人再提出这样的问题。但对于我来讲，却没有放下这个问题，总想对此作一点探究。其间，也翻阅了几本从理论上讨论学术批评的书，有中国学者写的，也有外国学者著作的中译本，但它们都是立足于文学批评而展开的，有的还是从解释学的视角对文学批评作阐说的。更重要的是，它们的讨论多是建立在西方学术文化中所谓“原生质”的、“科学”的“批评”与“评论”概念基础上展开的。这对我提高理论上的认识都有不同程度的帮助，但由于学科的不同，特别是由于文化渊源上的差异，难以获得所需要的借鉴。这就促使我从“传统”中去寻求认识问题的路径。

中国古代学人使用“评论”一词说事，当不晚于魏晋之际。

三国魏人王肃所注《孔子家语》中记述叔孙武叔这个人有个缺点，“多称人之过，而己评论之”①，因而受到颜回劝告。又《三国志》裴注引王隐《晋书》记：“然天下之至慎，其惟阮嗣宗乎！每与之言，言及玄远，而未曾评论时事，臧否人物，真可谓至慎矣。”② 这里说的专就别人之“过”发表评论或一味回避评论，均不可取。与此不同的是，王隐《晋书》还有另外的记载：“刘毅字仲雄，东莱掖人，汉城阳景王后也。亮直清方，见有不善，必评论之，王公大人望风惮之。”③ 这里说的敢于“评论”是赞扬之意。上举数例所谓“评论”，都是指评论时事，评论人之秉性。此外也有说到评论史书的。如葛洪《抱朴子内篇》记：

> ……而班固以史迁先黄老而后六经，谓迁为谬。夫迁之洽闻，旁综幽隐，沙汰事物之臧否，核实古人之邪正。其评论也，实原本于自然，其褒贬也，皆准的乎至理。不虚美，不隐恶，不雷同以偶俗。刘向命世通人，谓为实录；而班固之所论，未可据也。④

这里说的“评论”，即是关于司马迁及其所著《史记》的评

---

① 王肃注：《孔子家语》，王国轩、王秀梅译注本，中华书局2011年版，第240页。

② 陈寿：《三国志》卷一八《魏书·李通传》裴注引王隐《晋书》，中华书局1959年版，第536页。又见刘义庆：《世说新语·德行》，刘孝标注引，杨勇《世说新语校笺》本，中华书局2006年版，第16页。

③ 刘义庆：《世说新语·德行》，刘孝标注引，杨勇《世说新语校笺》本，中华书局2006年版，第18页。

④ 葛洪：《抱朴子内篇》卷一〇《明本》，王明《抱朴子内篇校释》本，中华书局1985年版，第184页。

论。又如，五代时，刘昫等修《旧唐书》说到唐太宗时重修的《晋书》，这样写道："参考诸家，甚为详洽。然史官多是文咏之士，好采诡谬碎事，以广异闻；又所评论，竞为绮艳，不求笃实，由是颇为学者所讥。"①

上述这两则关于史书的评论，前者是肯定的评论，后者是借用时人之语发表了包含负面评价的评论。又有明人郭孔延撰《史通评释》，其序称，"向以己意为之评论，虽未必合作者之意"云云②。显然，这是对评论者的评论。

至于中国古代学人使用"批评"一词，至晚见于葛洪所著、邵雍辑佚的《梦林玄解·占梦》："占曰：梦殊砂，为官爵，为文章，为批评，为银财之本，为血气，为良药。"③ 此处所讲"批评"，没有明确指向，不便妄测。而元代学人是较早从学术的意义上使用"批评"一词的。据钱大昕《补元史艺文志·总集类》著录，有仇远《批评唐百家诗选》一书，其"别集类"著录仇远《金渊集》六卷。④ 仇远精于诗，时人称为"仇远先生"，《元史·张翥传》记：

> 翥少时，负其才隽，豪放不羁，好蹴鞠，喜音乐，不以家业屑其意，其父以为忧。翥一旦翻然改曰："大人勿忧，

---

① 刘昫等：《旧唐书》卷六六《房玄龄传》，中华书局1975年版，第2463页。

② 郭孔延：《史通评释序》，上海古籍出版社2006年版，第1页。

③ 葛洪：《梦林玄解》卷一二《文墨·五色颜料》，宋邵雍纂辑，明陈士元增删，明何栋如重辑，见《续修四库全书》第一〇六四册，上海古籍出版社2002年版，第24页。

④ 参见《二十五史补编》第六册，中华书局1955年版，第8425、8435页。

今请易业矣。”乃谢客，闭门读书，昼夜不暂辍，因受业于李存先生。存家安仁，江东大儒也，其学传于陆九渊氏，翥从之游，道德性命之说，多所研究。未几，留杭，又从仇远先生学。远于诗最高，翥学之，尽得其音律之奥，于是翥遂以诗文知名一时。已而薄游维扬，居久之，学者及门甚众。①

从这一简略的记载，大致可以得知仇远在唐诗研究上的造诣，乃有《批评唐百家诗选》之作，在中国古代学术批评史上留下了自己的印记。

值得注意的是，明代学人在奏疏与书信中亦往往使用“批评”一词。如魏允贞《条陈救弊四事乞赐采纳以弘治道疏》中有这样的话：“分别式样，以授主司，圈点批评，列置卷首，后先及第，海内士人，无不愤叹。”② 这反映了明朝科举考试的弊端。李贽的《寄答留都》写道：“前与杨太史书亦有批评，倘一一寄去，乃足见兄与彼相处之厚也。”③ 陈衎对“批评”的功能有深刻的认识，认为：“所谓批评者，一则能抉古人胸中欲吐之妙，以剖千古不决之疑；一则援引商略，判然详尽，以自见其赅博。”④ 徐芳的《与高自山》一文中更是有这样轻松的话语：“诗文传阅，取笑批评，烂如圈点，互相诒炫。”⑤ 由此可知，在明

---

① 宋濂等：《元史》卷一八六《张翥传》，中华书局1976年版，第4284页。

② 参见陈子龙等辑：《明经世文编》卷三八七，中华书局1962年版，第4195页。

③ 参见张建业主编：《李贽文集》第一卷《焚书一·增补一》，社会科学文献出版社2000年版，第258页。

④ 陈衎：《与邓彰甫》，周亮工纂：《尺牍新钞》卷一，上海杂志公司1935年版，第5页。

⑤ 参见黄宗羲编：《明文海》卷一六二，中华书局1987年版，第1630页。

代的公私文件中，多有“批评”一词的使用。

综观上述所举事例，可以认为，大约在1700年前，中国学人已将“评论”和“批评”的概念置于不同学术领域之中，以此表述和阐说各自的学术见解，并在日常生活中也有所表现。这种现象在元明以后显得更加广泛。由于前人在使用“评论”和“批评”一词时，并未对其作出明确的解释，故难以从实质上划清二者的界限。但中国学人有重视字义和慎于遣词造句的传统①，由此仍可略知“评论”和“批评”的一点区别：“评论”是评量和议论，意在对事物作出适当的评价；“批评”则兼有批点和评论之意，即既包含正面评价也包含负面评价的双重目标，因而具有鲜明的反思意识。从学术的观点来看，“评论”多用于泛指，“批评”则与学术讨论的关系更为密切。

在获知古代学人对“评论”和“批评”有更明确的定义或阐述前，姑作此说。

二、发展大势与主要问题

中国古代史学批评发展大势是怎样的？其间有哪些主要问题是需要展开讨论的？这是本书需要明确的问题。

这里讲的“发展大势”，上起春秋时期，下迄清代，两千五

① 如杜佑自谓：“凡义有经典文字其理深奥者，则于其后说之以发明，皆云‘说曰’。凡义有先儒各执其理，并有通据而未明者，则议之，皆云‘议曰’。凡先儒各执其义，所引据理有优劣者，则评之，皆云‘评曰’。”（《通典》卷四二，中华书局1988年版，第1167页）《说文解字》：“论，议也。”段注：“凡言语循其理得其宜者谓之论。”凡此，均可参考。

六百年的历史。根据我们的理解和撰述工作的需要，可以将中国古代史学批评划分为七个阶段看待。由于中国历史和中国史学发展的连续性特点，这七个阶段是前后衔接、上下贯通的，同时又各具特点。

第一阶段：中国古代史学批评的开端（先秦秦汉时期）。孔子评晋国史官董狐以及孟子和《左传》作者评《春秋》，揭开了中国古代史学批评的序幕。此后，史家修养和史学与社会的关系成为中国史学上人们关注的两个重大问题。司马谈、司马迁父子对《春秋》的评论与继承、发展，班彪、班固父子对司马迁及其《史记》的批评，先后产生了《史记》《汉书》两部宏伟著作。这是中国古代史学批评开端最重要的标志。同时，刘向、刘歆父子校书并对各类历史文献作出评论，分别写出了《别录》和《七略》，为班固《汉书·艺文志》的撰述提供了资料上的准备。东汉末年，汉献帝认为纪传体《汉书》繁冗难读，由是荀悦乃有编年体《汉纪》之作，显示出史学批评对史书撰述的引导作用，从而为这一时期史学批评画上句号。

这时期在史学批评方面提出的主要概念和观念有：良史，书法不隐和史书三要素论（事、文、义），“其文直，其事核，不虚美，不隐恶”的“实录”论，以及立典五志论（达道义，彰法式，通古今，著功勋，表贤能），等等。

第二阶段：中国古代史学批评的初步发展（魏晋南北朝时期）。在史学多途发展的学术背景下，学术思想的活跃推动了史学批评的广泛展开。关于《史记》《汉书》的批评，开这一时期史学批评之先河，同时反映了与前一时期史学批评的衔接；关于《三国志》的批评，则表明时人对它的关注。有关上述三部“正史”的批评，对后世均有一定的影响。同时，史学家们关于“史例”及国史“条例”的讨论，推动了有关史书编撰形式的评论。其中，关于史书起源问题的讨论，可谓时代特点使然，对后世多有启发。值得注意的是，关于史书内容和史家修养的各种批评意见，构成这时期史学批评的主要部分。而刘勰《文心雕龙·史传》篇，在总结此前史学发展历史的基础上，提出了史学发展中的一些重要问题，可视为一篇史学批评史论纲，堪为中国史学批评初步发展阶段的标志性成果。

这时期在史学批评方面提出的主要概念和观念是：素心，信史，烦省，评论，以意为主、以文传意，以及由立典五志论演变而来的书契五善论（达道义，彰法式，通古今，表功勋，旌贤能）和注史四旨论（以补其阙，以备异闻，以惩其妄，有所论辩），等等。

第三阶段：中国古代史学批评的深入发展（隋唐时期）。唐初关注对以往众家晋史与南北朝时期所撰正史的批评，反映了在政治统一局面下历史撰述的新的要求，由此奠定了这一时期史学批评的宏大气势。《隋书·经籍志·史部》对十三类历代史书的评论，是中国史学批评史上最早的和最全面的总结；其史部大序对史官职责的表述，反映了史家对历史撰述的高度重视。关于“史才三长”学说的提出与“良史”观念的发展，增进了人们对史学主体的认识；关于治学宗旨的讨论，凸显了经世致用的史学思想；关于史注家的史学批评意识，在这个时期的《史记》注、《汉书》注和《后汉书》注中，均有所发挥。以上这几个方面，均可视为史学批评深入发展的表现。而作为最有代表性的标志性著作，则是刘知幾的《史通》一书。这部“其为义也，有与夺焉，有褒贬焉，有鉴诫焉，有讽刺焉”[①] 的书，是一部成系统的史学批评著作，也可以看作是一部提出了许多重要问题的史学理论著作。它的重要性可用一句话概括，这就是刘知幾同时代人徐坚说的：“居史职者，宜置此书于座右。”[②]

这一时期在史学批评方面提出的主要概念和观念有：直书，曲笔，鉴识，探赜，疑古，惑经，以及史学功用论，史才三长论（才、学、识），史之有例犹国之有法论，史之称美者以叙事为先论，史官辨职论，编年纪传论，师古与随时（稽古与随时）论，行状不实论，等等。

第四阶段：中国古代史学批评的兴盛（五代两宋时期）。从五代后晋开运二年（945）《旧唐书》面世，至宋仁宗嘉祐五年（1060）《新唐书》撰成刊行后，围绕两《唐书》、两《五代史》的修撰与比较而展开的史学批评，受到学人的关注。而《资治通鉴》的撰成则直接促进了史学批评的发展，不论是司马光的自述，还是宋神宗的评论，都产生了很大影响。由此“通鉴学”勃然兴起，朱熹、杨万里的相关评论又昭示了新的史书体裁，即纲目体、纪事本末体的出现。郑樵、李焘的史学批评，前者上承

① 刘知幾：《史通·自叙》，浦起龙《史通通释》本，上海古籍出版社2009年版，第271页。
② 刘昫等：《旧唐书》卷一〇二《刘子玄传》，中华书局1975年版，第3171页。

司马迁，后者接续司马光，进一步丰富了史学之“通”的观念。《册府元龟》国史部总序及各门小序，对史学的由来、社会功用、史官职责、作史原则、撰述流程中的种种情况等作了概括和评论，显示了类书中蕴含的史学批评思想，凸显出“史学事业”的新观念。晁公武称：“日夕躬以朱黄，雠校舛误。终篇，辄撮其大旨论之。”[1] 这是目录学家、文献学家之学术批评思想积累以至形成的艰辛历程。高似孙的《史略》一书，以重视评史书、论史学而显示出自身特色，表明了鲜明的史学批评意识。欧阳修不理会他人对其爱好金石学的嘲讽，坚持《集古录》的研究和撰述；而赵明诚《金石录序》进而申言，“盖史牒出于后人之手，不能无失，而刻词当时所立，可信不疑”，具有“考其异同”的作用；赵明诚夫人李清照在此书后序中写道，此书“是正讹谬，去取褒贬，上足以合圣人之道，下足以订史氏之失者，皆载之，可谓多矣”[2]。综上，类书、目录书和金石之学中包含的史学批评，是这时期史学批评的特点。宋代学人撰写了大量的史料笔记，其中多有自觉的补史意识和史学批评思想，是这时期史学批评走向兴盛的一个重要方面。宋代文学之士关注史学，通观其所批评，往往得失两存，但有胜于无，重在分析和判断。

这时期在史学批评方面提出的主要概念和观念有：公正，议论，记注，疏谬，不实，非才，法世，会通，以及信史论，史学

---

① 晁公武：《郡斋读书志》衢本序，孙猛《郡斋读书志校证》本，上海古籍出版社 2011 年版，第 15 页。

② 赵明诚：《金石录》，金文明《金石录校证》本，广西师范大学出版社 2005 年版，第 1、531 页。

源起论，良史“四足”论（明、道、智、文），纪事本末论，史法论，作史三原则论（事实、褒贬、文采），等等。

第五阶段：中国古代多民族史学发展与史学批评（辽夏金元时期）。中国是一个多民族国家，自秦汉起成为不断发展的统一的多民族国家。因地理条件、历史环境、文明进程的差别，各民族史学的发展迟速不一。由于文字的困难和文献的不足，我们对民族史学尚缺乏较深入的研究。本书第五卷凭借汉文的有关记载，试图在民族史学与史学批评领域作初步的研究，俾使这时期的史学批评占有其特定的位置。应当强调的是，这时期的史学批评既受中原文化的影响，也有各民族的文化基础。民族史学在史学思想、史学批评意识方面，或许在针对性和具体表述上存在一定的差异，但在本质上却是一致的。中国史学上的经典文献、著名史家以及史学观念和史学研究方法等，都是民族史学发展中的评论对象。《辽史·文学传上·萧韩家奴传》记：辽兴宗“又诏译诸书，韩家奴欲帝知古今成败，译《通历》《贞观政要》《五代史》”[①]。这里自然包含萧韩家奴对这些历史著作的评论。同书《列女传》记：“耶律氏，太师适鲁之妹，小字常哥。幼爽秀，有成人风。及长，操行修洁，自誓不嫁。能诗文，不苟作。读《通历》，见前人得失，历能品藻。”[②]《通历》是中唐晚期史家马总所撰的一部简明的编年体通史，耶律常哥读而又能“品藻”，说明对其有深刻的认识。《金史·世宗本纪中》记：“上谓

① 脱脱等：《辽史》卷一〇三《文学传上》，中华书局1974年版，第1450页。
② 脱脱等：《辽史》卷一〇七《列女传》，中华书局1974年版，第1472页。

宰臣曰：‘近览《资治通鉴》，编次累代废兴，甚有鉴戒，司马光用心如此，古之良史无以加也。’”① 同书《世宗本纪下》记：“上谓宰臣曰：‘朕近读《汉书》，见光武所为，人有所难能者。……此其度量盖将大有为者也，其他庸主岂可及哉。’”② 这里所记当指范晔《后汉书》所叙史事。金世宗对《资治通鉴》《后汉书》的评论当不止于此。《元史·仁宗本纪一》记：仁宗为皇太子时“有进《大学衍义》者”，仁宗认为“‘治天下，此一书足矣。’因命……刊行，赐臣下”。③ 这个评论虽有些夸张，但表明了元仁宗对此书的重视。又，《元史·察罕传》记元仁宗同史官察罕有这样一段对话：

> 帝尝问张良何如人。对曰：“佐高帝，兴汉，功成身退，贤者也。”又问狄仁杰。对曰：“当唐室中衰，能卒保社稷，亦贤相也。”因诵范仲淹所撰碑词甚熟。帝叹息良久曰：“察罕博学如此邪！”尝译《贞观政要》以献。帝大悦，诏缮写遍赐左右。且诏译《帝范》。④

上文举出的几个实例，生动地反映出中国历史上的历史文化认同之思想传统的真实存在，同时也反映了与民族史学相关联的记述中史学批评思想的真实存在。

---

① 脱脱等：《金史》卷七《世宗本纪中》，中华书局 1975 年版，第 175 页。
② 脱脱等：《金史》卷八《世宗本纪下》，中华书局 1975 年版，第 202 页。
③ 宋濂等：《元史》卷二四《仁宗本纪一》，中华书局 1976 年版，第 536 页。
④ 宋濂等：《元史》卷一三七《察罕传》，中华书局 1976 年版，第 3311 页。

元初，马端临著《文献通考》，其《经籍考》多引“晁氏曰”“陈氏曰”，反映了对前人史学批评的重视。马端临对前人著述抱有宽厚、平实的态度，认为“编简浩如烟埃，著述自有体要，其势不能以两得也”，“时有古今，述有详略”。[①] 这是表明史书体裁不同和时代不同，著述亦自不同，不应苛求前人，显示出实事求是的史学批评方法论。

这时期在史学批评方面提出的主要概念和观念是：“史笔天下之大信”论，“宁可亡人之国，不可亡人之史”论，“自古帝王得失兴废，班班可考者，以有史”论，“事”与“道”关系论，文献论，“理”（义理、事理、文理）“情”（人情）评判标准论，“心术”为修史之本论，等等。

第六阶段：中国古代史学批评的拓展（明时期）。这时期的史学批评，从洪武元年（1368）明太祖朱元璋诏修《元史》，至明末朱明镐《史纠》面世，贯穿了整个明朝的历史。关于前朝正史的修撰与评论，由《元史》上溯元修三史、两《五代史》、两《唐书》，直至《史记》，显示出中国古代史学批评史之连续性的特点。关于修撰本朝史过程中的评论，既表明时人对史学认识的深入，也表明存在各种歧见。随着思想史研究的发展，辩证思维在史学批评领域也有突出的表现。王世贞论国史、野史、家史的得失可谓经典之论，凸显了中国古代史学批评在方法论上的成就。关于刘知幾《史通》的研究和评论在这时期形成第一个

① 马端临：《文献通考序》，中华书局2011年版，书首第1页。

高潮，而相关专书的问世，凸显了批评之批评的活力。与此相关的是多种有关史学批评、史学理论的文献整理汇编的成果涌现出来，以及对有关概念的讨论等。以上这几个方面，不仅可以使人们看到明代史学批评的开拓、进展，同时也可以使人们看到以往被长期忽略的一个积极的史学倾向：明代学人对理论的兴趣。正是这几个方面，使人们看到中国古代史学批评发展的前景。

在明代学人所编的目录书中，用“批评”一词冠以书名者，并不是偶然现象，如《批评后汉书》《批评自警编》[①]，前者是批评史书，后者应是就自我修养而作。

尤其值得关注的是，明朝末年，学人在书名上冠以“批评”一词的现象更为普遍。据明崇祯刻本张溥所著《历代史论》中，二编目录附《正雅堂古今书目》所载，冠以“批评”一词的书名有：

批评二十一史全部（嗣出）

批评仪礼经传集解

批评礼书乐书

批评文献通考

批评通志略

批评杜氏通典

① 参见祁承㸁：《澹生堂读书记》《澹生堂藏书目》，郑诚整理本，上海古籍出版社 2015 年版，第 355、373 页。

批评函史[1]

此外，还有与“批评”相类，但以“批论”或“评选”等为名的书目。

这些批评类书籍的出现在一定意义上并非偶然。在明代科举考试中，考试官须在试卷上写下批语以示去取。这些批语有时即称为“批评”。例如，史书记载，张居正诸子参加科考时，非但请人代考，而且“临场监试官又加意誊朱、分别式样，以授主司圈点批评，列置首卷”[2]。批评试卷成为当时普遍存在的现象。山西人孔天胤因“善批评试卷”[3] 而有所闻名。

或许正是这个原因，这些在书名上常有“批评”字样的书，在《明史·艺文志》中少有著录。尽管如此，前述书目表明，至迟在晚明至明末，学人在治学与撰述中，在书名上冠以“批评”一词，已经不是个别现象了。

这时期在史学批评方面提出的主要概念和观念有：“人恣”与“蔽真”、“人臆”与“失真”、“人谀”与“溢真”，史权，平心，公议，公实，笔正，历史评价无是非论，“经史一物”论，“六经皆史”论，评史著四旨论（据、实、慎、忠），史家修养五要素论（才、学、识、公心、直笔），“务成曩美，毋薄前修”论，等等。

---

① 张溥：《历代史论》二编目录附《正雅堂古今书目》，杭州大学图书馆藏明崇祯刻本。

② 魏允贞：《条陈救弊四事乞赐采纳以弘治道疏》，陈子龙等辑：《明经世文编》卷三八七，明崇祯平露堂刻本。

③ 李乐：《见闻杂记》卷一一，明万历刻、清修补本。

第七阶段：中国古代史学批评的集大成（清时期）。不论从成果上看，还是从思想上和理论上看，这都是中国古代史学批评的集大成时期。开一代学术风气的顾炎武，为有清一代的史学批评确定了新的起点；章学诚继续阐述“六经皆史”的观念，进一步打开了人们从史学的视角评论经书的思路；浦起龙的《史通通释》把《史通》研究推至新的高峰，在史学批评领域产生重大影响。四库馆臣所撰《四库全书总目》史部书“提要”包含了丰富的史学批评思想，值得认真发掘，合理继承。其“史评类”兼收历史评论与史学批评之书，这是需要厘清并分别进行研究的。这时期的考史名家各具风采：有的高擎“商榷”的旗帜，显露出批评的锋芒；有的则于平静和严谨的考史中，轻轻拂去前人著作中的讹误的“灰尘”，为的是显示出这些著作的“真”与“美”；有的则由疑古而批评，意在廓清古史书中的“迷雾”；有的则在考史和批评中，显露出历史理性精神，给治史者诸多启发。中国古代史学理论的集大成者章学诚提出了许多重要见解：以“史德”论补充刘知幾“史才三长”说；以“心术”论提醒治史者对历史的解释要保持在合理的范围之内；以“史意”同“史法”相对待，强调思想的重要；以“撰述”“记注”分史学两大“宗门”，表明“圆神”“方智”各有所长；以“通史家风”阐发中国史学“通古今之变”的传统；以“别识心裁”推重创新精神，显示出中国古代史学理论的多方面成就；等等。这时期，政论家、史论家、文章家和诗人龚自珍，站在通向近代历史之路的门槛，他的“欲知大道，必先为史”[①] 的庄严启示，可视为对中国古代史学成就及其功能最中肯的评论。

从整体的和发展的眼光来看，如果说刘知幾《史通》创造了史学批评的理论体系的话，那么清代的史学批评成就，则全面地、深入地把这一理论体系推进到一个新的阶段。

这时期在史学批评方面提出的主要概念和观念有：史德，史释，释通，通史家风，别识心裁，记注与撰述，史法与史意，尊史，以及“于序事中寓论断”论、“欲知大道，必先为史”论、“史者，垂于来今以作则”论、“史非一家之书，实千载之书，祛其疑，乃能坚其信”“指其瑕，益以见其美”论，等等。

中国古代史学的连续性发展为中国史学批评史提供了丰富的资料，中国古代史学批评史的存在又推动了中国史学的发展，也为中国古代史学理论的积累提供了思想遗产。中国史学就是在这种互动中不断开辟新的发展前景。

中国古代史学批评在其发展过程中，在不同阶段都会提出一些问题，而有些问题也可能是具有普遍性或规律性的，对于这些问题的研究与阐说，我们视之为横向上的会通。在许多问题中，下面这几个问题是比较重要的。

第一，史学批评作为一种史学现象，它产生的原因何在？刘知幾《史通·鉴识》篇认为“物有恒准，而鉴无定识”[②]，这着眼于批评的主体而言，说明不同的批评者对同一事物会有不同的

① 龚自珍：《龚自珍全集》第一辑《尊史》，上海古籍出版社 1975 年版，第 81 页。

② 刘知幾：《史通·鉴识》，浦起龙《史通通释》本，上海古籍出版社 2009 年版，第 189 页。

认识和评论；《史通·探赜》篇又说，“古之述者，岂徒然哉！或以取舍难明，或以是非相乱”①，这着眼于批评的客体而言，说明事物本身是复杂的，批评者面对复杂的事物难以确定取舍而作出是非判断。其《曲笔》篇着眼于主体，讲的是另外一些原因，主要指为史者的史风不正以致心术不正；其《采撰》篇着眼于客体，讲的也是另外一些原因，即“异辞疑事”本是客观存在。当然。不论着眼于主体的分析，还是着眼于客体的分析，或许还有更复杂的原因，这是史学批评研究者必须关注的；同样，对史学批评者的批评，也不能不顾及这些复杂的因素。

第二，怎样看待和分析史学批评主体提出问题的主要根源。如班彪、班固父子批评司马迁及其《史记》，是否根源于政治？唐太宗批评众家晋史，是否根源于社会？李大师、李延寿父子批评南北朝所修三部正史，是否根源于历史？刘知幾撰《史通》，把以往史学作为批评对象，是否根源于学术？柳宗元的《非国语》，是否根源于思想？这些原因之间存在怎样的联系？这是史学批评研究者不能不考虑并予以深究的。

第三，怎样看待史学批评的成果及其思想的社会意义、学术意义和理论意义。这是认识史学批评的本质所在，是史学批评史研究者需要运用自身的研究所得加以说明的。举例说来，自东汉以后，人们对司马迁《史记》的评论，如何影响中国人对自身历史的认识？《史记》对中国统一多民族国家的巩固、发展产生

① 刘知幾：《史通·探赜》，浦起龙《史通通释》本，上海古籍出版社2009年版，第194页。

了何等重要作用？司马迁提出的“究天人之际，通古今之变，成一家之言”的著史宗旨，对中国学术的发展具有怎样的学术意义和理论意义？等等。毋庸置疑，对于这些问题的深入阐释，史学批评的意义由此可以看得更加清楚。历史上的“汉书学”“通鉴学”及许多史学名著的批评史，都在不同程度上具有广泛的意义。中国古代史学批评史的研究，要努力发掘和阐说这方面的成果及其意义。

第四，怎样看待史学批评中出现的偏颇。如班彪、班固批评司马迁《史记》“是非颇缪于圣人”[①]。刘知幾《史通·古今正史》篇接受《北齐书·魏收传》的说法，认为魏收的《魏书》“世薄其书，号为‘秽史’”[②]，直至章学诚亦承此说。郑樵在力倡“会通之义”时，极力贬低断代为史，以至斥责班固是“浮华之士也，全无学术，专事剽窃”[③]。叶适《习学记言序目》批评司马迁破坏了古之“史法”，“古史学止于此矣”[④]。吴缜《新唐书纠谬》是为名作，其序文具有理论上的建树，但序文中批评《新唐书》“抵牾穿穴，亦已太甚”“修书之初，其失有八”[⑤]等，似有言过其实之嫌。张岱批评明代史学说：“有明一代，国史失诬，家史失谀，野史失臆，故以二百八十年，总成一诬妄之世界。”[⑥] 王鸣盛《十七史商榷》批评李延寿“学浅识陋”，所撰

① 班固：《汉书》卷六二《司马迁传》，中华书局1962年版，第2737–2738页。
② 刘知幾：《史通·古今正史》，浦起龙《史通通释》本，上海古籍出版社2009年版，第339页。
③ 郑樵：《通志总序》，见《通志二十略》，中华书局1995年版，第2页。
④ 叶适：《习学记言序目》卷一九《史记一》，中华书局1977年版，第264页。
⑤ 吴缜：《新唐书纠谬序》，《丛书集成初编》本，中华书局1985年版，第1页。
⑥ 张岱：《石匮书自序》，《琅嬛文集》，岳麓书社1985年版，第18页。

《南史》《北史》“疵病百出，不可胜言”，又说李延寿是“自谓于旧锦机中织出新花样”。[①] 王鸣盛还写了一篇很长的文章批评杜佑所撰《通典》，认为《通典》“既以刘秩书为蓝本，乃自序中只字不及，复袭取官书攘为己有，以佑之笔力，撰集非难，而又取之他人者若是之多，则此书之成亦可云易也”。又说：杜佑“所云‘辄肆荒虚，诚为亿度’者，佑每自蹈之”[②]，等等。类似这样的一些批评，从今天的学术观点看来，是否有偏颇以至错误之处？如有，则不仅需要指出错在哪里，还要指出何以会出现偏颇以致错误的。这就是说，不仅知其然，还要知其所以然，把主观的、客观的原因都考察明白，这样的史学批评史才近于史学发展的真实，才具有学术价值，才能给人以深刻的启示。

中国古代史学批评史上存在的问题不止于此，上面提到的几个问题是我们要多加关注，并力图给以清晰的阐说和中肯的评论的。我们在研究和撰述中，还会遇到其他的问题，均须根据本课题的宗旨和本书撰写的原则，具体问题具体分析，才可作出合理的论述。

三、研究的方法和研究的意义

任何一种科学研究，都应当重视研究的方法和研究的意义，

---

① 王鸣盛：《十七史商榷》卷五三“《新唐书》过誉南北史”条、卷六八“并合各代每一家聚为一传”条，上海古籍出版社 2013 年版，第 630、914 页。

② 王鸣盛：《十七史商榷》卷九〇“杜佑作《通典》”条，上海书店出版社 2005 年版，第 817 页。

方法是通向研究的目标并取得相应成果的途径。从一定意义上讲，方法的正确选择与始终坚持，是科学研究成功的关键。史学史研究如此，史学批评史研究也是如此。

说到研究方法的重要，这使我们想起1948年毛泽东致历史学家吴晗的一封信，信中针对吴晗所著《朱元璋传》写道：

> 大著阅毕，兹奉还。此书用力甚勤，掘发甚广，给我启发不少，深为感谢。有些不成熟的意见，仅供参考，业已面告。此外尚有一点，即在方法问题上，先生似尚未完全接受历史唯物主义作为观察历史的方法论。倘若先生于这方面加力用一番功夫，将来成就不可限量。[①]

信中用语很严谨，很讲究分寸，说“先生似尚未完全接受历史唯物主义作为观察历史的方法论”，说明《朱元璋传》的作者吴晗先生主观上开始关注历史唯物主义了，所以这里用了“尚未完全”，并在“完全”二字下方加了着重号。这封信给我们的启发是，如果能够自觉地运用“历史唯物主义作为观察历史的方法论”，在这方面多下功夫，那么在研究历史和研究史学方面，定能取得更大的进步和更好的发展。

历史唯物主义方法论对于历史研究具有重要的和广泛的指导意义。这里，我要强调两点，一是对历史的基本认识，二是把所

---

① 毛泽东：《致吴晗》（一九四八年十一月二十四日），中共中央文献研究室编：《毛泽东书信选集》，中央文献出版社2003年版，第284页。

研究的问题置于一定的历史范围内予以考察。

关于对历史的基本认识，恩格斯有这样一段论述：

> 正像达尔文发现有机界的发展规律一样，马克思发现了人类历史的发展规律，即历来为繁芜丛杂的意识形态所掩盖着的一个简单事实：人们首先必须吃、喝、住、穿，然后才能从事政治、科学、艺术、宗教等等；所以，直接的物质的生活资料的生产，从而一个民族或一个时代的一定的经济发展阶段，便构成基础，人们的国家设施、法的观点、艺术以至宗教观念，就是从这个基础上发展起来的，因而，也必须由这个基础来解释，而不是像过去那样做得相反。①

这就说明，人类的历史活动中第一位的是经济活动，上层建筑和意识形态都是在这个基础上得以建立和发展，因而也必须从经济活动的角度去加以解释。史学工作者不仅首先应当懂得这个道理，而且应当在这个理论指导下从事历史研究和史学活动。在这方面，侯外庐先生是我们学习的榜样，他在总结自己的治史道路和治史方法时，首先写道："从历史唯物主义观点来看，思想是存在的反映。历史从哪里开始，思想进程也应从哪里开始。因此，社会历史的演进与社会思潮的发展是相一致的。例如，西周的官学、春秋时代的搢绅之学、战国时代的诸子并鸣之学、两汉

---

① 恩格斯：《在马克思墓前的讲话》（1883 年 3 月 17 日），《马克思恩格斯文集》第三卷，人民出版社 2009 年版，第 1002 页。

的经学、魏晋的玄学、隋唐的佛学、宋明的理学、明清之际的早期启蒙思潮以及近代的各种社会思潮，都是和中国历史自身的演进相联系的。因此，我的具体方法是，在研究社会史的基础上，注重对社会思潮作比较全面的考察，力图把握社会思潮与社会历史的联系及其所反映的时代特点，进而研究不同学派及其代表人物的思想特色和历史地位。”[①] 概括说来，这段话的核心思想是指出思想史的研究应当以社会史研究为基础，这一方面是使思想史的研究有了社会基础，另一方面也能更好地说明不同历史时期的思想的特点。这是非常明确的和具体的以历史唯物主义方法论为指导，提出了中国思想史研究的方法和步骤。中国史学史、中国史学批评史研究，同样应当以对中国社会史的认识为基础；对于史学史、史学批评史的解释，也应当以对社会史的认识为主要依据。必须承认，史学史研究者和史学批评史研究者在这方面还应当下大功夫、用大气力，把研究工作不断向前推进，而本书的撰述就是一个很好的机会。

把所要研究的对象置于相应的历史范围之内进行考察，这是历史研究与史学研究实事求是的表现，是历史唯物主义方法论的原则之一，即“在分析任何一个社会问题时，马克思主义理论的绝对要求，就是要把问题提到一定的历史范围之内”[②]。简而言之，这个“绝对要求”，就是强调历史地看待历史的方法。就以中国史学批评史的研究来说，历史上的批评者们所批评的对

① 侯外庐：《侯外庐史学论文选集自序》（上），人民出版社 1987 年版，第 12 页。
② 列宁：《论民族自觉权》，《列宁全集》第二十五卷，人民出版社 1988 年版，第 229 页。

象，大多是历史上的存在；而史学批评史的研究者所研究的批评者，自亦都是历史上的存在。对于前一种“历史上的存在”，我们不能对当时的研究者提出“绝对要求”，此当毋庸置疑；而对于后一种“历史上的存在”，我们作为研究者就应当自觉地遵循这一“绝对要求”。这种区别，正是反映了“要把问题提到一定的历史范围之内”的原则。在这个问题上，马克思主义理论之所以提出“绝对要求”，是因为只有这样才能获得对历史真相至少是近于历史真相的认识；如果离开了这一“绝对要求”，其结果必然是脱离了认识历史真相的路径。史学批评史的研究只有把历史上的批评者置于其所在历史范围之内进行考察，才能获得真知。因此，对于“绝对要求”的“绝对”遵循，就是十分自然的事情了。

在历史唯物主义方法论的指导和运用前提下，我们还要借鉴前人提出来的有益的方法。如刘知幾重视体例而且善言体例，他强调说：“史之有例，犹国之有法。国无法，则上下靡定；史无例，则是非莫准。”①《史通》全书尤其是内篇，大多在论述史书的体例和修史的体例，在讲体例的过程中广泛地涉及史学的其他问题。史学批评史的研究也要重视体例：一是判断研究对象的体例和体例思想；二是要求我们自身在撰述中遵循既定的体例，既要关注局部的体例，也要关注局部之体例与全局之体例的协调及其一致性。总之，刘知幾的体例思想是应当借鉴的。此外，刘知

① 刘知幾：《史通·序例》，浦起龙《史通通释》本，上海古籍出版社2009年版，第81页。

幾提倡全面看问题的方法，也是值得借鉴的。刘知幾认为，历史撰述应坚持“爱而知其丑，憎而知其善，善恶必书，斯为实录”[①] 的原则。这种具有一定的辩证思维的方法，在史学批评领域的运用具有特殊的重要性，它是帮助史学批评史研究者避免走向武断和片面的忠诚“卫士”。

再如章学诚关于知人论世的思想和方法，同样是值得借鉴的。他举出人们所熟知的正统问题为例，说明处在不同时期的人，一般都会有当时的认识和处置的方法，这是研究者与批评者所必须注意的。他这样写道：

> 昔者陈寿《三国志》，纪魏而传吴、蜀，习凿齿为《汉晋春秋》，正其统矣。司马《通鉴》仍陈氏之说，朱子《纲目》又起而正之。“是非之心，人皆有之。”不应陈氏误于先，而司马再误于其后，而习氏与朱子之识力，偏居于优也。而古今之讥《国志》与《通鉴》者，殆于肆口而骂詈，则不知起古人于九原，肯吾心服否邪？陈氏生于西晋，司马生于北宋，苟黜曹魏之禅让，将置君父于何地？而习与朱子，则固江东南渡之人也，惟恐中原之争天统也。诸贤易地则皆然，未必识逊今之学究也。是则不知古人之世，不可妄论古人文辞也。知其世矣，不知古人之身处，亦不可以遽论其文也。身之所处，固有荣辱隐显、屈伸忧乐之不齐，而言

① 刘知幾：《史通·惑经》，浦起龙《史通通释》本，上海古籍出版社2009年版，第374页。

之有所为而言者，虽有子不知夫子之所谓，况生千古以后乎？圣门之论恕也，“己所不欲，勿施于人”，其道大矣。今则第为文人，论古必先设身，以是为文德之恕而已尔。①

章学诚的这一段论述，有事实、有分析，不仅指出了陈寿、司马光同习凿齿、朱熹在正统问题的认识上和处置上的不同，而且从历史环境的差异指出二者不同的原因。这样，就做到了不仅知其然而又知其所以然。章学诚把这种思想和方法概括为“论古必恕”。这就是我们前面已经说到的“要把问题提到一定的历史范围之内”。以马克思主义理论的“绝对要求”同中国史学批评史上名家的认识相结合，这个问题的重要性及其方法论意义显得越发清晰和易于理解。

历史是复杂的，史学批评的现象也是复杂的。这就要求我们在研究和撰述过程中，针对具体问题作具体的分析。比如：

——对同一批评对象有所肯定，有所否定。这种情况，在中国史学批评史上所见甚多，如班彪、班固父子评论司马迁《史记》，范晔评论班固《汉书》，都属于这种情况。从他们的批评中，对其肯定与否定之方方面面，都会激起人们的思考，不论赞成或不赞成这些肯定与否定，人们都会凭借自己的认识提出一些根据，这些认识和根据一旦写成文字，流传开来，又会引起更多的人的思考，从而促进了人们对历史、对史学的深入认识。在这

① 章学诚：《文史通义·文德》，叶瑛《文史通义校注》本，中华书局2014年版，第324-325页。

方面，刘知幾的《史通》和王鸣盛的《十七史商榷》，给人们提供了足够的思考空间。从整体面貌来说，这两部书在有所肯定也有所否定方面，显得很突出。如《史通·二体》篇论编年、纪传的长处和短处时，讲得很辩证；其《直书》《曲笔》则是对两种不同的作史态度进行分析；而《杂述》篇又对各种短书小说的文献价值作了全面的评论；等等。这些都给人以深刻的启示。刘知幾说他的《史通》是“商榷古今”，这种“商榷”的理念和态度是极可取的。王鸣盛的《十七史商榷》和赵翼的《廿二史札记》，都是在“正史”范围内进行商榷，是其所是，非其所非，给后人留下了许多启发和许多可以进一步研究、探索的问题。

——对同一批评对象中的缺点，作有根据的否定。这在史学批评现象中也是常见的，从史学史来看，吴缜的《新唐书纠谬》和《五代史纂误》可视为代表作。当然，这决不是说，吴缜的这两部书没有任何缺点，但总的来说，吴缜所“纠”之“谬”、所“纂”之“误”，大多可以成立，有一定的参考价值。

——对比较研究的对象作全面的、辩证的分析。如果说上一种史学批评方法给我们以某种警示，那么这里说的比较研究中的方法，则给我们以深刻的启示。明代史家王世贞比较国史、野史、家史的长短得失时，很客观地考虑到它们各自产生的条件，以及由于这种不同的条件使它们自身各具特点，并对此作了辩证的分析。这不仅在史学批评的方法论上给人们很大启发，而且在理论上也提出了很有价值的结论，至今仍有重要的参考意义。

当然，在史学批评中，也有一些不妥当的，甚至是错误的做法。比如：

有一种情况是，对比较的对象作绝对肯定与绝对否定的评价。比较研究，是开展史学批评的一个必要的和有效的方法。正确的态度，应当是对比较的对象作全面的分析，从而得到较公允的结论。在中国史学上，有的比较研究者，对比较的对象进行评价时陷于绝对肯定与绝对否定的境地，虽然在理论上也有所建树，但毕竟其运用的这种研究方法是一种片面的方法。如郑樵是一位很有成就的史学家，他的《通志二十略》具有重要的开创性意义。但是，我们注意到他那篇影响极大的《通志总序》，对司马迁《史记》作绝对的肯定，对班固《汉书》作绝对的否定，在比较研究的方法上，以及对评论对象的全面认识上，都给人留下了不少遗憾。

还有一种情况是，对同一评论对象从整体上作无根据的全部否定。这在史学批评上也时有所见。北齐魏收《魏书》被斥为“秽史”，唐太宗全部否定当时所见十八家晋史，明代学人不满本朝史学以至于说明朝无史学，等等，都应作具体分析。

这里，还有必要提到章学诚关于“文辞”的见解，尽管这并不是一个直接涉及治史的方法问题，但多少还是和方法有一定的联系。章学诚认为：“文辞非古人所重，草创讨论，修饰润色，固已合众力而为辞矣。期于尽善，不期于矜私也。”[①] 章学

---

① 章学诚：《文史通义·说林》，叶瑛《文史通义校注》本，中华书局1994年版，第347页。

诚引用春秋时期郑国大夫子产等人重视文辞而共同努力的典故，[①] 所以说这是“期于尽善，不期于矜私”。换言之，孔子说到这件事，正是肯定子产等人的“合众力而为”所带来的成功。这是不是也可视为重视文辞的一种表现？尤其是志同道合的一个群体对同一领域进行研究，其著述真正做到了“合众力而为辞”，同样是值得称道的。而“期于尽善”正是大家共同努力的目标。

进而言之，在中国史学上，“文辞”为古人所重而又期于“矜私”者，并非无人。历来认为，班固是极重文辞的史学家，他认为自己所著《汉书》具有“函雅故，通古今，正文字，惟学林”[②] 的特点，就含有重文辞的因素。《后汉书》作者范晔也是重“文辞”的史学家，他自称“吾杂传论，皆有精意深旨，既有裁味，故约其词句”[③]。范晔的这几句话，当是也包含着讲究“文辞”的意蕴。班、范在这方面的成就，在以下叙述的事实中可以得到证明，即南朝梁人萧统在《文选》序中特意讲道：“至于记事之史，系年之书，所以褒贬是非，纪别异同，方之篇翰，亦已不同。若其赞论之综缉辞采，序述之错比文华，事出于沉思，义归乎瀚藻，故与夫篇什。”[④] 萧统在《文选》的卷四十九和卷五十专设“史论上”和“史论下”，分别收入班固的《汉书·公孙弘传》赞一首，干宝的《晋武帝革命论》一首、《晋

① 参见《论语·宪问》，杨伯峻《论语译注》本，中华书局1958年版，第154页。
② 班固：《汉书》卷一〇〇《叙传》，中华书局1962年版，第4271页。
③ 沈约：《宋书》卷六九《范晔传》，中华书局1974年版，第1830页。
④ 萧统编：《文选》，李善注本，中华书局1977年版，第2页。

纪》总论一首，范晔《后汉书·皇后纪》论一首（以上“史论上”），以及范晔《后汉书》“二十八将传论”一首、《宦官传》论一首、《逸民传》论一首，沈约《宋书·谢灵运传》论一首、《恩倖传》论一首，班固《汉书》述《高祖纪》赞一首、述《成纪》赞一首和述“韩、彭、英、卢、吴传”赞一首，范晔《后汉书·光武纪》赞一首。[①] 这不仅表明萧统对“史论”的重视，也包含他对所收入之论、赞的欣赏。近代学人如鲁迅称赞《史记》是“史家之绝唱，无韵之离骚”[②]，梁启超感叹司马光《资治通鉴》把历史写得“飞动”起来[③]，都是大家所熟知的评论。如此看来，章学诚说的“文辞非古人所重”的论断，似非确论。

20世纪70年代末，白寿彝先生主编《中国通史纲要》一书，对文字表述提出一个总的原则：平实。而平实的具体要求是：明白、准确、凝练。明白是基础，准确是关键，凝练是提高。[④] 可以认为：一个学术群体，可以尝试以平实为风格，以明白、准确、凝练为要求，在史学著作的文字表述上，探索一条“合众力而为辞”的新路径。

在中国史学批评史上，还有一种现象也是值得关注的，这就是史学批评者的历史命运及身后影响。如刘知幾撰《史通》，有

---

① 萧统编：《文选》，李善注本，中华书局1977年版，第686-707页。

② 鲁迅：《汉文学史纲要》，见《鲁迅全集》第九卷，人民文学出版社1981年版，第420页。

③ 梁启超：《中国历史研究法补编》，《饮冰室合集》专集之九十九，中华书局1989年版，第27页。

④ 参见瞿林东：《白寿彝与二十世纪中国史学》，高等教育出版社2012年版，第339页。

人“深重其书”，认为“居史职者，宜置此书于座右”[①]。而唐末人柳璨则认为“刘子玄所撰《史通》讥驳经史过当”，于是“纪子玄之失，别为十卷，号《柳氏释史》，学者伏其优赡”。时人“以其博奥，目为‘柳箧子’”[②]。《旧唐书》作者如此称赞柳璨，自亦影响对刘知幾的评价，说刘知幾“工诃古人而拙于用己”[③]就是“顺理成章”的事情了。然而，经过明代学者郭孔延撰《史通评释》、王惟俭撰《史通训故》和清代学者浦起龙撰《史通通释》，《史通》的学术地位经过学术史的检验而逐步得到提高，为学界所认可。

再如柳宗元著《非国语》，目的在于“救世之谬”。他在《非国语序》中写道：“余惧世之学者溺其文采而沦于是非，是不得由中庸以入尧舜之道，本诸理作《非国语》。”[④]然而，《非国语》问世后，既有人反其道而行之作《是国语》[⑤]，更有人针锋相对地作《非〈非国语〉》。如宋人江惇礼撰《〈非国语〉论》，苏轼表示赞同说：“鄙意素不然之，但未暇为书尔。”[⑥]元人虞集之弟槃“尝读柳子厚《非国语》，以为《国语》诚非，而柳子之说亦非也，著《非〈非国语〉》”[⑦]。这些，反映了宋元

---

① 刘昫等：《旧唐书》卷一〇二《刘子玄传》，中华书局1975年版，第3171页。

② 刘昫等：《旧唐书》卷一七九《柳璨传》，中华书局1975年版，第4669-4670页。

③ 欧阳修、宋祁：《新唐书》卷一三二《刘知幾传》，中华书局1975年版，第4542页。

④ 柳宗元：《柳河东集》卷四四，上海人民出版社1974年版，第746页。

⑤ 脱脱等：《宋史》卷二〇二《艺文志一·春秋类》著录：“叶真《是国语》七卷”，中华书局1977年版，第5058页。

⑥ 苏轼：《与江惇礼秀才》，见张志烈等主编：《苏轼全集校注·文集八》第十七册，河北人民出版社2010年版，第6264页。

⑦ 脱脱等：《元史》卷一八一《虞集传附虞槃传》，中华书局1976年版，第4182页。

学人对《非国语》的指摘。

明人黄瑜在其《双槐岁钞》一书中，归纳上述史事，作《非〈非国语〉》小札，写道：

宋刘章尝魁天下，有文名，病王充作《刺孟》、柳子厚作《非国语》，乃作《刺〈刺孟〉》《非〈非国语〉》。江端礼亦作《非〈非国语〉》。东坡见之曰："久有意为此书，不谓君先之也。"元虞槃亦有《非〈非国语〉》，是《非〈非国语〉》有三书也。同邪异邪，岂绍述而剿取之邪？求其书，不可得，盖亦罕传矣。今以子厚之书考之，大率辟庸蔽怪诬之说耳，虽肆情乱道时或有之，然不无可取者焉。[①]

黄瑜一方面说柳宗元《非国语》"大率辟庸蔽怪诬之说"，另一方面又说《非国语》"肆情乱道时或有之"，但他毕竟承认《非国语》"不无可取者"，比前人已进了一步。

著名历史学家侯外庐先生就《非国语》中的一篇《三川震》的理论价值写道：

柳宗元不仅肯定"天地"为物质的自然存在，而且在自然运动问题上提出了"自"的观点，即自然自己运动的观点。……

① 黄瑜：《双槐岁钞》卷六，中华书局1999年版，第122页。按：江端礼疑为江惇礼之误。

> 按“自”这一范畴，取之于道家，王充以来的旧唯物主义者对它作了唯物主义改造，以与“天”意的“故”作（有目的有意志的最初推力）对立起来。柳宗元的这种自然自己的运动观，更含有朴素辩证法因素。在自然界运动的根源问题上，他继承并发展了王充的传统，肯定无穷的阴阳二气在宇宙间不断运动，必然呈现出各种形态（如“动”与“休”、“峙”与“流”等等），它们并不受任何意志力的支配，而是“自动自休，自峙自流”，“自斗自竭，自崩自缺”，这八个“自”的四对命题是超越前人的理论。①

这是从思想史上对柳宗元所提出的“自”的范畴之极高的评价，也在一定程度上对柳宗元《非国语》在中国古代思想史和史学批评史上的地位作了明确的肯定。

上述事例表明，史学批评家的“历史命运”往往是曲折多变的。但史学批评史确也表明，凡有价值的史学批评，终究是站得住的，是有生命力的。

四、探索学科话语体系的构建

在本书的撰述过程中，我们要努力探索在唯物史观指导下，为中国史学批评史话语体系的构建作知识上和理论上的积累。

---

① 侯外庐：《柳宗元哲学选集》序，中华书局香港分局1976年版，书首。

首先，是如何对待中国史学遗产问题，这是首要问题。其中道理很简单，因为是讲的中国史学批评史，其话语体系构建的基本素材、内容、概念体系自亦建立在中国史学遗产的基础之上。早在八十多年前，毛泽东在《中国共产党在民族战争中的地位》一文中强调指出：

> 学习我们的历史遗产，用马克思主义的方法给以批判的总结，是我们学习的另一任务。我们这个民族有数千年的历史，有它的特点，有它的许多珍贵品。对于这些，我们还是小学生。今天的中国是历史的中国的一个发展；我们是马克思主义的历史主义者，我们不应当割断历史。从孔夫子到孙中山，我们应当给以总结，承继这一份珍贵的遗产。这对于指导当前的伟大的运动，是有重要的帮助的。[①]

毛泽东是在全面抗日战争初期民族危机深重的历史条件下写下的这段话。今天，在中华民族走向伟大复兴的征程中，我们重温这段话，更加深刻地领会到毛泽东的高瞻远瞩和对中华民族前途的坚定信念。从毛泽东的上述论点来看，重视史学遗产的研究，应是中国史学批评史话语体系构建中的第一个层面，没有这个层面的研究，则上述构建云云，说得严重一点，也只能是纸上谈兵。

---

① 毛泽东：《中国共产党在民族战争中的地位》，《毛泽东选集》第二卷，人民出版社 1991 年版，第 533-534 页。

其次，从史学遗产研究中揭示或提炼出与相关学科密切联系的概念和观念，是构建该学科话语体系的重要环节。马克思主义认为：

> ……概念、判断和推理的阶段，在人们对于一个事物的整个认识过程中是更重要的阶段，也就是理性认识的阶段。认识的真正任务在于经过感觉而到达于思维，到达于逐步了解客观事物的内部矛盾，了解它的规律性，了解这一过程和那一过程间的内部联系，即到达于论理的认识。重复地说，论理的认识所以和感性的认识不同，是因为感性的认识是属于事物之片面的、现象的、外部联系的东西，论理的认识则推进了一大步，到达了事物的全体的、本质的、内部联系的东西，到达了暴露周围世界的内在的矛盾，因而能在周围世界的总体上，在周围世界一切方面的内部联系上去把握周围世界的发展。
>
> 这种基于实践的由浅入深的辩证唯物论的关于认识发展过程的理论，在马克思主义以前，是没有一个人这样解决过的。马克思主义的唯物论，第一次正确地解决了这个问题，唯物地而且辩证地指出了认识的深化的运动，指出了社会的人在他们的生产和阶级斗争的复杂的、经常反复的实践中，由感性认识到论理认识的推移的运动。[①]

---

① 毛泽东：《实践论》，《毛泽东选集》第一卷，人民出版社1991年版，第285-286页。

这是马克思主义关于人的认识发展的科学的、精辟的论说。我们的先人不可能达到这样的认识高度，但从人的认识发展规律来看，他们也会自觉或不自觉地提出一些概念和观念，而后人则可根据这些概念和观念并结合自身所处的时代，考察这些概念和观念是怎样被提出来的，这些概念和观念是在怎样的程度上反映了那个时代的社会状况和人们的思想面貌的。

如《左传·宣公二年》记："赵穿攻灵公于桃园。宣子未出山而复。大史书曰：'赵盾弑其君。'以示于朝。宣子曰：'不然。'对曰：'子为正卿，亡不越竟，反不讨贼，非子而谁？'宣子曰：'呜呼！《诗》曰：我之怀矣，自诒伊戚。其我之谓矣。'孔子曰：'董狐，古之良史也，书法不隐。赵宣子，古之良大夫也，为法受恶。惜也，越竟乃免。'"[①] 从史学批评史的视角来看，这一记载中提出的重要概念，一是"良史"，一是"书法不隐"。这两个概念在中国史学史上有很大影响。但是，人们对这两个概念被提出来的历史背景却讨论得不多，以至于产生了种种歧义：有的观点认为，孔子只是表彰董狐"书法不隐"，并未称赞赵盾；有的观点认为，赵盾本是杀死晋灵公的幕后指挥与同党，不应受到赞扬；还有的观点认为，赵盾的罪名不论其"越境"与否，都是免不了的，《左传》这种记载表明《左传》作者见识的低下。[②] 笔者甚至还曾见过一篇未刊稿，认为董狐是在曲笔记载史事，因为赵盾并未"弑君"。上述诸多歧见的出现，多

---

① 《左传·宣公二年》，杨伯峻《春秋左传注》本，中华书局1981年版，第662—663页。

② 参见傅隶朴：《春秋三传比义》，中国友谊出版公司1984年版，第151—154页。

是因为没有对这一事件发生的时代及其特点作出考察，而是就事论事。其实，只要把这一事件放到它所处的春秋时期加以考察，董狐、赵盾、孔子的言行，都可迎刃而解，而这个“刃”就是“礼”。“礼”是当时的社会伦理准则，在“礼”的笼罩之下，董狐反驳赵盾的话是合于“礼”的，孔子赞扬董狐“书法不隐”也是合于“礼”的，孔子惋惜赵盾“为法受恶”则是从另一个角度来维护“礼”的。总之，把《左传》的这一记载置于当时历史条件下来看，自然是合理的。准此，则对于孔子提出的“良史”和“书法不隐”这两个概念就应作历史的看待。这从后人对司马迁的评价中可以看出有关概念内涵的变化。《汉书·司马迁传》记：“然自刘向、扬雄博极群书，皆称迁有良史之材，服其善序事理，辨而不华，质而不俚，其文直，其事核，不虚美，不隐恶，故谓之实录。”[①] 这里说的“良史”，包含了多种因素，已不同于“礼”笼罩下的“良史”；这里说的“其文直，其事核”等，也不同于“礼”笼罩下“书法不隐”所记载的史事。

然而，问题在于，上述概念在古人那里往往是模糊的，如《周书·柳虬传》记史官柳虬上疏写道：“古者人君立史官，非但记事而已，盖所以为监诫也。动则左史书之，言则右史书之，彰善瘅恶，以树风声。故南史抗节，表崔杼之罪；董狐书法，明赵盾之愆。是知直笔于朝，其来久矣。”[②] 又如刘知幾《史通·直书》篇写道：“如董狐之书法不隐，赵盾之为法受屈，彼我无

① 班固：《汉书》卷六二《司马迁传》，中华书局1962年版，第2738页。
② 令狐德棻：《周书》卷三八《柳虬传》，中华书局1971年版，第681页。

忤，行之不疑，然后能成其良直，擅名今古。”“若南、董之仗气直书，不避强御；韦、崔之肆情奋笔，无所阿容。”[①] 文中还有“征诸直词”“务在审实”等说法。由此可以看出，不论是柳虬还是刘知幾，对于“董狐书法”或“书法不隐”与“直笔于朝”或“征诸直词”之间的界限是模糊不清的。

上述事例表明，概念和观念是重要的，但只有考察清楚它们产生于或应用于一定时代的史学研究与社会条件时，才能显示出其重要性。正因为如此，学科话语体系的构建是一个艰难的过程，也是一个绕不过去的“关口”。

再次，对史学批评史上有关的概念、观念作创造性的转化和创新性的发展，使之构建成合理的体系。[②] 为此，要努力做好两件事。

第一，研究和阐述有关概念、观念提出的社会条件与历史根源。马克思、恩格斯指出：“不是意识决定生活，而是生活决定意识。”[③] 如上所述，对于相同概念、观念应用于不同的历史条件与社会环境，其内涵往往有所不同，故必须研究、阐述清楚，使之有可能进入相关的概念或观念体系。对于不同历史条件和社会环境下提出的概念或观念，自应作同样的研究和阐述，并关注此概念或观念与彼概念或观念的关系，以丰富概念或观念的体系构成。

第二，根据唯物史观关于人的认识发展规律和基本原理，重

---

① 刘知幾：《史通·直书》，浦起龙《史通通释》本，上海古籍出版社2009年版，第179、180页。

② 参见习近平：《在哲学社会科学工作座谈会上的讲话》，《人民日报》2016年5月19日。

③ 马克思、恩格斯：《德意志意识形态》，《马克思恩格斯文集》第一卷，人民出版社2009年版，第525页。

点考察中国史学批评史上那些具有某种合理因素的概念、观念，对其作出合理的解释，使之焕发出新的生命力。如前述刘知幾引用前人的观点用以评论史书，指出："夫史官执简，宜类于斯。苟爱而知其丑，憎而知其善，善恶必书，斯为实录。"[①] 这是包含了朴素辩证思想的观念。又如杜佑在评论前人的有关争论时，强调不可"将后事以酌前旨"，认为那是"强为之说"的做法。[②] 这是包含了历史地看待历史的思想，可以看作朴素的历史主义观念。再如章学诚在讲到历史撰述如何处理"天"与"人"的关系时，这样写道："盖欲为良史者，当慎辨于天人之际，尽其天而不益以人也。尽其天而不益以人，虽未能至，苟允知之，亦足以称著述者之心术矣。而文史之儒，竞言才、学、识，而不知辨心术以议史德，乌乎可哉？"[③] 这可以看作是怎样处理历史撰述中史学家的主观意识与客观历史的关系，而其核心是尽可能反映客观（尽其天）又尽可能不加入人的主观（不益以人）；同时章学诚又指出，尽管达不到这样的境界，只要努力这样去做，也可以说是懂得著述的要求了。只有做到这种程度，才可称为史德。章学诚的这个观念，用今天的话来说，就是如何理解和处理历史撰述中的主、客体关系。

上述这些事例，在不同程度上都具有一定的合理因素，也都可以在唯物史观指导下给予合理的阐述，使其融入当今的史学研

---

① 刘知幾：《史通·惑经》，浦起龙《史通通释》本，上海古籍出版社2009年版，第374页。
② 参见杜佑：《通典》卷三一《职官十三·王侯总序》，中华书局1988年版，第850页自注。
③ 章学诚：《文史通义·史德》，叶瑛《文史通义校注》本，中华书局2014年版，第258页。

究而获得新的生命力。

准此，如果我们在上述几个层面用大气力、下大功夫，并不断取得成就，即是为创新性发展打下坚实的基础。

应当着重说明的是，概念和观念固然是学科话语体系构建中不可缺少的要素，但我们在认识、解说、运用它们的时候，应当用学科发展的历史以至社会发展的历史加以说明，而不是用它们来说明学科发展的历史以至社会发展的历史。这样，就可避免一种理论上的错误，即恩格斯所批评的那样："不是概念应当和对象相适应，而是对象应当和概念相适应了。"[①] 在中国史学批评史上，刘知幾认为司马迁《史记》为项羽立本纪、为陈涉立世家不合于体例，即意在历史应当适应于体例，而不是体例应当适应于历史，就是类似这种理论上的错误。同时，我们还应当关注恩格斯提出的如下这一观点，即："从我们接受了进化论的时刻起，我们关于有机体的生命的一切概念都只是近似地与现实相符合。"[②] 这里，恩格斯说的是自然科学方面的问题，在哲学社会科学领域也可以作为参考。如在中国史学批评史上很早就出现了"信史""实录"这样的概念，它们反映了中国史学求真的优良传统，但若以此为依据，认为"信史"绝无错误，"实录"绝无不实之处，这就过于绝对了；反之，如若发现"信史"也有错误记载、"实录"也有不妥之处，就认为无"信史""实录"可

① 恩格斯：《反杜林论》，《马克思恩格斯选集》第三卷，人民出版社2012年版，第473页。

② 恩格斯：《恩格斯致康拉德·施米特》（1895年3月12日），《马克思恩格斯选集》第四卷，人民出版社2012年版，第668页。

言，这就走向历史虚无主义了。可见，对于类似这样的概念，应持有合理的认识和批判。总之，学科话语体系构建，既要大胆探索，又必须谨慎推进。

* * *

关于中国史学批评史的研究，现在尚处于起步阶段，我们的认识水平，也处于起步阶段，尤其是史学批评史研究的历史意义、社会意义、学术意义和理论意义，我们现在只有一点粗浅的认识，它的深刻的意义和重要价值，都有待于进一步的发掘、梳理和阐述。一方面我们在研究中要注意从宏观上把握史学批评的大势和发展中提出的重大问题，另一方面也要重视对于个案的分析判断。这样可以使全局同局部相联系、宏观与微观相联系，庶几写出一部比较深入的中国史学批评史。

2017 年 8 月初稿

2019 年 6 月改定

目　录

前　言

一、时代特点与史学面貌

魏晋南北朝，大致是从220年曹丕称帝曹魏建立开始，到581年杨坚称帝隋朝建立为止。东汉建安元年（196），曹操迎汉献帝入许昌，这时的曹操已经在东汉末年的群雄争霸中获得了政治优势，这一时间点可以看作魏晋南北朝时期的开端。隋朝建立时，并未统一全国，直至589年，隋军南下，南朝陈后主被俘，陈灭亡，南朝历史终结。因此，魏晋南北朝时期实际上指的是从2世纪末到6世纪末近四百年的时间范围。[①]

在魏晋南北朝时期之前，有秦、汉的统一；在它之后，有隋、唐的统一。而魏晋南北朝时期与之前的时期及之后的时期截然相反，它在政治上呈现出这样的一幅画面：频繁的战争、更迭

① 这里所说的魏晋南北朝时期，不是指朝代断限里的魏晋南北朝（220—589），而是指从东汉末年到隋朝初年的时间范围。

的朝代、并立的政权。[1] 从纵向的时间顺序来讲，这一时期至少包括四个阶段：三国、西晋、东晋十六国、南北朝。从横向的地域分布来讲，这一时期至少包括了三个南北政权并存的阶段：三国时期的曹魏、蜀汉、孙吴并立；东晋和十六国政权并立；南朝和北朝并立。

魏晋南北朝时期是民族交流、融合的重要时期。西晋时，在北方地区生活的少数民族纷纷建立政权，并开始进入中原地区。晋室南渡以后，这些政权与东晋政权形成了南、北并存的局面。匈奴、鲜卑、羯、氐、羌等少数民族均建立了自己的政权。北魏崔鸿著《十六国春秋》记录了其中的十六个政权，因此后人一般以“十六国”来统称304年到439年北魏统一北方这一历史时期内与晋朝并存的诸多政权。[2]

南、北政权对立的局面一直持续了整个南北朝时期，南方是宋、齐、梁、陈四代更迭，北方则经历了北魏、东魏和西魏、北齐和北周，北周最终统一了北方地区。后北周外戚杨坚袭其父杨忠的爵位，逐步夺取了北周的统治权，他建立的隋朝南下灭陈，

---

① 这一时期或交替出现或同时并存的政权主要有：曹魏（220—266）、蜀汉（221—263）、孙吴（229—280），西晋（266—316），东晋（317—420），南朝包括刘宋（420—479）、萧齐（479—502）、萧梁（502—557）、南陈（557—589），北朝包括北魏（386—528）、东魏（534—550）、西魏（535—557）、北齐（550—577）、北周（557—581）。十六国（304—439），大致包括十六个政权，汉赵（又称前赵，304—329）、成汉（304—347）、后赵（319—350）、前凉（320—376）、前燕（337—370）、前秦（351—394）、后秦（384—417）、后燕（384—409）、西秦（385—431）、后凉（385—403）、北凉（401—439）、南凉（397—414）、南燕（398—410）、西凉（400—421）、夏（407—431）、北燕（409—436）。（见白寿彝总主编，何兹全主编：《中国通史》第五卷《中古时代·三国两晋南北朝时期（上册）》，上海人民出版社1995年版）

② 这里所说的“北方地区”是相对于东晋的统治范围而言。少数民族建立的政权不仅在北方地区，南方地区亦有，如南方巴蜀地区由氐人李雄建立的成汉政权等。十六国时期的政权也并不全是少数民族建立的，也有汉人建立的政权，如汉人张茂建立的前凉等。

这才结束了南、北政权并立的局面，实现了全国统一。

可以看出，大约从300年到589年近三百年的时间中，多个少数民族政权同中原政权一直处于并立的局面。在战争之外，不同的政权之间发生商贸往来，也互遣使节，交流一直没有中断，这些都在不同程度上促进了不同民族间经济、文化等方面的交流，推进民族融合的进程。

由于局势的动荡，这一时期经济的发展是不平衡的，统治者为恢复生产而推行经济政策。除此之外，战乱地区的人口南迁，在南方相对稳定的环境中勤劳耕作，改进生产工具、灌溉水利，促进了南方经济的持续发展。

三国时期到西晋初年，经济制度上较显著的政策是屯田制的推行。在战争频繁、局势动荡的形势下，人们四处流亡，土地大多荒芜，屯田制能够较好地解决流民问题和粮食问题，有利于经济发展，也有利于政权的稳定和军事统治。曹魏凭借屯田制对北方地区的开发卓有成效，奠定了统一北方的经济基础。三国之中，亦有蜀汉开发西南地区、孙吴开发东南地区。又如，晋武帝在太康元年（280）灭吴之后，宣布实行占田法，将土地重新分配给农民及各级官吏，办理土地登记手续，并以法律的形式确定下来。还有，北魏孝文帝太和九年（485）颁布均田制，这一制度一直沿用下来，直到唐德宗建中元年（780）才被两税法替代。均田制要求将无主的土地分配给农民耕种，保障了国家对土地的所有权，也保证了农民对土地的使用。这些经济制度及与之相适应的赋役制度都在一定程度上保证了经济的发展。

门阀制度是这一时期突出的社会特点。东汉末年，代表寒族势力的曹操获得了政治优势，曹丕称帝后，采纳陈群的建议，推行九品官人的选官制度，这反映了曹魏政权对世家大族“不得不作出让步”[①]。负责品状人物以选拔官吏的各级中正，实际上由世家大族担任，因此世家大族的政治势力日益增长。西晋司马氏政权取代曹魏政权，据陈寅恪讲，大致是东汉出身地方豪族的儒家士大夫阶层重新获得了统治权。[②] 晋武帝推行占田制，限制世家大族对土地的肆意兼并，但世族地主的势力有了明显增强，土地兼并现象也越发严重，豪族占有土地合法化。

晋室南渡，是东晋王室与江东地方豪族势力联合的结果。今人田余庆称东晋时位居高位的士族权势“平行或超越于皇权之上”，东晋门阀政治为“皇权政治在特定条件下的变态”。[③] 南朝虽用寒人掌机要，但世家大族仍有“上车不落则著作，体中何如则秘书”[④] 的权力，可见门阀制度的影响仍然在继续。

北方地区也可见门阀政治。永嘉之乱后，北方少数民族政权建立，他们与当地的士族联合以巩固统治。北魏皇朝建立后，也积极拉拢汉族世家大族，选用世家大族参与政治。北魏前期实行宗主督护制，保障中原地区的汉族宗主豪强的权益。孝文帝时与汉人世家大族联姻，拟定世族高下；地方上推行三长制，虽然限

① 王仲荦：《魏晋南北朝史》，中华书局2007年版，第131页。

② 陈寅恪：《述东晋王导之功业》，载于《金明馆丛稿初编》，生活·读书·新知三联书店2015年版，第55-77页。

③ 田余庆：《东晋门阀政治》，北京大学出版社2012年版，第321、343页。

④ 颜之推：《颜氏家训》卷三《勉学》，王利器《颜氏家训集解》本，中华书局2013年版，第178页。

制世家大族的势力，却也以明文保护了宗主豪强的特权。尽管少数民族政权在与汉族世家大族联合的过程中会出现摩擦或碰撞，如太武帝时曾下令诛灭清河崔氏、范阳卢氏等汉族世家大族，但从整体上看，北朝政权与世家大族的利益是紧密相连的。

另外，随着佛教的传播，寺院经济兴盛起来，僧侣成为世家大族的代表。这也是门阀制度的表现。西晋以后，特别是南北朝时期，是寺院经济迅速发展的时期。寺院圈占了大量的土地，拥有巨额的钱财和数量持续增加的僧尼，寺院中的下层僧尼和依附民都为上层僧侣耕种和服务，同时寺院又有免除赋税徭役的特权。南北朝时期，佛教发展迅速，南朝梁武帝时尤盛。然而，寺院经济的发展和规模的扩大，越来越损害到统治集团的利益。南朝范缜撰《神灭论》以反佛，北魏太武帝和北周武帝兴起大规模的灭佛运动，则是对佛教的打击，也是对因佛教而兴起的寺院经济的打击。

总之，魏晋南北朝时期在政治和经济上的面貌大致如上文所述，而这一时期与历史学紧密相关的学术思想，则表现得特别活跃。简单说来，魏晋南北朝时期，人们的思想多元化，不仅受传统儒家思想的影响，还出现了玄学、佛教、道教多方面的思想共同作用的情况。思想的多元影响着学术发展的路径。魏晋南北朝时期，学术的空间得到开拓，途径也越来越多，特别是原本依附于经学的史学和文学，都获得了独立发展的可能，并取得了诸多成就。因为学术思想的活跃对史学的发展及史学批评的发展有直接的影响，下文将展开详细论述，此处暂不作具体讨论。

接下来看，在政权更迭、民族交融、学术思想活跃的时代背景下，史学的发展呈现出怎样的面貌。

魏晋南北朝时期，前承秦汉，下启隋唐，这一时期可以分成特征鲜明的不同阶段，也存在南北对立的政权。其间虽有局部地区的短暂统一，却不同于秦汉、隋唐的大一统局势。魏晋南北朝时期是处在大统一之间的重组时期。

在这样的时代背景下，首先从中国古代史学发展的纵向脉络上来说，研究者往往将魏晋南北朝时期的史学置于“魏晋南北朝史学”“三国两晋南北朝史学”“汉唐之际史学”“六朝史学”等史学发展阶段进行研究。它处在汉代司马迁的《史记》和唐人刘知幾的《史通》之间，与前后史学发展的特点不同，却又与它们有千丝万缕的联系，表现出承上启下的过渡作用。目前学界对魏晋南北朝时期史学的研究已经取得了诸多成果。其中，有的是材料整理①，有的是专著②，有的是单篇论文，等等。已有

① 杨翼骧《增订中国史学史资料编年》（商务印书馆2013年版）中的三国两晋南北朝部分，将这一时期有关史学史发展的重要史家、史书、史事的资料进行整理，对魏晋南北朝史学史研究有重要意义。

② 专论魏晋南北朝时期史学的专著主要有：周一良《魏晋南北朝史论集》（北京大学出版社2010年版）、《魏晋南北朝史札记》（中华书局2007年版）收录了他关于这一时期史学发展的重要论文，许多论断至今仍有重要的意义。牛润珍《汉至唐初史官制度的演变》（河北教育出版社1999年版）系统地论述这一时期史官制度的演变过程。胡宝国《汉唐间史学的发展》（商务印书馆2003年版）涵盖经史关系、文史关系、史注、史论、杂传、州郡地志、南北史学的异同等重要问题。逯耀东《魏晋史学的思想与社会基础》（中华书局2006年版）对《隋书·经籍志·史部》的形成、魏晋别传、《世说新语》、《三国志注》等问题都有专题论述。李传印《魏晋南北朝时期史学与政治的关系》（华中科技大学出版社2004年版）重点讨论了史学与政治之间的互动关系。庞天佑《中国史学思想通史·魏晋南北朝卷》（黄山书社2003年版）将魏晋南北朝时期的历史思想进行较为全面的梳理。邱敏《六朝史学》（南京出版社2003年版）、郝润华《六朝史籍与史学》（中华书局2005年版）二书聚焦于这一时期建都南京的六个朝代的史学，围绕六朝时期的史书展开讨论。王志刚《家国、夷夏与天人：十六国北朝史学探研》（北京师范大学出版社2013年版）则将视线放在十六国北朝的史学，着重挖掘其历史思想的内涵。李小树主编的《秦汉魏晋南北朝史学史稿》（中国人民大学出版社2007年版）讨论了诸多史学问题。唐燮军《史家行迹与史书构造》（浙江大学出版社2014年版）钩沉了这一时期的若干史家及其著作和特殊的史学现象，特别强调史家的个人背景同社会环境对史书撰述的影响。

研究者对这一时期的史学研究情况作出有意义的总结。[①] 以上研究的考察对了解魏晋南北朝时期史学研究的发展情况，是有积极意义的。

总而言之，魏晋南北朝时期的史学在中国史学史发展脉络中的地位重要，这点获得了学界的普遍认可。近人梁启超称，晋为史学发展的“全盛时代”[②]；今人在梳理史学史的历史脉络时，往往以“盛”“极盛”“发展”作为魏晋南北朝时期史学的特征。[③] 可见这一时期史学的重要地位。

从横向上来看，魏晋南北朝时期的史学呈现出多途发展的面貌。研究者对这一时期的史学特点多有探讨。白寿彝将“魏晋南北朝隋唐”作为史学发展的一个阶段，强调史书数量的增多、内容上反映门阀地主的要求，另外，民族史的撰述、中外交通和域外情况的记载、历史文献的整理也是这一时期史学的特点。[④]

---

① 乔治忠和姜胜利对1949年至20世纪80年代末，关于魏晋南北朝史学研究的情况作出较为全面的梳理。(乔治忠、姜胜利编著：《中国史学史研究述要》，天津教育出版社1996年版) 董文武评述了20世纪前后的研究成果，分三个阶段总结了20世纪对这一时期史学研究的新进展，提出扩展研究对象的范围、关注史学所处的社会文化的要求。(董文武：《魏晋南北朝史学研究述评》，《高校社科信息》2001年第5期) 唐燮军关注到之前研究成果的总结，他着眼于20世纪50年代以来海峡两岸研究的不同取向，并评价其优劣得失。(唐燮军：《史家行迹与史书构造》，浙江大学出版社2014年版)

② 梁启超：《中国历史研究法》，上海古籍出版社2011年版，第16页。

③ 在今人撰写的史学史著作中，金毓黻认为“史学盛于魏晋南北朝”(《中国史学史》，商务印书馆2010年版，第105页)，张孟伦、杨翼骧认为这是“兴盛”时期（张孟伦：《中国史学史》上册，甘肃人民出版社1983年版，第182页；杨翼骧：《中国史学史讲义》，天津古籍出版社2006年版，第54页)，杜维运认为魏晋南北朝为“史学的极盛”时期（《中国史学史》，商务印书馆2010年版，第291页)，白寿彝认为是“发展时期”(《中国史学史》第一卷，上海人民出版社2006年版，第37页)，仓修良认为是“蓬勃发展”(《中国古代史学史》，人民出版社2009年版，第121页)，瞿林东称之为“史学的多途发展”(《中国史学史纲》，北京出版社1999年版，第223页)，等等。

④ 白寿彝：《中国史学史》第一卷，上海人民出版社2006年版，第37页。

瞿林东则提出了魏晋南北朝史学“多途发展”的特点。[①] 周一良概括这一时期史学发展有六方面的特点，即史部著作的独立、设立专职史官、史书的种类和数目大量增加、编年和纪传并重、谱牒之学的出现、佛教和道教史书越发重要。[②] 以上学者对魏晋南北朝时期史学特点的总结，是在这一时期史学发展取得成就的基础上提炼的。下面，拟从三个方面对魏晋南北朝时期史学的特点作一论述。

其一是史书的数量和种类大量而迅速地增加。

史书数量和种类的增加成为魏晋南北朝时期史学发展和兴盛最明显的表现。《隋书》载：“一代之记，至数十家，传说不同，闻见舛驳。”[③] 这一时期史书数量的剧增，学者多从《汉书·艺文志》（下称《汉志》）与《隋书·经籍志》（下称《隋志》）中著录的史书数量的变化作出说明。大致看来，《汉志》著录史书有十二种，五百五十二篇；《隋志》著录包括亡书共八百七十四部，一万六千五百五十八卷，其中大部分为魏晋南北朝时期的著作。[④] 由此可以看出，这一时期史书数量较前一时期有了明显增加。

史家撰写的内容从时间上看，有的写前朝史，有的写本朝史；从地域上看，有的写家族史，有的写地方史；从撰写对象来

---

① 瞿林东：《中国史学史纲》，北京出版社 1999 年版，第 223 页。

② 周一良：《魏晋南北朝史学发展的特点》，载于《魏晋南北朝史论集》，北京大学出版社 2010 年版，第 339-353 页。

③ 魏徵等：《隋书》卷三三《经籍志二》史部大序，中华书局 1973 年版，第 992-993 页。

④ 瞿林东：《中国史学史纲》，北京出版社 1999 年版，第 224-225 页。瞿林东也指出清人姚振宗订正《隋志》著录的史书数量，合计共 867 部。

看，有的写一类人，有的写事物的沿革。之所以称史书数量及种类的变化最为明显，是由于史书数量和分类均有书目记载，极易查得。由文献分类的史书一类可以看出，从《汉志》到《隋志》，所录入的史书，一开始附属于经部，最后独立成为史部，与经部并立。虽然萧齐王俭重新将史记、杂传与经书并入《经典志》，但最终《隋志》仍单立史部，并将其划分为十三类。在这一过程中，西晋荀勖分类群书，立丙部收录“史记、旧事、皇览簿、杂事”①，将史书记载独立于经书。东晋李充调整荀勖所立的乙部和丙部的次序。萧梁阮孝绪改变王俭的分类，以《经典志》收录经书和史书，他立《记传录》专录国史、注历、旧事等十二类史书。阮孝绪解释这样做的原因是：

> 刘氏之世，史书甚寡，附见春秋，诚得其例。今众家记传，倍于经典，犹从此志，实为繁芜。且《七略》诗赋，不从六艺诗部，盖由其书既多，所以别为一略。今依拟斯例，分出众史序记传录为内篇第二。②

阮孝绪认为，当时史书的数量与西汉刘歆时史书的数量相比，大大增加了。因此，他仿照刘歆因诗赋数量的增多而单列《诗赋略》的做法，列《记传录》专门收录史籍，分成十二类，列为内篇第二。可以看出，史书在文献分类中有这样的变化，反

① 魏徵等：《隋书》卷三二《经籍志》总序，中华书局1973年版，第906页。
② 阮孝绪：《七录序》，载于释道宣：《广弘明集》卷三，四部丛刊本。

映的正是史书的数量和种类增加对文献分类的要求。

同时，不同类型的史书在这一时期大量涌现，但史家对它们认识的程度是不一样的。唐修《隋志》所分的史部十三类包括正史、古史、杂史、霸史、起居注、旧事、职官、仪注、刑法、杂传、地理、谱系、簿录。宋修《新唐书·艺文志》（下称《新唐志》）也分史部十三类，分别为正史、编年、伪史、杂史、起居注、故事、职官、杂传记、仪注、刑法、目录、谱牒、地理。《隋志》和《新唐志》对史部的分类多是以史书记载内容的不同为划分的依据，因此这里讨论史书种类的增多，其实是讲史书记载内容范围的扩大。清《四库全书总目》亦包含文献分类，但相对来说它所记载的魏晋南北朝时期的史书不如唐、宋保存得全面。另外，在唐代，刘知幾的《史通》也区分了史书的种类。刘知幾将前代正史分为六家、二体。六家包括《尚书》《春秋》《左传》《国语》《史记》《汉书》，二体是编年体和纪传体。六家中，《尚书》《春秋》《左传》《国语》在《隋志》中被列入经部，《史记》和《汉书》在《隋志》中列为史部正史类。《史通》设《古今正史》篇，述自古以来史臣记录史事的大体情况。[①] 在刘知幾看来，“正史”由史官撰修。在正史之外，刘知幾称“爰及近古，斯道渐烦。史氏流别，殊途并骛”[②]，刘知幾这里讲的是不同于“正史”的、魏晋南北朝以来兴起的、新的史书种类。他将其分为十类，包括偏纪、小录、逸事、琐言、郡

① 刘知幾：《史通·古今正史》，浦起龙《史通通释》本，上海古籍出版社2009年版，第349页。

② 刘知幾：《史通·杂述》，浦起龙《史通通释》本，上海古籍出版社2009年版，第253页。

书、家史、别传、杂记、地理书、都邑簿。[①]

《隋志》及《新唐志》的史部分类与《史通》对史书的分类并不完全相同。下面，将详细比较《史通》与《隋志》《新唐志》分类之区别。这样一来，不仅能够直接分辨出不同的史书分类方法，而且可以考察魏晋南北朝时期不同种类的史书发展的程度，特别是能够帮助认识新兴史体在这一时期的发展特点。

根据刘知幾在每类之后举出的相应史书来看，小录、郡书、别传、杂记大致可归入《隋志》中杂传之类，地理书和都邑簿可入地理类或霸史类；琐言则属于子部小说类的范围；至于偏纪、逸事则或属旧事，或属杂史，或属小说类；家史略类于谱系。与《新唐志》的分类相比，《史通》中的小录、郡书、别传等大约可归入杂传记类；地理和都邑簿属于地理类或伪史类；杂记则属于子部小说类；偏纪、逸事、琐言等，有的属于杂史，有的属于编年，有的属于故事，有的属于子部小说；家史则属于谱牒类或杂传记类。

通过将刘知幾《史通》的史书分类与《隋志》史部及《新唐志》史部的史书分类对比来看，三种分类有共同之处，也有区别。关于区别，需要指出的是，刘知幾所列“杂记”类著作，在《隋志》中入杂传类，但《新唐志》将其列入子部小说类，如干宝的《搜神记》；刘知幾所说的“琐言”类著作，有的在《隋志》中入子部小说类，有的入《新唐志》杂史类，前者如裴

---

① 刘知幾：《史通·杂述》，浦起龙《史通通释》本，上海古籍出版社2009年版，第254-255页。

荣期的《语林》，后者如孔思尚的《语录》，等等。

可以看出，魏晋南北朝时期史书的体裁大大增多，不同的史书体裁本身有区别，也有相似之处。因此，后代史家进行史书分类时，存在将同一本书归入不同类别的情况。史书分类的依据一是看它是否沿用已经较为成熟的纪传体或编年体的皇朝史，记载整个皇朝或其中一个时期兴衰之事；二则看史书记载内容在时间和地域上的特点，以及史料的来源等方面。其中，《隋志》史部的杂传类及《新唐志》杂传记类包含《史通》分类中的多种类别。

这样说来，就体裁来说，“传记”相对其他新兴史体发展得更为成熟，它往往记载的是具备共同点的一类人的事迹，独特性明显。另外，独特性比较明显的还有地理类、谱系类史书。同时，在这一时期，史书不仅著录于《隋志》中的史部分类，也出现于经部和子部的分类中。《春秋》《左传》作为经部著作，也是记载历史的史书。而子部的小说类收录的《史通》中的逸事、琐言类著作，则反映出时人将记载“街谈巷议”的撰述是作为史书看待的；被后世认可为记载鬼怪神异之事的志怪小说，这时也被列入史书一类。

在魏晋南北朝时期，史书数量和种类增加，相比于《汉志》中将《史记》附于春秋类之后的做法是进步的，这一时期涌现出的各种史书体裁都不再只是《春秋》或《史记》所能包含的。在史学如此朝气蓬勃的发展中，史书虽出现了不同的体裁，却尚在发展的初步阶段。加上这一时期史书出现遗佚的情况很多，往往不能完整地流传下来。因此，随着时代的发展，有些史书种类合并为一类，有些则成为文学的分支。

其二是私家修史成为风尚，同时官修史书的传统得到保证。

魏晋南北朝时期，修史成为风尚，这也是史书数量和种类剧增的原因之一。个人修史的主观意识增强，而官方修史获得统治者的重视，史官制度逐渐完善，官修史书的传统得以延续。

就私家修史来说，这一时期涌现出的数量众多的史书，大部分都是私家撰修的成果。宋人高似孙感叹两晋南北朝时期私家撰修之盛，“家家有史，人人载笔”①。今人杜维运讲，这一时期“上自帝王公卿，下至山林隐逸之士，多热衷于写史”②。私家撰史的热情很高，但是具体原因并不相同，有的是对当时的史书撰写不满，有的是受到撰史风气的影响，还有的则是在特殊的时代背景下，以撰写史书的方式来表达对现实政治的态度。

撰写史书常常被当作个人表达自身思想感情的途径。曹植，字子建，沛国谯县人，又称陈思王。曹植是曹操之子，魏文帝之弟，其事载于《三国志》卷一九。曹植生于东汉末年的混战年代，处于群雄割据、三国鼎立的局势中。在这样的时代背景中成长起来的曹植，在写给友人杨修的信中，表达出他渴望建功立业的愿望。曹植写道：“吾虽德薄，位为藩侯，犹庶几戮力上国，流惠下民，建永世之业，流金石之功，岂徒以翰墨为勋绩，辞赋

---

① 高似孙：《史略》卷三《历代纪》，《丛书集成初编》本，中华书局1985年版，第58页。
② 杜维运：《中国史学史》，商务印书馆2010年版，第291页。

为君子哉！”[1] 生于战乱年代的曹植爱好文学，擅长辞赋。在建功立业这一首要愿望之外，曹植也表示出对撰史的兴趣，他说道：

> 若吾志未果，吾道不行，则将采庶官之实录，辩时俗之得失，定仁义之衷，成一家之言，虽未能藏之于名山，将以传之于同好，非要之皓首，岂今日之论乎？其言之不惭，恃惠子之知我也。[2]

曹植表示，如果不能实现建立功业的愿望的话，他将致力于史书的撰写，根据史官记载的史料来撰修史书，以供后人传看。曹植还表达出他对史书作用的期待，这也是他对史书撰写提出的要求，即史家要对所载史事给予允当的评价，以便达到“辩时俗”“定仁义”的目标，实现成就不朽史著的愿望。由此可知曹植对撰写史书的热情。

《晋书》卷八二载两晋十一位史家的行事[3]，察这些史家所撰史书，多为私撰，撰史原因不同。陈寿撰《三国志》六十五

① 曹植：《与杨德祖书》，载于萧统编：《文选》卷四二《书中》，李善注本，中华书局1977年版，第594页。

② 曹植：《与杨德祖书》，载于萧统编：《文选》卷四二《书中》，李善注本，中华书局1977年版，第594页。

③ 《晋书》卷八二共载十二人的行事，但传后论赞只论及十一个史家，不入王长文。观王长文行事，与《晋书》卷八二中所载的其他史家并无特别关联；王长文著有《通玄经》等，也非史著。清代学者牛运震在《读史纠谬》中指出：“王长文名在诸人（陈寿等人）之下，所著《通玄经》乃《易·象》之书，无关史事，似不得与诸人同列，别入《文苑传》可矣。”（牛运震：《读史纠谬》，齐鲁书社1989年版，第246页）本文采是说。

卷是由于他对当时的史书撰写不满意。陈寿，字承祚，安汉人。虽然陈寿撰写史书时已任史职，且张华、夏侯湛已读过《三国志》，但朝廷对《三国志》的认可是在陈寿死后。当时尚书郎范頵等上表皇帝，建议“愿垂采录”，于是皇帝令河南尹、洛阳令“就家写其书”①。陈寿的《三国志》是私撰。唐人刘知幾认为，“陈寿之草志也，创于私室”②，但他撰史的原因历史上并无明确的说明。《华阳国志》载：“吴平后，寿乃鸠合三国史，著魏、吴、蜀三书六十五篇，号《三国志》。”③ 陈寿先因《益部耆旧传》闻名并任史职。陈寿撰《益部耆旧传》，是因为他不满当时郑伯邑、赵彦信等人所作的《耆旧传》，认为其“不足经远”，于是陈寿“并巴、汉，撰为《益部耆旧传》十篇”④。再看陈寿撰《三国志》时，已经出现了如鱼豢《魏略》、韦昭《吴书》等书，以陈寿对各家《耆旧传》的态度来说，陈寿对当时可见的记载历史的撰述，尤其是蜀国历史的撰述情况，应该也是不满意的。陈寿作为巴蜀俊杰入晋为官，对蜀汉故国怀有特别的感情，因此陈寿应该是私撰《三国志》以存三国历史于后世。

晋人司马彪撰《续汉书》，他也不满意当时有关东汉历史的记载。司马彪，字绍统，是高阳王之子。司马彪认为：

汉氏中兴，讫于建安，忠臣义士亦以昭著，而时无良

① 房玄龄等：《晋书》卷八二《陈寿传》，中华书局 1974 年版，第 2138 页。
② 刘知幾：《史通·辨职》，浦起龙《史通通释》本，上海古籍出版社 2009 年版，第 264 页。
③ 常璩：《华阳国志》卷一一《后贤志》，《丛书集成初编》本，中华书局 1985 年版，第 181 页。
④ 常璩：《华阳国志》卷一一《后贤志》，《丛书集成初编》本，中华书局 1985 年版，第 181 页。

史，记述烦杂，谯周虽已删除，然犹未尽，安顺以下，亡缺者多。[1]

在司马彪看来，当时记载东汉历史的史书存在“记述烦杂”的问题，而且安帝和顺帝以后的历史有很多“亡缺”之处。司马彪因此撰《续汉书》，记从光武帝到献帝的历史，共八十卷，是为私撰。

在晋代史家中，有些人撰皇朝史是受到当时撰史风气的影响。如虞溥曾任鄱阳内史，并非史职，但他亦撰《江表传》。虞溥，字允源，高平昌邑人。《隋志》不录《江表传》，《旧唐书·经籍志》（下称《旧唐志》）“杂史类”载：“《江表传》五卷，虞溥撰。”[2]《新唐志》有“虞溥《江表传》三卷”[3]，列为杂传记类。南朝刘宋裴松之曾征引《江表传》为陈寿《三国志》作注，可以看出，《江表传》大致记述的是三国时期的史事，而以吴国历史为主。虞溥死后，他的儿子虞勃将《江表传》献于晋元帝，元帝下诏藏于秘书。虞溥非史官，他私撰皇朝史，应是出于个人撰史的兴趣及受当时风尚的影响。

晋人虞预，字叔宁，任史职，虞预曾经上疏求布纸“四百枚付著作史，书写起居注”[4]，但《晋书》卷八二记虞预曾经

---

① 房玄龄等：《晋书》卷八二《司马彪传》，中华书局1974年版，第2141页。
② 刘昫等：《旧唐书》卷四六《经籍志上》，中华书局1975年版，第1995页。
③ 欧阳修、宋祁：《新唐书》卷五八《艺文志二》，中华书局1975年版，第1480页。
④ 虞预：《请秘府布纸表》，载于严可均：《全晋文》卷八二，中华书局1958年版，第1935页。

“私撰《晋书》”[1]，而且还借王隐所撰《晋书》补充北方的史事。王隐的父亲王铨有撰述之志，曾经私撰晋史，王隐承父遗业，有志于撰述国史。王隐，字处叔，陈郡陈人，他曾规劝祖纳撰写史书，认为：

> 盖古人遭时，则以功达其道；不遇，则以言达其才，故否泰不穷也。当今晋未有书，天下大乱，旧事荡灭，非凡才所能立。君少长五都，游宦四方，华夷成败皆在耳目，何不述而裁之！应仲远作《风俗通》，崔子真作《政论》，蔡伯喈作《劝学篇》，史游作《急就章》，犹行于世，便为没而不朽。当其同时，人岂少哉？而了无闻，皆由无所述作也。故君子疾没世而无闻，《易》称自强不息，况国史明乎得失之迹，何必博弈而后忘忧哉！[2]

王隐认为，在晋室被迫南渡的局势下，记载晋史有保存历史、“明乎得失”的重要意义，同时也能使撰述者留名于后世。“太兴初，典章稍备，乃召隐及郭璞俱为著作郎，令撰晋史。”[3]王隐受诏撰写晋史，却遭到虞预的排挤而被黜免；他因家资贫乏无力继续撰写，后来在庾亮的帮助下，王隐才撰写完成，“诣阙上之”[4]。这样看来，王隐撰写《晋书》一是受父亲的影响，二

---

① 房玄龄等：《晋书》卷八二《王隐传》，中华书局1974年版，第2143页。
② 房玄龄等：《晋书》卷八二《王隐传》，中华书局1974年版，第2142–2143页。
③ 房玄龄等：《晋书》卷八二《王隐传》，中华书局1974年版，第2143页。
④ 房玄龄等：《晋书》卷八二《王隐传》，中华书局1974年版，第2143页。

来他担任史职为撰史提供便利，但在遭到排挤后，支撑王隐继续写下去的则是他撰史的强烈愿望。王隐著《晋书》八十六卷，虽曾为诏修，终成于私撰。

还有的晋代史家出于对现实的不满，而撰写史书来表达自己对现实政治的态度。如邓粲不任史职，《晋书》记，“粲以父骞有忠信言而世无知者，乃著《元明纪》十篇”①。可知《元明纪》是邓粲出于个人原因的私撰。又如习凿齿，不任史职，“朝廷欲征凿齿，使典国史，会卒，不果”②。习凿齿，字彦威，他著《汉晋春秋》是由于“是时温觊觎非望，凿齿在郡，著《汉晋春秋》以裁正之”③，这是说习凿齿是因为桓温有篡夺政权之意，才撰写《汉晋春秋》来警示桓温。南朝刘宋史家檀道鸾在《续晋阳秋》中称，“（习凿齿）后以忤旨，左迁户曹参军、衡阳太守。在郡著《汉晋春秋》，斥温觊觎之心也”④。习凿齿著史的原因应不止如此。《汉晋春秋》五十四卷，记汉光武到晋愍帝的历史，而对于三国时期的历史，它尊蜀国为正统，认为晋承汉统。该书还反映了在晋室偏居东南的时代背景下，习凿齿对正统观的认识。《四库全书总目》赞同这一观点道：“盖凿齿时晋已南渡，其事有类乎蜀，为偏安者争正统。”⑤ 这是说习凿齿私撰《汉晋春秋》是因为，东晋司马氏偏居东南继承西晋政权的情况和蜀

① 房玄龄等：《晋书》卷八二《邓粲传》，中华书局1974年版，第2151页。

② 房玄龄等：《晋书》卷八二《习凿齿传》，中华书局1974年版，第2154页。

③ 房玄龄等：《晋书》卷八二《习凿齿传》，中华书局1974年版，第2154页。

④ 刘义庆：《世说新语》卷上之下《文学》，刘孝标注引《续晋阳秋》，余嘉锡《世说新语笺疏》本，中华书局2007年版，第305页。

⑤ 永瑢等：《四库全书总目》卷四五《史部正史类一》，中华书局1965年版，第403页。

汉相似。可见，以上晋代史家私撰史书都有明确的现实目的。

由南入北的庾信也有私撰史书的愿望。庾信，字子山，其事载于《周书》卷四一。他先仕于南朝萧梁皇朝，在梁元帝时出使西魏，值萧梁被西魏所灭，庾信遂被留在西魏，后亦仕于北周。庾信在北方以其才学受到尊敬。南朝陈与北周交好，陈请还庾信等人回故土，但周武帝爱惜庾信之才，“惜而不遣”[①]。庾信是南朝齐、梁之际宫体文学的代表人物，又有由南入北的经历。他的诗歌、词赋，特别是北迁后的作品，都饱含对萧梁亡国的悲痛和对故土的思念，其中《哀江南赋》《拟咏怀二十七首》表现得最为明显。庾信擅长诗赋创作，但他在《奉报寄洛州》一诗中，表达出“留滞终南下，惟当一史臣”[②] 的心愿。庾信年少博览群书，特别喜好《春秋左传》。眼看故国灭亡，自己多年滞留北方，不得归乡，庾信将所有的感情寄托在撰写史书上，似乎做史臣、撰史书，才是表达内心复杂思想情感的唯一途径。

在个人充满热忱地渴望撰修史书的同时，官方修史也取得了相应成就。魏晋南北朝时期频繁更迭的皇朝政权，并没有成为官方修史的阻碍，官方修史反而因为皇朝的频繁更替而受到统治集团的重视。新的政权建立后，要通过撰修史书的方式申明政权的合法性和正统性。

三国时期魏明帝开始设立专职史官，“魏明帝太和中，诏置

---

① 李延寿:《北史》卷八三《文苑传》，中华书局 1974 年版，第 2794 页。

② 庾信:《庾子山集》卷三《奉报寄洛州》，倪璠《庾子山集注》本，许逸民校点，中华书局 1980 年版，第 183 页。

著作郎，于此始有其官，隶中书省”[①]。吴国设置史官修史，太史令，东观令，左、右国史就是负责记注或撰述的史官职位；蜀汉亦有文书和典藏制度。两晋设置著作局负责撰修国史及起居注。南朝四个政权更迭，但史官制度一直承袭下来。十六国在建立政权后，继承了魏晋史官制度，虽然十六国各个政权的史官制度不相同，但大部分都有史官、史臣撰国史。在十六国史官制度影响下的北魏，其史官制度表现出“严格规制性和官方垄断性”的特点。[②] 对北朝来说，北魏设置著作局，除了设有著作郎和著作佐郎，还建立了国史兼修制度；另设有集书省、记注官负责修起居注。在此之后，北齐设置了史馆，撰修史书有相对固定的组织；西魏有史阁、北周有史局，都是专门的修史机构。[③]

有的史学著作是受诏撰修的。东晋初立，史官制度尚不健全，“中兴草创，未置史官，导始启立”[④]，王导上疏晋元帝建议命干宝等史官撰述晋史，“宜备史官，敕佐著作郎干宝等渐就撰集”[⑤]。王导，字茂弘，琅琊临沂人，其事载于《晋书》卷六五。由此，干宝奉召著《晋纪》二十卷，记载了西晋从宣帝到愍帝间的历史。

东晋末年，徐广撰《晋纪》四十六卷，也是奉召撰修。徐广，字野民，东莞姑幕人，其事载于《晋书》卷八二，也见于《宋书》卷五五。徐广仕于东晋及南朝刘宋，晋安帝义熙（405—

---

① 房玄龄等：《晋书》卷二四《职官志》，中华书局1974年版，第735页。

② 牛润珍：《汉至唐初史官制度的演变》，河北教育出版社1999年版，第129页。

③ 关于这一时期史官制度的演变，见牛润珍：《汉至唐初史官制度的演变》，河北教育出版社1999年版。

④ 房玄龄等：《晋书》卷六五《王导传》，中华书局1974年版，第1749页。

⑤ 房玄龄等：《晋书》卷八二《干宝传》，中华书局1974年版，第2149–2150页。

418）初，徐广任著作郎，曾受诏撰书记载晋代历史，东晋群臣奏言："臣等参详，宜敕著作郎徐广撰成国史。"[①]《晋纪》记载了自晋废帝司马奕以来的历史。可知，徐广同干宝一样，撰修史书是出于史职要求，这一点有诏书为证。《晋书·职官志》记载东晋著作郎上任要撰写名臣传，《世说新语》载有谢朗任著作郎为撰《王堪传》而求问谢安一事，这些是官修史书的要求。

在这一时期，政权建立后，有专人负责起居注和国史撰写，特别是国史的撰修，在撰修前或其过程中朝中要臣及史官会就撰修国史的问题进行讨论，商议体例。另外，各个政权的君主重视史书撰写，他们或自己撰史，或命人撰史，或对史书撰修、史官素养等问题发表自己的意见。君主的关注在一定程度上保障了官修史书的传统。然而，君主们有时会干涉史书的撰写。如，十六国中前秦苻坚曾专门查看起居注和国史，发现史官记载"坚母少寡，将军李威有辟阳之宠"之事，于是烧毁史书，重罚史官。[②] 又如，南朝萧齐沈约受命撰《宋书》打算立《袁粲传》，请示齐武帝的意见，武帝则明确表示袁粲是宋家忠臣，齐武帝还对沈约记载的宋孝武帝和宋明帝的"鄙渎事"提出异议，"于是多所省除"。[③] 萧梁吴均曾撰《齐春秋》，梁武帝"以其书不实，使中书舍人刘之遴诘问数条，竟支离无对，敕付省焚之，坐免职"[④]。北朝崔浩因国史而死，魏收多次修改《魏书》，也与君主

---

① 房玄龄等：《晋书》卷八二《徐广传》，中华书局 1974 年版，第 2158 页。
② 房玄龄等：《晋书》卷一一三《苻坚载记上》，中华书局 1974 年版，第 2904 页。
③ 萧子显：《南齐书》卷五二《文学传》，中华书局 1972 年版，第 897 页。
④ 姚思廉：《梁书》卷四九《文学传上》，中华书局 1973 年版，第 698-699 页。

的干涉有关。可以看出，这一时期君主重视史书，他们评论史书撰修，并下诏修史，虽然有时对史书的撰修造成消极影响，但总体上各个政权的官修史书传统得以延续了下来。

其三是由于特殊的时代环境，史籍散佚的情况严重。

这一特点对史学的发展及史学批评的发展都有影响。魏晋南北朝时期史书数量和种类多，但是史籍散佚情况严重。从东汉末年到隋朝初年，政权多次更替，战争时有爆发。虽然皇朝建立后往往搜罗、校订文籍，并编写书目，但史书遗佚的现象仍很严重。南朝萧梁阮孝绪的《七录》序文和唐人修的《隋志》总序，记有东汉末年、西晋末年、萧齐末年、萧梁末年皇家藏书遭到多次破坏之事，“惠怀之乱，其书略尽。江左草创十不一存，后虽鸠集，淆乱已甚”①，“齐末兵火，延及秘阁，有梁之初，缺亡甚众”②，“周师入郢，咸自焚之”③，到了南朝陈时，“考其篇目，遗阙尚多”④。另外，私家藏书也多有遗失。北朝颜之推指出了文书散乱、史文残缺的问题，强调考订文字和区别文义的重要性。他在《颜氏家训·书证》篇讲道，“史之阙文，为日久矣；加复秦人灭学，董卓焚书，典籍错乱，非止于此”⑤。另外，颜之推还指出了晋室南渡后，典籍在南、北方之间流传的过程中更容易遭到遗佚的情况，“南方以晋家渡江后，北间传记，皆名为

---

① 阮孝绪：《七录序》，载于释道宣：《广弘明集》卷三，四部丛刊本。
② 阮孝绪：《七录序》，载于释道宣：《广弘明集》卷三，四部丛刊本。
③ 魏徵等：《隋书》卷三二《经籍志》总序，中华书局1973年版，第907页。
④ 魏徵等：《隋书》卷三二《经籍志》总序，中华书局1973年版，第907页。
⑤ 颜之推：《颜氏家训》卷六《书证》，王利器《颜氏家训集解》本，中华书局2013年版，第583页。

伪书，不贵省读，故不见也”[1]。

从数量上来看，萧梁时《七录》收录史书的《记传录》分十二部，共著录一万四千八百八十八卷史书[2]；到了唐代时，《隋志》史部著录包括亡佚之书共一万六千五百五十八卷，并称唐修时已亡佚三千二百九十四卷，存一万三千余卷，《七录》和《隋志》著录的这些史书大部分为魏晋南北朝时期所撰。

从南朝萧梁到唐，史书亡佚情况大致如此。至于唐代之后，传至近世，史书仍有亡佚。梁启超指出，“《隋志》之万三千余卷，今存者不过十之一二”[3]，并表示每当自己看到史籍亡佚之况，“未尝不泫然流涕也”[4]。李宗侗也感叹史书的亡佚，他说道：“宋以前史书多存其名而书无传……虽偶有为后人辑佚，然所存多属零星，颇难由之以窥见全豹，欲作有系统之介绍，时感困难。”[5] 白寿彝也提到，“魏晋南北朝时期的史书留下来的并不算多”[6]。在史学史著作中，金毓黻、李宗侗等人都对这一时期各家皇朝史的存亡情况予以说明，从中可以看出，这一时期撰修的皇朝史至今多已亡佚。魏晋南北朝时期的大多数史书如今往往仅有名称著录于文献目录中，有的虽在其他史书注文中被征引，或被收入唐、宋类书，或被清人辑佚，但所辑仍是残缺之文，不

① 颜之推：《颜氏家训》卷六《书证》，王利器《颜氏家训集解》本，中华书局 2013 年版，第 531 页。

② 阮孝绪：《七录序》，载于释道宣：《广弘明集》卷三，四部丛刊本。

③ 梁启超：《中国历史研究法》，上海古籍出版社 2011 年版，第 27 页。

④ 梁启超：《中国历史研究法》，上海古籍出版社 2011 年版，第 61 页。

⑤ 李宗侗：《中国史学史自序》，中华书局 2010 年版，第 1 页。

⑥ 白寿彝：《白寿彝史学论集》，北京师范大学出版社 1994 年版，第 914 页。

得观其全貌。

由此可知，魏晋南北朝时期，随着历史的推演和战乱的频发，包括史书在内的文籍受损或遗失，史书的文字多有缺略。在这种情况下，史家重视史书保存史料的作用，往往根据前代史书记载的缺略或不详尽处来展开撰述，他们采用不同的体裁，并表明自己撰史有补阙之意。撰史者可以是史官，也可以是普通人。时人对修史的态度是开放的，如《世说新语》记载，褚季野询问孙盛国史撰修的情况，孙盛称公务缠身，无暇撰述。褚季野讲道："古人'述而不作'，何必在蚕室中！"[①] 褚季野以司马迁受宫刑而撰《史记》讽刺孙盛撰史不勤。在褚季野看来，撰修史书无关形式的限制，关键在于将发生的史事记载下来。正因为如此，出现了上文所讲的两个史学面貌，即史书数量和类型的迅速大量增加，官修和私撰史书并存。

正是由于史书的遗佚，这一时期的很多史家都表示撰述史书有保存史料的作用。持有这一态度的史家，有的是针对史官修国史提出的，如谢灵运等；还有的是私撰史书者，他们也强调史书保存史料的功用，如陆云、葛洪等人。

东晋时，朝臣重视史书记载史事的作用并建议徐广修国史。从上书奏请晋安帝命徐广撰史的奏疏中，可以看出东晋朝臣对史书作用的评价，奏疏称：

---

① 刘义庆：《世说新语》卷下之下《排调》，余嘉锡《世说新语笺疏》本，中华书局2007年版，第940页。

左史述言，右官书事，《乘》《志》显于晋郑，《春秋》著乎鲁史。自圣代有造《中兴记》者，道风帝典，焕乎史策。而太和以降，世历三朝，玄风圣迹，倏为畴古。[1]

奏言中称，史官是自古就有的，如晋、郑、鲁国都有史官撰写史书；晋室南渡以来，已有史书记载社会风貌、朝中法令。奏疏接着指出，但是自从晋废帝太和以来，经历了简文帝、孝武帝，到现在晋安帝已历三朝，却没有史官记载这时期的历史。东晋朝臣看重史书保存史料的作用，令徐广撰述缺乏史书记载的简文帝至晋安帝年间的史事。

刘宋谢灵运也肯定国史保存史料的作用。谢灵运，陈郡阳夏人，其事载于《宋书》卷六七。谢灵运出自名门之后，其祖父谢玄在东晋淝水之战立下战功。谢灵运长于文章，他的文章为江左之冠，他曾整理秘阁藏书，并受宋文帝之命撰写《晋书》，只是没有完成，《隋志》记有谢灵运撰《晋书》三十六卷，当是这一未完成之作。谢灵运在《山居赋》中表达了对家史和国史的不同看法。他讲道："国史以载前纪，家传以申世模。篇章以陈美刺，论难以核有无。"[2] 谢灵运认为，国史是用来记载发生过的事情的，家传是要树立家族的楷模。在谢灵运看来，国史不同于家史的地方，在于它是为了记载发生过的史事，而不是要树立家族的模范。这一时期，皇朝频繁更替，但世家大族的地位相对

① 房玄龄等：《晋书》卷八二《徐广传》，中华书局1974年版，第2158页。
② 沈约：《宋书》卷六七《谢灵运传》，中华书局1974年版，第1770页。

来说较为稳固。在这样的情况下，谢灵运能够区分国史和家传的不同，指出国史保存史料的重要性，是有积极意义的。

除了认识到官修国史有保存史料的重要性，私人撰史也关注史书保存史料的作用。魏晋南北朝时期，在皇朝史之外涌现出多种史体，史家选择不同的史体撰史，多是为了保存史料而作。另外，私人撰写皇朝史，也是出于保存历史的考量。如晋人陆云重视史书保存史料的作用。陆云，字士龙，其事载于《晋书》卷五四。陆云有才学，《晋书》称他“少与兄机齐名，虽文章不及机，而持论过之，号曰‘二陆’”[①]。在陆云与陆机的多篇信函中，二人讨论私撰《吴书》的相关问题，可以看出陆云对陆机所撰《吴书》的作用有明确的认识。一方面，陆云看重史书保存一朝史事的作用，认为这是不朽之业。他讲道：“诲欲定《吴书》，云昔尝已商之兄，此真不朽事。”[②] 陆云继续讲道：

> 《吴书》是大业，既可垂不朽，且非兄述，此一国事，遂亦失。[③]

陆云强调撰写《吴书》是伟大的事业，是可以永垂不朽的事；倘若陆机不作，这一国的史事，恐怕会随着时间流逝而消失

---

① 房玄龄等：《晋书》卷五四《陆云传》，中华书局 1974 年版，第 1481 页。

② 陆云：《与兄平原书》，载于严可均：《全晋文》卷一〇二，中华书局 1958 年版，第 2041 页。

③ 陆云：《与兄平原书》，载于严可均：《全晋文》卷一〇二，中华书局 1958 年版，第 2044 页。

了。可见，陆云认为吴国历史可以通过史书撰述保存下来。

另一方面，陆云站在孙吴旧臣的立场，对史书保存家族史料的意义提出了意见。他讲道："恐不与十分好书，同是出千载事，兄作必自与昔人相去。"[①] 显然，陆云对曾经所属的吴国有特殊的感情。他不满意前人的撰述，特别是有关自己家族历史的记载。"顷作颂，及吴事，有怆然。且公传未成，诸人所作，多不尽理。兄作之公私并叙，且又非常业。"[②] 陆云希望陆机的记载不同于前人所撰，特别是有关陆逊、陆抗之事。在陆云看来，陆机撰写《吴书》，能兼顾家事及国事，这是其他史书无法比拟的。

通过陆云写给陆机的信函，可以看出陆云重视史书保存史料的重要性。他认为，史书可以记载一朝史事，有永久流传、保存历史史料的作用；同时，陆云也看重史书对个人的意义——可以保存家族祖先功业的事迹。

东晋葛洪也重视史书保存史料的作用。葛洪，字稚川，丹阳句容人，其事载于《晋书》卷七二。葛洪有才学，见闻广博，《晋书》称他"江左绝伦"，"著述篇章富于班马，又精辩玄赜，析理入微"[③]，干宝认为葛洪"才堪国史"，举荐他任大著作，葛洪推辞没有就任。[④] 葛洪认为，刘向撰《列仙传》记仙人之事，

---

① 陆云：《与兄平原书》，载于严可均：《全晋文》卷一〇二，中华书局 1958 年版，第 2041 页。

② 陆云：《与兄平原书》，载于严可均：《全晋文》卷一〇二，中华书局 1958 年版，第 2044 页。

③ 房玄龄等：《晋书》卷七二《葛洪传》，中华书局 1974 年版，第 1913 页。

④ 房玄龄等：《晋书》卷七二《葛洪传》，中华书局 1974 年版，第 1911 页。

说明神仙是存在的，“邃古之事，何可亲见，皆赖记籍传闻于往耳”[①]。他还以《史记》《汉书》等撰述中记载了神仙、怪异之事，来证明这类事情的真实性，因为这是“史籍之明文也”[②]，又是“良史所记，信而有征”[③]。葛洪指出，正是因为史书中有记载，所以神仙之事才能够保存及流传下来，并成为神仙确实存在的证据。作为一个修道之人，葛洪信服神仙、长生之事，他认可神仙真实存在的观点是不科学的，但是他根据史书记载来证明神仙存在的做法，是对史书保存史料价值的肯定。

《隋志》史部旧事类著录《西京杂记》二卷，不载撰者；《旧唐志》与《新唐志》则均记其为葛洪撰。清人姚振宗认为，《西京杂记》和《汉武帝故事》《汉武帝禁中起居注》同为汉代文籍，由葛洪并为一帙。[④] 这样看来，《西京杂记》是葛洪所辑为实。葛洪讲道，家中藏有刘歆的《汉书》，以班固撰述与之相比较，“殆是全取刘书，有小异同”[⑤]，于是葛洪取刘歆书中未被班固抄录的内容，为二卷，“以裨《汉书》之阙耳”[⑥]，后与《汉武帝故事》等编为一帙，“庶免沦没焉”[⑦]。可见，葛洪的《西京

---

① 葛洪：《抱朴子内篇》卷二《论仙》，王明《抱朴子内篇校释》本，中华书局 1985 年版，第 16 页。

② 葛洪：《抱朴子内篇》卷二《论仙》，王明《抱朴子内篇校释》本，中华书局 1985 年版，第 20 页。

③ 葛洪：《抱朴子内篇》卷三《对俗》，王明《抱朴子内篇校释》本，中华书局 1985 年版，第 51 页。

④ 姚振宗：《隋书经籍志考证》，载于王承略、刘心明主编：《二十五史艺文经籍志考补萃编》，清华大学出版社 2014 年版，第 695 页。

⑤ 葛洪：《西京杂记序》，载于严可均：《全晋文》卷一一六，中华书局 1958 年版，第 2125 页。

⑥ 葛洪：《西京杂记序》，载于严可均：《全晋文》卷一一六，中华书局 1958 年版，第 2125 页。

⑦ 葛洪：《西京杂记序》，载于严可均：《全晋文》卷一一六，中华书局 1958 年版，第 2125 页。

杂记》确为保存史料而录。[①]《西京杂记》记载的材料非常丰富，《四库全书总目》将其记入小说类，但又因为李善注《文选》、徐坚作《初学记》、杜甫作诗等都引用其中的记载，而评价它："所述虽多为小说家言，而摭采繁富，取材不竭。"[②] 可以看出，后代学者对《西京杂记》保存材料的意义是认可的。

通过以上论述，可以看出魏晋南北朝时期的史学，在政权更迭、战争频发、思想活跃的时代背景下，呈现史书的数量和种类剧增、个人和官方积极撰述史书、因史书大量亡佚而产生保存史料的迫切需求这三个方面的特点。史学批评正是在这一史学发展的过程中获得进步的，下面对这一问题拟作初步考察。

二、史学批评的初步发展

在特殊的时代环境中，魏晋南北朝时期的史学获得了发展，呈现出多途发展的面貌。魏晋南北朝时期史学取得的诸多成就集中体现在这时期大量涌现的、由社会各类人士撰写的、各种体裁的史书中。尽管这一时期的大多数史书并未流传下来，但是它们的出现仍然可以看作史学发展的表现。在这一基础上，作为对史

---

① 宋人陈振孙以为，《西京杂记》或非葛洪所作，晁公武指出江左人认为该书是吴均撰述。(陈振孙：《直斋书录解题》卷七《传记类》，上海古籍出版社 1987 年版，第 196 页；晁公武：《郡斋读书志》卷六《杂史类》，孙猛《郡斋读书志校证》本，上海古籍出版社 1990 年版，第 242 页)

② 永瑢等：《四库全书总目》卷一四〇《子部小说家类一》，中华书局 1965 年版，第 1182 页。

学的思考，史学批评也开展起来。[①]

需要注意的是，虽然史学批评的发展是随着史学的发展而进步的，但是史学批评反映的是对史学的认识，“关于史学自身如史家、史书、史学现象等问题的评论”，概念相对“模糊”。[②] 由于它的评论对象不是具体的客观历史，而是相对抽象的史学，因此它所涉及的范畴具有不确定性。[③] 具体来说，影响史学批评发展的重要因素还包括史家理论思考的深入、史家自我认识的提升及史学社会地位的提高，等等。因此，尽管魏晋南北朝时期的史学被有的研究者称为“极盛”，但对于史学批评的发展来说，这时期出现的众多史书和史家，更大程度上为之后各个时期史学批评的开展提供了对象。若仅论魏晋南北朝时期的史学批评发展情况，可以这样认为，这一时期的史学批评思想较前一阶段的确有所发展，但仍处于发展的初级阶段，与之后的隋唐时期史学批评相比，在深入性上是不够的。魏晋南北朝时期的史学批评是在先秦、秦汉时期史学批评“开端”的基础上发展起来的，这一时期的史学批评评论史家、史书，也涉及某些史学问题，取得了初步发展。

---

① 魏晋南北朝时期史学批评作为古代史学批评发展的一个重要阶段，引起了学者关注。在史学史著作、断代史著作、史学批评史著作中，均出现了有关魏晋南北朝时期的史学批评问题的讨论，如瞿林东、周一良、逯耀东、胡宝国等人的研究；另外，出现了诸多专论或涉及这一时期史学批评问题的论文，如李颖科、赵俊等都有一定的研究成果。

② 瞿林东：《谈中国古代的史论和史评》，《东岳论丛》2008 年第 4 期。

③ 研究者围绕史学批评范畴进行讨论的成果主要有：瞿林东的《中国古代史学批评纵横》（中华书局 1994 年版）、《中国简明史学史》（上海人民出版社 2014 年版）；江湄的《中国古代史学批评范畴举例研究》（北京师范大学博士学位论文 1997 年）是一篇集中讨论史学批评范畴的博士学位论文；近年来，罗炳良围绕“中国古代史学批评范畴研究”这一课题发表了多篇重要论文。

这里所说的史学批评的初步发展，主要表现在以下方面，即有关“前三史”的评论、史书的体例和体裁、史书的内容、史家的素养，另外，还出现了史学批评专篇《文心雕龙·史传》篇，这是史学批评发展的标志性成果。

《史记》与《汉书》撰于两汉时期，《三国志》撰于西晋，它们被后人归入“前三史”，是皇朝史撰述的经典之作，对后代史学有重要的影响。魏晋南北朝时期史学批评取得的成就，首先表现在对这三部经典著作的评论之上。

史书的体例和体裁是史学批评的主要对象。这一时期出现的关于这一问题的思想成就，集中表现在晋人杜预和干宝的认识中，被后人称为“史例中兴”。杜预阐释了《春秋左传》的体例特点，干宝评价《春秋左传》和《史记》，并阐发了荀悦提出的“立典五志”。官修史书在对体例和体裁的实际运用中提出诸多问题，特别是史书的断限问题和立纪、传、志的标准等。另外，这一时期史家选择不同体裁撰写史书，他们对不同史书体裁的评论也是史学批评的内容。

对史书内容的批评主要包括叙事和记人、史论、志书等内容。事件与人物是史书的主要内容，陈寿擅长叙事，袁宏编年记事的同时关注人物的记载。史书中的史论在这一时期有了重要发展，其中范晔重视史论，萧统将史论作为文体看待。有关史论的评价促进了史论认识在史学理论上的提高，也促进了史论文学地位的提升。沈约、刘昭、魏收分别对史书的志书部分作出评论，梳理志书撰写的脉络，评价前代的志书撰写成就，讨论志书的撰写旨趣，其中沈约尤其重视设立志书的贯通意义和时代需求。

史家素养仍然是这一时期史学批评的主要内容，史家素养的批评包括史家的作史态度、史家的史才、对良史的认识。在史家的作史态度方面，大多肯定前代史家及当代史家据事直书的撰史态度，并提出了史家撰史职业操守的普遍性要求。在史家的史才方面，关注司马迁、班固等前代史家的撰史才能，也关注本朝史家的撰史才华，特别对史官的素养提出了要求。对史家史才的要求主要表现在史家的褒贬评价、文辞叙事、通晓古今等方面。在这一基础上，史学批评中对良史的认识更加明确了，特别强调史家直书的态度和叙事的能力。同时，良史受到世人的推崇，并被作为鼓励或劝诫后人言行的标准。

这一时期还出现了史学批评专篇，即刘勰的《文心雕龙·史传》篇。虽然《文心雕龙》是论文专书，但《史传》篇以史传为讨论对象，大致围绕皇朝史的撰述展开评论，该篇具有史学的特质。《史传》篇中的史学批评有综合考察的特点，它考察史传的起源，提出以文字记载来“居今识古”的要求；刘勰还评价历代史书，并提出史书修撰的原则和具体的方法，可以看作是一篇史学批评史论纲。总的说来，《史传》篇评论史官修史、史书的社会功用，重视对史书体裁、体例的评价，提倡以素心撰修信史。

综上所述，魏晋南北朝时期是史学批评的初步发展阶段。这一时期有着特殊的时代背景，政权更迭、战乱频仍、南北对立、民族融合，在如此变动的时代中，人们的思想上出现了儒、玄、佛、道交融的局面，在思想的影响下，学术上也呈现出多样的发展路径。其中，史学获得了独立发展的机遇。这一时期的史书种类多样、数量激增，官方重视修史，民间也有私撰史书的风气。虽然这一时期的史书大多散佚，但另一方面它促使了史家重视史书保存史料的作用，因此出现了大量的、由社会中的各类人、用各种体裁撰写的史书，并围绕撰写史书做了许多有意义的思考，促进了史学批评的发展。这一时期的史学批评在先秦两汉史学批评的基础上，初步考察了史家、史书和史学现象，并出现了《文心雕龙·史传》篇评价史学的诸多方面，成为这一时期史学批评发展的标志性成果。魏晋南北朝时期的史学批评虽然不及隋唐时期史学批评深入，但仍是史学批评发展史上不可忽视的一环。

第一章　学术思想的活跃与史学批评的广泛展开

第一节　学术思想的活跃

在思想上，魏晋南北朝时期与两汉时期不同，呈现出十分活跃的局面，不再只有两汉时期一家独大的儒家经学。清人李慈铭讲道："汉儒之学，至康成而极盛，然由此骤衰。盖三方鼎峙，戎马纷纭，精庐不存，学侣四散。蜀限一隅，无可言矣。"[①] 李慈铭此说是讲，汉代儒学极盛于东汉郑玄，在三国时期急剧衰落，他认为这是由于三国时期频繁的战争所致。至于这一时期儒学衰落至何种境地、是否丧失了其支配地位等问题，此处暂不作讨论。[②] 可以肯定的是，魏晋南北朝时期，能够进入人们思想领

---

① 李慈铭：《越缦堂读书记》，《三国志》条，中华书局2006年版，第197页。

② 王仲荦认为，"虽然玄学和佛教思想都很活跃，但儒家思想的统治地位，仍然没有动摇"（《魏晋南北朝史》，中华书局2007年版，第873-874页）。侯外庐等认为，魏晋南北朝时期的"支配思想"，是"清谈"或"玄学"（《中国思想通史》第三卷，人民出版社2011年版，第23页）。

域的不仅仅是儒家经学，还有玄学、道教、佛教等其他思想。另外，这些思想并非存在于不同时期，而是常在同一时期内并存，且互相融合。

玄学思想在魏晋时期产生并迅速发展起来。今人汤用彤称，魏晋玄学的学术影响很大，魏晋佛学是玄学的“支流”，宋明理学是玄学的“继续”。[①] 东汉时期，清议是以名教为标准品评人物选拔官吏的一种方式。东汉末年，清议的内容发生了变化，玄学逐渐产生并发展。曹魏齐王芳统治的正始年间（240—249），何晏、王弼等人开始由对人物评论的清议发展到谈论老、庄思想的清谈。以嵇康、阮籍为代表的竹林七贤则“常集于竹林之下，肆意酣畅”[②]，他们行事狂放、任达。阮籍、嵇康崇“无”，向秀、郭象尚“有”。关于“有无”“本末”的讨论是魏晋玄谈的议题，调和的是玄学之自然和儒学之名教的关系。这一时期，出现了《老子》《庄子》多种注释本，如王弼、钟会曾注《老子》，向秀、郭象曾注《庄子》。此外，还出现了有关玄学议题的专篇，如钟会的《四本论》讨论才性的关系，嵇康在《声无哀乐论》中讨论心与声的关系，杨泉的《物理论》和裴頠的《崇有论》则是对玄学尚“无”的批判。约在东晋以后，玄谈之势大不如前，但玄学影响下的佛教、道教仍在思想领域起着重要的作用。

---

① 汤用彤：《魏晋玄学论稿》，生活·读书·新知三联书店2009年版，第185页。

② 刘义庆：《世说新语》卷下之上《任诞》，余嘉锡《世说新语笺疏》本，中华书局2007年版，第854页。

大致在西晋灭亡后，道教、佛教迅速发展起来。《世说新语》记载东晋重臣郗鉴的儿子郗愔、郗昙信奉道教，何充和弟弟何准信奉佛教之事。谢万感叹：“二郗谄于道，二何佞于佛。”① 可见东晋时期道教和佛教在统治集团内部的流行。道教以修炼丹药、符水治病，以求升天成仙的方式吸引教徒。东汉末年张角领导的黄巾起义打着“太平道”的旗号，对东汉皇朝形成了冲击。东晋末年孙恩、卢循以“五斗米道”的名义起兵反晋。东晋葛洪撰《抱朴子》，自称其中的内篇和外篇分别属于道家和儒家思想，实际上道家、儒家思想在内、外两篇都有表现。葛洪继承道家的神仙方术，同时又精研儒家学术，今人王仲荦称葛洪改造了道教的原始理论，使之“完全成了为世家大族服务的宗教”，道教的受众扩大至世家大族。②

然而，道教在这一时期的发展并未达到佛教发展那般迅速。南朝人陶弘景，隐居修道，受到梁武帝的信任，被称为“山中宰相”③，但他仍受戒于佛教，表示对佛教教义的遵从。陶弘景的做法应是对南朝梁武帝时佛教之极盛作出的妥协。至于北魏太武帝时，道士寇谦之结合佛教改革道教教义，得到宰相崔浩的支持④，被尊为“天师”，道教被称为国教。此时正值太武帝灭佛，

---

① 刘义庆：《世说新语》卷下之下《排调》，余嘉锡《世说新语笺疏》本，中华书局 2007 年版，第 956 页。

② 王仲荦：《魏晋南北朝史》，中华书局 2007 年版，第 790 页。

③ 李延寿：《南史》卷七六《隐逸传下》，中华书局 1975 年版，第 1899 页。

④ 陈寅恪《崔浩与寇谦之》一文指出，崔浩之所以支持寇谦之，出于儒家大族的阶级意识，他看重寇谦之的大族出身，且寇谦之改革的道教教义符合儒家大族的传统学说。（《金明馆丛稿初编》，生活·读书·新知三联书店 2015 年版，第 157 页）

道教得到发展。但在此后，佛教和道教两种思想仍然并存于北朝统治集团中。北齐文宣帝时，道教在佛道论争中失败，文宣帝下令废除道教。北周武帝时，下令废除道教和佛教。可见，在北朝人的思想中，佛教和道教一直是思想领域中十分活跃的两支。

至于佛教思想，与儒学、玄学、道教思想不同，它是从国外传入的异域思想。在魏晋之前，佛教已经传入中原地区，并有大量佛经被翻译成汉文，同时佛经教义也得到讲授。自西晋灭亡、晋室南渡开始，偏安一隅的东晋皇朝在玄学的基础上接受了佛教教义，北方十六国的少数民族政权中也有佛教的传播。佛教的传播不仅在百姓之间，更是在上层统治集团内部的君主、王室、世家大族中广泛流行。

南朝和北朝的统治集团内部多出现佞佛的现象，如萧齐竟陵王萧子良招众僧讲佛法，萧梁武帝萧衍“佞佛达到极点”[①]，南陈武帝陈霸先也曾办无遮大会、舍身出家。由此可见南朝统治集团内部佛教之盛。佛教在北朝也有大规模的发展，《洛阳伽蓝记》记载道，北魏都城洛阳曾有寺庙一千三百六十七所[②]，且其中包括了宣武帝所立瑶光寺、宣武灵皇后所立永宁寺等皇室成员建立的庙宇。北魏太武帝、北周武帝兴起灭佛运动，是统治集团

① 王仲荦：《魏晋南北朝史》，中华书局2007年版，第841页。

② 杨衒之：《洛阳伽蓝记》卷五《京师建制及郭外诸寺》，周祖谟《洛阳伽蓝记校释》本，中华书局2010年版，第212页。

对佛教在北朝迅速发展形势的应对表现。在佛教思想广泛传播的同时，反佛思想也发展起来。北朝两位武帝兴起反佛运动，南朝范缜等人从理论上反对佛教，提出无神论思想。

佛教思想在东晋、南北朝时期发展兴盛，出现了许多佛教著作，如齐梁时有释僧祐撰《弘明集》，专门收录有关佛法的文章，《四库全书总目》认为它“抑周、孔，排黄、老，而独伸释氏之法”①。同时，这一鲜明的时代特征在史书中也有反映，北朝魏收撰《魏书》立有《释老志》，论述了佛教、道教的发展原委。另外，北朝杨衒之撰《洛阳伽蓝记》，反映了北魏时期洛阳佛教寺院之兴盛；南朝梁人释慧皎撰有《高僧传》，为东汉至南朝萧梁之间二百余位高僧立传，载其行事及交游。以上均为史书中有关这一思想的记载。

魏晋南北朝时期思想的活跃为学术的繁荣创造了良好的环境，而当时大量涌现出的著作是学术繁荣的表现。虽然由于岁月的久远和社会的动荡，有些著作已经遗佚，但它们的基本情况仍在流传至今的文献分类目录中保存了下来。《汉志》大致承袭西汉刘歆《七略》的分类方法，分为六艺、诸子、诗赋、兵书、数术、方技；曹魏秘书郎郑默制《中经》；西晋秘书监荀勖因《中经》而制《中经新簿》，分甲、乙、丙、丁四部，实为经、子、史、集；东晋著作郎李充调整《中经新簿》中乙、丙之次序，为经、史、子、集；南朝刘宋秘书监谢灵运造《四部目

① 永瑢等：《四库全书总目》卷一四五《子部释家类》，中华书局1965年版，第1236页。

录》；萧齐秘书丞王俭撰《七志》，分图书经典、诸子、文翰、军书、阴阳、术艺、图谱七类，另有道、佛文献；后有萧齐秘书丞王亮、秘书监谢朏作《四部书目》；萧梁秘书监任昉、殷钧作《四部目录》及术数一部；萧梁处士阮孝绪《七录》分为经典、记传、子兵、文集、术技、佛法、仙道七类；隋许善心仿《七录》制《七林》；唐修《隋志》，仍以四部分类。①

从以上文献分类的流变可以看出，魏晋南北朝时期学术撰述的种类在不断丰富和变化，在文献分类的变化过程中，儒家经学著作一直处于首位。如刘歆、班固设置《六艺》；荀勖和李充所制目录中，甲部包含六艺；王俭设《经典志》包含经书；阮孝绪则设《经典录》只收经部文献。这一现象的出现是经学在两汉的基础上继续发展的表现。在经书之外，史书、子书、文翰或文集等类型的撰述较前一时期有了较大的发展，此外反映思想多元的阴阳、佛法、仙道等著作也占据一席之地。特别是佛教和道教文籍，王俭将文献分为七类之外，还“道、佛附见，合九条”②，阮孝绪设《佛法录》和《仙道录》为外篇，他讲道，“释氏之教，实被中土，讲说讽味，方轨孔籍。王氏虽载于篇，而不在志限；即理求是，未是所安”，而“仙道之书，由来尚矣，刘氏神仙陈于方伎之末，王氏道经书于《七志》之外”。③至于二录的顺序，阮孝绪说：“王则先道而后佛，今则先佛而后

① 见魏徵等：《隋书》卷三二《经籍志》总序，中华书局1973年版，第905-907页。
② 魏徵等：《隋书》卷三二《经籍志》总序，中华书局1973年版，第907页。
③ 阮孝绪：《七录序》，载于释道宣：《广弘明集》卷三，四部丛刊本。

道，盖所宗有不同，亦由其教有浅深也。”[1] 可见，阮孝绪从佛、道文籍对当时社会的重要性出发，认为刘歆和王俭二人的处理并不完善，于是设置二录总归入《七录》之内。从文献分类的变化可以看出，魏晋南北朝时期学术上也呈现出繁荣的局面，下面从文学、艺术、科技等方面概述这一时期的学术成就。

文学的发展表现得特别突出。[2] 记载这一时期历史的正史中，《晋书》《南齐书》《梁书》《陈书》《魏书》《北齐书》《南史》《北史》等，都设有《文学传》或《文苑传》，这个现象的出现与许多因素有关，但整体上反映了该时期文学发展的盛况。《宋书》卷六七《谢灵运传》后史论，述明文学在南朝刘宋之前的流变。三国时期，曹魏重文，“魏之三祖，崇尚文辞，遂成风俗”[3]。汉献帝建安年间，出现了以三曹和建安七子[4]等人为代表的文学名家，他们风格苍凉，亦饱含壮志豪情。《诗品》论道：“曹公古直，甚有悲凉之句。”[5] 诸如曹操《观沧海》中有“日月之行，若出其中；星汉粲烂，若出其里”[6]，叹尽汹涌的海水吞吐日月和星辰的磅礴气势；《短歌行》中“对酒当歌，人生几何！譬如朝露，去日苦多”[7] 是对时光易逝的感慨，也饱含成就

---

① 阮孝绪：《七录序》，载于释道宣：《广弘明集》卷三，四部丛刊本。

② 此处所说的文学，指的是现代学科分类的意义上“文学”概念涵盖的范围。

③ 李慈铭：《越缦堂读书记》，《三国志》条，中华书局 2006 年版，第 201 页。

④ 建安七子指东汉建安年间（196—220）的七位文学家，有孔融、陈琳、王粲、徐干、阮瑀、应玚、刘桢。

⑤ 钟嵘：《诗品》，载于严可均：《全梁文》卷五五，中华书局 1958 年版，第 3279 页。

⑥ 曹操：《步出夏门行》，载于《曹操集》，中华书局 1974 年版，第 20 页。

⑦ 曹操：《短歌行》，载于《曹操集》，中华书局 1974 年版，第 8 页。

事业的渴望。又如曹植，他以“捐躯赴国难，视死忽如归”[①] 颂扬边塞游侠忠勇爱国的精神；“流转无恒处，谁知吾苦艰！愿为中林草，秋随野火燔，糜灭岂不痛？愿与株荄连”，则是他对漂泊动荡处境的悲叹。[②]

在建安文学之后，有嵇康、阮籍为代表的正始文学的发展，它是与玄学中兴起的正始之音对应出现的，表现出的往往是作者对世事的悲愤和无奈，及对人生的思考。西晋有陆机、潘岳、左思等人的诗文；到了东晋南朝，陶渊明、谢灵运的山水田园诗则以淡雅的文辞寄托了作者对安逸生活的追求。南朝中以齐、梁的文学作品成就最多，齐武帝时兴“永明体”诗歌，注重追求形式之美，如沈约、谢朓等是代表人物。梁简文帝萧纲为太子时，流行于太子东宫的“宫体诗”则更重辞藻之华丽，如吴均、徐陵、庾肩吾等尤为擅长。

除此之外，晋以后记载鬼怪传说或人物琐闻的小说发展起来，前者如晋人张华的《博物志》、干宝的《搜神记》，后者如南朝刘宋刘义庆的《世说新语》，它们都保存了反映魏晋南北朝时期社会面貌的史料。

而在北方地区有重于叙事的乐府诗，如《木兰诗》，北魏有郦道元的《水经注》，北齐出现了杨衒之的《洛阳伽蓝记》和颜之推的《颜氏家训》，北周则有由南入北的著名诗人庾信和王褒的作品。北方作品的文笔清丽，与南朝文学的区别很大。

---

① 曹植：《白马篇》，赵幼文《曹植集校注》本，人民文学出版社 1984 年版，第 412 页。

② 曹植：《吁嗟篇》，赵幼文《曹植集校注》本，人民文学出版社 1984 年版，第 383 页。

与此同时，文学上最为突出的表现是这一时期文学理论思考日趋成熟，文学理论著作在这一时期集中出现。今人郭绍虞称，魏晋论文且专论文学，已经进入“自觉的时期”①。三国时，阮瑀、应玚有《文质论》，魏文帝曹丕有《典论》，陈思王曹植有《与杨德祖书》；晋有陆机的《文赋》、挚虞的《文章流别论》、李充的《翰林论》；南朝有钟嵘的《诗品》、刘勰的《文心雕龙》；等等，都是文学理论的代表作。

阮瑀的《文质论》和应玚的《文质论》都讨论了文与质的关系，均以论人之文质来论文之文质。郭绍虞称《典论》中的《论文》篇是“文学批评之嚆矢”②。曹丕在《论文》篇中批评了建安七子等人的作品特征，区分文体为奏议、书论、铭诔、诗赋四科，提出文之创作要以气为主，并论文之重要等，涵盖了文学批评的基本问题。曹丕的《与吴质书》中也贯穿他的文学批评思想。曹植的《与杨德祖书》则谈论了文学作品“不能无病”，要善于听批评者的意见，“有不善者，应时改定”③，认为批评者也要有较高的文学修养。

到了晋代，陆机的《文赋》以赋的形式论文的创作，包括文章的构思、结构、文体、语言等问题，主要讨论的是创作文章中如何处理“意不称物，文不逮意”④ 的问题，郭绍虞指出，

---

① 郭绍虞：《中国文学批评史》，商务印书馆2010年版，第91页。

② 郭绍虞：《中国文学批评史》，商务印书馆2010年版，第93页。

③ 曹植：《与杨德祖书》，载于萧统编：《文选》卷四二《书中》，李善注本，中华书局1977年版，第593页。

④ 陆机：《文赋》，载于萧统编：《文选》卷一七《赋壬》，李善注本，中华书局1977年版，第239页。

“想像与感兴尤为他独到的见解”[①]。挚虞的《文章流别论》是关于不同文体的评论，他分别论述不同文体的产生、流变、创作技巧，也涉及对文章功用的评价。李充的《翰林论》不同于挚虞之作，“所论遂多评论作家”[②]。

南朝钟嵘的《诗品》与刘勰的《文心雕龙》并列为文学批评的专门之作。清代史家章学诚讲：“《诗品》之于论诗，视《文心雕龙》之于论文，皆专门名家，勒为成书之初祖也。”[③] 钟嵘的《诗品》论及汉至萧梁的诗人一百二十二人，钟嵘概括其诗文风格、评价其影响及地位，将他们分为上、中、下三品予以评价，是一部专门评论诗的著作。刘勰的《文心雕龙》是一部专门的文学批评著作，他系统论述了文的作用、文体的流变、文学创作，并论及文学批评的要求。郭绍虞称二人所论在三个方面上比之前的文学批评更深入：一是“不仅润饰改定的问题，而重在建立文学上的原理和原则”；二是“不偏重在杂文学的方面，而很能认识文学的性质”；三是“纯粹的批评而不必附丽于总集”。[④] 以上学者们对文学理论的思考，是这一时期文学发展最显著的特征。

这一时期在艺术方面，如雕塑、绘画、书法等领域，也多有优秀作品问世，且亦有理论著作出现。佛教的发展促进了佛像雕塑的发达，中国著名的三大石窟都始建于这一时期，即十六国时

---

① 郭绍虞：《中国文学批评史》，商务印书馆2010年版，第102页。
② 郭绍虞：《中国文学批评史》，商务印书馆2010年版，第113页。
③ 章学诚：《文史通义·诗话》，叶瑛《文史通义校注》本，中华书局1985年版，第559页。
④ 郭绍虞：《中国文学批评史》，商务印书馆2010年版，第122页。

期甘肃的敦煌莫高窟、北魏山西大同的云冈石窟和河南洛阳的龙门石窟。三大石窟保存了大量的佛像、壁画，制作精美，令人叹为观止。

同时，受佛像绘画的影响，人物绘画也有诸多成就，如孙吴曹不兴、晋人顾恺之、刘宋陆探微、萧梁张僧繇与唐人吴道子一起，被称为画家之祖。北朝展子虔也有出色的人物画作。理论上，南朝萧齐时出现了谢赫撰著的《古画品录》，品评了三国至齐梁之际的二十余位画家的画作，并将其分为六品等级。谢赫在这部绘画理论著作中，提出了绘画创作的“六法”，影响了后代的绘画创作及品鉴。

在书法方面，三国时期的钟繇，晋人卫夫人、王羲之、王献之等人，有许多优秀的作品。而南朝萧梁的庾肩吾撰有《书品》，《书品》将汉至梁的一百余位书法家分为九品，品评其书法成就，为书法评论的重要著作。

另外，魏晋南北朝时期在科学技术方面的成就也很大。在数学上，魏晋之际的刘徽计算圆周率为3.14，南朝祖冲之则将圆周率精确到小数点后第七位。农学方面，曹魏的马均发明翻车用于灌溉，发展生产；北魏贾思勰撰《齐民要术》，总结了北魏之前的农业生产经验。地理学方面，西晋裴秀编《禹贡地域图》，绘制西晋之前的疆域地图，并提出了绘制地图的六项原则，对地理学的发展有重要的作用。

在魏晋南北朝时期民族交流和融合的背景下，学术思想的繁荣也是民族文化交流的结果。其中，中原汉文化对少数民族统治集团的影响较为明显，下面就这一个问题作出说明。少数民族政权的统治者往往主动学习中原文化，受汉文化的熏陶，如石勒、拓跋焘、拓跋宏等。同时，由于中原的汉族政权内部的战争，及少数民族同中原政权的战争，造成社会动荡，许多汉族士人进入少数民族统治集团中，促进少数民族政权的统治者推行汉化的政策，如崔浩。

匈奴人刘渊建立了汉赵政权，他曾拜“儒术甄明”[①] 的崔游为师，学习《诗》《易》《尚书》等儒家经典，他常诵读《左传》《孙武兵法》，也涉猎《史记》《汉书》及诸子著作。[②]

羯族石勒建立了后赵政权。石勒凭借“壮健有胆力，雄武好骑射”[③] 的勇武，吞并前赵，建立北方地区实力强大的政权。石勒在学术文化上注重学习中原儒家文化，虽在军旅之中，却命儒者为他读《春秋》《史记》《汉书》等传统著作。他还重视儒学教育，亲自到学校中考查学生对经学义理的掌握。[④] 石勒建立了官方的学术机构，“署从事中郎裴宪、参军傅畅、杜嘏并领经学祭酒，参军续咸、庾景为律学祭酒，任播、崔濬为史学祭酒”；重视国史的撰修，“命记室佐明楷、程机撰《上党国记》，中大夫傅彪、贾蒲、江轨撰《大将军起居注》，参军石泰、石

---

① 崔鸿：《十六国春秋》卷九《前赵录九》，汤球辑补，《丛书集成初编》本，中华书局1985年版，第66页。

② 房玄龄等：《晋书》卷一〇一《刘元海载记》，中华书局1974年版，第2645页。

③ 房玄龄等：《晋书》卷一〇四《石勒载记上》，中华书局1974年版，第2707页。

④ 崔鸿：《十六国春秋》卷一四《后赵录四》，汤球辑补，《丛书集成初编》本，中华书局1985年版，第104页。

同、石谦、孔隆撰《大单于志》”。[①] 石勒不仅学习儒家经典，还将其作为治国之策。石勒死后，石虎继承王位。石虎残暴奢侈，却“颇慕经学”[②]。

鲜卑人慕容皝建立前燕政权，他“雅好文籍，勤于讲授”[③]。氐族人建立的前秦曾经统一北方地区，并与东晋政权相抗衡。前秦极盛时的君主苻坚重用汉人王猛，推重儒学教育，“广修学官”，并像石勒一样亲自到太学考查学生对经义的理解，以督促其学习。[④]

在十六国之后，鲜卑拓跋氏建立的北魏政权，统一了北方，形成了与南朝对峙的局面。北魏文化也受到中原文化的影响，是民族文化融合的代表。在北魏的统治者中，道武帝拓跋珪曾被迫迁徙至中原的长安等地，并在中原地区生活了将近十年，受到了中原文化的熏陶。他是由习惯迁徙的游牧部落推举出的统治者，却希望以封建社会的父子相承的方式传袭王位，并定都平城。[⑤] 明元帝拓跋嗣“礼爱儒生，好览史传”[⑥]，太武帝拓跋焘推行儒学教育，重视儒生。出身北方汉族高门的崔浩仕道武帝、明元帝、太武帝，他“少好文学，博览经史，玄象阴阳，百家之言，无不关综，研精义理，时人莫及”[⑦]，崔浩极力推行促进鲜卑族

---

① 房玄龄等:《晋书》卷一〇五《石勒载记下》，中华书局1974年版，第2735-2736页。

② 房玄龄等:《晋书》卷一〇六《石季龙载记上》，中华书局1974年版，第2774页。

③ 房玄龄等:《晋书》卷一〇九《慕容皝载记》，中华书局1974年版，第2826页。

④ 房玄龄等:《晋书》卷一一三《苻坚载记上》，中华书局1974年版，第2888页。

⑤ 今人李凭在《北魏平城时代》中，分析在什翼犍代国灭亡后到政权重建的十年之间，拓跋珪流亡中原的经历对他汉文化素养的形成起着重要的作用。(上海古籍出版社2011年版)

⑥ 魏收:《魏书》卷三《太宗纪》，中华书局1974年版，第64页。

⑦ 魏收:《魏书》卷三五《崔浩传》，中华书局1974年版，第807页。

和汉族融合的政策。孝文帝拓跋宏时下令迁都洛阳，孝文帝“雅好读书，手不释卷”①，他不仅精通经文义理，还擅长释义老子、庄子之说。孝文帝推行改革，如改鲜卑姓为汉姓、鼓励鲜卑人和汉人通婚、禁止说胡语穿胡服等，这些举措不仅从政治上，更是从文化和风俗上进一步促进民族文化融合。

魏晋南北朝时期不仅有儒家、道家、佛教、玄学等多支活跃的思想，还有史学、文学、艺术、科学等繁荣的学术文化。这样活跃的学术思想，大致是以中原传统学术思想为基础的。在魏晋南北朝时期，民族文化也在不断融合，少数民族政权的统治者往往注重对中原文化的学习和吸收，中原文化也在这一过程中受到少数民族文化的影响。在这种情况下，魏晋南北朝时期活跃的学术思想，是融合了少数民族和汉族不同文化而形成的，具备多元的特点。史学存在于这一活跃的学术环境中，它作为学术思想的重要组成部分，在魏晋南北朝时期也表现出不同于以往的特点，这也是史学批评生长的环境。

第二节　史学批评的广泛展开

魏晋南北朝时期的历史面貌大致如上文所述，思想学术的活跃为史学的发展创造了良好的环境；史学作为学术的分支，在学术环境改变的情况下，取得了诸多独立发展的成就，表现出史学

① 魏收：《魏书》卷七下《高祖纪下》，中华书局1974年版，第187页。

发展的独特性。蒙文通称，这一时期史学发生了变革，“盖一切学术均变，而史学亦不得不变，哲学盛而史亦盛也”①。

随着史学的发展，魏晋南北朝时期的史学批评也在前一阶段的基础上开展起来。先秦时期史学批评意识开始滋生，两汉时期出现自觉的史学批评。② 史学批评关系着史家对史学的认识，这一时期的史学批评处于初步的发展阶段，关于初步发展的大概情况，如评论史书、史家、史学问题等方面，前文中已有说明。这里需要指出的是，魏晋南北朝时期的史学批评，在特殊的时代背景下，尤其是学术思想活跃的环境中，表现出了广泛性的特点，它不仅表现在文中论及的评论对象、形式、主体上，而且也表现在以下两个方面。

一方面，从时间及空间上看，这一时期史学批评在三国、西晋、东晋十六国、南北朝的各个阶段，都取得了一定的成就，而且南方与北方的史学批评也都获得了各自的发展，存在着差异。

就魏晋南北朝时期各阶段史学批评的发展情况来说，三国时期史学批评主要出现在官修史书的过程中，评论的内容是官修史书所需的史才、史官的素养、史书的作用等，比如三国时期孙吴的华覈对官修史书的认识，在三国时期的史学批评中具有代表意义。同时，这一时期的其他史书，如孙吴谢承的《后汉书》、孙吴薛莹的《后汉记》、曹魏王沈的《魏书》、曹魏鱼豢的《魏略》、蜀汉谯周的《蜀本纪》等史书，多已亡佚，在后人注书、

---

① 蒙文通：《中国史学史》，上海人民出版社 2006 年版，第 42 页。
② 瞿林东：《中国古代史学批评纵横》，中华书局 1994 年版，第 25 页。

辑佚时偶有收录，他们对史学的评论保存下来的较少。

西晋时期，围绕官修史书而展开的史学批评继续发展，特别是对史书的体例问题有多次讨论，具体来说是国史的断限和史书结构，如西晋朝臣多次就国史撰修问题作出讨论。同样在这一时期，私家修史兴盛，史家重视史书保存史料的作用，他们指出前代史书撰修中的讹误，并关注史书在流传过程中的亡佚现象，积极选择不同的史体撰史，并评价此前史家的撰述，如陈寿重叙事，就是在撰修史书的过程中对史书记载内容的完善。这一时期对史家的评论，大抵围绕的是司马迁、班固的史才及作史态度，如张辅论马、班，张华评陈寿，等等。东晋十六国时期的史学批评内容与西晋时期较为相似，如袁宏撰编年体史书重视人物的记载、干宝重史例等等。

与前一阶段相比，南北朝时期官修和私撰史书中的史学批评思想都有发展且更加活跃，另外，史学批评理论思考的趋向性更强。在官修史书中，仍然存在对史书体例、体裁的讨论，特别是关于史书的内容、结构，刘宋、萧齐、北齐史家对此发表过看法。另外，这一时期对多种史体的思考较前一时期更为丰富且更加深入，如裴松之对史注的认识、释慧皎对传记体的认识、李彪对皇朝史的认识等等。

这一时期，南方和北方的史学批评都有发展，但讨论的重点不同，特别是在东晋十六国和南北朝时期。总体上看，东晋、南朝的史学批评有了更为广泛的评论对象，并形成了史学批评发展的标志性成果，南方的史学批评多途发展的特征和理论化倾向更为明显。而十六国和北朝的史学批评特别关注官修史书的作用，北方史学批评所强调的问题基本都围绕国史撰修展开，对国史之外其他问题的评论，数量不多且评价内容比较具体。

南方的史学批评有的针对国史撰修展开，但是它更突出的特点表现在史学批评的形式多样化和史学批评的内容理论化两个方面。在史学批评的形式上，南方史学批评的形式有大臣的奏疏、国史的序录、史书的注释、人们的群议，以及私撰史书的叙录、专文、专篇等形式。从史学批评的内容上来看，不仅包括对某个史家或某部史书的评论，还有对史书体例、史官群体和史学整体的认识。比如，西晋杜预注《春秋左传》，他对史书体例的分析和强调，促使之后的史家对史书体例的关注度明显上升，对史书体例的评论也越来越多。南朝刘勰在论述文章之道时，设《史传》篇，从整体上考察并评论了史书发展的历程、史学的作用、史书编撰的方法等问题，这里不再只是对史家、史书个体的认识，而是作出了整体上的论述。

北方的史学批评，主要指的是十六国到北朝这两个时期的少数民族政权统治下的史学批评。北方史学批评的重点是强调国史的撰修、史学的政治价值、直笔撰述的重要性。同时，君主对国史撰修有强大的控制力。北方的史学批评多见于北方政权的国史撰修中，因此史学批评的对象多是国史。北魏史官多次发表有关国史撰修的观点，如李彪、高祐、宗钦、崔光、魏收、李德林等人，他们对史学的认识是丰富且较为一致的。其中，他们大多对私家撰修皇朝史的情况持否定态度，如李彪曾批评南朝私家撰史之情形："国之大籍，成于私家，末世之弊，乃至如此，史官之不遇，时也。"[①]

南、北方史学批评的差异是由多方面因素造成的，因为南方和北方本身存在诸多不同，关于南、北在风俗上的不同，特别是语言、家族、称谓等方面，《世说新语》有所记载，《颜氏家训》所论甚详。此前的学者对这一时期南、北方的差异进行了许多有价值的讨论。[②] 这里，就上述南、北方史学批评差异出现的原因，从学术思想上作一简要说明。关于南、北学术的不同特点，《世说新语》记："褚季野语孙安国云：'北人学问，渊综广博。'孙答曰：'南人学问，清通简要。'支道林闻之曰：'圣贤固所忘言。自中人以还，北人看书，如显处视月；南人学问，如牖中窥日。'"[③] 这是说，北人治学广博，南人治学精要。《隋书·儒林传》中讲道："南北所治，章句好尚，互有不同。……大抵南人约简，得其英华，北学深芜，穷其枝叶。"[④] 这是说南北方经学治学有不同的特点。清人赵翼曾论南方经学不如北方经学，他认为，"北朝偏安窃据之国，亦知以经术为重"[⑤]，"南朝经学本不

---

① 魏收：《魏书》卷六二《李彪传》，中华书局1974年版，第1396–1397页。

② 研究者讨论这一时期南、北差异，包括文学、佛教、经学等不同的角度。其中有关南、北史学差异的论述，如周一良有《略论南朝北朝史学之异同》（载于周一良：《魏晋南北朝史论集》，北京大学出版社2010年版，第364页）；胡宝国在《汉唐间史学的发展》一书中，记《南北史学异同》（胡宝国：《汉唐间史学的发展》，商务印书馆2003年版，第186页）；等等。

③ 刘义庆：《世说新语》卷上之下《文学》，余嘉锡《世说新语笺疏》本，中华书局2007年版，第255页。

④ 魏徵等：《隋书》卷七五《儒林传》序，中华书局1973年版，第1705–1706页。

⑤ 赵翼：《廿二史札记》卷一五"北朝经学"条，王树民《廿二史札记校证》本，中华书局1984年版，第314页。

如北，兼以上之人不以此为重。”[①] 在赵翼看来，统治集团对经学的重视程度，决定了南北经学的差异。学者们对南北经学不同的看法大约是一致的。在经学之外，汤用彤等学者指出魏晋佛学，实际上是魏晋玄学的支流。[②] 可以看出，虽然南北学术、思想互有交流，但从总体上来说，北方学术的主体是汉代传承而来的儒家经学；南方学术的发展较北方而言，对传统经学的变革更多。鉴于不同学术思想之间的互相影响，南方史学受到传统经学义理的影响不如北方明显，同时，南方史家在佛教、玄学等思想的影响下，作出更多的理论思考。因此，南方史学批评的多样化发展尤为显著，不只是围绕国史经世意义作出讨论，而是去探寻史料来源的多样性、探寻史学本身的内涵，并获得一定的理论成就；北方史学批评则仍是遵循魏晋以前史学附属于经学的要求，看重史学维护政治统治的作用。

以上讲的是这一时期史学批评在时间上和空间上的广泛展开，在另一方面，从内容上来看，史学批评不仅评论了传统的对象史家、史书、史学等内容，还呈现出繁荣的学术思想影响下的鲜明个性。这个不同于其他时期的明显特点，表现在史学批评的许多方面，特别是对史书内容的认识上，以保存史料为目的，选择各种史书体裁记载史事，并出现了记载琐闻、鬼怪之事的撰述。在《史通》《隋志》等著作中，这类撰述有的是被当作史书

---

① 赵翼：《廿二史札记》卷一五“南朝经学”条，王树民《廿二史札记校证》本，中华书局1984年版，第314页。

② 汤用彤：《魏晋玄学论稿》，生活·读书·新知三联书店2009年版，第185页。

看待的，前文就此作出了讨论。另外，为了避免这类记载可能出现的问题，撰述者也提出以新的角度运用材料进行真伪的辨析。需要指出的是，这类史学批评的内容不同于传统意义上对史学的评价，是在魏晋南北朝这一学术思想繁荣的环境中生成的，是在史料亡佚严重的情况下出现的。

魏晋南北朝时期的史家扩大了史书内容的范围及史料采撰范围，反映了其开阔的史料认识；随着史料来源的扩大，史书记载的内容愈发多样。杜预强调广泛地搜集材料，“身为国史，躬览载籍，必广记而备言之”①。这一时期历史撰述的内容不仅包括皇朝历史，同时还包括地理、家族、传说、琐言在内更为广泛的内容。虽然这样的情况在此之前就已经出现，但是在魏晋南北朝时期，这一现象被大大强化了。如皇甫谧、干宝、萧绮等人，他们表达了关于史料来源及记载内容的范围应该扩大的看法，并在史料的辨析和运用角度上提出了新的认识并作出尝试，实际上反映出这一时期史家的历史认识对象和研究对象的扩大，这是史家思维开阔的表现，也表现出史学批评的广泛展开。

魏晋南北朝时期史学最突出的特点是多途发展，表现在史料采择和史书撰述上，是采择范围的扩大和撰述内容的丰富，这表现了史学批评的广泛性。在这一时期，有的史家指出此前史书记载存在范围上的狭隘和内容上的阙略等问题，如西晋皇甫谧强调，在君主和朝臣以外，其他人物的事迹撰入史书的意义及必要

① 杜预：《春秋序》，载于阮元校刻：《十三经注疏》，中华书局2009年版，第3700页。

性。皇甫谧，字士安，自号玄晏先生，安定朝那人，其事载于《晋书》卷五一。皇甫谧“博综典籍百家之言”[①]，撰有《帝王世纪》，入《隋志》杂史类；又有《高士传》《列女传》《逸士传》等入《隋志》杂传类。皇甫谧在当时颇有名望，左思曾作《三都赋》，未被时人看重，于是张华建议他“君文未重于世，宜以经高名之士”[②]，左思便求教于皇甫谧，得到皇甫谧作序，才使得《三都赋》广泛流传，并引起洛阳纸贵的盛况。皇甫谧撰《高士传》六卷，他在自序中称，《高士传》记自尧到曹魏九十余高士。不过，到了宋人陈振孙时，保存下来的有八十七人[③]。

皇甫谧指出，高士对皇朝有着重要的作用，“孔子称举逸民，天下之民归心焉。是以洪崖先生创高道于上皇之世，许由善卷不降节于唐虞之朝。自三代秦汉，达乎魏兴受命，中贤之主未尝不聘岩穴之隐，追遁世之民。是以《易》著束帛之义，《礼》有玄𫄸之制，诗人发《白驹》之歌，《春秋》显子臧之节。《明堂》《月令》以季春之月聘名士，礼贤者。然则高让之士，王政所先，厉浊激贪之务也”[④]。这是说高士的历史作用甚大。然而，关于高士的记载是不足的。皇甫谧指出《史记》《汉书》记载高士这类人士的缺略，同时申明这就是自己撰《高士传》的缘由。他说道：

---

① 房玄龄等：《晋书》卷五一《皇甫谧传》，中华书局1974年版，第1409页。

② 刘义庆：《世说新语》卷上之下《文学》，余嘉锡《世说新语笺疏》本，中华书局2007年版，第292页。

③ 陈振孙：《直斋书录解题》卷七《传记类》，上海古籍出版社1987年版，第195页。

④ 皇甫谧：《高士传序》，载于严可均：《全晋文》卷七一，中华书局1958年版，第1873页。

史班之载，多所阙略。梁鸿颂逸民，苏顺科高士，或录屈节，杂而不纯。又近取秦汉，不及远古，夫思其人爱其树，况称其德而赞其事哉！谧采古今八代之士，身不屈于王公，名不耗于终始，自尧至魏，凡九十余人。虽执节若夷齐，去就若两龚，皆不录也。①

皇甫谧为高士作传，正是看到传统史书撰述中对这类人物记载的缺略；从内容上说，有的撰述选录的高士人物“不纯”，从时间上说，有的撰述重近世而轻远古。在他看来，高士这类人的事迹是值得史书记录的，上面指出的这两个不足是需要弥补的。由此可以推知，皇甫谧撰写的《列女传》《逸士传》应该也出于这方面的考虑，是对前史采撰范围的扩大和内容的补充。

晋人嵇含在整理有关植物资料的基础上，撰《南方草木状》记载南方的草木植物，他将草木植物也纳入采撷的范围。嵇含，字君道，其事载于《晋书》卷八九《忠义传》。嵇含讲道：“中州之人，或昧其状，乃以所闻诠叙，有裨子弟云尔。”② 嵇含这是以草木植物作为采撰的对象，完善了前人的记载，保存了有关草木植物的资料，以供后人查阅。

持相似观点的还有这一时期私撰的其他新史体的史书撰述。如杨衒之撰《洛阳伽蓝记》，他指出此前的佛教的记载“西域备

---

① 皇甫谧：《高士传序》，载于严可均：《全晋文》卷七一，中华书局1958年版，第1873页。

② 嵇含：《南方草木状序》，载于严可均：《全晋文》卷六五，中华书局1958年版，第1831页。

详，东土靡记”[①]，因此他担心有关佛寺的历史不能流传于后世，但这些内容值得史书撰写，他“恐后世无传，故撰斯记”[②]。清人李慈铭曾论及该书，认为书中的记载以寺庙为主体，然后“系以道里形胜建置制度，旁及人物艺文，遗闻佚事，往往足以补正史传。间杂谈谐神怪，亦可资采摭，而于变乱事故，尤言之详尽”[③]。李慈铭称赞《洛阳伽蓝记》补充了正史中对某些具体的制度、人物等记载的缺乏，虽然涉及琐言传说，但也是有积极意义的，特别是书中详细论述的是有关历史变动的大事。此外，常璩的《华阳国志》、释慧皎的《高僧传》、郦道元的《水经注》等撰述，采择范围上包括了地理史料、僧人史料、地方人物史料等内容，与皇朝史为记录皇朝兴衰而采撷史料的方式相比，涵盖了更广泛的内容。

在魏晋南北朝时期，史书记载内容的范围扩大了，史料采撰的范围也扩大了，史书记载的内容和形式多样化。特别是在这一时期，琐言、鬼怪、神异之事都成为史家记载的对象，出现了诸如西晋张华的《博物志》及嵇含的《南方草木状》、东晋葛洪的《西京杂记》及干宝的《搜神记》、前秦王嘉的《拾遗记》、刘宋刘义庆的《幽明录》及《世说新语》之类的著作。这类著作在《隋志》中，有的被列入史部，有的被列入子部。倘若从历史撰述的角度来看，此类撰述的撰史者有一个共同的特征，虽然

① 杨衒之：《洛阳伽蓝记序》，周祖谟《洛阳伽蓝记校释》本，中华书局2010年版，第21页。
② 杨衒之：《洛阳伽蓝记序》，周祖谟《洛阳伽蓝记校释》本，中华书局2010年版，第25页。
③ 李慈铭：《越缦堂读书记》，《洛阳伽蓝记》条，中华书局2006年版，第471页。

记载的内容仍是街头巷议的传说，但他们以保存史料的态度进行撰录，并尝试用不同的方法辨析史料真伪。

西晋张华撰《博物志》，所载内容十分广博，其中包括山川河流等地理方面内容的记载。张华，字茂先，范阳方城人，其事载于《晋书》卷三六。张华撰书之前考察过许多记载地理内容的著作，《博物志》史料采择针对的是前书的“不载”之处，具有明确的补充前史地理内容撰述的意图。张华讲道：

> 余视《山海经》及《禹贡》、《尔雅》、《说文》、地志，虽曰悉备，各有所不载者，作略说。出所不见，粗言远方，陈山川位象，吉凶有征。诸国境界，犬牙相入。春秋之后，并相侵伐。其土地不可具详，其山川地泽，略而言之，正国十二。博物之士，览而鉴焉。①

张华作《博物志》，先考察了当时可见的《山海经》及《禹贡》、《尔雅》、《说文》、地志等地理记载，发现并不完备，仍有内容未被记入其中，因此他将那些未载之事编为《博物志》，给“博物之士”参考。《博物志》中亦设“史补”篇，察其内容，仍然以琐闻传说为主，如舜之“湘妃斑竹”、西王母访汉武帝诸事；另外，它也记有冠辞、祝辞，还有某些历史细节的记载。张华对地理类史料进行了有针对性的采择和整理工作，他所撰录的

---

① 张华：《博物志》序，范宁《博物志校证》本，中华书局1980年版，第7页。

“史补”类史料，多可归类于琐闻。

《搜神记》是一部记录传说及鬼怪的撰述，干宝撰《搜神记》被称为鬼之董狐。干宝，字令升，新蔡人，其事载于《晋书》卷八二。他在东晋任史职，参与撰修国史。从《搜神记》记载的内容来看，干宝将传说、鬼怪列入史料采择的范围及撰述的内容；另外，干宝分析了史料采撷的过程容易遇到的问题及造成的历史撰述上的困难。他表明，真实性是史料采撷的要求。干宝的这一认识是值得肯定的。他在《搜神记》序中说道：

> 虽考先志于载籍，收遗逸于当时，盖非一耳一目之所亲闻睹也，亦安敢谓无失实者哉！卫朔失国，二传互其所闻；吕望事周，子长存其两说，若此比类，往往有焉。从此观之，闻见之难一，由来尚矣。夫书赴告之定辞，据国史之方策，犹尚若兹，况仰述千载之前，记殊俗之表，缀片言于残阙，访行事于故老，将使事不二迹，言无异途，然后为信者，固亦前史之所病。然而国家不废注记之官，学士不绝诵览之业，岂不以其所失者小，所存者大乎！①

干宝认为，撰写史书所采择的史料，可以来自旧籍中的记载，也可以通过搜集、整理当时可见的散佚材料而获得，且只有亲耳听到、亲眼看到的，才能采择入书中，这样能够不违背历史

① 干宝：《搜神记》序，载于房玄龄等：《晋书》卷八二《干宝传》，中华书局1974年版，第2150页。

记载的真实性。干宝也感叹，如此严格的采撰是非常困难的，究其原因，是由于真实的历史事实难以确定，史书中的记载往往不只一说。然而，尽管如实撰述存在上述困难，干宝也指出史官负责记事、学习古今史事的传统仍是必要的。虽然《搜神记》所记内容大多是荒诞的，但干宝重视撰录的真实性，也关注到史料采择可能遇到的问题，即要达到史料采撰的完美、探寻历史的真实是困难的，但探索过程有积极意义并且是可能实现的。干宝称《搜神记》就是按照上述严格的史料采择方法撰写的。这样看来，干宝对史料采撰的认识是全面的，他既看到采撰的难处和记载真实历史的难处，又提出采撷史料的方法要兼采古今，不仅包括文字史料，还包括探访旧人所得。

随着史料采撷范围的扩大，所记之事的真实性存在被忽视的可能，干宝作为撰史者，他明确地认识到历史撰述真实性的不易并表达了对真实性的不懈追求。他提出的史料搜集和辨析的方法，是史学认识进一步发展的表现。

在干宝之后，又有史家在史料的辨析和运用上作出了许多尝试，如萧梁的萧绮曾整理前秦王嘉撰写的《拾遗记》，他在整理过程中，辨析王嘉所用的史料，并以“录曰”的形式加以评论，表达了在史料采撰范围扩大的情况下，对史料运用方式的积极探索。萧绮，正史无传。《隋志》列王嘉《拾遗记》为“杂史”类。据《隋志》讲，杂史自后汉时期开始盛行，学者多从旧史中抄录，编缀成书。它们往往体例不一，内容混杂虚妄怪诞之事，“然其大抵皆帝王之事，通人君子，必博采广览，以酌其要，故备而存之，谓之杂史”[①]。可见，虽然杂史所记录的很多内容在今天看来实为荒诞之说，但是确为学者博览所得。在当时的人看来，这类史料是值得记入史书，保存下来的。

萧绮整理的《拾遗记》就是这样一部著作，它收录了上古到东晋的历史传闻及鬼怪神话，内容荒诞不经。萧绮首先指出正史记载山川地理内容之缺略，这是从史料采撷范围和记载内容上提出的问题。他说道：

> 按《禹贡》山海，正史说名山大泽，或不列书图，著于编杂之部。或有乍无，或同乍异，故使览者回惑而疑焉。至如《列子》所说，员峤、岱舆，瑰奇是聚，先《坟》莫记。蓬莱、瀛洲、方丈，各有别名；昆吾神异，张骞亦云焉。睹华戎不同寒暑律人獯禽至其异气，云水草木，怪丽殊形，考之载籍，同其生类。非夫贵远体大，则笑其虚诞。俟诸宏博，验斯灵异焉。[②]

萧绮认为，正史撰述中缺乏对地理内容详细、准确的记载，这容易使后人浏览撰述时产生疑惑。萧绮在《拾遗记》的书前撰有序，在某些篇章后撰有录。萧绮在序文中评价了王嘉的《拾遗记》的特点。他说：“王子年乃搜撰异同，而殊怪必举，

① 魏徵等：《隋书》卷三三《经籍志二》，中华书局1973年版，第962页。

② 萧绮：《拾遗记》卷一〇《洞庭山》“录曰”，齐治平《拾遗记校注》本，中华书局1981年版，第237页。

纪事存朴，爱广尚奇，宪章稽古之文，绮综编杂之部，《山海经》所不载，夏鼎未之或存，乃集而记矣。辞趣过诞，意旨迂阔，推理陈迹，恨为繁冗；多涉祯祥之书，博采神仙之事，妙万物而为言，盖绝世而弘博矣！”[①] 从史料采择和记载内容来看，萧绮一方面肯定了《拾遗记》材料来源的广博，认可王嘉从古人撰述中钩稽散佚的史料，特别是针对前书记载缺略的内容，进行搜集、整理；另一方面，萧绮指出该书的记载内容有过于荒诞之处。

萧绮对《拾遗记》的评论还涉及对史学问题的讨论，如史料传播中遇到的问题、史料的考证等。萧绮指出，要正视史料记载在传播过程中受到的外界环境的影响。他讲道，远古三代的书籍，“或秘诸岩薮，藏于屋壁；或逢丧乱，经籍事寝，前史旧章，或流散异域。故字体与俗讹移，其音旨随方互改。历商、周之世，又经嬴、汉，简帛焚裂，遗坟残泯。详其朽蠹之余，采捃传闻之说”[②]。萧绮此说是讲，距今时间久远的史料，有的被藏起，有的因混乱局势而散佚，又有的流散到异域，这些因素会造成记载的文字讹误或字义的更改，从而影响史料记载的真实性。萧绮看出王嘉《拾遗记》的内容“若真若似”，但由于王嘉的记载“详之正典，爰访杂说”，它详细地引证经典，又广泛搜集杂说，因此萧绮才记录下来。[③]

---

① 萧绮：《拾遗记序》，齐治平《拾遗记校注》本，中华书局1981年版，第1页。

② 萧绮：《拾遗记》卷二《夏禹》“录曰”，齐治平《拾遗记校注》本，中华书局1981年版，第35页。

③ 萧绮：《拾遗记》卷二《夏禹》“录曰”，齐治平《拾遗记校注》本，中华书局1981年版，第36页。

萧绮所撰的“录”，有的是对文中记载之事的评价，有的是对史料真伪的辨析。萧绮的很多看法是不科学的[①]，但他在“录”中对材料的辨析和运用表现出的史学批评思想是值得关注的。

在史料的辨析上，萧绮认为史料及所记史事有真伪之别，因此他建议史家要仔细辨别史料，“考验先经，刊详往诰，事列方典，取征群籍，博采百家，求详可证”[②]，比较记载内容与经诰典籍和百家之言的异同。对待王嘉记载的内容，萧绮先考察其真伪，辨别真伪的方法大致是以经典著作及前代正史记载的内容为标准。他将《拾遗记》的内容与正史或经典著作，如《春秋左传》、先典、图记、群经、方册、先坟等互相校核，对它们的相异之处作出真伪的判断，如“与今所记相符”[③]“验诸坟史”[④]“询考先坟，往往而载，佥求历古，所记非一”[⑤]“两说不同，故偕录焉”[⑥]。萧绮以对待史书的眼光看待和评价《拾遗记》，他以历史记载的真实性为标准提出自己的看法，这反映出史料采择范围的扩大和史书记载内容的丰富。在此基础上，萧绮运用正史经典著作的内

① 萧绮对谶纬之学十分信服，他讲道：“坟谶所载，咸取验于已往，歌谣俚说，皆求征于未来。”（萧绮：《拾遗记》卷五《前汉上》“录曰”，齐治平《拾遗记校注》本，中华书局 1981 年版，第 112 页）

② 萧绮：《拾遗记》卷一《炎帝神农》“录曰”，齐治平《拾遗记校注》本，中华书局 1981 年版，第6-7页。

③ 萧绮：《拾遗记》卷三《周灵王》“录曰”，齐治平《拾遗记校注》本，中华书局 1981 年版，第 72 页。

④ 萧绮：《拾遗记》卷四《秦始皇》“录曰”，齐治平《拾遗记校注》本，中华书局 1981 年版，第 108 页。

⑤ 萧绮：《拾遗记》卷六《后汉》“录曰”，齐治平《拾遗记校注》本，中华书局 1981 年版，第 146 页。

⑥ 萧绮：《拾遗记》卷九《晋时事》“录曰”，齐治平《拾遗记校注》本，中华书局 1981 年版，第 207 页。

容辨析王嘉所用史料的真实性。萧绮在鬼怪传说纳入史料采撷范围的情况下，坚持历史记载以真实性为追求，这是值得肯定的。

可以看出，萧绮不仅有开阔的史料认识，关注到史料采择范围的扩大和史料采撰的困难，并指出史料记载会因环境的变化而受到影响；同时他又抱着考订史料的心态，校对、整理《拾遗记》中记载的相关内容。他对所记事件的真实性持怀疑的态度，一定要将其与正史及经典著作中的有关记载作出比较，才能验证其真伪；遇到不能判断的，则记录下来以备后人订正。萧绮关注的，是史料在流传过程中不可避免会遇到的问题，以及这类问题对后人采撷史料和撰述史书可能产生的消极影响，反映了他对历史撰述提出的真实性要求。

由此可见，在史书撰述内容扩大的情况下，史家也关注到史料范围的扩大可能造成的采撰上的问题，并仍然以撰写信史、保存真实的历史作为撰述的追求，尤其反映在对史料真伪的考证上。尽管如此，这时仍出现了采撰不实的问题。瞿林东认为，这是史学发展中产生的“新的弊端”①。这一矛盾存在于上述史家对采撰提出的看法中，也表现在他们具体的史书撰述中，而且刘勰和刘知幾都曾指出这一矛盾或会导致的问题。其中，南朝梁人刘勰在《文心雕龙》中，明确提出有关史书采撰的较为系统的认识，后文中将详细论述。

魏晋南北朝时期，人们的思想多元，除了原有的儒家思想，

① 瞿林东：《中国古代史学批评纵横》，中华书局1994年版，第43页。

也受到玄学、道教、佛教等多家思想的影响；学术文化出现了繁荣的局面，包括史学、文学、艺术、科学在内的学术均寻找到各自的发展路径，并取得了重要的成就，特别是出现了学术理论的著作。在史学发展的基础上，史学批评广泛展开。史学批评的对象、形式、主体较前一阶段更加丰富；在整个魏晋南北朝时期的各个阶段、南方和北方的政权中，尽管史学批评的表现存在不同，但是都有发展。另外，这一时期的史学批评在活跃的学术思想环境中，表现出对史书内容和史料来源的开阔认识。琐言、地理、各阶层的人物、传说，甚至怪诞之事，都被纳入了史书记载的范围。史家采用不同体裁撰写史书，对史书采撰的辩证认识有了提高，对史料的运用方式也作出有意义的尝试。这是史学批评广泛展开的表现。

第二章　关于《史记》《汉书》与《三国志》的评论

魏晋南北朝时期前承两汉。西汉司马迁的《史记》与东汉班固的《汉书》堪称中国古代史学上的不朽之作，被后世推崇为“正史”之首。《史记》是中国史学上的第一部纪传体通史，对此后纪传体史书的撰修影响深远；《汉书》以纪传体记西汉一代皇朝的历史，它影响着皇朝历史撰写的正史格局。西晋陈寿撰写的《三国志》，虽然仍为纪传体的正史撰述，但《三国志》以纪传体兼记当时并存的三个皇朝政权的历史，是为一大创造。魏晋南北朝时期，许多史家对这三部经典著作作出评论，并提出了许多有意义的问题。这一时期出现了评论《史记》《三国志》等撰述的专书，也有史家采用比较的方法来论说《史记》与《汉书》的优劣。另外，史家在注释《三国志》时较前一阶段更有意识地关注史学问题。

第一节　关于《史记》的评论

一、谯周《古史考》提出的问题

《史记》是一部伟大的史学名著，历来受到学者们的关注。到了魏晋南北朝时期，许多学者围绕《史记》作出相关研究。其中，在这些研究中，有的学者直接考证、评论《史记》之撰述，侧重于讨论史书的内容及撰述方法，有的人评论《史记》，则意在揭示其撰述旨趣，前者如蜀汉谯周的《古史考》，后者如东晋葛洪的评说，等等。与这两者不同，还有的研究是以传统注文的形式出现的，如晋宋之际有徐广作《史记音义》、刘宋裴骃作《史记集解》、萧梁邹诞生作《史记音》等，这类形式的研究侧重于对《史记》中字词、名物的诠释、考订及史料的增补。其中，谯周、葛洪所属的一类评论具有明显的史学批评特点。

这一时期的史家评说《史记》，大多是肯定《史记》的长处，尤其着眼于它在史书的体裁体例、叙事的方法与文采、撰述的贯通思想等方面取得的成就。与此同时，还有的评说则指出了史书存在的问题，如谯周对《史记》的撰述、史论、材料的来源提出了自己的看法。

谯周，字允南，巴西西充国人，其事载于《三国志》卷四二。谯周撰有《古史考》二十五卷，《隋志》著录其为正史类[①]、

① 魏徵等：《隋书》卷三三《经籍志二》，中华书局1973年版，第953页。

两《唐志》将其列入杂史类。[①] 另外，谯周还有《法训》《五经论》《蜀本纪》等撰述。谯周是三国时期的蜀国人，是蜀汉皇朝的儒学大家，陈寿是他的学生。陈寿评价谯周“词理渊通，为世硕儒，有董、扬之规”[②]，可见其儒学造诣的深厚。谯周曾劝诫当时的太子刘禅不要沉溺于玩乐；他反对北伐，而撰《仇国论》；在蜀汉不敌曹魏大将邓艾时，谯周建议投降曹魏，他的政治主张及其历史形象的演变颇受后人关注。

在谯周的撰述中，《古史考》已经散佚，但《史记》三家注征引了谯周《古史考》的内容，且唐宋《艺文类聚》《太平御览》等类书中也收录了《古史考》的部分文字。清人章宗源与黄奭曾辑录、整理《古史考》，二人各有辑本，其内容相差不大。

此前有关谯周《古史考》的研究，多肯定其对古史的考证所反映出的考辨精神，《古史考》被称为“我国史学史上第一部考史专著，也是第一部史料学专著”[③]，它“不仅是一部重要的考史之作，也可以说是中国第一部系统的史学评论著作”[④]。《古史考》所考辨的古史，是指秦以前的历史。[⑤] 其中谯周对《史

① 欧阳修、宋祁：《新唐书》卷五八《艺文志二》，中华书局 1975 年版，第 1463 页。刘昫等：《旧唐书》卷四六《经籍志上》，中华书局 1975 年版，第 1994 页。

② 陈寿：《三国志》卷四二《谯周等传论》，中华书局 1959 年版，第 1042 页。

③ 尹达主编：《中国史学发展史》，中州古籍出版社 1985 年版，第 135 页。

④ 逯耀东：《魏晋史学的思想与社会基础》，中华书局 2006 年版，第 188 页。除了尹达、逯耀东的这种观点，另有刘节认为，谯周《古史考》是“把远古传说集中起来的总集。虽名为考，其实是不考之甚”（刘节：《中国史学史稿》，中州书画社 1982 年版，第 72 页）。

⑤ 有的学者认为，谯周在《史记》之外，也考证了其他古史。（黄怀信：《谯周与〈古史考〉》，《古籍整理研究学刊》2001 年第 5 期）

记》所记的先秦古史的论说，通过《史记》三家注较为完整地保存下来。谯周在考证《史记》相关历史记载的同时，对《史记》的撰述及其史料的采择提出了看法。

考察中国古代历史要追溯到神话和传说的记载，其中传说能够反映这一时期的历史情况。司马迁撰《史记》从黄帝时代写起，《史记》的本纪、世家、列传等都保存了大量的先秦历史记载。司马迁认识到这一时期历史撰写之困难。以《五帝本纪》为例，司马迁四处走访，采撷民风，再结合《春秋》《国语》等文字记载，“余并论次，择其言尤雅者”[①]。可以看出，《史记》关于先秦历史的撰写，已经关注了材料的采择与史书撰述上可能出现的问题。

谯周作《古史考》，根据其他材料对《史记》所记古史的内容作出解释、补充；另外，谯周也就《史记》撰述的内容作出直接的评论。一方面，谯周对《史记》中无争议之处作出解释说明，或根据他书记载对《史记》的相关内容作出补充。如，从整体上讲，谯周接受《史记》中《五帝本纪》对黄帝、颛顼、帝喾、唐尧、虞舜等五帝历史的追溯。

关于谯周对《史记》的评论，据《晋书》及《史通》记载，他评论的标准是史料的取材范围；谯周认为，司马迁撰古史的材料不限于经书，是取材过于宽泛的错误做法。《晋书》记载：

---

① 司马迁：《史记》卷一《五帝本纪》，中华书局1959年版，第46页。

谯周以司马迁《史记》书周秦以上，或采俗语百家之言，不专据正经，周于是作《古史考》二十五篇，皆凭旧典，以纠迁之谬误。[①]

刘知幾讲道：

晋散骑常侍巴西谯周，以迁书周、秦已上或采家人诸子，不专据正经，于是作《古史考》二十五篇，皆凭旧典以纠其缪。今则与《史记》并行于代焉。[②]

可以看出，刘知幾论说了谯周在《古史考》中评论《史记》的原因及评论标准，他的观点与上文《晋书》中的看法基本相同，即谯周作《古史考》以经典著作中的记载对《史记》的内容及撰述过程提出问题。谯周认为，司马迁撰古史的史料来自百家的言论，而不完全依据经书的记载；司马迁这种采择史料的方式，是值得商榷的，因此，司马迁记载的内容也存在讹误之处。谯周所凭的“旧典”当是“正经”，也就是传统的儒家经典。

另一方面，谯周还根据经典著作的内容，指出《史记》记载的讹误、不实之处，这类评论集中表现在谯周以《春秋》经传所载的内容评说《史记》撰述之失。如《燕召公世家》载：

① 房玄龄等：《晋书》卷八二《司马彪传》，中华书局1974年版，第2142页。

② 刘知幾：《史通·古今正史》，浦起龙《史通通释》本，上海古籍出版社2009年版，第313页。

“十六年，与宋、卫共伐周惠王，惠王出奔温，立惠王弟颓为周王。”[①]《古史考》就此指出这一记载存在讹误，《史记集解》引谯周所言道：

> 按《春秋传》，燕与子颓逐周惠王者，乃南燕姞姓也。世家以为北燕，失之。[②]

尽管谯周得出的“南燕姞姓”的看法受到后人的质疑，[③] 但是他以正经为本，考证《史记》记载的做法为实。《管蔡世家》记载“声公五年，平公弟通弑声公代立，是为隐公”[④]，《史记索隐》记谯周对此事的评论道：

> 谯周云《春秋》无其事。[⑤]

又如，《陈杞世家》记“桓公弟佗，其母蔡女，故蔡人为佗杀五父及桓公太子免而立佗”[⑥]，《史记集解》引《古史考》曰：

---

① 司马迁：《史记》卷三四《燕召公世家》，中华书局1959年版，第1551-1552页。

② 司马迁：《史记》卷三四《燕召公世家》，注引裴骃《史记集解》，中华书局1959年版，第1552页。

③ 唐人司马贞反对这一看法，认为是北燕。（司马迁：《史记》卷三四《燕召公世家》，注引司马贞《史记索隐》，中华书局1959年版，第1552页）

④ 司马迁：《史记》卷三五《管蔡世家》，中华书局1959年版，第1573页。

⑤ 司马迁：《史记》卷三五《管蔡世家》，注引司马贞《史记索隐》，中华书局1959年版，第1573页。

⑥ 司马迁：《史记》卷三六《陈杞世家》，中华书局1959年版，第1576页。

《春秋传》谓佗即五父，世家与传违。[①]

由此可见，谯周有意以《春秋》经传所载之事，参校《史记》中的相关内容，并以《春秋》经传的记录为标准，核实《史记》所记之事的真实性。这里，谯周显然是以儒家经典著作为史料来源、为真实的标准，来提出历史撰述的要求。

除了以经书来核准所记史实，谯周对《史记》中记载的神话传说，也明确表示其缺乏足够的史料根据，是失实的。《赵世家》记“缪王使造父御，西巡狩，见西王母，乐之忘归”[②]，这是周穆王见西王母的神话传说。《史记索隐》记谯周不信此事，道：

余常闻之，代俗以东西阴阳所出入，宗其神，谓之王父母。或曰地名，在西域，有何见乎？[③]

《赵世家》接着记，“缪王日驰千里马，攻徐偃王，大破之”[④]，《史记索隐》记载谯周指出此事“非实”，道：

徐偃王与楚文王同时，去周穆王远矣。且王者行有周

---

① 司马迁：《史记》卷三六《陈杞世家》，注引裴骃《史记集解》，中华书局 1959 年版，第 1576 页。

② 司马迁：《史记》卷四三《赵世家》，中华书局 1959 年版，第 1779 页。

③ 司马迁：《史记》卷四三《赵世家》，注引司马贞《史记索隐》，中华书局 1959 年版，第 1780 页。

④ 司马迁：《史记》卷四三《赵世家》，中华书局 1959 年版，第 1779 页。

卫，岂闻乱而独长驱日行千里乎?[1]

以上两则《史记》中有关周穆王的记载，谯周都不认同。另外，《史记》记，有的人说伊尹负鼎、百里奚饭牛以接近君王，以助其成霸业，司马迁认为驺衍与伊尹、百里奚一样，也有“牛鼎之意”[2]。谯周直接否定了这一说法，指出：

观太史公此论，是其爱奇之甚。[3]

上述《史记》中所记之事出自某些不确定的人之口，书“或曰”，而谯周对此并不相信，认为是司马迁嗜好奇闻之说，才记录下来的，这也不是经典所录。

与此相似，《史记》记楚国先祖陆终“坼剖而产”[4] 六个孩子，晋人干宝引谯周所言，“以为作者妄记，废而不论”[5]。可以看出，谯周对《史记》记载中没有经典著作支持的史料来源，不予认可其真实性。

谯周不仅直接指出所记之事的非实之处，他还对《史记》史论的论说作出评价。《魏世家》文末论赞，司马迁表示，旁人

① 司马迁：《史记》卷四三《赵世家》，注引司马贞《史记索隐》，中华书局 1959 年版，第 1780 页。

② 司马迁：《史记》卷七四《孟子荀卿列传》，中华书局 1959 年版，第 2345 页。

③ 司马迁：《史记》卷七四《孟子荀卿列传》，注引司马贞《史记索隐》，中华书局 1959 年版，第 2346 页。

④ 司马迁：《史记》卷四〇《楚世家》，中华书局 1959 年版，第 1690 页。

⑤ 司马迁：《史记》卷四〇《楚世家》，注引裴骃《史记集解》，中华书局 1959 年版，第 1690 页。

说魏国灭亡的原因是不能任用信陵君的缘故，司马迁并不同意。在他看来，“天方令秦平海内，其业未成，魏虽得阿衡之佐，曷益乎?”[①] 司马迁的这一观点，是在人事之外肯定“天”的作用，肯定秦平天下之势不可挡。谯周对司马迁的这一看法并不认同，他说道：

以予所闻，所谓天之亡者，有贤而不用也，如用之，何有亡哉?使纣用三仁，周不能王，况秦虎狼乎?[②]

可以看出，谯周不认同司马迁对魏国灭亡原因的分析，因为与天命相比，谯周更重视的是人事用贤的作用。

另外，《平原君传》后，司马迁将赵国长平之战的大败，归咎于平原君贪图冯亭之利上，认为他“未睹大体”[③]。谯周对此说也不认同，他认为：

长平之陷，乃赵王信间易将之咎，何怨平原受冯亭哉?[④]

谯周认为，长平的陷落，并非是司马迁所论的平原君的过

① 司马迁：《史记》卷四四《魏世家》，中华书局1959年版，第1864页。

② 司马迁：《史记》卷四四《魏世家》，注引司马贞《史记索隐》，中华书局1959年版，第1864页。

③ 司马迁：《史记》卷七六《平原君虞卿列传》，中华书局1959年版，第2376页。

④ 司马迁：《史记》卷七六《平原君虞卿列传》，注引裴骃《史记集解》，中华书局1959年版，第2376页。

错，而是由于赵王中了秦军的计策，用赵括换下了老将廉颇。

可以看出，谯周一方面根据经典著作的记载增补、解释《史记》中的所记之事，另一方面也明确指出其撰述内容上的讹误、不实之处；另外，他对《史记》文末阐发的史论，也提出了自己的看法。从整体上看，谯周以儒家经典内容来考订《史记》记载，同时评论《史记》的撰述、史论、史料来源，这一特点是十分明显的。

谯周对《史记》的评论，与谯周其人的思想是一致的。谯周重儒家经典，“研精《六经》，尤善书札。……诸子文章非心所存，不悉偏视也”①。因此，谯周以经典著作为本，评论史书的史料来源。然而，谯周纠《史记》之谬，晋人司马彪认为也不尽善，司马彪根据《汲冢纪年》的记载，“条《古史考》中凡百二十二事为不当”②，这又是对《古史考》的考订。

二、葛洪对《史记》的评论

《新唐志》记，东晋葛洪撰有《史记钞》十四卷③，此书虽已遗佚，但葛洪对《史记》的评论仍保留在其他书中。前文讲谯周以《史记》的撰述内容为出发点而提出问题，与这一方式不同，葛洪十分赞赏《史记》的撰述，特别是其内容之真实、评论之允当、体例之合理、叙事方法之巧妙。

---

① 陈寿：《三国志》卷四二《谯周传》，中华书局 1959 年版，第 1027 页。
② 房玄龄等：《晋书》卷八二《司马彪传》，中华书局 1974 年版，第 2142 页。
③ 欧阳修、宋祁：《新唐书》卷五八《艺文志二》，中华书局 1975 年版，第 1463 页。

葛洪称赞《史记》撰述的真实及评论的允当，是从两方面展开的。一方面，葛洪就班固提出的司马迁撰《史记》存在的问题，为《史记》作出辩护。班固撰《汉书》立《司马迁传》，指出《史记》的不足："其是非颇缪于圣人，论大道则先黄老而后六经，序游侠则退处士而进奸雄，述货殖则崇势利而羞贱贫，此其所蔽也。"[①] 班固认为，司马迁将黄、老思想看得比六经要重，这点与圣人的要求不同。但在葛洪看来，班固的这一认识是没有依据的。

由此，葛洪讲道：

> 班固以史迁先黄老而后六经，谓迁为谬。夫迁之洽闻，旁综幽隐，沙汰事物之臧否，核实古人之邪正。其评论也，实原本于自然，其褒贬也，皆准的乎至理。不虚美，不隐恶，不雷同以偶俗。刘向命世通人，谓为实录；而班固之所论，未可据也。固诚纯儒，不究道意，玩其所习，难以折中。[②]

葛洪对《史记》的评价，从《史记》对史料的采择和对史事的评论两个方面展开。在葛洪看来，《史记》不仅取材广泛，而且司马迁对史料作出了"沙汰"和"核实"；司马迁在《史记》中的评论标准，也是合理的、符合历史事实的。葛洪认为，

① 班固：《汉书》卷六二《司马迁传赞》，中华书局1962年版，第2737-2738页。

② 葛洪：《抱朴子内篇》卷一〇《明本》，王明《抱朴子内篇校释》本，中华书局1985年版，第184页。

《史记》的叙事和评论都贯彻了司马迁如实记载的直书精神，这是特别值得肯定的。葛洪的这段言论，虽然在一定程度上反映了他对道家思想的偏好和对班固“纯儒”思想的反对，但葛洪评价的着眼点是《史记》所载史事的真实性、评论的允当性，这实际上是对《史记》撰述的认可。

另一方面，除了反驳班固的评价，葛洪还直接称赞《史记》记载史事的直书精神，他说道：

> 及其叙屈原、贾谊，辞旨抑扬，恶事不避，亦一代之伟才。作《景帝本纪》，极言其短，及武帝之过，帝怒而削去。坐举李陵降匈奴，下迁蚕室，有怨言，下狱死。[①]

葛洪认为，《史记》撰述不避讳所记之人行事的过错，如《史记》中对屈原、贾谊的记载；另外，《史记》也不避讳所记之人的地位，如述汉景帝、汉武帝之不足。葛洪还提到，司马迁因直笔记君主之过，而受到刑罚。[②] 葛洪指出，《史记》是如实记载人物之行事的。

葛洪肯定《史记》如实地记录，涉及了《史记》是否为“谤书”的争论。有的史家质疑司马迁《史记》是“谤书”。

---

① 高似孙：《史略》卷一《诸儒史议》，《丛书集成初编》本，中华书局1985年版，第8页。

② 《西京杂记》“书太史公事”一条记有此事，后裴骃在集解《史记》注文时曾征引卫宏所说：“司马迁作《景帝本纪》，极言其短及武帝过，武帝怒而削去之。后坐举李陵，陵降匈奴，故下迁蚕室。有怨言，下狱死。”（司马迁：《史记》卷一三〇《太史公自序》，注引裴骃《史记集解》按语，中华书局1959年版，第3321页）

《三国志》注文中记载：

谢承《后汉书》曰：蔡邕在王允坐，闻卓死，有叹惜之音。允责邕曰：“卓，国之大贼，杀主残臣，天地所不祐，人神所同疾。君为王臣，世受汉恩，国主危难，曾不倒戈，卓受天诛，而更嗟痛乎?”便使收付廷尉。邕谢允曰：“虽以不忠，犹识大义，古今安危，耳所厌闻，口所常玩，岂当背国而向卓也？狂瞽之词，谬出患入，愿黥首为刑以继汉史。”公卿惜邕才，咸共谏允。允曰：“昔武帝不杀司马迁，使作谤书，流于后世。方今国祚中衰，戎马在郊，不可令佞臣执笔在幼主左右，后令吾徒并受谤议。”遂杀邕。[①]

王允以司马迁一事为借口下令杀蔡邕。他认为，汉武帝没有杀死司马迁，而是将他处以腐刑，司马迁由此心生怨恨并将这种怨恨的情绪发泄到史书撰述中。王允认为，司马迁所著《史记》是“谤书”，否认《史记》是直笔。

然而，王允的这一看法频频受到后人的质疑。曹魏时，魏明帝曾就此事和王肃探讨，魏明帝讲道，司马迁因为受到刑罚，对武帝怀恨在心，他撰写的《史记》就是用来贬低武帝的；而王肃并不赞同魏明帝的这一看法，他讲道：

① 陈寿：《三国志》卷六《董卓传》，裴注引谢承《后汉书》，中华书局1959年版，第180页。

司马迁记事，不虚美，不隐恶。刘向、扬雄服其善叙事，有良史之才，谓之实录。汉武帝闻其述《史记》，取孝景及己本纪览之，于是大怒，削而投之。于今此两纪有录无书。后遭李陵事，遂下迁蚕室。此为隐切在孝武，而不在于史迁也。①

王肃认为，司马迁所撰《史记》并非是为诽谤君主而作，它如实记载景帝和武帝之事，却遭到了汉武帝的反对。南朝刘宋还有裴松之与葛洪、王肃的观点大体相同，都认为《史记》为“谤书”之说并无依据，它实际上反映的是司马迁直笔记事的作史态度。

在称赞《史记》如实记事、公允评论之外，葛洪也评价了《史记》立纪与立传的方法，他讲道：

司马迁发愤作《史记》百三十篇，先达称为良史之才。其以伯夷居列传之首，以为善而无报也；为《项羽本纪》，以踞高位者非关有德也。②

这里，葛洪评论了《史记》撰史立纪、传的独特之处，特别是探讨了《史记》将《伯夷列传》置于列传之首、立《项羽本纪》的意义。在葛洪看来，《史记》记伯夷之事，是要表达

① 陈寿：《三国志》卷一三《王朗传附王肃传》，中华书局1959年版，第418页。
② 葛洪：《西京杂记》卷四《司马迁良史》，中华书局1985年版，第25页。

“天之报施善人”[①] 之不平；为项羽立本纪，是要说明占据高位与是否有德之间并无必然的关系。这说明了葛洪关注到且讨论了《史记》设立某纪、某传的用意，从撰述史实出发，对《史记》体例及撰述意旨作出考察。

另外，在叙事技巧上，葛洪称赞《史记》记载屈原、贾谊事迹的方法，“辞旨抑扬，悲而不伤”[②]。这是说司马迁在记述屈原和贾谊时，行文所用的文辞意旨情感充沛，但能够让人有“悲而不伤”的感觉，这便是《史记》叙事技巧之妙。

由此可见，葛洪评论《史记》的着眼点与谯周的评论并不相同。谯周的评说围绕的是《史记》的具体内容在取材范围上是否恰当、在记载史实上是否存在讹误等问题，从而讨论其反映出的史家撰史的特点。至于葛洪，他关注的是《史记》撰述者撰写的过程，如叙事的方法、作史的态度、体例的设置等问题，而非从《史记》所载的史实出发作出评论。

三、裴骃《史记集解》关于《史记》的评论

在历代《史记》注文中，受到后人推重且现今仍有重要影响是《史记》三家注，包括南朝刘宋裴骃的《史记集解》、唐人司马贞的《史记索隐》、唐人张守节的《史记正义》。《四库全书总目》称，“其初各为部帙，北宋始合为一编”[③]，这样三家注与

① 司马迁：《史记》卷六一《伯夷列传》，中华书局1959年版，第2124–2125页。
② 葛洪：《西京杂记》卷四《司马迁良史》，中华书局1985年版，第25–26页。
③ 永瑢等：《四库全书总目》卷四五《史部正史类一》，中华书局1965年版，第398页。

《史记》一同流传下来，今日可以得见。在这三家注文中，裴骃的《史记集解》撰于南朝刘宋，是现今可见的最早的《史记》注文之一，它在时间上早于另两家唐人注，而注文内容本身存在着前后相因的关系。因此，裴骃集解此前有关《史记》的注文作《史记集解》，他对《史记》的关注是有意义的。

裴骃，字龙驹，河东人，南朝刘宋裴松之之子，裴松之注《三国志》堪称史注之经典之一。裴骃在正史中无传，《宋书·裴松之传》中略载裴骃其事。《宋书》称，“骃，南中郎参军。……骃注司马迁《史记》，并行于世”①。《隋志》列宋南中郎外兵参军裴骃注《史记》八十卷于《史记》之后②。可知，裴骃之注文与《史记》一同流传。裴骃注《史记》名为《史记集解》，唐人司马贞讲道，“宋外兵参军裴骃又取经传训释作《集解》，合为八十卷”③，“中兵郎裴骃，亦名家之子也，作《集解》注本，合为八十卷，见行于代”④。有关裴骃《史记集解》一书的基本情况大致如此。

裴骃的《史记集解》是在晋宋之际徐广所撰《史记音义》的基础上完成的，裴骃称徐广之作，“具列异同，兼述训解，粗有所发明，而殊恨省略”，于是裴骃“增演徐氏”。⑤《隋志》记

---

① 沈约：《宋书》卷六四《裴松之传》，中华书局1974年版，第1701页。
② 魏徵等：《隋书》卷三三《经籍志二》，中华书局1973年版，第953页。
③ 司马贞：《史记索隐序》，载于司马迁：《史记》附录，中华书局1959年版，第7页。
④ 司马贞：《史记索隐后序》，载于司马迁：《史记》附录，中华书局1959年版，第9页。
⑤ 裴骃：《史记集解序》，载于司马迁：《史记》附录，中华书局1959年版，第4页。

徐广撰《史记音义》十二卷[①]，从卷帙上来看，裴骃所撰八十卷注文与徐广所作相比，有较多增补。裴骃在徐广注文的基础上，“采经传百家并先儒之说”[②]，他博采众家学说，将有益于《史记》的内容一并抄录。裴骃集合众家撰述注释《史记》，保留了诸家对《史记》及对他书的评论，对《史记》一书大有裨益。

裴骃作《史记集解》旨在核实及解释《史记》原文，其内容不仅包括《史记》的字句，也包括《史记》文中记录的史实，如地理、制度、人物、典故等方面。然而，《史记集解》也存在问题，司马贞认为它“虽粗见微意，而未穷讨论”[③]。如司马贞所说，《史记集解》的确不以辨正史事、阐释史书撰述意旨为目的，这是值得注意的。

裴骃重视《史记》而作注释集解，他对《史记》的态度在《史记集解》的序言中有明确的表现。裴骃评论了班固对《史记》的评价，并对《史记》反映出的司马迁的史才提出自己的看法。

裴骃说道：

> 骃以为固之所言，世称其当。虽时有纰缪，实勤成一家，总其大较，信命世之宏才也。[④]

---

① 魏徵等：《隋书》卷三三《经籍志二》，中华书局1973年版，第953页。另，唐人张守节称《史记音义》共十三卷（裴骃：《史记集解序》，注引张守节《史记正义》，载于司马迁：《史记》附录，中华书局1959年版，第4页）。

② 裴骃：《史记集解序》，载于司马迁：《史记》附录，中华书局1959年版，第4页。

③ 司马贞：《史记索隐序》，载于司马迁：《史记》附录，中华书局1959年版，第7页。

④ 裴骃：《史记集解序》，载于司马迁：《史记》附录，中华书局1959年版，第1页。

可以看出，裴骃基本认可班固对司马迁的评价，他也认为司马迁撰史虽然在取材上存在缺略且评论是非以黄老为先，但是《史记》的叙事详实、采择广博，又能据事直书，成就一家之言，这是史书撰述的极大成功。

裴骃注《史记》，与其父裴松之注《三国志》有着明显的差别。裴松之对《三国志》的注释不仅解释了字词、地理、名物，而且更重要的是对史书所记之事及人物作出评论，并针对《三国志》中陈寿的作史态度提出了看法。这一点在下文中将作出论述。这里要说的是，裴骃注释《史记》的意旨与裴松之不同。刘知幾称裴骃的《史记》注文属于以训诂为主的经注之类，这与注释《汉书》的应劭、晋灼等人的注文同属一类，其作用在于“训解《三史》，开导后学，发明先义，古今传授，是曰儒宗”[①]。察裴骃的《史记》注文，可知刘知幾的这一说法值得肯定。然而，尽管裴骃与谯周、葛洪对《史记》的评论方式不同，但是他对《史记》的评价，以及他搜集众说集解《史记》的做法，也确实表现出他对《史记》的肯定与推崇。

① 刘知幾：《史通·补注》，浦起龙《史通通释》本，上海古籍出版社2009年版，第122页。

第二节　关于《史记》《汉书》的比较与评论

一、张辅论《史记》《汉书》之优劣

《史记》与《汉书》是两汉时期独具特点、影响深远的两部史著，它们奠定了历代皇朝史撰述的基础。在《史记》《汉书》成书之后，有学者比较二书优劣。东汉王充在《论衡》中评论道："班叔皮续《太史公书》百篇以上，记事详悉，义浅理备，观读之者以为甲，而太史公乙。"[①] 王充称赞《汉书》在记载史实与阐明义理上的出色，认为它优于《史记》。

到了魏晋南北朝时期，魏晋之际，傅玄评论《史记》《汉书》的不同之处。傅玄，字休奕，北地泥阳人，其事载于《晋书》卷四七。曹魏时，傅玄为史官，参与编修《魏书》，西晋时，傅玄掌谏职。傅玄讲道："班固《汉书》，因父得成，遂没不言彪，殊异马迁也。"[②] 这里，傅玄比较二书，并非以史书本身撰写的内容为根据，而是以史书完成时的撰述者是否尊重前人的功劳为落脚点作出比较。在傅玄之后，西晋张辅、南朝刘宋范晔也对两部史书进行比较与评论。此后，"《史》《汉》优劣""马班异同"仍为后代学者进行史学批评的问题之一。[③]

---

① 王充：《论衡》卷一三《超奇篇》，黄晖《论衡校释》本，中华书局1990年版，第615页。

② 傅玄：《傅子》，载于严可均：《全晋文》卷五〇，中华书局1958年版，第1749页。

③ 关于"马班异同""《史》《汉》优劣"，是《史记》《汉书》的研究者常常涉及的问题，从古至今都有许多的评论，"马班异同成为一门学问"（张大可：《司马迁评传》，南京大学出版社1994年版，第438页）。

晋人张辅撰有《名士优劣论》，其中包括对司马迁和班固的比较批评。张辅，字世伟，南阳西鄂人，其事载于《晋书》卷六十。张辅是东汉张衡的后代，以“少有干局”[①] 闻名，曾任秦州刺史。

张辅的本传记载了他评论管仲不如鲍叔牙、魏武帝不如刘备、乐毅不如诸葛亮一事，可见张辅曾以比较的形式评论了诸多历史上的人物，只可惜“词多不载”[②]。后《艺文类聚》《太平御览》中以《名士优劣论》为名，辑有张辅的议论文字，清人严可均将其收入《全晋文》中。在张辅评论的诸多人物中，包括了司马迁与班固。张辅以对比的形式评论二人，主要是以他们的著作《史记》《汉书》为根据的。张辅评论《史记》《汉书》的优劣道：

> 世人论司马迁、班固才之优劣，多以固为胜。余以为失。迁之著述，辞约而事举，叙三千年事，唯五十万言；固叙二百年事，乃八十万言。烦省不敌，固之不如迁一也。良史述事，善足以奖劝，恶足以鉴戒，人道之常。中流小事，亦无取焉，而班皆书之，不如二也。毁败晁错，伤忠臣之道，不如三也。迁既造创，固又因循，难易益不同矣。又迁为苏秦、张仪、范雎、蔡泽作传，逞词流离，亦足以明其大才也。故述辩士则辞藻华靡，叙实录则隐核名检，此真所以

---

① 房玄龄等：《晋书》卷六〇《张辅传》，中华书局1974年版，第1639页。
② 房玄龄等：《晋书》卷六〇《张辅传》，中华书局1974年版，第1640页。

为良史也。[1]

由此可见，张辅认为《史记》优于《汉书》。张辅首先表明了态度，他否定世人认为班固《汉书》优于司马迁《史记》的说法。张辅接着比较二书，他分别从撰述内容上举出三处、从体裁体例上举出一处《汉书》不如《史记》的地方。在撰述内容上，张辅评论的根据其一是史文烦简问题，《史记》不像《汉书》那样文辞繁冗，《史记》记叙的历史时间更长，篇幅却更短；其二所选史料是否是有关褒贬劝诫的关键问题，《汉书》记载了许多琐碎小事；其三是对晁错的评价是否允当。以上三点有关史书的文辞、史料采择与史论，是从两部史书的撰述内容来考察的。另外，张辅还从体裁体例上作出比较，即司马迁创纪传体，班固因袭，因此《史记》应优于《汉书》；司马迁又为苏秦等人立传，也是值得称道的。张辅总结道，《史记》撰述的文辞、作史的态度也都是良史的保障。可以看出，张辅比较《史记》与《汉书》后，更推崇《史记》。

张辅的评论与王充、傅玄对二书的比较是不同的，他是站在一个相对独立的角度比较《史记》《汉书》之后作出的评价。张辅的评价是在世人多认为《汉书》胜于《史记》的情况下提出的，他的观点也受到后人的批评。刘知幾认为“张辅持论，又

① 张辅：《名士优劣论》，载于严可均：《全晋文》卷一〇五，中华书局1958年版，第2063页。

劣固而优迁”①。刘知幾对张辅的评价并不完全认同，特别是不赞成张辅所持的史文烦简及史体承袭的说法，其中前者与刘知幾一贯推崇的史文尚简的原则是一致的。刘知幾讲道：

> 案《太史公书》上起黄帝，下尽宗周，年代虽存，事迹殊略。至于战国已下，始有可观。然迁虽叙三千年事，其间详备者，唯汉兴七十余载而已。其省也则如彼，其烦也则如此，求诸折中，未见其宜。班氏《汉书》全取《史记》，仍去其《日者》《仓公》等传，以为其事烦芜，不足编次故也。若使马迁易地而处，撰成《汉书》，将恐多言费辞，有逾班氏，安得以此而定其优劣邪？②

刘知幾反对张辅比较二书时提出的两个看法，其一是《汉书》文辞繁冗的情况。刘知幾指出，《史记》所记的时间虽然较长，但是所记录的相当长的时间都距今年代久远，并没有太多史料可记。其二，刘知幾也不赞同张辅因《史记》首创纪传体而胜于《汉书》的观点。刘知幾认为，《汉书》虽然因袭《史记》的纪传体体裁，但也对《史记》所立传记进行了重新加工，并非无所创制。可以看出，刘知幾质疑了张辅对《史记》《汉书》评价的两方面内容，未涉及张辅评论的所采史事是否有关鉴戒、史论是否允当、立传是否恰当等内容，也未否定张辅作出评价所

① 刘知幾：《史通·鉴识》，浦起龙《史通通释》本，上海古籍出版社2009年版，第190页。
② 刘知幾：《史通·杂说上》，浦起龙《史通通释》本，上海古籍出版社2009年版，第443页。

采用的比较的方法。张辅的观点未能赢得刘知幾的赞同，这与张辅的评论本身存在思考不够深入的缺点有关。

由此可知，张辅评论《史记》与《汉书》，是运用比较的方法展开的，主要针对二书的内容及体裁体例，同时也论及文辞、评论、史家的作史态度，他独立发表的意见能表现出二书的不同特点，但不够完善，存在值得商榷之处。张辅比较《史记》《汉书》优劣的讨论又引起后人的关注，可是后人的讨论“基本上只限于有关史文烦省的方面，而很少对他的上述比较和批评作全面的评价”①。总的来说，张辅将《史记》与《汉书》作为史学的代表著作进行评论，他用比较的方法阐释二书本身的优劣。张辅的论说与此前王充、傅玄的评论相比，其评论的方法更明确、评论的内容更全面，这是值得肯定的。

二、范晔论《史记》《汉书》的得失

在张辅之后，南朝刘宋范晔撰《后汉书》，其中为班彪、班固父子立传。范晔推崇史论，他在班氏父子的列传后，评论二人所撰《汉书》，同时也将它与《史记》作出比较，评价二书的得失。范晔不仅在史书撰述的叙事方面比较二书，而且也评论了二书在议论上的不同。

范晔，字蔚宗，顺阳人，其事载于《宋书》卷六九。范晔“少好学，博涉经史，善为文章，能隶书，晓音律”②。在众多有

① 瞿林东：《中国古代史学批评纵横》，中华书局1994年版，第128页。
② 沈约：《宋书》卷六九《范晔传》，中华书局1974年版，第1819页。

关东汉历史的著作中，范晔的《后汉书》完整地流传下来，并列为“前四史”之一，可见其重要性。

范晔撰《后汉书》，立《班彪列传》，记载班彪、班固父子事迹，在传后史论中，范晔评价了司马迁和班固的史才，评说了《史记》与《汉书》在叙事上各自的特点。范晔讲道：

> 司马迁、班固父子，其言史官载籍之作，大义粲然著矣。议者咸称二子有良史之才。迁文直而事核，固文赡而事详。若固之序事，不激诡，不抑抗，赡而不秽，详而有体，使读之者亹亹而不厌，信哉其能成名也。[①]

可以看出，范晔对《史记》《汉书》在叙事上的成就给予了一致的肯定。范晔这里对班固的评价与他对《汉书》“博赡”[②]的称赞是一致的。范晔分析了《史记》与《汉书》处理“文”和“事”的不同方法。在他看来，《史记》在文辞上直率、在叙事上准确，范晔继承了刘向、扬雄等人对司马迁“其文直，其事核”的评价；范晔认为，《汉书》文辞饱满，叙事详实，在叙事上也能坚持历史真实，对自身的感情喜好十分克制，《汉书》内容详实，又不给人冗长、繁复的感觉，不因情感好恶而失实。由此可见，对于《史记》与《汉书》，范晔不同于王充、傅玄、张辅等人偏重二者其一的态度，在这里，范晔从叙事的文辞及记

---

① 范晔：《后汉书》卷四〇下《班彪列传论》，中华书局 1965 年版，第 1386 页。

② 沈约：《宋书》卷六九《范晔传》，中华书局 1974 年版，第 1830 页。

载的史实上，强调二书不同的特色。

在叙事之外，范晔也从褒贬是非的问题上评论《史记》与《汉书》，这个问题有关前文所说的《汉书》对司马迁《史记》的评价。显然，范晔并不认同班彪父子对《史记》的评价，他说：

> 彪、固讥迁，以为是非颇谬于圣人。然其论议常排死节，否正直，而不叙杀身成仁之为美，则轻仁义，贱守节愈矣。固伤迁博物洽闻，不能以智免极刑；然亦身陷大戮，智及之而不能守之。呜呼，古人所以致论于目睫也！①

此处说的是，班彪父子认为，司马迁褒贬是非的标准与圣人不同，即前文所说的《史记》“论大道”“序游侠”“述货殖”的问题，这也是此前许多史家指出的《史记》之失。然而，范晔对此却持不同的观点，他指出班彪父子在《汉书》中的评价标准也与圣人不同。范晔具体说明道，《汉书》中的史论常常不去赞颂“死节”“正直”“杀身成仁”之人与事，因此显得不重视圣人要求的“仁义”“守节”。这里，范晔评论了《史记》《汉书》在褒贬是非上的特点，他认为在这一点上二书都与圣人评论的方法不同。

从整体上来说，范晔认为《史记》与《汉书》都是优秀的

---

① 范晔：《后汉书》卷四〇下《班彪列传论》，中华书局 1965 年版，第 1386 页。

史著，他在班彪父子传后的赞语中称赞二人“比良迁、董”[①]，意即班彪、班固父子与司马迁、董狐一样出色。这里范晔肯定的是二人所作《汉书》的成就堪比《史记》之作。也就是说，在范晔看来，《史记》《汉书》在叙事上处理“文”与“事”的方法不同，但都十分优秀；在褒贬评论上，范晔回应了《汉书》对《史记》的批评，认为二书的评论标准都与圣人的观点不同。可以看出，范晔比较并评论《史记》《汉书》，与前文所说的张辅的观点也有差异，范晔对两部史著都持肯定的态度，且范晔的评论阐释得更深入、思想性更强。从这一点上来看，范晔对《史记》《汉书》的评论优于张辅。

第三节　关于《三国志》的评论

一、晋人对《三国志》的评论

作为“前四史”之一的《三国志》，出自晋人陈寿之手。《三国志》继承了《史记》《汉书》的撰述成就，又针对当时的历史形势在史书撰述上有所创新。在《三国志》撰成之后，与陈寿同时期的晋人及之后的人士对《三国志》多有评论。在这些评论中，有的从整体上表达了对《三国志》的认可，有的评论则更为具体。其中，晋人对《三国志》的称赞多属前者，而他们的评价是《三国志》得以完整流传下来的原因之一。

---

① 范晔：《后汉书》卷四〇下《班彪列传赞》，中华书局1965年版，第1387页。

陈寿出生于刘禅在位时的蜀汉，卒于西晋惠帝时。他在两朝都曾为官，西晋平吴后作《三国志》，《三国志》为私撰的问题前文已有论说。陈寿撰《三国志》时，三国时期刚刚结束，他可以接触到的有关三国历史的史料应该是比较丰富的，如三国史家的撰述，也有西晋的他家记录。[①] 在这种情况下，西晋时期撰述三国时期的历史，更需要解决的问题是如何叙述这一时期三个并存的政权、如何组织史料并编纂成书。这些问题对史家的史识有很高的要求，具体表现在裁汰、编次史料，确定史书体裁体例，叙事记人的方法，等等。

最终，陈寿所撰《三国志》六十五卷得以保存至今日，且受到后人的推崇。他兼记三国时期并存的政权，从东汉末年黄巾起义起，至三国之中最后一个政权孙吴灭亡为止，将这一时期的历史条理分明地记载下来，反映了历史发展的大势。有关这一问题，在后文将详细展开说明。

《三国志》的成功反映了陈寿杰出的才、学、识，他的老师谯周曾评论陈寿“必以才学成名”[②]。同时要注意的是，《三国志》作为西晋的蜀汉旧臣陈寿私撰前朝历史之书，能列入“前四史”并流传至今，与晋人对《三国志》的认可密不可分。在正史中，陈寿行事记于唐人所修的《晋书》卷八二，陈寿本传便记有《三国志》撰成后时人的态度。史载：

---

① 由三国到西晋，时人对撰写三国历史抱有极大的热情，或官修或私撰，如鱼豢《魏略》、王沈《魏书》、王崇《蜀书》、谯周《蜀本纪》、韦昭《吴书》等。

② 房玄龄等：《晋书》卷八二《陈寿传》，中华书局1974年版，第2138页。

夏侯湛时著《魏书》，见寿所作，便坏己书而罢。……其为时所重如此。[①]

这里，夏侯湛毁掉自己撰述的行为，说明了对陈寿撰述的肯定。另外，陈寿本传还载有时人对《三国志》的直接评论，论者多持肯定的态度。首先要说明的是，在肯定之外，文中以“或云”[②]，另举二事说明有晋人认为《三国志》的撰述不够公允，受到陈寿本人曲笔的作史态度的影响。这两件事一是陈寿向丁仪、丁廙之子索米不成，便不愿为有“盛名”[③] 的二丁立传；二是陈寿父亲为诸葛亮斩马谡受到牵连，因此陈寿在《三国志》中贬低诸葛亮之才。

在晋人否定陈寿作史态度而举出的二事中，陈寿对诸葛亮的评价一般被认为是较为公允的，陈寿未曾有意贬低诸葛亮；针对陈寿索米立传之事，后人的看法存在争议。唐人刘知幾、宋人陈振孙接受了这种说法[④]，但是他人对此多表示《晋书》的记载不实，还有的为陈寿辩诬。今人缪钺举出清人王鸣盛、赵翼所论，指明这两件事“不足信”，并认为“不能据此认为陈寿修史时因私人恩怨而褒贬不公”[⑤]。陶懋炳撰专文为陈寿辩诬，他从丁仪

---

① 房玄龄等：《晋书》卷八二《陈寿传》，中华书局 1974 年版，第 2137 页。

② 房玄龄等：《晋书》卷八二《陈寿传》，中华书局 1974 年版，第 2137 页。

③ 房玄龄等：《晋书》卷八二《陈寿传》，中华书局 1974 年版，第 2137 页。

④ 刘知幾讲道：“班固受金而始书，陈寿借米而方传。此又记言之奸贼，载笔之凶人，虽肆诸市朝，投畀豺虎可也。”（刘知幾：《史通·曲笔》，浦起龙《史通通释》本，上海古籍出版社 2009 年版，第 183 页）陈振孙认为：“然（陈寿）乞米作佳传，……难乎免物议矣。”（陈振孙：《直斋书录解题》卷四《正史类》，上海古籍出版社 1987 年版，第 100 页）

⑤ 缪钺：《陈寿与〈三国志〉》，《历史教学》1962 年第 1 期。

二人是否有“盛名”出发，认为他们的事迹“不足以立传”；另外，陶懋炳还指出史载二丁之子在文帝即位后都被杀害，并未存活于西晋，因此不存在陈寿向二丁索米的情况。[①] 杨耀坤则详细论证了丁冲的功业及是否应入《三国志》的问题，认为陈寿索米是不成立的。[②] 这样看来，《晋书》记载的晋人对《三国志》否定的两条依据，均不符合历史事实。

除了这两件事，晋人对《三国志》多有较高的评价。一方面，他们认为《三国志》之作比得上已被列入经典史著的《史记》《汉书》，如荀勖和张华对陈寿撰写的《三国志》表示“深爱”，认为“以班固、史迁不足方也”。[③]《三国志》也是符合本朝国史撰述要求的，“张华深善之，谓寿曰：‘当以《晋书》相付耳’”[④]，张华认为《三国志》之作堪为正史的典范。

另一方面，具体来说，《三国志》在叙事、文辞、作史态度等方面的出色之处为晋人关注。时人推重《三国志》，并“称其善叙事”[⑤]。在陈寿去世后，尚书郎范頵等上表，以汉武帝曾派人取不久于人世的司马相如的著作为例，请求至陈寿处抄写《三国志》，在文书中，范頵评价了《三国志》叙事、文辞、作史态度方面的特点。范頵称：

---

① 陶懋炳：《陈寿曲笔说辨诬》，《史学史研究》1981年第3期。

② 杨耀坤：《再辨陈寿“索米”说》，《历史研究》1991年第1期。

③ 常璩：《华阳国志》卷一一《后贤志》，《丛书集成初编》本，中华书局1985年版，第181页。

④ 房玄龄等：《晋书》卷八二《陈寿传》，中华书局1974年版，第2137页。

⑤ 房玄龄等：《晋书》卷八二《陈寿传》，中华书局1974年版，第2137页。

故治书侍御史陈寿作《三国志》，辞多劝诫，明乎得失，有益风化，虽文艳不若相如，而质直过之，愿垂采录。[①]

可以看出，范頵首先肯定了《三国志》在叙事上的出色，即史书文辞多为褒贬、劝诫之意，阐明的是关乎一朝得失的关键问题。因此，范頵认为，《三国志》之作可以起到惩恶劝善的作用，有益于良好的社会风气的形成。这一评价也解释了前文所说张华以国史撰述托付陈寿的原因。在文辞上，范頵言其“文艳不若相如”，也就是说，《三国志》的文字表述，特别是其辞藻和句式并不华丽。[②] 尽管行文不够艳丽，范頵称赞《三国志》“质直”，文辞质朴但秉笔直书，如实地记载历史事实。范頵对《三国志》直书的评价也得到了后人的认可，如唐人评价王沈、荀顗、阮籍等人所撰《魏书》“多为时讳，未若陈寿之实录也”[③]。

除此之外，这一时期还出现了评论《三国志》的专著。《隋志》史部著录了这类著作，只是现今它们都已亡佚。《隋志》正史类记何常侍《论三国志》九卷，姚振宗以为何常侍为何琦[④]，《晋书》卷八八《孝友传》载其行事，称其有《三国评论》一

① 房玄龄等：《晋书》卷八二《陈寿传》，中华书局 1974 年版，第 2138 页。

② 另外，《华阳国志》称陈寿“属文富艳”（常璩：《华阳国志》卷一一《后贤志》，《丛书集成初编》本，中华书局 1985 年版，第 180 页），与《晋书》的评价相异。考《三国志》撰述的特点及他人评论，可知陈寿的文辞特点应以《晋书》所载为准。

③ 房玄龄等：《晋书》卷三九《王沈传》，中华书局 1974 年版，第 1143 页。

④ 姚振宗：《隋书经籍志考证》，载于王承略、刘心明主编：《二十五史艺文经籍志考补萃编》，清华大学出版社 2014 年版，第 543 页。

书。《隋志》记徐爰有《三国志评》三卷，两《唐志》著录为徐众所撰，入杂史类。据清人章宗源考证，徐爰当为徐众之误。[①]《三国志》裴注曾引徐众《三国评》，察其内容，所评当为《三国志》的记载。《隋志》还著录晋著作郎王涛撰《三国志序评》三卷，梁有，王涛其事略见于《晋书》卷七一《王鉴传》。以上三本书，除了徐众所撰在《三国志》裴注中略有保存，大部分都已亡佚。

可以看出，《三国志》获得了晋人的关注，出现了针对《三国志》的评论性著作。这类史著以“评”“论”为题，显然能够表现出撰述者自觉的史学批评意识。虽然它们均已亡佚，不可得见全貌，但是可以推断此类史著评论了《三国志》记载的内容，应当也包含对《三国志》一书的评论。晋人对《三国志》的称赞，使本为私撰的《三国志》得到统治者的认可，使之在两晋南北朝的变乱之际得以完整保存下来，并流传至今，成为“前三史”之一；另外，晋人为《三国志》一书而作专论，可见《三国志》在晋朝一代成为众人关注的对象，《三国志》评论专书的出现，也是史家评论史学著作有较强的自觉性和针对性的表现。

二、裴松之对《三国志》的注释与评论

南朝刘宋裴松之奉诏为陈寿《三国志》作注，裴注与《三

---

① 章宗源：《隋书经籍志考证》，载于王承略、刘心明主编：《二十五史艺文经籍志考补萃编》，清华大学出版社 2014 年版，第 17 页。

国志》一起流传至今，成为《三国志》研究必备的经典注释。裴松之，字世期，河东闻喜人，其事载于《宋书》卷六四。宋文帝认为，陈寿撰写的《三国志》内容过于简略，因此命裴松之采集史料以注《三国志》。裴注中所引的诸家史书撰述，大多都已经遗佚，因此，裴注首先具有保存史料的价值。今人研究裴注多持肯定的态度，除了它在历史文献学上的价值，今人逯耀东还十分重视裴注对陈寿《三国志》和魏晋史书的评价，他认为，裴注“开创中国史注的新体例，同时也成为中国史学批评的创始者”，是“魏晋史学脱离经学转变的关键”[①]，逯耀东致力于探讨裴注在史学批评上的意义。

裴松之在《上〈三国志注〉表》中详细论述注释《三国志》的方法和原则，并评价了《三国志》的特点。裴松之讲道：

臣前被诏，使采三国异同以注陈寿《国志》。寿书铨叙可观，事多审正。诚游览之苑囿，近世之嘉史。然失在于略，时有所脱漏。臣奉旨寻详，务在周悉。上搜旧闻，傍摭遗逸。按三国虽历年不远，而事关汉、晋。首尾所涉，出入百载。注记纷错，每多舛互。其寿所不载，事宜存录者，则罔不毕取以补其阙。或同说一事而辞有乖杂，或出事本异，疑不能判，并皆抄内以备异闻。若乃纰缪显然，言不附理，则随违矫正以惩其妄。其时事当否及寿之小失，颇以愚意有

① 逯耀东：《魏晋史学的思想与社会基础》，中华书局2006年版，第252页。

所论辩。自就撰集，已垂期月。写校始讫，谨封上呈。[①]

可以看出，裴松之注《三国志》主要的目的是采集史料以补充原文中记载简单或有遗漏的史实。同时，裴松之还对史注有求真的要求，当遇到其他史料与《三国志》原文有不同说法之处，如果不能判定事实，就都加入注释中；如果能判定原文的错误，那么就在注释中纠正讹误之处。这也是裴注的主要内容。关于裴注的价值，清人李慈铭曾称赞它“博采异闻，而多所折衷，在诸史注中为最善，注家亦绝少此体”[②]。《四库全书总目》称裴松之采择史料“繁复”，且“多首尾完具”；注史有六端，大致为辨别是非真假、补充史事人物记载两类；同时还指出，裴松之“嗜奇爱博，颇伤芜杂”。[③] 总之，裴松之注释《三国志》是以史实的“周悉”为目标的。

裴松之注文补充史实的这一原则与他受宋文帝之命补充注释《三国志》之缘起有关，裴松之对《三国志》的评价也是基于这个立场的。裴松之认为，《三国志》的优点是史书内容的取材与撰写均已经过了审慎的衡量，所记史事大多都有据可循，是真实的历史事实。在裴松之看来，《三国志》的缺点在于简略，遗漏了一些应当采入的史料。裴松之对《三国志》的评论是大抵允

① 裴松之：《上〈三国志注〉表》，载于陈寿：《三国志》附录，中华书局1959年版，第1471页。

② 李慈铭：《越缦堂读书记》，《三国志》条，中华书局2006年版，第195页。

③ 裴松之注史六端为：“一曰引诸家之论以辨是非，一曰参诸书之说以核讹异，一曰传所有之事详其委曲，一曰传所无之事补其阙佚，一曰传所有之人详其生平，一曰传所无之人附以同类。”（永瑢等：《四库全书总目》卷四五《史部正史类一》，中华书局1965年版，第403页）

当的。

尽管裴松之表示了对陈寿所撰史事真实性的认同，但他在注释时亦注重惩妄、论辩文中的不实之处。如裴松之对《三国志》中所载“公兵不满万，伤者十二三”[①] 一条提出质疑，他指出曹操兵力的数量并非文中所讲那么少。裴松之结合他书记载，从三个方面论证自己的观点，并直言：

> 将记述者欲以少见奇，非其实录也。[②]

这里，裴松之评价陈寿对曹操兵力数量的记载并非如实记录，认为它是“以少见奇”，为的是吸引人的关注。《三国志》裴注中还可以看到多处类似的评价。在这类注文中，裴松之评价史书所记史事的真实性，他的评论并不限于此，还以此表明自己对史家作史态度的看法。

可以看出，裴松之对《三国志》的评价以该书的叙事内容为出发点，称赞其撰述的真实性，指出其叙事简略的问题。同时，需要注意的是，裴松之注《三国志》与裴骃注《史记》表现出不同的特点。与裴骃集解性的注文相比，尽管裴松之也以增补《三国志》的史料为目的，但裴松之在注文中常常主动表达自己的观点，有的是针对史书记载的历史事实而论，有的也兼论史书及史家本身。因此，《三国志》裴注表现出明显的史学批评

---

① 陈寿：《三国志》卷一《武帝纪》，中华书局 1959 年版，第 19-20 页。
② 陈寿：《三国志》卷一《武帝纪》，裴注，中华书局 1959 年版，第 20 页。

意识。

史学批评思想通过评论者对史家、史书、史学的思考与论说而表现出来，对“前三史”等经典史著的评论是史学批评的重要内容，也是值得关注的重要问题。魏晋南北朝时期，《史记》《汉书》及新撰的《三国志》吸引了许多人的关注，其中有的评论者是史家，有的则是普通人。他们通过不同的方式对“前三史”作出评论，出现了偶尔涉及的论断，也出现了专门的论著，还有的仍是以史注的方式表达自己的态度。这些评论大多数旨在论说史书、史家的具体内容，但实际上包含了对史书的体例、史书的内容、史家的素养等史学批评重要问题的讨论。这类讨论反映出史学批评初步发展的特征，也为其进一步地深入发展奠定了基础。

第三章　史家关于史书体例、体裁的评论

史书的体例和体裁是魏晋南北朝时期史学批评的重要内容，同时史学批评的发展又促进史书体例、体裁的创新。在史例方面，唐人刘知幾评价这一时期有“史例中兴”之说，这一时期的杜预、干宝、邓粲等对推动史例批评的发展有重要的作用，这是史家在思想上取得的成就。另外，在史官修史之前或撰修的过程中，统治集团内部要为国史撰修的条例进行讨论，讨论的内容包括断限、起元、史书结构等基本问题，这是史家在史例、史体的实际运用中提出的问题。在史体方面，史家选择不同体裁来编撰史书，传记、地理书、史注等重要的史体在此时兴盛起来，史家对皇朝史撰修所采用的纪传体和编年体的认识，与对新兴史体的认识相比，更为成熟。

第一节　“史例中兴”与关于史书形式的讨论

一、所谓“史例中兴”的含义

史书编撰的体例是指史书内在的组织结构和表述形式，它是史书内容最直接的呈现形式。史例批评是史学批评的传统，魏晋南北朝时期史家对史书体例的重视及评论，促进了后代史家对史书编撰形式的关注。魏晋南北朝时期史家对史书体例的认识，首先体现在杜预、干宝、邓粲等人对史书条例的看法上。

无论是讨论“史例中兴”问题，还是讨论“国史条例”问题，都反映出史家对史书条例的认识。所谓史书的“条例”，即“史例”，它是“指宗旨、标准、原则、方针等等而言”[①]。这里所说的“宗旨、标准、原则、方针”，具体来说，是史书撰写中应该以何种形式、撰写哪些内容来表达出史家撰写史书的深意。也就是说，一方面它指的是史书的结构、文辞的表述，另一方面它也帮助史家采择、筛选、组织史料以撰成史文。史书条例反映了史家撰史的目的。魏晋南北朝时期的史家，对史书的条例问题有诸多评论，有些是对史书条例的具体问题提出看法，还有一些是对前辈史家已经提出的条例进行评价，以启发进一步思考。

魏晋南北朝时期的史学，有“史例中兴”一说。南朝刘勰

① 周一良：《魏晋南北朝史学著作的几个问题》，载于《魏晋南北朝史论集》，北京大学出版社 2010 年版，第 354 页。

《文心雕龙·史传》篇记载：

按《春秋》经传，举例发凡；自《史》《汉》以下，莫有准的。至邓璨（粲）《晋纪》，始立条例……及安国立例，乃邓氏之规焉。①

唐人刘知幾说道：

夫史之有例，犹国之有法。国无法，则上下靡定；史无例，则是非莫准。昔夫子修经，始发凡例；左氏立传，显其区域。科条一辨，彪炳可观。降及战国，迄乎有晋，年逾五百，史不乏才，虽其体屡变，而斯文终绝。唯令升先觉，远述丘明，重立凡例，勒成《晋纪》。邓、孙已下，遂蹑其踪。史例中兴，于斯为盛。②

从刘勰和刘知幾对史例的论述可以看出，他们二人均认同孔子修《春秋》制定了史例标准，此后直到晋代，在干宝、邓粲等人的提倡下，史书体例的传统才得以继续。二人的观点得到了许多史家的支持。如，金毓黻认同刘知幾所言，他认为“史例之作，始于干宝，而邓粲效之”，孙盛、范晔、檀道鸾、沈约、萧子显、魏收之书都有例，其中范晔的《后汉书》和沈约的

① 刘勰：《文心雕龙·史传》，黄叔琳等《增订文心雕龙校注》本，中华书局2012年版，第206页。
② 刘知幾：《史通·序例》，浦起龙《史通通释》本，上海古籍出版社2009年版，第81页。

《宋书》是“最得此意者”。[①]《四库全书总目》指出，“沈宋之志序，萧齐之序录，虽以序为名，其实例也”[②]。可见《宋书》《南齐书》不以“例”为名，但也关注史例并作出阐释。

关于史例的传统及史例中兴于晋代的说法，仍有学者提出异议，如刘节认为：“两位刘氏（刘勰和刘知幾），都说孔子作《春秋》，先有凡例，这是一种错觉。就因为杜预作了《春秋释例》，东晋以下的史家才知道先作史例，然后作史。干宝、邓璨，都是受了杜预的影响。其实马班二史所作的各篇序赞，就是例，反说他们‘莫有准的’，甚至说‘斯文终绝’，真是太可笑了！我们现在只能这样说：魏晋以下的国史，是从干宝、邓璨以后始有具体的条例。”[③] 刘节对孔子《春秋》创制凡例一说提出了质疑，认为是因为杜预在《春秋左氏经传集解》中对《春秋》用例的解读，才使得《春秋》有例之说深入人心。因此，刘节认为，《春秋》并非史例之始，而在《春秋》之后的史书，如《史记》《汉书》，其中的序、赞实际上是史例。可以这样认为，杜预对《春秋》用例的强调，影响了干宝和邓粲，从而影响了魏晋南北朝时期国史撰修对史例的重视。

这样看来，晋人杜预、干宝、邓粲在史例方面的贡献是值得肯定的。三位史家对史例的看法，主要集中于杜预《春秋左氏经传集解》（下称《左传集解》）、干宝《晋纪》和邓粲《晋

---

① 金毓黻：《中国史学史》，商务印书馆2010年版，第101页。

② 永瑢等：《四库全书总目》卷四五《史部正史类一》，中华书局1965年版，第406页。

③ 刘节：《中国史学史稿》，中州书画社1982年版，第126页。邓璨，即邓粲。

纪》中。其中，杜预的史例思想在《左传集解》序文中完整地保留了下来。他们对史书体例的重视，包含了对史书体例的认识，这是其史学批评思想的重要内容。

二、杜预关于《春秋左传》体例的见解

刘勰和刘知幾并未直接评说杜预的体例思想，只是讲史例传统兴起于《春秋》经传，而晋人杜预对《春秋左传》体例的阐发有着重要的意义。蒙文通、刘节等人，指出在干宝之前的西晋，有杜预评说史书体例且有一定的意义，如蒙文通称，“杜（预）之说《左》，而干、孙沿之”[①]；刘节指出，“就因为杜预作了《春秋释例》，东晋以下的史家才知道先作史例，然后作史”[②]；瞿林东认为，杜预“对史书体例思想的发展有重要的作用”[③]。

首先来看杜预对《春秋左传》体例的评价。杜预，字元凯，京兆杜陵人，其事载于《晋书》卷三四。杜预是晋武帝时的重臣，在政治上的杰出功绩是上书请求伐吴，并最终获得平吴的胜利。《晋书》称杜预“身不跨马，射不穿札”[④]，是讲他不擅长骑马、射箭。杜预被朝中同僚称为“杜武库”[⑤]，是说他无所不知，博学有谋略。他自称有“《左传》癖”[⑥]，在取得平吴胜利之后，他钻研经籍，作《左传集解》及《春秋释例》。今人逯耀东认

① 蒙文通：《中国史学史》，上海人民出版社 2006 年版，第 53 页。
② 刘节：《中国史学史稿》，中州书画社 1982 年版，第 126 页。
③ 瞿林东：《中国古代史学批评纵横》，中华书局 1994 年版，第 9 页。
④ 房玄龄等：《晋书》卷三四《杜预传》，中华书局 1974 年版，第 1031 页。
⑤ 房玄龄等：《晋书》卷三四《杜预传》，中华书局 1974 年版，第 1028 页。
⑥ 房玄龄等：《晋书》卷三四《杜预传》，中华书局 1974 年版，第 1032 页。

为，杜预《左传集解》不仅肯定《左传》的经学地位，也表达了他的史学意识，“杜预的《左传集解》是经注过渡到史注的桥梁”[①]，且影响着裴松之注《三国志》。

杜预注《左传》，被收入清人阮元校刻的《十三经注疏》中，对后世影响深远。宋人晁公武称赞道，《春秋释例》“皆显其同异，从而释之，发明尤多”[②]，肯定杜预对《春秋左传》体例的评价。杜预注《左传》，同汲冢竹书的出土也有关系。洪迈说道：“杜预见《汲冢书魏国史记》，谓‘其著书文意大似《春秋经》，推此足以见古者国史策书之常也。’所谓书日不书日，在轻重事体本无所系，而《公羊》《穀梁》二传，每事断之以日，故窒而不通。”[③] 杜预关注史书的体例，在他看来，汲冢竹书中记载的条例是了解古代史书条例的途径。

《四库全书总目》记杜预撰《春秋释例》十五卷，并评论道：“考预书虽有曲从左氏之失，而用心周密，后人无以复加，其例亦皆参考经文，得其体要，非公、穀二家穿凿月日者比”，“《春秋》以《左传》为根本，《左传》以杜《解》为门径，《集解》又以是书为羽翼。缘是以求笔削之旨，亦可云考古之津梁，穷经之渊薮矣”。[④] 这里是讲，杜预对《左传》及《春秋》的体例阐释得较为公允。杜预对《春秋》凡例的阐发，实际上反映

---

① 逯耀东：《魏晋史学的思想与社会基础》，中华书局2006年版，第304页。

② 晁公武：《郡斋读书志》卷三《春秋类》，孙猛《郡斋读书志校证》本，上海古籍出版社1990年版，第105页。

③ 洪迈：《容斋五笔》卷一〇《公穀解经书日》，上海古籍出版社1978年版，第923页。

④ 永瑢等：《四库全书总目》卷二六《经部春秋类一》，中华书局1965年版，第212页。

了他对《春秋》体例的认识。

杜预为《左传集解》所作序文，被南朝萧梁萧统收入所编的《文选》卷四五《序上》中，名为《春秋左氏传序》。序文集中体现了杜预对史书体例的认识，即对史书形式和内容的看法。杜预的评价，“是从‘体’‘例’方面来阐述《春秋》《左传》书法之较早的文字”[①]。杜预对体例的认识及其史学批评思想主要包括以下两个方面。

第一，梳理史书体例的发展脉络和承袭关系，勾画出史书体例发展的轨迹，即从周公到孔子再到左丘明，杜预讲道：

> 春秋者，鲁史记之名也。记事者，以事系日，以日系月，以月系时，以时系年。所以纪远近，别同异也。故史之所记，必表年以首事，年有四时，故错举以为所记之名也。《周礼》有史官，掌邦国四方之事，达四方之志。诸侯亦各有国史。大事书之于策，小事简牍而已。《孟子》曰：楚谓之《梼杌》，晋谓之《乘》，而鲁谓之《春秋》，其实一也。韩宣子适鲁，见《易·象》与《鲁春秋》，曰：“周礼尽在鲁矣。吾乃今知周公之德与周之所以王。”韩子所见，盖周之旧典礼经也。[②]

杜预首先指出，编年体史书以时间纪年为记事的方式，是周

---

① 瞿林东：《中国古代史学批评纵横》，中华书局 1994 年版，第 51 页。

② 杜预：《春秋序》，载于阮元校刻：《十三经注疏》，中华书局 2009 年版，第 3695-3698 页。

礼旧典的要求；鲁国的编年体国史《春秋》是周礼旧典的继承者；周公提出了史书记载形式的基本要求，这是对史书体例最初的要求。杜预认识到，在编年纪事的史书体裁中，年、时、月、日与所记之事之间存在体例上的关联。他又讲道，随着周室衰微，周公对史书体例的要求受到后人的忽视，在这种情况下，孔子遵从周公的观点编写《春秋》。杜预指出：

> 周德既衰，官失其守。上之人不能使《春秋》昭明，赴告策书，诸所记注，多违旧章。仲尼因鲁史策书成文，考其真伪，而志其典礼，上以遵周公之遗制，下以明将来之法。其教之所存，文之所害，则刊而正之，以示劝戒。其余则皆即用旧史，史有文质，辞有详略，不必改也。故《传》曰："其善志。"又曰："非圣人孰能修之？"盖周公之志，仲尼从而明之。[①]

杜预接着指出春秋时期史书体例受到忽视的原因，及孔子编《春秋》的情况。他认为，春秋时，由于政治形势发生了变化，各诸侯国国史撰修不能如此前一样继承旧典；在这种情况下，孔子继承了周公之志，开始在鲁国旧史的基础上编写《春秋》。杜预肯定孔子对史例的贡献，他指出，孔子针对史书中关系要害的内容，依照周公对史书体例的要求进行了刊正，以启示后人。杜

① 杜预：《春秋序》，载于阮元校刻：《十三经注疏》，中华书局2009年版，第3699页。

预认为，左丘明是曾经受教于孔子的，他在孔子编写的《春秋》的基础上阐发经义而作《左传》。[①] 杜预接着讲道：

> 左丘明受经于仲尼，以为经者不刊之书也，故传或先经以始事，或后经以终义，或依经以辩理，或错经以合异，随义而发。其例之所重，旧史遗文，略不尽举，非圣人所修之要故也。身为国史，躬览载籍，必广记而备言之。其文缓，其旨远，将令学者原始要终，寻其枝叶，究其所穷。优而柔之，使自求之；餍而饫之，使自趋之。若江海之浸，膏泽之润，涣然冰释，怡然理顺，然后为得也。[②]

杜预指出，左丘明习得孔子《春秋》的精髓思想而作《左传》，《左传》是在《春秋》的基础上撰写的，它依照经文的内容，以不同的形式，或“先经”或“后经”，或“依经”或“错经”，更明确地阐发经文的意义，贯彻周公对史书体例的要求；《左传》为阐发经文而作，因此它的特点在于叙事或释义都更加完备。在杜预看来，从周公到孔子再到左丘明，史书撰修的承袭关系清晰明了。

第二，杜预提炼出《春秋》“五例”，《左传》“三体”的史

---

① 《左传》相传是左丘明所作，但对其作者及成书时间学界出现过多次争论。特别是20世纪以来，顾颉刚、钱玄同等人提出《左传》为刘歆的伪造，钱穆、杨伯峻等人则提出异议，并表达了自己的观点。关于《左传》的作者及成书时间，现今较为一致的看法是，《左传》并非成于某一时、某一人之手，而是经历了较长的编撰历程，经过后人的增补而写成的。

② 杜预：《春秋序》，载于阮元校刻：《十三经注疏》，中华书局2009年版，第3700页。

书体例理论。杜预通过史书的形式和内容来探究史书撰写的意义，他认为这是一直以来都有的，“其发凡以言例，皆经国之常制，周公之垂法，史书之旧章。仲尼从而修之，以成一经之通体”[①]。关于孔子作《春秋》阐发周公思想的“五例”，杜预讲道：

故发传之体有三，而为例之情有五。一曰：“微而显”，文见于此，而起义在彼。“称族，尊君命；舍族，尊夫人”“梁亡”“城缘陵”之类是也。二曰“志而晦”，约言示制，推以知例。参会不地、与谋曰“及”之类是也。三曰“婉而成章”，曲从义训，以示大顺。诸所讳辟、璧假许田之类是也。四曰“尽而不污”，直书其事，具文见意。丹楹刻桷、天王求车、齐侯献捷之类是也。五曰“惩恶而劝善”，求名而亡，欲盖而章。书齐豹“盗”、三叛人名之类是也。推此五体，以寻经、传，触类而长之。附于二百四十二年行事，王道之正，人伦之纪备矣。[②]

杜预认为，孔子作《春秋》是为了使《春秋》“昭明”，也就是令周公思想“昭明”，所以孔子在“教之所存，文之所害”之处进行了“刊正”。杜预对“五例”的阐释应该是从这些关键点出发的。杜预从史书体例角度出发，分析《春秋左传》的事

① 杜预：《春秋序》，载于阮元校刻：《十三经注疏》，中华书局2009年版，第3700页。
② 杜预：《春秋序》，载于阮元校刻：《十三经注疏》，中华书局2009年版，第3702-3703页。

序、文辞、叙事等史书的外在形式所表现出的撰述内容的意义和撰述者的态度，从而归纳出微而显、志而晦、婉而成章、尽而不污、惩恶而劝善五个体例上的特点。

杜预提出，在《春秋》五例的基础上，《左传》讲究发例的“三体”原则。“三体”是阐发经文的三种情况，即旧例、变例、非例。他讲道：

> 其微显阐幽，裁成义类者，皆据旧例而发义，指行事以正褒贬。诸称“书”“不书”“先书”“故书”“不言”“不称”“书曰”之类，皆所以起新旧，发大义，谓之变例。然亦有史所不书，即以为义者，此盖《春秋》新意，故传不言“凡”，曲而畅之也。其经无义例，因行事而言，则传直言其归趣而已，非例也。[①]

杜预所说的左丘明《左传》中的“旧例”，实际上是继承周公、孔子撰修史书时遵循的体例要求。另外，《左传》还采用“变例”和“非例”两种体例标准，这是不同于以往的。

杜预对《春秋左传》“三体”“五例”的史书体例上的评价获得了后人的普遍认可。南朝梁人刘勰在《文心雕龙》中沿用了杜预所讲的《春秋》“五例”的体例特点，指出《春秋》有“五例微辞以婉晦”[②]。但也有学者指出杜预的评价重《左传》而

---

① 杜预：《春秋序》，载于阮元校刻：《十三经注疏》，中华书局 2009 年版，第 3701–3702 页。
② 刘勰：《文心雕龙·征圣》，黄叔琳等《增订文心雕龙校注》本，中华书局 2012 年版，第 17 页。

轻《春秋》，宋人陈振孙认为，杜预的《左传集解》“专修丘明之《传》以释《经》”，“其弊或弃《经》而信《传》，于《传》则忠矣，如《经》何？”[①] 宋人晁景迂曾论“三传”：“谓杜预以左氏之耳目，夺夫子之笔削。”[②] 这样看来，二人赞成的是，杜预通过《左传集解》宣扬了《左传》之说，而在一定程度上忽视了孔子《春秋》的本意。然而，如前文中刘节所言，杜预阐发《春秋左传》体例的意义，在于引发后人对史书条例的重视；《春秋左传》也因杜预所指出的史例特点，得以更加广泛地流传开来。

三、干宝、邓粲关于史书体例的评论

在魏晋南北朝时期“史例中兴”的潮流中，干宝和邓粲也对史书体例多有评述。刘知幾以干宝对史例的认识为史例中兴之始，干宝评价《春秋左传》和《史记》的体例，并对荀悦提出的“立典五志”加以阐释，表现出他对史书体例和内容的认识。今人李颖科因《史通》之说，认为干宝在《晋纪·叙例》中的论述全面且具体，肯定干宝“为我国历史上第一位自立凡例的史学家”[③]。干宝在东晋任史职，晋室南渡后，王导上书建议史官撰修国史，干宝以此著成《晋纪》，时人称赞他的撰述为“良史”[④]，因为《晋纪》内容简略不烦复，据事直书，言辞委婉。

---

① 陈振孙：《直斋书录解题》卷三《春秋类》，上海古籍出版社 1987 年版，第 52 页。
② 洪迈：《容斋三笔》卷一《晁景迁经说》，上海古籍出版社 1978 年版，第 421 页。
③ 李颖科：《干宝在历史编纂学上的贡献》，《西北大学学报》（哲学社会科学版）1987 年第 3 期。
④ 房玄龄等：《晋书》卷八二《干宝传》，中华书局 1974 年版，第 2150 页。

干宝《晋纪》已佚，《文选》中收录该书的总论及《晋武帝革命论》两篇，《三国志》《世说新语》《文选》的注文中也有征引，另外，《太平御览》《艺文类聚》《北堂书钞》等书中亦有收录，只是较为零散。清人汤球、黄奭等人曾辑干宝《晋纪》若干条，后由今人乔治忠整理并编入《众家编年体晋史》。从可见的材料来看，干宝记西晋历史包括了西晋建立前司马懿、司马师、司马昭三人的事迹，他是从司马懿的事迹记起的；《隋志》称干宝的记载直至西晋的最后一位皇帝晋愍帝。可见干宝记载的西晋历史包括西晋建立之前，从司马懿掌握曹魏大权到西晋灭亡这段时间。干宝的《晋纪》是编年体史书，他对史书体例的认识，从刘知幾的《史通》中可观一二。《史通》记载：

晋世干宝著书，乃盛誉丘明而深抑子长，其义云：能以三十卷之约，括囊二百四十年之事，靡有遗也。寻其此说，可谓劲挺之词乎？①

根据刘知幾的记载可以看出，干宝对《左传》和《史记》都有评价，干宝称赞《左传》，贬抑司马迁的《史记》。刘知幾指出干宝对二书的评价有此不同的原因是：《左传》以三十卷的篇幅，记载了二百四十年的史事，并无遗漏。刘知幾对干宝所言是持反对意见的，他批评干宝的言论并非“劲挺之词”。他认为

① 刘知幾：《史通·二体》，浦起龙《史通通释》本，上海古籍出版社2009年版，第25-26页。

《左传》并非“靡有遗”，《左传》记春秋事，“三分得其一”[①]。

从《史通》中记载的这段干宝对《左传》《史记》的评价可知，干宝对《左传》的肯定，实际上是肯定《左传》的编撰体例。刘知幾提出的反对意见，是针对干宝评论两书部帙大小的这一观点。从部帙大小来说，《史记》共一百三十卷，五十二万余字，确实比《左传》大；从二书体裁体例来说，《史记》是纪传体，《左传》是编年体。干宝评价《左传》和《史记》，以卷帙大小与囊括的年限为由，实际上以此判断其叙事是否简洁，作出《史记》不如《左传》之论。干宝之误，在于从干宝指出的判断缘由来看，二者并无可比性。干宝称赞《左传》的体例，这与《左传》编年体记事的特点有关。另外，干宝的这一认识从他对荀悦“立典五志”的评说中亦能看出。

干宝还从具体的方面完善《左传》的体例，书中记载：

> 昔干宝议撰晋史，以为宜准丘明，其臣下委曲，仍为谱注。于时议者，莫不宗之。故前史之所未安，后史之所宜革。[②]

干宝认为，撰史应仿照《左传》之体，同时，另撰谱注以记大臣生平之事，这样有助于阐发史家撰史意旨，此例对后代史书撰述影响深远。除了具体的撰述体例，干宝对史书体例的评

---

① 刘知幾：《史通·二体》，浦起龙《史通通释》本，上海古籍出版社2009年版，第26页。
② 刘知幾：《史通·载言》，浦起龙《史通通释》本，上海古籍出版社2009年版，第31-32页。

价，特别体现在他对荀悦提出的“立典五志”的阐释中。史载：

昔荀悦有云：“立典有五志焉：一曰达道义，二曰彰法式，三曰通古今，四曰著功勋，五曰表贤能。”干宝之释五志也，“体国经野之言则书之，用兵征伐之权则书之，忠臣烈士孝子贞妇之节则书之，文诰专对之辞则书之，才力技艺殊异则书之。”于是采二家之所议，征五志之所取，盖记言之所网罗，书事之所总括，粗得于兹矣。然必谓故无遗恨，犹恐未尽者乎？[①]

东汉荀悦所说的“立典五志”，是指《汉纪》所载史事的撰写范围，也是指史料的取材标准，体现了荀悦的撰写目的。相比较来看，干宝对“五志”的阐释将荀悦提出的标准具体化，也就是说，干宝明确指出史书撰写究竟要写哪些内容。在这里，干宝的解释与荀悦的本意不是一一对应的，但荀悦、干宝二人的看法实际上与此前史书撰写的内容是一致的。[②] 干宝认为史书记载要包括以下内容：“体国经野之言”是指建立国家、治理国家之事；“用兵征伐之权”是指用兵征战之事；“忠臣、烈士、孝子、贞妇之节”是指忠臣、烈士、孝子、贞妇之事；“文诰专对之辞”指君主的诰令和臣子的上疏；“才力技艺殊异”指有特殊才

① 刘知幾：《史通·书事》，浦起龙《史通通释》本，上海古籍出版社2009年版，第212-213页。

② 周一良：《魏晋南北朝史学著作的几个问题》，载于《魏晋南北朝史论集》，北京大学出版社2010年版，第354页。

能技艺之人。可见，前文中所讲的干宝肯定《左传》体例的原因，是由于编年体叙事更易于表达他对史书内容提出的这五方面的要求。干宝所讲的史书的内容及取材范围，包括五个部分，粗略看来，恰恰缺少荀悦明确指出的“通古今”之志。干宝对史书内容宗旨的认识，比荀悦更为具体，侧重于提出史书内容上的体例要求，而欠缺宏观上的考量。

干宝的史书体例认识主要保存于刘知幾对干宝的评价中。干宝称赞《春秋左传》编年体史书的体例特点，他认为史书内容应该包括政治、军事之事及言论，还有出色德行的人物。刘知幾对干宝的史例观点并不赞成，他提出干宝“唯守一家”[①]，即《左传》编年一家，是与当时史学发展的情况不相适应的。在今天看来，干宝对史书体例的看法，显然是不完善的，但是干宝重视史书体例，注重史书内容的构成，同时对编年体有所改进，仍有可称道之处。

刘勰认为，邓粲《晋纪》中对史例的重视可以看作史例中兴之始。邓粲，长沙人，其事载于《晋书》卷八二。史载，他“少以高洁著名”[②]，曾与刘驎之、刘尚公交好，隐逸于野，后应尚贤的桓冲之请，任荆州别驾，自称“朝亦可隐，市亦可隐”[③]。邓粲撰写《元明纪》十篇，旨在帮助世人了解他的父亲邓骞为人之“忠信”[④]。邓粲所著在《晋书》本传中被称为《元明纪》，

① 刘知幾:《史通·二体》，浦起龙《史通通释》本，上海古籍出版社2009年版，第27页。
② 房玄龄等:《晋书》卷八二《邓粲传》，中华书局1974年版，第2151页。
③ 房玄龄等:《晋书》卷八二《邓粲传》，中华书局1974年版，第2151页。
④ 房玄龄等:《晋书》卷八二《邓粲传》，中华书局1974年版，第2151页。

在《隋志》和两《唐志》中都被称为《晋纪》,《晋纪》和《元明纪》应为同一部著作。以其名称“元明”可以推测，它记载的当是晋元帝司马睿和晋明帝司马绍（约317—325）时的历史。邓粲《晋纪》已经亡佚,《世说新语》注文可见征引，《北堂书钞》《太平御览》《册府元龟》《玉海》也略有收录。经过清人的辑佚，被今人编入《众家编年体晋史》。邓粲《晋纪》的文辞并未得到后人的称道。《晋书》评论道：“邓粲、谢沈祖述前史，葺宇重轩之下，施床连榻之上，奇词异义，罕见称焉。”[①] 刘知幾也说道：“邓粲、（檀）道鸾，词烦而寡要。”[②] 可以看出，邓粲《晋纪》在文辞上用奇词，叙事杂乱，但是他对史例的强调，却获得刘勰的称赞。可惜的是，由于材料的散佚，邓粲对史例的认识已经无法一窥究竟了。

魏晋南北朝，特别是两晋时期，呈现出一种特别关注史书体例的风尚。这里并不是说春秋时期至两晋之前的史家就不关注史书的体例，而是说这一时期的史家特别强调史书呈现出来的面貌，并探索其背后的原因。西晋杜预在《春秋左氏经传集解》的序文中对“三体”和“五例”的认识是“史例中兴”的开端，使得体例问题成为史家撰史首先要考虑的问题，历史上史书撰述的体例如何，也成为关注的要点。在这种情况下，《左传》为史家所推重。

在两晋南北朝的“史例中兴”中，对史书体例作出评论的

① 房玄龄等：《晋书》卷八二《陈寿等传论》，中华书局1974年版，第2159页。

② 刘知幾：《史通·序例》，浦起龙《史通通释》本，上海古籍出版社2009年版，第82页。

史家，他们评价的内容主要包括：表达史文背后的义采用的是旧章之例，还是新创之例；要实现所设的义例在撰述中有哪些结构上和内容上的设置。要说明的是，这些评价的标准往往是由“春秋大义”来决定的，他们特别看重史书撰修对政权统治的现实意义，他们的史例之论也是由此而发的。

还有两点是需要注意的。其一，上述三人之中只有干宝任史职，他以著作佐郎的身份撰修晋史，提出史例问题，杜预和邓粲并不任史职，却对史书的体例问题发表了自己的看法。其二，杜预自称有“左传癖”，他感兴趣的是儒家经典著作，但是干宝和邓粲二人却并非如此。干宝注《周易》，撰《搜神记》，录鬼神之事；邓粲注《老子》。从二人的撰述可以明显地看出，干宝和邓粲并不仅仅受到传统儒家思想的影响，他们的思想具有多元的特点，但是二人对史书条例的认识，都蕴含着对史书政治统治功用的重视。这样说来，两晋时期史家史例批评的重点，并不是由不同的思想倾向决定的，而是依赖于当时的政治局势。

第二节　官修国史“条例”的讨论与史学批评

一、西晋史家对本朝史起元的认识

魏晋南北朝时期朝代更迭频繁，每个皇朝存在的时间并不长。新的皇朝建立后，要宣示政权的合法性，前朝和当朝史书的撰写成为一件十分急迫且重要的政治事件。在史书撰修之前或撰修的过程中，往往会出现皇帝授意或史官主动上书请求围绕史书撰修的若干问题展开讨论的情况，魏晋南北朝时期的几次史书体例的讨论，除了史官参与，也有朝中的大臣们参与。有研究者将这种讨论本朝断限的现象，归因于后代皇朝替代前代皇朝后对"篡弑"行为的"弥缝粉饰"。[①] 从史学批评的角度来看，史官在编撰史书之前或之后对史书的体例，如时间上的断限、内容上的结构等问题的讨论，实际上是在史例的实际运用中对史学提出的看法。史官对史书体例的关注和讨论主要出现于西晋、南朝刘宋、南朝萧齐、北朝，前两个时期对史书体例的讨论围绕的是史书断限问题，萧齐皇朝对史书体例的讨论则集中于史书的内容和编撰结构上面，北朝北齐政权时提出的史书体例认识包括史书的断限及结构，并以断限为主。下面就相关问题分别作出论述。

西晋时对本朝史的议例至少发生过两次。晋武帝时曾议《晋书》的断限问题。泰始六年（270），晋武帝下诏："自泰始以来，大事皆撰录，秘书写副。后有其事，辄宜缀集以为常。"[②] 因此，西晋皇朝建立以来的历史得以记载下来。

《晋书》载："朝廷议立晋书限断，中书监荀勖谓宜以魏正始起年，著作郎王瓒欲引嘉平已下朝臣尽入晋史，于时依违未有所决。"[③] 可以看出，西晋朝廷第一次讨论《晋书》的撰修时，

---

① 周一良：《魏晋南北朝史学与王朝禅代》，载于《魏晋南北朝史论集》，北京大学出版社2010年版，第372页。

② 房玄龄等：《晋书》卷三《武帝纪》，中华书局1974年版，第60页。

③ 房玄龄等：《晋书》卷四〇《贾充传附贾谧传》，中华书局1974年版，第1173-1174页。

荀勖、王瓒等人参与了讨论。荀勖建议《晋书》从曹魏正始元年（240）开始记载，王瓒则建议从曹魏嘉平元年（249）开始撰录。[①] 西晋初年这次关于史书条例的讨论，内容是晋史的开始时间问题，荀勖和王瓒对起始年份的看法并不相同，但他们都认为，《晋书》的历史应该从前一朝代的君主曹魏齐王芳在位时开始记载。晋武帝时的这次讨论并未达成一致意见。

西晋惠帝时，惠帝令群臣讨论武帝时没有解决的“晋书限断”问题，这时参与讨论的不只是担任史职之人。当时贾谧为秘书监，掌管史书的撰修。史载：

> 谧上议，请从泰始为断。于是事下三府，司徒王戎、司空张华、领军将军王衍、侍中乐广、黄门侍郎嵇绍、国子博士谢衡皆从谧议。骑都尉济北侯荀畯、侍中荀藩、黄门侍郎华混以为宜用正始开元。博士荀熙、刁协谓宜嘉平起年。谧重执奏戎、华之议，事遂施行。[②]

贾谧认为应该以晋武帝司马炎建立西晋皇朝的泰始元年

---

① 清人赵翼称，武帝时对《晋书》断限的讨论，除了荀勖和王瓒发表了看法，贾谧也参与其中，并提出以泰始元年为断限；后在张华等人的支持下，以泰始断之；武帝还下诏命人撰录泰始以来的大事。（见赵翼：《廿二史札记》卷七“《晋书》”条，王树民《廿二史札记校证》本，中华书局 1984 年版，第 151 页）赵翼的说法与《晋书》所载略有出入，《晋书》载西晋有武帝和惠帝时的两次讨论，武帝时未就断限问题达成一致看法；但在赵翼的论述中，指出武帝时议晋史断限，最终以泰始为断，并命人撰录泰始以来大事。然而可以看出，赵翼所讲的武帝时的断限结果与《晋书》所载惠帝时讨论的结果是相同的。

② 房玄龄等：《晋书》卷四〇《贾充传附贾谧传》，中华书局 1974 年版，第 1174 页。

(265) 为西晋的起始。贾谧“好学，有才思”[①]，但他关于《晋书》断限的想法，实源自曾任著作郎的潘岳，“谧二十四友，岳为其首。谧《晋书》限断，亦岳之辞也”[②]。潘岳是个“性轻躁，趋世利”[③] 的人，他将晋史断限的看法告于贾谧，或有谄媚贾谧之意。但潘岳任职著作，确有才华。钟嵘《诗品》言“陆才如海，潘才如江”[④]，就是对潘岳才华的赞赏。晋史以泰始元年(265) 为断限的方法得到了许多朝中大臣的认可，如张华、王戎等人。

再来看参与史书断限讨论的众人。张华在三国魏文帝时任著作郎，西晋时他又是朝中要臣。西晋惠帝时，贾谧“以华庶族，儒雅有筹略，进无逼上之嫌，退为众望所依，欲倚以朝纲，访以政事”，张华也“尽忠匡辅，弥缝补阙，虽当暗主虐后之朝，而海内晏然，华之功也”。[⑤] 王戎是“竹林七贤”之一，有“人伦鉴识”[⑥]。乐广“有远识”，“尤善谈论，每以约言析理，以厌人之心”[⑦]。王戎的堂弟王衍，虽多言玄学，但他“盛才美貌，明悟若神”[⑧]，颇有才华。嵇绍是不与贾谧交好的，“谧求交于绍，绍距而不答”[⑨]。可以看出，赞成贾谧本朝史断限看法的大臣，

---

① 房玄龄等：《晋书》卷四〇《贾充传附贾谧传》，中华书局 1974 年版，第 1173 页。
② 房玄龄等：《晋书》卷五五《潘岳传》，中华书局 1974 年版，第 1504 页。
③ 房玄龄等：《晋书》卷五五《潘岳传》，中华书局 1974 年版，第 1504 页。
④ 钟嵘：《诗品》，载于严可均：《全梁文》卷五五，中华书局 1958 年版，第 3276 页。
⑤ 房玄龄等：《晋书》卷三六《张华传》，中华书局 1974 年版，第 1072 页。
⑥ 房玄龄等：《晋书》卷四三《王戎传》，中华书局 1974 年版，第 1235 页。
⑦ 房玄龄等：《晋书》卷四三《乐广传》，中华书局 1974 年版，第 1243 页。
⑧ 房玄龄等：《晋书》卷四三《王戎传附王衍传》，中华书局 1974 年版，第 1236 页。
⑨ 房玄龄等：《晋书》卷八九《忠义传》，中华书局 1974 年版，第 2298 页。

应当不是出于相同利益的缘故，而是的确持有西晋历史应从司马炎称帝开始的看法。

还有大臣的建议同武帝年间荀勖和王瓒的建议相同，荀璠、荀畯、华混等人建议以正始元年（240）为晋史开端，荀熙、刁协则建议以嘉平元年（249）为开端。荀璠、荀畯是荀勖的儿子，遵从其父荀勖的晋史断限观点。华混是华歆的曾孙、华廙长子，“嗣父爵，清贞简正，历位侍中、尚书”[①]。刁协是晋室南渡后的重要朝臣，他“少好经籍，博闻强记”[②]。这种以正始元年（240）或嘉平元年（249）为西晋本朝史开端的看法，与晋武帝时的讨论是一致的。

陆机也参与了这次对晋史断限的讨论。陆机，字士衡，吴郡人，吴亡后入晋，其事载于《晋书》卷五四。陆机的祖父陆逊、父亲陆抗皆为孙吴重臣，他与弟弟陆云在吴亡后入晋，以文才为时人称赞。《晋书》称陆机“少有异才，文章冠世”[③]。前文所说贾谧的“二十四友”[④] 便包括陆机、陆云二人。《隋志》记陆机有《晋纪》四卷，《洛阳记》一卷。另外，陆云曾与陆机以书信商议私撰《吴书》的问题。今人在前人辑佚成果的基础上，收录陆机《晋纪》及《晋惠帝起居注》若干条入《众家编年体晋史》，可惜已不见全貌。陆机曾任著作郎，“元康八年，机始以

---

① 房玄龄等：《晋书》卷四四《华表传附华廙传》，中华书局 1974 年版，第 1262 页。

② 房玄龄等：《晋书》卷六九《刁协传》，中华书局 1974 年版，第 1842 页。

③ 房玄龄等：《晋书》卷五四《陆机传》，中华书局 1974 年版，第 1467 页。

④ 《晋书》载：“秘书监贾谧参管朝政，京师人士无不倾心。石崇、欧阳建、陆机、陆云之徒，并以文才降节事谧，琨兄弟亦在其间，号曰‘二十四友’。”（房玄龄等：《晋书》卷六二《刘琨传》，中华书局 1974 年版，第 1679 页）

台郎出补著作”[①]。《陆机别传》记：“（陆机）博学善属文，非礼不动。入晋，仕著作郎，至平原内史。”[②] 陆机应以著作郎身份讨论《晋书》断限。据《初学记》载：“王隐《晋书》曰：陆士衡以文学为秘书监，虞濬所请为著作郎，议《晋书》限断。”[③] 这是讲，虞濬推荐秘书监陆机为著作郎，陆机并由此讨论了《晋书》的断限问题。[④] 另外，刘勰评论陆机讨论断限的文章道：“及陆机断议，亦有锋颖，而谀辞弗剪，颇累文骨。”[⑤] 这是刘勰在评价“议对”文体时，对陆机论《晋书》断限的文章作出的评说，认为它文辞过于丰腴，可惜对陆机本朝史条例的观点没有记载。

《初学记》又载：“《晋纪》曰：束皙，字广微，秘书监贾谧请为著作郎，难陆士衡《晋书》限断。”[⑥] 这样看来，陆机与贾谧对《晋书》断限的看法是不同的。陆机议断限的文字今多不能见，可知的有这样一条：

> 三祖实终为臣，故书为臣之事，不可如传，此实录之谓

① 陆机：《吊魏武帝文》，载于萧统编：《文选》卷六〇《吊文》，李善注本，中华书局1977年版，第833页。

② 刘义庆：《世说新语》卷上之上《言语》，刘孝标注引《陆机别传》，余嘉锡《世说新语笺疏》本，中华书局2007年版，第104页。

③ 徐坚等：《初学记》卷一二《职官部下·著作郎》，中华书局1962年版，第299页。

④ 虞濬其人，史书并无更多记载。《通典》记：“晋惠帝元康二年，司徒王浑奏云：‘……太子家令虞濬有弟丧，嫁女拜时……’”（杜佑：《通典》卷六〇《礼典》，中华书局1984年版，第343页），可知虞濬在元康二年（292）时任太子家令。经虞濬推荐，陆机是可能在元康八年（298）出任著作郎的。

⑤ 刘勰：《文心雕龙·议对》，黄叔琳等《增订文心雕龙校注》本，中华书局2012年版，第329页。

⑥ 徐坚等：《初学记》卷一二《职官部下·著作郎》，中华书局1962年版，第299页。

也。而名同帝王，故自帝王之籍，不可以不称纪，则追王之义。[①]

这是陆机对晋史立纪体例的认识。陆机将西晋的“三祖”——司马懿三父子归入晋史中。至于“三祖”是以“臣”的身份，还是以“王”的身份入晋史，陆机认为，当应记为“王”而立“纪”，记载的是三人为曹魏臣子的事情。虽然陆机强调为三祖立本纪要记三祖为臣之事，但实际上他以晋史从司马懿为开端的观点是十分明确的。刘知幾在《史通》中提到的陆机“始撰三祖纪”[②]，与上述陆机的观点是一致的。在北朝魏收与李德林讨论史书条例的信函中，李德林评论了陆机的史书体例认识，其中关于陆机史例认识的内容，与此处的观点也大体相同。这点将在后文中展开讨论。贾谧对晋史断限的看法与陆机为三祖立本纪的做法是不同的。贾谧称以司马炎建立晋朝的泰始元年（265）为晋史的开端，这样算来，西晋的“三祖”不能入本纪。

西晋时朝中关于本朝史体例的讨论，讨论的问题集中于两个方面，一是史书的开端年限的断定，二是立纪标准的问题，而后者实际上也与史书断限有关。在正式官修晋史之前，有关本朝史体例的讨论在朝中展开，参与讨论的不只是史官，还有要臣，他们多为有才学之士。西晋本朝史断限问题的讨论，体现出参与讨

---

① 徐坚等:《初学记》卷二一《文部·史传》，中华书局1962年版，第503页。

② 刘知幾:《史通·古今正史》，浦起龙《史通通释》本，上海古籍出版社2009年版，第324页。

论之人对史书体例的看法。史书的体例是受到普遍重视的，史书的起止、立纪的标准等虽然是体例上的问题，但实际上关乎撰史者的历史认识，特别是如何看待朝代更替的事实，即新皇朝的奠基者在前朝为重臣，他夺取前朝政权，才有新旧皇朝的更替。虽然在西晋政权建立之前，司马氏已经控制了大权，但在当时，西晋政权的正统性并未得到完全一致的认可。《世说新语》载，司马昭时，宾客“坐席严敬，拟于王者。唯阮籍在坐，箕踞啸歌，酣放自若”[①]。虽然大部分宾客都将掌握实权的司马昭当作君主看待，但是阮籍仍然表示异议，阮籍放肆的行为，代表的恐怕是许多人的心声。正是由于在前朝末年就存在着对掌权大臣的质疑，才促使掌权者在西晋皇朝建立后，试图通过制定本朝史体例的方式，来巩固政权的合法性。

西晋朝中对晋史断限的讨论发生于撰写晋史之前，第二次讨论议定采纳贾谧提出的将西晋建立的泰始元年（265）作为本朝史开端的看法，但是随后史官陆机撰本朝史立《三祖纪》，将西晋建立前司马懿等三人的事迹包含在内。东晋史官干宝撰写西晋历史，也记载了司马懿等三人的事迹。可以看出，本朝史议例的结果对后人官修国史的影响有一定的局限性。

二、南朝史家对国史立纪、传、志标准的讨论

南朝也出现了关于本朝史条例问题的讨论，在刘宋和萧齐皇

---

① 刘义庆：《世说新语》卷下之上《简傲》，余嘉锡《世说新语笺疏》本，中华书局2007年版，第899页。

朝都存在，但南朝人有关史书体例认识的侧重点发生了变化，由西晋时议断限起元问题变为讨论立纪、立传、立志的标准。南朝刘宋皇朝对史书体例讨论的记载是在已经开展了前后三次的国史撰写之后出现的。南朝刘宋国史撰修情况大体如下：

> 先是元嘉中，使著作郎何承天草创国史，世祖初，又使奉朝请山谦之、南台御史苏宝生踵成之。六年，又以爰领著作郎，使终其业。爰虽因前作，而专为一家之书。[1]

在元嘉年间，著作郎何承天受命撰写“国史”，这里所说的“国史”，即刘宋的本朝史。刘知幾在《史通》中对宋史撰修经过的陈述大致与上文相符。[2] 刘宋国史是史官徐爰在前面几次撰修的基础上完成撰写的。徐爰，字长玉，南琅琊开阳人，其事载于《宋书》卷九四《恩幸传》。徐爰以著作郎之职受命续修宋史，他上表提出讨论宋史编修的条例问题，特别强调如何撰写旧朝重要人物的问题，包括不登帝位的新皇朝奠基者和前朝末年重要人物是否入本朝史的问题。这实际上包含了他对史书编撰体例的认识。徐爰首先参考刘宋之前国史撰修的条例，认为将未登帝位的新皇朝奠基者写入新皇朝国史的体例，是一直以来的准则。他讲道：

---

① 沈约：《宋书》卷九四《恩幸传》，中华书局1974年版，第2308页。

② 《史通》记，在山谦之之后，有裴松之受命续国史，又有孙冲之上表求另创国史，之后才有苏宝生受命续成元嘉名臣传；徐爰在前人的基础上勒成宋史。（刘知幾：《史通·古今正史》，浦起龙《史通通释》本，上海古籍出版社2009年版，第327-328页）

臣闻虞史炳图，原光被之美，夏载昭策，先随山之勤。天飞虽王德所至，终陟固有资田跃，神宗始于俾乂，上日兆于纳揆。其在《殷颂》，《长发》玄王，受命作周，实唯雍伯，考行之盛则，振古之弘轨。降逮二汉，亦同兹义，基帝创乎丰郊，绍祚本于昆邑。魏以武命《国志》，晋以宣启《阳秋》，明黄初非更姓之本，泰始为造物之末，又近代之令准，式远之鸿规。典谟缅邈，纪传成准，善恶具书，成败毕记。[①]

徐爰首先提出，历代皇朝重视官修国史，在国史断限问题上都以皇朝建立以前的奠基者所建立的功业为开始，这是历代国史体例遵循的原则。徐爰以先秦、两汉、曹魏、西晋为例，指出西汉历史以汉高祖在沛县丰邑创业为始，东汉历史则以光武帝击溃王莽新朝的昆阳之战为始，曹魏国史的编撰从魏武帝曹操开始记载，西晋国史则从晋宣帝司马懿开始记载。他认为，汉高祖和光武帝均为开国皇帝，但不登帝位的魏武帝曹操和晋宣帝司马懿，实际上均为新建皇朝的奠基人。因此，徐爰指出，虽然黄初和泰始分别是曹魏和西晋皇朝建立后的第一个年号，但都不能作为皇朝历史断限的开端。

徐爰还指出，在国史撰修时因为断限问题而存在疑问的，除了不登帝位的新皇朝的奠基者，还有前代末年影响历史的重要人

① 沈约：《宋书》卷九四《恩幸传》，中华书局1974年版，第2308-2309页。

物。关于应当如何记载这些人物，徐爰讲道：

然余分紫色，滔天泯夏，亲所芟夷，而不序于始传，涉、圣、卓、绍，烟起云腾，非所诛灭，而显冠乎首述，岂不以事先归之前录，功偕著之后撰。[1]

徐爰提出，在之前朝代的国史体例中，王莽[2]篡夺西汉政权，所建立的新莽不是正统，光武帝灭王莽，重建正统，而记载西汉历史的《汉书》为王莽立传，记载其事；陈涉在秦末领导农民起义，他的行事被载入西汉国史；刘玄[3]在新朝末年建立更始政权，东汉国史为他立传；董卓和袁绍是混战于东汉末年的军阀，他们的事被载入《三国志·魏书》。徐爰指出，陈涉、刘玄、董卓、袁绍生活在旧朝末年，他们虽然不是被新皇朝的奠基者或被新皇朝的建立者所杀，但是却在新皇朝国史中立有传记。徐爰认为，基于这一传统，在国史撰修中，对这些前朝末年具有一定历史影响的人物来说，他们的行事及建立的非正统政权应载入前朝史，另外，与新皇朝奠基者功业有关的事迹才可载入新皇朝的国史。徐爰对国史立传体例的认识，实际上是对新皇朝政权正统性的捍卫，既模糊了新皇朝对旧朝政权的篡夺，又强化了新

① 沈约：《宋书》卷九四《恩幸传》，中华书局1974年版，第2309页。

② 徐爰所说的“余分紫色”指的是王莽篡汉、建立新朝一事。《汉书》评论王莽“紫色蛙声，余分闰位”（班固：《汉书》卷九九下《王莽传赞》，中华书局1962年版，第4194页），是说紫色不是正色、蛙声不是正声、余分和闰位也不是正统，即王莽建立的不是正统政权。

③ 徐爰所说的“圣”指的是刘玄。刘玄，字圣公，新朝末年被绿林军拥为帝，年号更始；更始政权后被赤眉军所灭。

皇朝政权奠基者的功勋。

在讨论过历史上的国史撰修起始及立传的条例后，徐爰进一步明确自己撰写刘宋国史所要遵循的体例，他讲道：

> 宜依衔书改文，登舟变号，起元义熙，为王业之始，载序宣力，为功臣之断。其伪玄纂窃，同于新莽，虽灵武克殄，自详之晋录。及犯命干纪，受戮霸朝，虽揖禅之前，皆著之宋策。①

徐爰认为，刘宋国史的撰写不应以武帝刘裕废晋恭帝、建立刘宋皇朝的永初元年（420）为始，而应该以刘裕攻打桓玄、帮助晋安帝恢复帝位的义熙元年（405）为始。至于桓玄之事，徐爰认为同王莽之事相似，其中桓玄篡位之事应该记入前朝晋史；而桓玄违背皇命、在晋朝被杀之事，虽然发生在刘裕称帝之前，但也应该在刘宋国史中有所记载。徐爰提议，考虑到国史的重要性，刘宋国史的断限和体例问题，需要听取朝中大臣的意见。

可见，徐爰对国史条例的评价，从内容上看，包括国史起元断限问题和如何为旧朝末年影响较大的人物立传问题；从态度上看，他是从维护新皇朝的皇权正统性的角度出发，来比较此前国史条例之优劣，从而确定撰修刘宋国史的条例。

在徐爰提出国史条例讨论的建议后，朝中大臣对这一问题发

---

① 沈约：《宋书》卷九四《恩幸传》，中华书局1974年版，第2309页。

表了看法，结果是这样的：江夏王刘义恭等三十五位大臣赞同徐爰的建议，以义熙元年为刘宋历史的开端；而巴陵王刘休若、尚书金部郎檀道鸾两人认为应以元兴三年（404）刘裕开始征讨桓玄为开始；太学博士虞和则认为应该以刘宋开国为起始。可见，南朝刘宋朝臣对国史断限的方法持有不同的意见，其中多数朝臣都认为国史的开端应当设置在君主称帝开元之前，从新皇朝奠基者建立功业开始算起。这与西晋时大部分朝臣的看法是不同的，西晋朝臣大都同意以新皇朝的君主称帝为国史开端。刘宋国史撰修的问题，经过朝臣讨论后由诏书确定，基本以徐爰上奏的内容为准，国史以义熙元年为始，但是诏书称鉴于项羽之事记于西汉国史、刘玄之事记于东汉国史的先例，因此桓玄之事也应该记入刘宋国史。

现今可见的《宋书》是沈约在萧齐时所修的，沈约在自序中表达了对宋史撰修体例的看法，沈约与徐爰的看法不同，他认为应当以武帝建国为始。沈约，字休文，吴兴武康人，他的事迹载于《梁书》卷一三。沈约仕于南朝刘宋、萧齐、萧梁三代皇朝，颇有才华，是“竟陵八友”[①] 之一，他撰写过晋史、南齐史，以及《宋书》。关于《宋书》体例，沈约指出：

始自义熙肇号，终于升明三年。桓玄、谯纵、卢循、

① 竟陵八友，是南朝齐永明年间，聚集在竟陵王萧子良左右的一批文人群体的代表。《梁书》卷一《武帝本纪》载：“竟陵王子良开西邸，招文学，高祖（萧衍）与沈约、谢朓、王融、萧琛、范云、任昉、陆倕等并游焉，号曰八友。”（姚思廉：《梁书》卷一《武帝本纪上》，中华书局 1973 年版，第 2 页）

马、鲁之徒，身为晋贼，非关后代。吴隐、谢混、郗僧施，义止前朝，不宜滥入宋典。刘毅、何无忌、魏咏之、檀凭之、孟昶、诸葛长民，志在兴复，情非造宋，今并刊除，归之晋籍。①

对于前朝末年人物是否应在新皇朝史书中立传的问题，沈约的看法与徐爰不同。沈约坚持在宋史撰修中不应记桓玄等人的事迹，原因在于他们对刘宋皇朝功业的建立没有贡献。沈约修《宋书》，以《武帝纪》为本纪第一，是符合他对宋史起元的看法的。沈约以新皇朝第一任君主称帝为皇朝史记载开端的看法，应是较为合理的。

萧齐初建，齐高帝任檀超和江淹共同掌管史职。檀超，字悦祖，高平金乡人，其事载于《南齐书》卷五二《文学传》。掌史职的檀超上表，制定史书条例。檀超对国史体例的认识集中于史书内容结构，即立哪些志和立哪些传的问题上，而不是西晋、刘宋时争论较多的国史断限问题。檀超提出的国史条例如下：

上表立条例，开元纪号，不取宋年。封爵各详本传，无假年表。立十志：《律历》《礼乐》《天文》《五行》《郊祀》《刑法》《艺文》依班固，《朝会》《舆服》依蔡邕、司马彪，《州郡》依徐爰。《百官》依范晔，合《州郡》。班固五

① 沈约：《宋书》卷一〇〇《自序》，中华书局1974年版，第2467-2468页。

星载《天文》，日蚀载《五行》；改日蚀入《天文志》。以建元为始。帝女体自皇宗，立传以备甥舅之重。又立《处士》《列女传》。[1]

檀超直接且明确地表示，萧齐国史应该以萧道成建立萧齐政权的第一个年号建元（479）为起始，不再向刘宋皇朝上溯；不设年表，封爵情况记入传记。另外，檀超特别强调志书和传记设立的意义。檀超拟定十志，其中依《汉书》设《律历志》等七志，依蔡邕、司马彪设《朝会志》《舆服志》，依徐爰设《州郡志》，《百官志》与《州郡志》合一，日蚀之事载入《天文志》。在立传问题上，檀超建议增设《帝女传》《处士传》和《列女传》。在他上表后，高帝诏令朝内外的大臣讨论国史条例之事。

王俭就檀超设定志书和传记的方法提出了异议。王俭，字仲宝，琅琊临沂人，其事载于《南齐书》卷二三。他曾任秘书丞，请求校阅古籍，撰《七志》等目录学著作。关于国史立志、立传的问题，王俭认为：

金粟之重，八政所先，食货通则国富民实，宜加编录，以崇务本。《朝会志》前史不书，蔡邕称先师胡广说《汉旧仪》，此乃伯喈一家之意，曲碎小仪，无烦录。宜立《食货》，省《朝会》。《洪范》九畴，一曰五行。五行之本，先

① 萧子显：《南齐书》卷五二《文学传》，中华书局1972年版，第891页。

> 乎水火之精，是为日月五行之宗也。今宜宪章前轨，无所改革。又立《帝女传》，亦非浅识所安。若有高德异行，自当载在《列女》，若止于常美，则仍旧不书。[①]

他建议，在檀超拟立“十志”条目的基础上，还应增加《食货志》；另外，《五行志》和《天文志》所记载的内容应该因袭“前轨”，《朝会志》可以取消。在立传上，王俭反对单立《帝女传》。

袁象也表示出对檀超提出的立志和立传条例的不同看法。袁象，字伟才，陈郡阳夏人，其事载于《南齐书》卷四八。本传载他参与国史议例讨论的情况如下：

> 议驳国史，檀超以《天文志》纪纬序位度，《五行志》载当时祥沴，二篇所记，事用相悬，日蚀为灾，宜居《五行》。超欲立处士传。象曰：“夫事关业用，方得列其名行。今栖遁之士，排斥皇王，陵轹将相，此偏介之行，不可长风移俗，故迁书未传，班史莫编。一介之善，无缘顿略，宜列其姓业，附出他篇。”[②]

袁象认为，日食现象还是应载于《五行志》，而不是檀超建议的《天文志》；《处士传》也不应设立。这次国史议例的讨论

① 萧子显：《南齐书》卷五二《文学传》，中华书局1972年版，第891－892页。
② 萧子显：《南齐书》卷四八《袁象传》，中华书局1972年版，第833－834页。

后，君主下诏采用檀超所说的日月现象应该记载于《天文志》的建议，除此之外的问题都基本同意王俭的看法，如增加《食货志》、取消《朝会志》、不立《帝女传》等。

萧齐史家评价国史体例，讨论的是史书的志书和类传撰修的标准。志书记载一朝典章制度的沿革，从檀超、王俭、袁象三人的观点来看，檀超基本因循班固的志书体例，他对《艺文志》的继承是有意义的，但檀超舍弃了《食货志》这一反映经济发展情况的志书。王俭从以经济为本的角度建议增加《食货志》，并取消檀超建议增加的《朝会志》。三人还都关注到《天文志》和《五行志》条例的区别。在类传设立的问题上，王俭和袁象分别否定了檀超设立《帝女传》和《处士传》的主张。檀超立传的原因应是希望史书反映当时的时代面貌，袁象反对立《处士传》是因为处士排斥朝政的行为会“长风异俗”，这是从立传应维护当朝政治统治的立场出发的。

檀超未完成萧齐国史撰修而卒于官，后江淹“撰成之，犹不备也”①。现存的《南齐书》是由南朝萧梁萧子显所撰，清人赵翼论道：“萧子显所撰《齐书》，盖本超、淹之旧而删订成之也。”② 若将萧齐国史议例诏书与萧子显《南齐书》的条例相比较，萧子显撰书在起元时间上与南齐国史议例诏书的要求相同，但志书和传记的设置仍有区别。萧子显，字景阳，兰陵人，其事载于《梁书》卷三五。萧子显是齐高帝萧道成之孙，才华出众，

① 萧子显：《南齐书》卷五二《文学传》，中华书局1972年版，第892页。
② 赵翼：《陔余丛考》卷七“《齐书》原本”条，中华书局1963年版，第129页。

撰有《后汉书》《晋史草》等。萧子显的《南齐书》从断限上来看，以建立萧齐的第一任君主齐高帝萧道成为本纪第一，遵循了檀超提出的“不取宋年”的看法；在立传、志上，没有设立《帝女传》和《朝会志》。但萧子显所立的其他志书与萧齐国史议例拟定的志书并不一样，如没有王俭建议设置的《食货志》，及檀超拟设的刑法、艺文、律历、郊祀诸志，等等。除了以上的志书、传记门类，《南齐书》增设了《祥瑞志》，从这点来看，萧子显的历史认识似不如王俭等人的更有意义。在立传上，萧子显没有设《列女传》，而依檀超早先的建议设《高逸传》[①]，《高逸传》的设置是符合当时的社会情况的。

西晋时国史条例的讨论围绕史书的起元时间问题展开，多数意见以西晋皇朝建立、司马炎称帝为起始时间，另有人建议起始时间应向前追溯。刘宋时的讨论则认为国史断限的开始时间应追溯至皇朝建立前其奠基者掌权之时。萧齐时的讨论对起元时间的看法基本是一致的，认为应以皇朝建立为始。可见，对起元持不同意见的争论多见于西晋、刘宋皇朝，刘宋徐爰甚至明确将国史断限于旧朝以为新皇朝正统性树立权威。从西晋到南朝，国史条例讨论的问题，从国史起始时间断限的讨论发展到为王权更替时重要人物立纪或立传的讨论，又发展到设置国史志书和类传门类的讨论。这一变化反映出史家对国史的关注重点回归到如何记载历史事件和历史人物上。

---

① 萧子显撰《南齐书》立《高逸传》记臧荣绪等人，应与檀超拟建议修撰的《处士传》大体相同，这是袁彖反对设立的。

今人周一良认为，魏晋和南朝的政权禅让频繁，旧皇朝被推翻的历史是新皇朝统治者要求粉饰的，因此晋以后的统治者往往要求本朝史撰写时略写或曲笔撰写，但随着禅让方式夺取政权变得“司空见惯”，本朝史撰写不再避讳政权更替的形式而直接宣扬其合法性。周一良指出，西晋向上追溯晋史开端，刘宋则比较客观地看待这一问题，到了萧齐、萧梁、陈修国史时，更是不再向上追溯皇朝之开始时间，这一现象反映了政权禅让已成常态，且不影响门阀世族的利益。[①] 周一良运用翔实的史料，从史家讨论本朝史体例的不同认识出发，阐释了时人对皇朝禅代态度的变化。由此可见，在魏晋南北朝时期，史家评论国史体例的侧重点一直在变化，对皇朝更替正统性的争论趋于弱化，体例评价的内容越来越具有普遍意义。

从以上内容可以看出，在西晋与南朝以史官为主体的史家，围绕当朝皇朝史的撰修，对史书断限及体例进行了讨论，这是以皇朝史官为主体的史学批评。根据国史条例讨论的内容，可以看出，史家对国史撰修的看法，主要体现在以下几点。

第一，史家重视当朝国史的撰修。这点首先可以从参与国史条例讨论的史家的组成看出。统治者关注官方修本朝史，因此设置专职史官或兼职史官，下诏编修国史及起居注，或下诏组织朝廷内外对国史条例进行讨论。讨论不仅有担任史职的史官参加，如晋武帝时著作郎王瓒，刘宋时著作郎徐爰，萧齐时掌国史的檀

① 见周一良：《魏晋南北朝史学与王朝禅代》，载于《魏晋南北朝史论集》，北京大学出版社 2010 年版，第 371-379 页。

超、江淹；参与讨论的还有负责监修国史的中书监，如荀勖等；另外，许多担任他职的朝廷要臣也参与其中，如西晋惠帝时参与讨论的司徒王戎等人。

第二，史家评论的对象是史书编撰的体例结构。史学批评的直接对象不是前代史家、前代史书，而是尚未开始修撰或尚未完成修撰的本朝史，讨论的内容是本朝史的断限或史书结构，例如如何立纪、立传、立志等问题。

第三，史家对国史作用的评价。史家对国史条例的认识，实际上反映了史家对国史重要作用的肯定，反映出史家对历史的看法。西晋、刘宋时期讨论国史条例，较多的内容是史书的断限问题，特别是国史记载从何时开始的问题。史家对这一问题的看法有两种不同的观点，国史记载的时间开始于新皇朝奠基者实际控制政权的时间，还是开始于新皇朝称帝改元的时间，这关系政权的正统性。可见国史在维护政权的正统性方面被赋予重要的意义。

第四，史家对前代史家史书编撰体例的辩证继承。国史条例讨论中对时间断限的讨论，多征引《三国志》等经典著作对相关问题的处理；而对于传、志的设置，史家是在综合《史记》《汉书》等史著体例的基础上，再结合皇朝当下的需要，讨论议定新的条例。

三、北朝史家论史书“条例”

前文讲到，十六国政权对国史的重视影响着北朝国史的撰修。北朝时期，官修国史成为朝政一件要事，统治集团对它有严格的控制。这一时期延续着撰起居注及国史的传统，在国史撰修的过程中，也不乏对国史条例的讨论。北齐时，魏收与阳休之、李德林对国史条例的讨论涉及了对史书体例的评价，评价主要围绕着国史的起元问题展开，探寻的是国史条例在政治上的意义。

首先来看魏收和阳休之对国史断限提出的不同看法。魏收，字伯起，巨鹿下曲阳人，其事载于《北齐书》卷三七。阳休之，字子烈，右北平无终人，其事载于《北齐书》卷四二。二人之中，魏收有史职之任，阳休之不任史职。据正史记载，魏收和阳休之讨论北齐国史断限的情况是这样的：

> 又魏收监史之日，立《高祖本纪》，取平四胡之岁为齐元。收在齐州，恐史官改夺其意，上表论之。武平中，收还朝，敕集朝贤议其事。休之立议从天保为限断。魏收存日，犹两议未决。收死后，便讽动内外，发诏从其议。①

魏收建议在国史中立《高祖本纪》，为北齐皇朝建立者高洋的父亲高欢立本纪，他认为《高祖本纪》应该以高祖平四胡的那一年为开始。高欢是东魏权臣，是北齐皇朝建立的奠基者，魏收此说已经将北齐国史断限前溯至政权建立之前。关于“四胡”及“平四胡”的年份，许福谦、牛润珍等学者已作考证，纠正了刘

---

① 李百药：《北齐书》卷四二《阳休之传》，中华书局1972年版，第563页。

节在《中国史学史稿》中的谬误,[①] 可知“四胡”实为尔朱天光、尔朱兆、尔朱度律、尔朱仲远四胡,“平四胡”一事是指齐高祖高欢平定四人叛乱的韩陵之战,发生于永熙元年(532)。[②]对于魏收的看法,阳休之并不认同,阳休之认为应该以政权建立者高洋的第一个年号“天保”为起始,即550年。朝中有关北齐本朝史起始年限的争论并没能达成一致的意见,在魏收死后,阳休之主持国史断限的讨论,议定以天保元年(550)为开端。

魏收不以高洋废东魏孝静帝、自己称帝的年份为北齐的开始,而将其上溯至高欢灭尔朱氏、立元修为北魏孝武帝的年份,这是对不登帝位的高欢获得统治实权的肯定,也是对北齐皇权正统性的维护。北魏节闵帝在位时,魏收负责撰起居注及国史;东魏孝静帝时,魏收求修国史;北齐文宣帝高洋时,魏收又受诏撰魏史。魏收对北魏、东魏、北齐历史的发展脉络十分清楚,也正因如此,他将北齐国史的开始年份,追溯至北齐奠基者高欢掌握东魏实权之时。

魏收与阳休之对北齐国史断限的争议引起了朝中讨论,李德林曾与魏收有多封信函讨论起元之事。李德林,字公辅,博陵安平人,其事载于《隋书》卷四二,魏收与李德林关于国史断限讨论的信函保留在《李德林传》中。从所载内容来看,李德林

---

① 刘节称四胡“盖指邢杲、葛荣、韩楼、万俟丑奴”。(《中国史学史稿》,中州书画社1982年版,第128页)

② 见许福谦《“四胡”说》(《读书》1985年第4期)、牛润珍《齐史断限与平四胡之岁:刘节先生〈中国史学史稿〉正误一例》(《中国人民大学学报》2000年第4期)等文。

是支持魏收的国史限断观点的。[1] 李德林对国史条例的认识，不只是从国史断限的形式上来说，还从皇朝起元的角度，即从政权的正统性在政治上的意义来讲的。李德林本传记载：

> 收与德林书曰："前者议文，总诸事意，小如混漫，难可领解。今便随事条列，幸为留怀，细加推逐。凡言或者，皆是敌人之议。既闻人说，因而探论耳。"
>
> 德林复书曰："即位之元，《春秋》常义。谨按鲁君息姑不称即位，亦有元年，非独即位得称元年也。议云受终之元，《尚书》之古典。谨按《大传》，周公摄政，一年救乱，二年伐殷，三年践奄，四年建侯卫，五年营成周，六年制礼作乐，七年致政成王。论者或以舜、禹受终，是为天子。然则周公以臣礼而死，此亦称元，非独受终为帝也。蒙示议文，扶病省览，荒情迷识，暂得发蒙。当世君子，必无横议，唯应阁笔赞成而已。辄谓前二条有益于议，仰见议中不录，谨以写呈。"[2]

从魏收写给李德林的信中可见，为了反驳"敌人之议"，魏收就将国史的开始年份确定于高欢时代的问题征求李德林的看

---

① 今所见的《北齐书》是唐人李百药所修，他是以其父李德林撰写的《齐书》为本的。《北齐书》本纪以神武帝高欢为帝纪第一，北齐皇朝的建立者高洋列帝纪第四，这与魏收将北齐历史起元时间上溯至高欢的看法是较为一致的，也与下文信函中表现出的李德林对魏收观点的支持是一致的。

② 魏徵等：《隋书》卷四二《李德林传》，中华书局1973年版，第1195页。

法。李德林以历史事实阐释了《春秋》中的“即位之元”和《尚书》中的“受终之元”之说虽然是“常义”“古典”，但并非不可改变。李德林认为，新皇朝“称元”不一定要求有人即位，比如鲁隐公（名息姑）在惠公死后、太子年幼之时，代掌国君之职，未即君位，而孔子编《春秋》却称“鲁隐公元年”①；同时，因“受终”而即位也并非“称元”的必要条件，比如虽然舜、禹因“受终”而为天子，但周公以臣的身份辅佐周成王摄政，并未“受终”，历史记载却仍以元年称之。因此，李德林认为，称帝只是名义上的事，与实际上皇朝的掌握权归入谁的手中，关系并不大，也不是史书撰述中称元的必要条件。接着，魏收对李德林所论提出了疑问，书中记载：

> 收重遗书曰：“惠示二事，感佩殊深。以鲁公诸侯之事，昨小为疑。息姑不书即位，舜、禹亦不言即位。息姑虽摄，尚得书元，舜、禹之摄称元，理也。周公居摄，乃云一年救乱，似不称元。自无《大传》，不得寻讨。一之与元，其事何别？更有所见，幸请论之。”②

魏收对李德林所举的鲁隐公、舜和禹、周公的行事及其在史书中的记载体例提出了疑问：鲁隐公、舜和禹虽然没有即位，但

---

① 《春秋左传》记鲁隐公“元年春王正月”，见《春秋左传》卷二“隐公元年”，载于阮元校刻：《十三经注疏》，中华书局 2009 年版，第 3719 页。

② 魏徵等：《隋书》卷四二《李德林传》，中华书局 1973 年版，第 1195-1196 页。

他们开始摄政的历史开端都被称为“元年”；周公摄政的起始却被称为“一年”，史书中并未称之为“元年”。李德林对此进行了解答，同时他也指出晋人陆机关于国史起元问题认识的讹误，他讲道：

> 摄之与相，其义一也。故周公摄政，孔子曰“周公相成王”；魏武相汉，曹植曰“如虞翼唐”。或云高祖身未居摄，灼然非理。摄者专赏罚之名，古今事殊，不可以体为断。陆机见舜肆类上帝，班瑞群后，便云舜有天下，须格于文祖也，欲使晋之三主异于舜摄。窃以为舜若尧死狱讼不归，便是夏朝之益，何得不须格于文祖也？若使用王者之礼，便曰即真，则周公负扆朝诸侯，霍光行周公之事，皆真帝乎？斯不然矣。必知高祖与舜摄不殊，不得从士衡之谬。[①]

李德林称，“摄”和“相”是同一个意思，周公和曹操都是摄政大臣。李德林认为，陆机以为西晋三位先祖与舜摄政[②]不同，这一观点是不正确的。他接着讲道，《尚书》载舜“肆类于上帝”，“班瑞于群后”[③]，讲的是舜接受尧的禅位后，举行了祭

---

① 魏徵等：《隋书》卷四二《李德林传》，中华书局 1973 年版，第 1196 页。

② 《史记》载：“正月上日，舜受终于文祖。文祖者，尧大祖也。于是帝尧老，命舜摄行天子之政，以观天命。”（司马迁：《史记》卷一《五帝本纪》，中华书局 1959 年版，第 22–24 页）

③ 《尚书·虞书》卷三《舜典》，载于阮元校刻：《十三经注疏》，中华书局 2009 年版，第 265–266 页。

天仪式，向上天报告此事；同时，舜还召集四方诸侯，收集起尧赐予的信符，并重新以舜的名义赐予他们。陆机认为，西晋三主与舜的做法不同。李德林对陆机的看法提出了相反意见，他认为舜的做法，是“使用王者之礼”的做法，并不能作为判断摄政与否的依据；而周公依天子的做法，“负扆而朝诸侯”[①]，霍光也和周公看起来一样，但不能说他们都是真的君主。李德林以此认为，陆机“以体为断”的看法是错误的。对北齐历史而言，李德林指出，高欢摄政与舜摄政并无不同，他说：

或以为书元年者，当时实录，非追书也。大齐之兴，实由武帝，谦匿受命，岂直史也？比观论者闻追举受命之元，多有河汉，但言追数受命之岁，情或安之。似所怖者元字耳，事类朝三，是许其一年，不许其元年也。案《易》“黄裳元吉”，郑玄注云：“如舜试天子，周公摄政。”是以试摄不殊。《大传》虽无元字，一之与元，无异义矣。《春秋》不言一年一月者，欲使人君体元以居正，盖史之婉辞，非一与元别也。[②]

李德林指出，是齐高祖高欢建立北齐基业的，北齐历史应从高欢算起，这是确定的事实；而“元”和“一”只是名称上的区别，虽“元”较为可“怖”，但它们并无本质不同。李德林认

① 《淮南子》卷一一《齐俗训》，何宁《淮南子集释》本，中华书局1998年版，第816页。
② 魏徵等：《隋书》卷四二《李德林传》，中华书局1973年版，第1196页。

为，在典籍中，两个字的使用“无异义”，意义是相同的。

李德林又以三国的历史论证不一定要按照“受命”或“受终”来作为新政权的开端，他指出：

> 汉献帝死，刘备自尊崇。陈寿，蜀人，以魏为汉贼。宁肯蜀主未立，已云魏武受命乎？士衡自尊本国，诚如高议，欲使三方鼎峙，同为霸名。习氏《汉晋春秋》，意在是也。正司马炎兼并，许其帝号。魏之君臣，吴人并以为戮贼，亦宁肯当涂之世，云晋有受命之征？史者，编年也，故鲁号《纪年》。墨子又云，吾见《百国春秋》。史又有无事而书年者，是重年验也。若欲高祖事事谦冲，即须号令皆推魏氏。便是编魏年，纪魏事，此即魏末功臣之传，岂复皇朝帝纪者也。①

李德林举出两个史例，蜀汉未立而曹魏政权建立，孙吴未亡而西晋司马炎称帝，在这两次政权变动中，新皇朝的建立都不能算作“受命”。李德林认为，史书历来重视“年”的意义，或以年记事，或无事记年；倘若以北魏的年号记录高祖高欢的行事，这并不能算作北齐高祖帝纪，而是北魏末年功臣的传记而已。李德林接着评论陆机认识的不足：

---

① 魏徵等：《隋书》卷四二《李德林传》，中华书局 1973 年版，第 1196–1197 页。

陆机称纪元立断，或以正始，或以嘉平。束皙议云，赤雀白鱼之事。恐晋朝之议，是并论受命之元，非止代终之断也。公议云陆机不议元者，是所未喻，愿更思之。陆机以刊木著于《虞书》，龛黎见于商典，以蔽晋朝正始、嘉平之议，斯又谬矣。①

李德林认为，从陆机以曹魏正始元年（240）或嘉平元年（249）作为西晋元年断限的想法来看，西晋对国史断限的讨论，并不是以旧朝终了为断，而是以新皇朝受命为开端。李德林认为，陆机关于西晋皇朝起元问题的认识是错误的。在这一基础上，李德林提出撰写朝代更迭这一特殊时期的历史的方法，他说道：

唯可二代相涉，两史并书，必不得以后朝创业之迹，断入前史。若然，则世宗、高祖皆天保以前，唯入魏氏列传，不作齐朝帝纪，可乎？此既不可，彼复何证！②

李德林指出，与前后两朝都有关的历史，两部史书都应该记载，但是不应该将后代皇朝创业的事情，写入前朝史书。李德林认为，对北齐国史来说，世宗、高祖都是文宣帝高洋天保年前的人，若按上述标准，只能写入北魏的列传，不记载为北齐的帝

① 魏徵等：《隋书》卷四二《李德林传》，中华书局1973年版，第1197页。
② 魏徵等：《隋书》卷四二《李德林传》，中华书局1973年版，第1197页。

纪，显然这样是不可以的。因此，在李德林看来，新皇朝奠基者的事迹，应写入新皇朝的国史，立为本纪，同时，国史断限也应该追溯至新皇朝奠基者在前朝掌握实权之时。

可以看出，李德林对国史断限的看法，是从史书起元问题展开的。他评论的前提是承认北齐在皇朝建立前的高欢时代就已经开始。刘节认为，“魏收、李德林的主张是对的”，“若从阳休之的说法，以天保为断限，就失去断代史的重要原则了”。[①] 在政治倾向明显的国史条例下，李德林通过考察经典史书的记载，并特别评价了陆机的看法，提出史书称“元”与称“一”并无区别的观点。从魏收与李德林对史书条例的认识可以看出，魏收讨论的重点是断限之始。《四库全书总目》认为魏收所撰，“叙事详赡，而条例未密，多为魏澹所驳正”[②]，是说魏收并不精于史书体例。这样看来，北朝对国史体例的讨论与西晋、南朝相比，表现出明显的不同，体例的评价不及南朝全面、具体。也可以看出，北朝新皇朝获得政权的正统性不需要通过国史条例的确定来刻意维护，新皇朝在前朝获得实权即预示着新皇朝的开端，这点

① 刘节：《中国史学史稿》，中州书画社 1982 年版，第 128 页。

② 永瑢等：《四库全书总目》卷四五《史部正史类一》，中华书局 1965 年版，第 407 页。这里顺带对魏澹驳正魏收史书体例的情况作简要说明。魏澹与李德林同在北齐修史，隋文帝时他又以著作郎的身份受命撰前朝魏史，并在撰成后讨论自己所撰与魏收撰书在体例上的不同。总的来说，魏澹对史例的评价是从前朝史撰写出发，而非本朝国史。因此，他的认识不集中于史书的断限、立传标准等问题上，而是从隋朝出发，以西魏为正统，讨论前朝魏史撰修细节中的史例问题。他也重视史书维护皇朝正统的作用，注重史书撰述中处理君与臣、中央与地方等问题的体例标准。他撰写前朝史，更倡导直书的作史态度，而不是对前朝历史的避讳。另外，他评价的对象是魏收的《魏书》，也涉及《春秋》《史记》等史书。清人赵翼肯定魏澹对魏收史书义例不当之处的纠正，但也指出魏澹撰史的不完善之处。现今，魏澹所撰的魏史已经亡佚。（魏徵等：《隋书》卷五八《魏澹传》，中华书局 1973 年版，第 1417-1419 页）

是得到公认的，史例讨论针对的是如“一”“元”区别之类的具体撰写体例问题，这与西晋、南朝是不同的。

第三节　史家对多种史书体裁的认识

一、史家对多种史书体裁认识的初步发展

魏晋南北朝时期史学发展的重要特征是史书的种类越来越多，而所谓“种类”，即史书的体裁。许多学者都认识到这一问题，“史部著作数目骤增，性质复杂多样，门类异彩纷呈”[①]。除了种类纷繁的史书体裁大量涌现，这一时期的史体还出现了另一个特点，刘知幾在《史通》的《二体》篇中论之甚详，他称魏晋南北朝时期，编年体和纪传体史书都有发展，“各有其美，并行于世”[②]，即皇朝史的撰述中纪传体和编年体并行。在这一时期，史家对史书体裁的认识在以上两个问题上有了初步发展。

首先来看这时期涌现出的多种史体，它们是与皇朝史的撰述相对存在的。前文分别论述了《隋志》和《史通》对魏晋南北朝时期史书种类的划分，《隋志》将其分为史部十三类，《史通》则在正史之外又分出史体十类。史书种类的繁多是史学多途发展的重要表现，“集中表现出史学家对史学内容认识的开阔和撰述

---

① 周一良：《魏晋南北朝史学发展的特点》，载于《魏晋南北朝史论集》，北京大学出版社2010年版，第344页。

② 刘知幾：《史通·二体》，浦起龙《史通通释》本，上海古籍出版社2009年版，第26-27页。

的热忱”[1]。史家在选择不同的史体来记载时，本身就包含了他们对史书体裁的看法。

但在魏晋南北朝时期，史家对史书体裁的理论认识仍处于初步发展的阶段，他们对不同的史书体裁的认识程度不同。这一时期的史家撰写史书，往往仿照之前史家撰述的体裁体例，整理史料，记载史事，或存留备忘，或申明意旨。史家关于史书体裁的认识多在以下两种情况中表现出来的，一是史家对此前采用该史体的史书进行评论，二是史家对该史体的作用提出看法。也就是说，史家通过评论此前某一种史体的史书撰述的相关问题，从而提出对该史体的认识，这种情况在地理书、传记书、史注等类型的史书中均可以看到。如《高僧传》记录了释慧皎对传记体体裁的认识，常璩在《华阳国志》中也注意到了记载地理类的其他史书，等等。另外，史注在当时虽然未被当作一种史书的体裁，但史家对史注的认识也有突出的表现，如这一时期出现的《三国志》裴注是史注的经典之作，裴松之对史注亦有明确的要求。下面分别对这些问题作出说明。

晋人常璩编撰的《华阳国志》，是一部地方史著作。常璩，西晋末年人，主要生活在成汉、东晋时期。他在成汉灭亡后入降东晋，撰写《华阳国志》。常璩事迹史多不载，在崔鸿《十六国春秋》中略有记载[2]。任乃强推测常璩大概生于晋惠帝元康元年

① 瞿林东：《中国史学史纲》，北京出版社 1999 年版，第 225 页。

② 《十六国春秋》载：“常璩，字道将，蜀成都人。少好学，著《华阳国志》十篇。序开国以来，迄于李势，皆有条理云。”（崔鸿：《十六国春秋》卷七九《蜀录四》，汤球辑补，《丛书集成初编》本，中华书局 1985 年版，第 560 页）

(291)，卒于晋穆帝升平五年（361），卒时约七十岁左右。[①] 常璩的《华阳国志》被认为是完整流传至今的重要的地方史著作，在《隋志》史部中记入霸史类，《新唐志》记入伪史类。

常璩在《华阳国志》卷一二《序志》中，讲述了记载巴蜀地区历史的史书撰写的情况，申明自己撰写《华阳国志》的原因。另外，相比史书的外部形式，常璩更重视的是史书的功用。在梳理此前史书撰写的历史时，常璩所列的记载不仅包括最初开国时"或因文纬，或见史记"的纬书、史书，还包括下面的著作：

> 司马相如、严君平、杨子云、阳成子元、郑伯邑、尹彭城、谯常侍、任给事等各集传记，以作《本纪》，略举其隅。其次圣称贤，仁人志士，言为世范，行为表则者，名挂史录。而陈君承祚别为《耆旧》，始汉及魏，焕乎可观。[②]

常璩这里所说的司马相如等人撰写的史书与陈寿的《益部耆旧传》相似，都以人物的记载为主，记录了巴蜀地区圣人、贤者的事迹。除了对所述地区重要人物撰述的关注，常璩也注意到记载巴蜀地区地理沿革的文字，他讲道：

> 《地理志》颇言山水，历代转久，郡县分建，地名改

---

① 任乃强：《华阳国志校补图注前言》，上海古籍出版社1987年版，第2-3页。

② 常璩：《华阳国志》卷一二《序志》，《丛书集成初编》本，中华书局1985年版，第195页。

易，于以居然辨物知方，犹未详备。[①]

常璩关注到《汉书·地理志》中对山脉、河流的记载，以及随着时代发展带来的地名的更换。今天看来，这些是自然地理和人文地理的范畴。常璩对前书关注的重点与《华阳国志》记载的内容是相符合的。《华阳国志》记有地区政权的沿革，也有重要人物贤俊的事迹。其中，巴志、汉中志、蜀志、南中志记录了巴蜀地区重要的地理沿革；随后的五志则编年记载了巴蜀地区政权的沿革，包括东汉末年的公孙述、刘二牧，蜀汉时期的刘先主、刘后主，西晋，成汉李特、李雄、李期、李寿、李势时期；缀于其后的先贤士女总赞、后贤志则是蜀汉地区贤人列女的传记。

可以看出，常璩在前人的基础上选择地方史这一体裁撰写《华阳国志》，他考察了诸多记有巴蜀地区历史的撰述。常璩综合前人的记载，认为地方史这一体裁记载的内容可以包括所记地区的自然地理变化、政权更替情况、重要的人物事迹等内容。然而，常璩对该史体的理论认识并不是明确的，他的看法是从总结前人此类撰述的基础上提出的，并通过他的撰述表现出来。《华阳国志》作为记录巴蜀等地区地方历史的史著，有重要的史料价值。宋人晁公武引用宋人吕微仲对《华阳国志》的评价，说："自晋至周显德仅七百岁，而史所纪者无几人，忠魂义骨，与尘

① 常璩：《华阳国志》卷一二《序志》，《丛书集成初编》本，中华书局1985年版，第195页。

埃同没，何可胜数，岂不重可叹哉！”[①] 可见，《华阳国志》意义之重大。

与常璩一样，关注到某一地区历史沿革的还有北朝的杨衒之，他撰写的《洛阳伽蓝记》，着眼于北魏洛阳地区的寺院，是一部重要的有关佛教的地理史书，《隋志》著录其为地理类史书，《新唐志》以其内容有关佛教而将它记入子部道家类。今人周祖谟称它“既是地理书，又是一部史书，并且是一部极好的文学著作”[②]。杨衒之的事迹在正史中无传，据周祖谟考证，唐人释道宣的《广弘明集》中略记杨衒之的身世，杨衒之是北平人，约生活于北魏、东魏时期。宋人晁公武称赞《洛阳伽蓝记》的内容特别详备。[③] 清人李慈铭则称赞它在语言表述上“文章秀雅，叙次简古”，可以与郦道元《水经注》相媲美；在撰述旨趣上，“虽名专梵刹，而意主国是”。[④]

《洛阳伽蓝记》的价值是得到历代学者普遍认可的，它以北魏时期洛阳城内、城外的寺院为叙述对象，记录了有关的人物、事件，反映出北魏时期的政治局势与社会风貌。从《洛阳伽蓝记》的行文可以看出，杨衒之在撰文中，往往首先说明寺庙的地理方位，再介绍它的建立者、寺庙的内部结构、碑文的撰写

---

① 晁公武：《郡斋读书志》卷七《伪史类》，孙猛《郡斋读书志校证》本，上海古籍出版社1990年版，第276页。

② 周祖谟：《洛阳伽蓝记序》，载于杨衒之：《洛阳伽蓝记》，周祖谟《洛阳伽蓝记校释》本，中华书局2010年版，第9页。

③ 晁公武：《郡斋读书志》卷八《地里类》，孙猛《郡斋读书志校证》本，上海古籍出版社1990年版，第349页。

④ 李慈铭：《越缦堂读书记》，《洛阳伽蓝记》条，中华书局2006年版，第471页。

者，并将与之有关的政治事件、传闻、逸事记录于后，有时还附有自己的论说。杨衒之采用这一方式记录历史，但是他对所用史体的选择并没有表现出明确的态度。

杨衒之陈述其撰述的缘起是：东魏时，他回到北魏故都洛阳，感念北魏时因佛教兴盛而大规模修造寺庙的盛景已经不再，“城郭崩毁，宫室倾覆，寺观灰烬，庙塔丘墟。……凡有一千余寺，今日寥廓，钟声罕闻”①，因而起意进行撰述。杨衒之说：

> 恐后世无传，故撰斯记。然寺数最多，不可遍写；今之所录，止大伽蓝，其中小者，取其祥异，世谛俗事，因而出之。先以城内为始，次及城外。表列门名，以记远近。凡为五篇。余才非著述，多有遗漏，后之君子，详其阙焉。②

杨衒之首先表示，他撰《洛阳伽蓝记》记北魏洛阳的佛寺，目的是为了使后人了解曾经的情况，以便保存史实。可以看出，杨衒之以洛阳城门作为地理方位的参照，按照城内、城东、城南、城西、城北的顺序，依次记下寺院庙宇的建设，并将叙述的重心放在与之有关的人物的生平与历史事件之上。如卷一记永宁寺时，述尔朱荣其人及其变乱的经过；卷二记龙华寺时，记录了南朝梁武帝萧衍之子萧综其人；卷五记闻义里的宋云宅时，详载宋云与惠生出使西域求经的历程；等等。杨衒之撰《洛阳伽蓝

① 杨衒之：《洛阳伽蓝记序》，周祖谟《洛阳伽蓝记校释》本，中华书局2010年版，第25页。

② 杨衒之：《洛阳伽蓝记序》，周祖谟《洛阳伽蓝记校释》本，中华书局2010年版，第25–26页。

记》旨在记录北魏寺院所反映出的王公、平民佞佛的情况，还有北魏后期政权的局势与百姓的生活。他以直笔的态度将这些材料编次起来，出于撰写的方便以洛阳城寺院的兴废为线索将其撰集成书，这并不能看出他对地理类史书有明确的体裁认识。

前文从史书的分类方法上，论述了在魏晋南北朝时期繁多的史书体裁中，传记体的发展是十分突出的。从史家对史体的认识来看，史家采用传记的形式来记录某类人士，他们对传记体体裁本身的认识是相对明确的。[①] 南朝萧梁释慧皎撰有《高僧传》，这是一部记载高僧其人其事的传记体史书，释慧皎一一论说前代记录高僧的诸传，并提出了自己的撰史要求。释慧皎对传记体有着较为清晰的认识，这是值得肯定的。释慧皎其人，正史无传。唐人释道宣的《续高僧传》卷六为他立传，记道："释慧皎，未详氏族，会稽上虞人。学通内外，博训经律。"[②]《隋志》史部杂传类著录《高僧传》十四卷为释僧祐所作，《新唐志》著录为慧皎所撰，列入子部道家类。对此，清人姚振宗指出，《隋志》所录的《高僧传》作者姓名有误，该书应是释慧皎所作。[③]

据释慧皎讲，《高僧传》记载了从汉明帝永平十年（67）到

---

① 传记体史书取得的成就获得了研究者的关注，如逯耀东深入探讨了魏晋时期的别传，胡宝国对杂传亦有研究，二人的探索都有意义。逯耀东的探讨是从经史分途的背景下展开研究，以《世说新语》为例，指出别传的形成原因、特点，并强调它具有个人意识觉醒的时代特征。胡宝国讨论的杂传包括家传、郡书、高士传、别传，他主要讨论杂传的兴起和衰落与人物品评风气的关系。（逯耀东：《魏晋史学的思想与社会基础》，中华书局2006年版；胡宝国：《汉唐间史学的发展》，商务印书馆2003年版）

② 道宣：《续高僧传》卷六《梁会稽嘉祥寺释慧皎传》，郭绍林点校本，中华书局2014年版，第192页。按，道宣即释道宣。

③ 姚振宗：《隋书经籍志考证》，载于王承略、刘心明主编：《二十五史艺文经籍志考补萃编》，清华大学出版社2014年版，第858页。

梁天监十八年（519）之间，四百五十三年中出现的二百五十七位高僧，另有二百多位附见记录。可以看出，释慧皎为以上数百位高僧作传记，并没有拘于某一朝代，而是将自佛教传入后到萧梁时期的高僧一并记录下来，“自汉之梁，纪历弥远。世涉六代，年将五百。此土桑门，含章秀起，群英间出，迭有其人”①。不仅如此，释慧皎还依据高僧们不同的特点，将他们分为十个类别撰录，即译经、义解、神异、习禅、明律、亡身、诵经、兴福、经师、唱导。释慧皎以传记体的形式分类记录历朝高僧，表现出他对史书撰写的贯通要求，也可以看出他对传记体史书中条目分类的清晰看法。

释慧皎对传记体史书的认识，具体反映在他对之前同类史书的评价之中，特别是释慧皎明确指出此前记载的不完善之处。他讲道，“众家记录，叙载各异”；有的撰述偏记某类高僧，如“沙门法济，偏叙高逸一迹。沙门法安，但列志节一行。沙门僧宝，止命游方一科”；有的撰述虽不只记一类高僧，但是叙事上多有阙略，如“沙门法进，乃通撰传论。而辞事阙略，并皆互有繁简，出没成异。考之行事，未见其归”；有的撰述不是专记高僧事迹，而是在行文间论有诸僧行事，但是所叙之事，均为附带记下，过于简略，如“宋临川康王义庆《宣验记》及《幽明录》、太原王琰《冥祥记》、彭城刘俊《益部寺记》、沙门昙宗《京师寺记》、太原王延秀《感应传》、朱君台《征应传》、陶渊

① 释慧皎：《高僧传》卷一四《序录》，汤用彤校注本，中华书局1992年版，第523页。

明《搜神录》，并傍出诸僧，叙其风素，而皆是附见，亟多疏阙”；另有兼叙佛教之佛、法、僧的撰述，但文旨混乱，如“齐竟陵文宣王《三宝记》传，或称佛史，或号僧录。既三宝共叙，辞旨相关，混滥难求，更为芜昧”；有的撰述在内容上把握准确了，但是史书文体却又有不足，如“琅琊王巾所撰《僧史》，意似该综，而文体未足”；还有的史书记载僧人数量不多，如“沙门僧祐撰《三藏记》，止有三十余僧，所无甚众”；有的史书偏记一地一时僧人的某一方面特点，如“中书郎郄景兴《东山僧传》、治中张孝秀《庐山僧传》、中书陆明霞《沙门传》，各竞举一方，不通今古；务存一善，不及余行”。[1]

以上释慧皎评说的前代高僧传记，显然不能令他满意。同时，他也从史书的叙事是否准确、评价是否得当的角度，评论约与他同时期之人撰写的高僧传记，他讲道：

> 逮乎即时，亦继有作者。然或褒赞之下，过相揄扬；或叙事之中，空列辞费。求之实理，无的可称。或复嫌以繁广，删减其事，而抗迹之奇，多所遗削，谓出家之士，处国宾王，不应励然自远，高蹈独绝。寻辞荣弃爱，本以异俗为贤。若此而不论，竟何所纪。[2]

释慧皎认为，当时的高僧史传，有的评论过分褒赞，有的叙

① 释慧皎：《高僧传》卷一四《序录》，汤用彤校注本，中华书局1992年版，第523–524页。
② 释慧皎：《高僧传》卷一四《序录》，汤用彤校注本，中华书局1992年版，第524页。

事过于空洞，有的则在史料处理上删减不当，都无法呈现出高僧的历史和面貌。

通过以上可知，释慧皎评价了前人及时人撰写的高僧传记类的史书，并对传记体提出了自己的看法。可以这样认为，在他看来，传记类史书首先有“通”的要求。这里的“通”，指的是记载的人物不应局限于某一地，不应局限于某一时期，也不能局限于某一类，而是应该较为全面地反映出所载人物整体上的生存状态和发展趋势。其次，他认为，传记类史书要妥善处理叙事、评论、旨意、文体之间的关系，即叙事要求详实，评论要求允当，表达的旨意需要明确。另外，他也提出在撰写过程中把握住文体特点的要求。释慧皎不仅评价了前代传记体史书，也表达出对传记史体的看法，他对纪传体的认识并不是笼统的，而是有明确的要求，这点是值得重视的。

从《史通》及《隋志》对史书的分类可以看出，史注并非作为一种单独的史书体裁存在，而刘知幾在《史通》中，仍撰《补注》一篇。白寿彝称，在历史文献的整理上，“史书的注解是其大宗”①，这里肯定了史注对于文献整理的重要意义。在经注和佛教著作注释的影响下，史家将这一时期数量众多的史书聚集起来，对其翻阅、摘抄、考证异同成为风尚，如晋人司马彪先讨论众书记载而后撰《续汉书》；南朝刘宋范晔在多家后汉史书的基础上删改撰写《后汉书》；萧梁张缅曾“聚书至万余卷。抄

① 白寿彝：《中国史学史》第一卷，上海人民出版社2006年版，第41页。

《后汉》《晋书》众家异同”[①]；萧梁萧子显也采众家后汉史书，“考正同异，为一家之书”[②]。在这样的情况下，许多史家选择为史书作注。萧梁刘昭集众家后汉史来注范晔《后汉书》，刘彤集众家晋史以注干宝《晋纪》，均为此类。

刘知幾论史注从经注说起，将史注分为三类。一类是传记类史书中，“文言美辞列于章句，委曲叙事存于细书”[③]；另一类是：

> 有好事之子，思广异闻，而才短力微，不能自达，庶凭骥尾，千里绝群，遂乃掇众史之异辞，补前书之所阙。若裴松之《三国志》，陆澄、刘昭《两汉书》，刘彤《晋纪》，刘孝标《世说》之类是也。[④]

这一类是补阙类史注。另外，刘知幾认为，还有一类是史家“手自刊补”的子注，如杨衒之《洛阳伽蓝记》。在刘知幾看来，史注“记录无限，规检不存，难以成一家之格言，千载之楷则”[⑤]，他对史注的这一看法是相对于记载历史的其他史体而言的。显然，史注与记载历史的其他史体相比，有明显的不同，但是随着历史的演变、史料的散佚，对后世来说，史注的重要意义不容忽视。

---

① 姚思廉：《梁书》卷三四《张缅传》，中华书局1973年版，第492页。
② 姚思廉：《梁书》卷三五《萧子恪传附萧子显传》，中华书局1973年版，第511页。
③ 刘知幾：《史通·补注》，浦起龙《史通通释》本，上海古籍出版社2009年版，第122页。
④ 刘知幾：《史通·补注》，浦起龙《史通通释》本，上海古籍出版社2009年版，第122页。
⑤ 刘知幾：《史通·补注》，浦起龙《史通通释》本，上海古籍出版社2009年版，第123页。

魏晋南北朝时期的史家是如何看待史注这种形式的呢？裴松之、郦道元对这一问题提出了看法。裴松之受宋文帝之命注《三国志》，补充了大量的史料，因为在裴松之看来，史注的首要要求是“周悉”[①]。裴松之的这一认识与宋文帝对他注《三国志》的要求是一致的，这个问题在第二章已作出论述。

北魏郦道元有《水经注》，这也是一部著名的史注著作。[②]郦道元，字善长，范阳涿州人，其事载于《魏书》卷八九《酷吏传》。郦道元注《水经》，他认为史注之作要补充前人过于简略的记载。他讲道：

> 昔《大禹记》著山海，周而不备；《地理志》其所录，简而不周；《尚书》《本纪》与《职方》俱略；都赋所述，裁不宣意；《水经》虽粗缀津绪，又阙旁通。所谓各言其志，而罕能备其宣导者矣。[③]

那么，郦道元的注释首要的作用是补充前人记载的缺略之处，丰富记载的完整性。另外，郦道元还指出注文也要关照到原文记载错误之处：“《经》有谬误者，考以附正文所不载；非经水常源者，不在记注之限。……所以撰证本《经》，附其枝要

---

① 裴松之：《上〈三国志注〉表》，载于陈寿：《三国志》附录，中华书局1959年版，第1471页。

② 如今人陈桥驿尤其看重郦道元在注释《水经》时征引文献数量之多、材料处理时分析之恰当以及勤勉的野外考察。（陈桥驿：《郦道元评传》，南京大学出版社1994年版）

③ 郦道元：《水经注原序》，陈桥驿《水经注校证》本，中华书局2007年版，第1页。

者，庶备忘误之私，求其寻省之易。”① 郦道元征引大量的史料，并亲自到实地考察，他纠正历史记载的讹误，力图还原真实的历史，这是郦道元注《水经》时评价史料及事实的基础。

可以看出，史注与记载历史的其他史体是有区别的，史注是在所注原文内容的基础上撰写的，不仅有对字词音义的训诂，在魏晋南北朝时期史注还补充、解释、考证、纠谬文中的史料和记载的史事。这一时期史家对史注的认识，特别是对史注的要求是明确的，即追求史注对原文史实的补充作用，最大限度地保存相关的史料，同时也对所采史料、所撰史事进行考证。

魏晋南北朝时期除皇朝史外涌现出多种史书体裁，但大多史家对史书体裁的认识是在评价前书的基础上提出的。他们沿用前人史书撰述所采用的体裁而作，以保存史料为主要目的。值得注意的是，在传记体、史注等体裁的发展中出现了释慧皎、裴松之、郦道元等人对史体相关问题的明确认识，但对大部分史家来说，他们撰述时对体裁的选择，并不是基于对史体本身的理论认识而作出的选择。

二、关于编年、纪传二体的评论

经过了先秦、两汉时期，编年体和纪传体的史书编撰方式已经获得了巨大的成就，它们在魏晋南北朝时期继续发展。在这一时期，史家对编年体和纪传体的认识，显然比对新涌现出的多种

---

① 郦道元：《水经注原序》，陈桥驿《水经注校证》本，中华书局2007年版，第1-2页。

史体的认识更为成熟，评价也更成体系；史家有关二体认识的发展屡见于史书记载中，如东晋袁宏，南朝范晔、何之元，北朝李彪、高允等都有相关的评论。

刘知幾曾论“二体”道：

> 丘明传《春秋》，子长著《史记》，载笔之体，于斯备矣。后来继作，相与因循，假有改张，变其名目，区域有限，孰能逾此！盖荀悦、张璠，丘明之党也；班固、华峤，子长之流也。惟此二家，各相矜尚。必辨其利害，可得而言之。……然则班、荀二体，角力争先，欲废其一，固亦难矣。后来作者，不出二途。故晋史有王、虞，而副以干《纪》；《宋书》有徐、沈，而分为裴《略》。各有其美，并行于世。[①]

刘知幾认为魏晋南北朝的皇朝史撰写，不出纪传和编年二体的范围，两种史体又在撰述上各有优势。可见二体在当时的重要性。在他之后，宋人晁公武曾比较两种体裁：

> 若编年、纪传，则各有所长，殆未易以优劣论。虽然，编年所载，于一国治乱之事为详；纪传所载，于一人善恶之迹为详，用此言之，编年似优，又其来最古。而人皆以纪传

① 刘知幾：《史通·二体》，浦起龙《史通通释》本，上海古籍出版社 2009 年版，第 24-27 页。

便于披阅，独行于世，号为正史，不亦异乎！[①]

这样看来，编年和纪传作为皇朝史撰述的两种史体，分别具有独特的优势，都获得了巨大的发展，今人金毓黻、李宗侗等人在论及魏晋南北朝时期的皇朝史撰述时，仍以“纪传”和“编年”为分类的标准载录史籍。刘节指出，“三国以下，皆纪传与编年并行……魏、周、陈、隋以后，编年体稍衰”[②]。魏晋南北朝时期，史书撰述包括编年和纪传两种不同的史体，各个时期的皇朝史撰写，都可以看到以上两种体裁形式，那么史家对这两种史体的认识是怎样的呢？下面将就这一问题作出说明。

东晋袁宏以编年体撰《后汉纪》，在编年纪事中亦重视记人。袁宏，字彦伯，阳夏人，其事载于《晋书》卷九二《文苑传》。他“性强正亮直”[③]，且“文章绝美”[④]，才华在当时受到谢尚、桓温的重视。袁宏长于咏史诗赋，《东征赋》《三国名臣颂》《北征赋》是其代表作。另外，他还有《后汉纪》三十卷、《竹林名士传》三卷。宋人晁公武称《后汉纪》“比诸家号为精密”[⑤]。《四库全书总目》赞同刘知幾对袁宏《后汉纪》的褒扬，认为他的称赞“非溢美”；袁宏所撰虽以张璠之书的内容为准，

---

① 晁公武：《郡斋读书志》卷五《史类总论》，孙猛《郡斋读书志校证》本，上海古籍出版社1990年版，第174页。

② 刘节：《中国史学史稿》，中州书画社1982年版，第93页。

③ 房玄龄等：《晋书》卷九二《文苑传》，中华书局1974年版，第2398页。

④ 房玄龄等：《晋书》卷九二《文苑传》，中华书局1974年版，第2391页。

⑤ 晁公武：《郡斋读书志》卷五《编年类》，孙猛《郡斋读书志校证》本，上海古籍出版社1990年版，第199页。

但就“文义”来说，袁宏所撰“为长”；袁宏虽因袭荀悦《汉纪》的体例，但“抉择去取，自出鉴裁”，也是“难于（荀）悦”的。[①]

袁宏在《后汉纪》的序文中，申明撰述《后汉纪》的缘起，并评论前人的历史撰述，特别是评价了史书的编年体和纪传体两种体裁。在二体之中，袁宏显然更看重编年体的作用。袁宏对史体的评论包括以下几个方面。

第一，袁宏认为，不同的史体的史书均可作为史书撰述的史料来源，他不以史体作为评判史书优劣的标准，而是以撰述内容的优劣来作出评价。袁宏指出：

> 予尝读后汉书，烦秽杂乱，睡而不能竟也。聊以暇日，撰集为《后汉纪》。其所缀会《汉纪》、谢承《书》、司马彪《书》、华峤《书》、谢忱《书》、《汉山阳公记》、《汉灵献起居注》、《汉名臣奏》，旁及诸郡耆旧先贤传，凡数百卷。前史阙略，多不次叙，错谬同异，谁使正之？经营八年，疲而不能定。颇有传者，始见张璠所撰书，其言汉末之事差详，故复探而益之。[②]

袁宏认为，前人记载东汉历史的史书都不够清晰明了，不能让他满意，但作为史料来说，皆可作为材料的来源，因此他集中

① 永瑢等：《四库全书总目》卷四七《史部编年类》，中华书局1965年版，第419页。
② 袁宏：《后汉纪原序》，周天游《后汉纪校注》本，天津古籍出版社1987年版，第1页。

了有关东汉历史记载的《东观汉记》、谢承的《后汉书》、司马彪的《续汉书》、华峤的《汉后书》、谢沈的《后汉书》，还有《汉山阳公记》①、《汉灵献起居注》、《汉名臣奏》、张璠的《后汉纪》等史书的材料，校证删改并重新编次起来。这其中有纪传体，亦有编年体史书，也有起居注、奏章等。因此，袁宏所说的“烦秽杂乱”并不是针对某一特定史体记载来说的。今人周一良指出，袁宏对编年体有偏见，他认为袁宏评论的对象是“有关后汉的编年体史书有谢承、司马彪、华峤、谢忱（沈）、张潘（璠）诸家”②，这一看法显然是值得商榷的。《隋志》记张璠《后汉纪》为史部古史类，即编年体，谢承等四家后汉史撰述均入史部正史类，即纪传体；后来的研究者对以上诸家史体的认识也基本与《隋志》相同。可以看出，袁宏指出前史存在的问题，不是仅仅针对编年体提出的，而是针对他见到的各种体裁的史书而言。

尽管袁宏认可“二体”保存史料的作用，但他最终选择编年体的史书体裁撰《后汉纪》，这与他对史书撰述“通古今”“笃名教”的要求有关。袁宏讲道：

夫史传之兴，所以通古今而笃名教也。丘明之作，广大

① 该书应为晋乐资撰《山阳公载记》。《隋志》杂史类记乐资撰《山阳公载记》十卷，《新唐志》则著录为编年类。汉献帝刘协在禅位曹丕后，被曹丕封为山阳公。该书记载的应为东汉灵帝、献帝在位时的史事，后被裴松之征引以注《三国志》。

② 周一良：《魏晋南北朝史学发展的特点》，载于《魏晋南北朝史论集》，北京大学出版社2010年版，第347页。

悉备。史迁剖判六家，建立十书，非徒记事而已，信足扶明义教，网罗治体，然未尽之。班固源流周赡，近乎通人之作；然因籍史迁，无所甄明。荀悦才智经纶，足为嘉史，所述当也，大得治功已矣；然名教之本，帝王高义，韫而未叙。今因前代遗事，略举义教所归，庶以弘敷王道，前史之阙。[①]

袁宏首先赞扬《春秋左传》、司马迁《史记》、班固《汉书》等在史体和史意上都十分优秀，但他同时指出，它们还有“未尽”之处；荀悦《汉纪》也可称作“嘉史”，只是未能贯彻“名教”的根本要求。随后，袁宏提出，《后汉纪》的撰述一定要实现通古今、笃名教的要求。这样看来，袁宏应是认为编年体史书更利于实现贯通古今、阐释名教的要求。编年体史书以君主编年为线索记载史事，与其相比，纪传体除了以编年记载君主事迹、皇朝兴亡大事，还设有列传、志书等部分，列传记载各个阶层和行业的人物，志书则记载官吏、历法、地理等重要的制度。纪传体“可以更多地反映各类人物在历史上的活动”，又“便于通观一个时期历史的发展形势”。[②] 二者相比，纪传体记载的内容更为综合，编年体宣扬义教和王道的意义更为直接。

需要注意的是，袁宏虽然以编年体记录东汉历史，但是在行文中吸收了纪传体的优点，重视记录人物。瞿林东指出，袁宏记

① 袁宏：《后汉纪原序》，周天游《后汉纪校注》本，天津古籍出版社 1987 年版，第 2 页。
② 白寿彝主编：《史学概论》，宁夏人民出版社 1983 年版，第 126 页。

事时将与某事有关的人物连带写出，又将发生于不同时间能反映某人面貌的言行集中写出，这是袁宏“对编年体史书在编撰方法上的发展”①。可以看出，袁宏希望史书在以名教为本的同时，能够表现出所载人物的个性，他设定了自己的撰述要求，并以此结合编年体和纪传体的优点撰写史书。袁宏在史书撰述中“重记人”的特点将在下章中详细说明。

在袁宏之后，南朝刘宋范晔删订众家对东汉历史的记载，最终以纪传体撰《后汉书》。范晔曾评论了编年体与纪传体两种史体形式，隋初魏澹谈及这一问题，并将范晔的认识记录如下：

> 《春秋》者，文既总略，好失事形，今之拟作，所以为短。纪传者，史、班之所变也，网罗一代，事义周悉，适之后学，此焉为优，故继而述之。②

显然，在二体之中，范晔更看重纪传体。他认为，与编年体相比，纪传体史书更适合记录一朝的历史全貌，且更适宜阐释撰史者的旨趣。范晔继承了纪传体的优点，并在其基础上进行完善，特别是发展了《史记》《汉书》的类传特点，同时强化了史论在史书中的地位。这是范晔实践纪传体“网罗一代，事义周悉”优点的表现，获得了许多研究者的关注。

到了南陈，何之元撰《梁典》，这是对皇朝史撰述史体的又

---

① 瞿林东：《中国史学史纲》，北京出版社1999年版，第238页。

② 魏徵等：《隋书》卷五八《魏澹传》，中华书局1973年版，第1419页。

一次革新。《隋志》著录《梁典》为古史类，一般认为，它是编年体的史书，但《梁典》的史体又不同于传统编年史体，也不同于上述袁宏所撰《后汉纪》的编年体，蒙文通称之“编年亦非旧轨”①。何之元，庐江灊人，其事载于《陈书》卷三四《文学传》。何之元曾仕于萧梁、北齐、南陈等南北不同的政权，卒于隋开皇年间。他的经历对《梁典》的撰写有重要的影响。② 何之元本传说明了他撰写《梁典》的原因，是因为萧梁历史“其兴亡之运，盛衰之迹，足以垂鉴戒，定褒贬”③，这样看来，何之元撰史以探究萧梁皇朝的兴衰之迹，来为后人鉴戒。

何之元在《梁典》序文中论述该书的体例特点，可以看出何之元对编年体认识的创新之处。何之元首先追溯旧典，尊《春秋》为编年之始，“记事之史，其流不一，编年之作，无若《春秋》”④，同时他也指出，《史记》《汉书》以“纪”代替“典”来叙述帝王事迹的做法，不符合“帝皇之籍”⑤ 的要求。这里，何之元选择以“典”为名的编年体作为撰录一朝兴衰之事的史书体裁。

其次，何之元表示，编年体史书的撰述关键是史家应评断事件和人物，以将所记史事的来龙去脉梳理清晰，“夫事有始终，人有业行，本末之间，颇宜诠叙。案臧荣绪称史无裁断，犹起居

---

① 蒙文通：《中国史学史》，上海人民出版社 2006 年版，第 56 页。
② 参见唐燮军：《史家行迹与史书构造》，浙江大学出版社 2014 年版。
③ 姚思廉：《陈书》卷三四《文学传》，中华书局 1972 年版，第 466 页。
④ 姚思廉：《陈书》卷三四《文学传》，中华书局 1972 年版，第 466 页。
⑤ 姚思廉：《陈书》卷三四《文学传》，中华书局 1972 年版，第 466 页。

注耳，由此而言，实资详悉”[1]。在何之元看来，记录史事的始终与人物的业行，都是为了将所记之事的开始、结束及背后隐藏的因果关系完整地记录下来；这一过程需要史家对所记史事本身有所裁断。

再次，何之元根据时代环境和皇朝兴衰的特点来革新编年体的体例，他考虑的不仅是萧梁皇朝的历史，也包括了与萧梁皇朝并存的北朝政权的历史。

一方面，何之元将萧梁历史分为前后两个阶段，并细分为“六意”。他讲道，“梁有天下，自中大同以前，区宇宁晏，太清以后，寇盗交侵，首尾而言，未为尽美”[2]，梁武帝中大同（546—547）以前，萧梁发展稳定，太清（547—549）以后，萧梁受到外界侵扰而不太平。何之元进一步细化萧梁历史的不同时期，他并没有以君主的即位和年号的改换作为区分依据，而是根据政治形势的不同将萧梁历史分为“六意”，即《追述》《太平》《叙乱》《世祖》《敬帝》《后嗣主》。可以看出，在这其中，何之元记载的萧梁历史，开始于梁武帝萧衍创立基业的前一个皇朝萧齐东昏侯时期；他以《叙乱》专记梁武帝末期的侯景之乱；何之元将太宗简文帝年间的人、事、制度，“归世祖不归太宗”[3]；南陈建立后王琳拥立萧庄为萧梁皇帝，何之元将其记入《梁典·后嗣主》，可见他并未以梁敬帝禅位陈霸先为萧梁历史

① 姚思廉：《陈书》卷三四《文学传》，中华书局1972年版，第467页。
② 姚思廉：《陈书》卷三四《文学传》，中华书局1972年版，第467页。
③ 姚思廉：《陈书》卷三四《文学传》，中华书局1972年版，第467页。

的终结。

另一方面，何之元也说明了如何记载并存的北方政权的历史，“编年而举其岁次者，盖取分明而易寻也。若夫猃狁孔炽，鲠我中原，始自一君，终为二主，事有相涉，言成混漫。今以未分之前为北魏，既分之后高氏所辅为东魏，宇文所挟为西魏，所以相分别也。重以盖彰殊体，繁省异文，其间损益，颇有凡例”[①]。梁武帝在位时，北方政权由北魏分为东魏和西魏。何之元关注到“始自一君，终为二主”的情况，对于北方的政权，他提出以“北魏”“东魏”“西魏”相称，这是相对客观公正的说法。

可以看出，何之元对编年体史书的认识和革新，与他对历史的认识是息息相关的。他选择编年体撰史，又不单单以君王、年号来叙述萧梁的历史。何之元纵观萧梁历史的发展大势，将《梁典》分为六个部分；同时，他还强调对所记之事始末的记录、因果的阐释，这一点实际是对纪事本末史体的探索。虽然《梁典》已亡佚，仅有只言片语存于注文或类书中，但何之元对编年体史书提出的新认识是获得研究者一致认可的。在此基础上，有的研究者认为，《梁典》反映了何之元对历史阶段性特征的把握，[②] 还有的研究者认为《梁典》是纪事本末体流变中的重要一环[③]。对史体发展来讲，何之元的看法是有积极意义的。

与此同时，北方史家撰修史书时，也表达出对二体的认识。

---

① 姚思廉：《陈书》卷三四《文学传》，中华书局1972年版，第467-468页。
② 胡宝国：《汉唐间史学的发展》，商务印书馆2003年版，第121页。
③ 唐燮军：《史家行迹与史书构造》，浙江大学出版社2014年版，第177页。

陈寿《三国志·魏书》是纪传体，北魏张始均将其改为编年体，“广益异闻”[①] 为三十卷。张始均，字子衡，其事载于《魏书》卷六四。张始均有文才，北魏宣武帝元恪时任著作佐郎。

北魏官方撰修的本朝史史体经历了由编年体到纪传体的转变。道武帝时，邓渊撰《国记》不具体例，太武帝时崔浩、高允撰编年体的《国书》。至孝文帝时，有李彪、高祐修史，二人上书建议“从迁固之体，创为纪传表志之目”[②]。李彪，字道固，顿丘卫国人，其事载于《魏书》卷六二。他性格刚直，且有文才。李彪曾代表北魏皇朝“使于萧赜”[③]，“前后六度衔命，南人奇其謇谔”[④]。当时南北朝对使者的要求很高，“必妙选行人，择其容止可观，文学优赡者，以充聘使”[⑤]。北魏孝文帝时，李彪为秘书丞，参与国史撰写。后来，他因罪被废，宣武帝时以白衣修史。高祐，字子集，渤海人，其事载于《魏书》卷五七。他是高允的从祖弟，父亲高谠曾与崔浩共任著作。高祐也博涉书史，孝文帝初年，任秘书令，与李彪共同修史。李彪、高祐在奏表中评价了之前国史撰修的史书体裁，指出北魏国史记载的疏漏，表达出希望以纪传体撰修魏史的愿望。《魏书》中记载：

臣等闻典谟兴，话言所以光著；载籍作，成事所以昭

---

① 魏收：《魏书》卷六四《张彝传附张始均传》，中华书局1974年版，第1433页。
② 魏收：《魏书》卷六二《李彪传》，中华书局1974年版，第1381页。
③ 魏收：《魏书》卷六二《李彪传》，中华书局1974年版，第1381页。
④ 魏收：《魏书》卷六二《李彪传》，中华书局1974年版，第1390页。
⑤ 赵翼：《廿二史札记》卷一四“南北朝通好以使命为重”条，王树民《廿二史札记校证》本，中华书局1984年版，第294页。

扬。然则《尚书》者记言之体，《春秋》者录事之辞。寻览前志，斯皆言动之实录也。夏殷以前，其文弗具。自周以降，典章备举。史官之体，文质不同；立书之旨，随时有异。至若左氏，属词比事，两致并书，可谓存史意，而非全史体。逮司马迁、班固，皆博识大才，论叙今古，曲有条章，虽周达未兼，斯实前史之可言者也。至于后汉、魏、晋咸以放焉。

惟圣朝创制上古，开基《长发》，自始均以后，至于成帝，其间世数久远，是以史弗能传。臣等疏陋，忝当史职，披览《国记》，窃有志焉。愚谓自王业始基，庶事草创，皇始以降，光宅中土，宜依迁固大体，令事类相从，纪传区别，表志殊贯，如此修缀，事可备尽。

伏惟陛下先天开物，洪宣帝命，太皇太后淳曜二仪，惠和王度，声教之所渐洽，风译之所覃加，固已义振前王矣。加太和以降，年未一纪，然嘉符祯瑞，备臻于往时；洪功茂德，事萃于曩世。会稽伫玉牒之章，岱宗想石记之列。而秘府策勋，述美未尽。将令皇风大猷，或阙而不载；功臣懿绩，或遗而弗传。著作郎已下，请取有才用者，参造国书，如得其人，三年有成矣。然后大明之德功，光于帝篇；圣后之勋业，显于皇策。佐命忠贞之伦，纳言司直之士，咸以备著载籍矣。[1]

---

① 魏收：《魏书》卷五七《高祐传》，中华书局 1974 年版，第 1260–1261 页。

在这封官修奏表中，李彪等人对国史体裁的认识包括这样几点。第一，指出前代史书中《尚书》记言、《春秋》记事、《左传》兼记二者的体例特点，但也指出这样的体裁并不完备。第二，称赞《史记》《汉书》纪传体的体例确有条理，面对北魏尚待补充的本朝史撰述，二人建议采用《史记》《汉书》的体裁，"事类相从，纪传区别，表志殊贯"，可使记载完备。第三，重申国史的作用，国史记载的主要对象是君主和功臣，撰史以表明君主之功业和功臣的业绩，以宣扬国威，传之后代。可以看出，李彪等人综合考量前代史书体裁的优劣，评价纪传体为史体的"可言者"，表现出对纪传体的偏好。

魏晋南北朝时期，史家对史书的不同体例和体裁表现出浓厚的兴趣。在史书体例上，有杜预对《春秋左传》体例的分析，有干宝对《左传》的肯定及对史书结构的探索；在国史撰修中，西晋、南朝宋和齐、北朝北齐等都有对国史体例的讨论，南方史家评价的重点由国史的断限起元，逐渐转变为讨论国史结构中立纪、传、志的标准等问题。北齐史官对史书体例的讨论则表现出更明显的政治倾向。在史书体裁的批评上，史家对这一时期在皇朝史之外涌现出的多种史体的认识，多是针对具体的史书展开，均重视其保存史料的意义，但是史家本身对所采用的史体评价并不明确。其中，史家对传记体和史注的认识是较有意义的。另外，对于皇朝史撰述中的编年体和纪传体的认识，史家的观点不一，但与对诸多新兴史体的认识相比，史家对"二体"的认识更为成熟并多有创新，他们对史体的认识与皇朝史的撰述旨趣关系密切。

第四章　关于史书内容与史学批评

史书是史学批评的对象，对史书内容的评论是史学批评的传统。在魏晋南北朝以前，史家对《春秋》《史记》等史书都有评价。对史书内容的评价反映了评论者对史书的编撰形式、史书采撰、史书编次等方面的认识。前文已详细论述这一时期史书内容范围的扩大、对史书体裁和体例的评论，但仍有讨论未尽的问题，如史书中的叙事与记人，特别是陈寿在《三国志》中叙事的方法，袁宏在《后汉纪》中对人物的记载；又如，史家对史书中的史论、志书等部分也都有评论。下文将对这些问题作详细说明。

第一节　论叙事与记人

一、陈寿善叙事

在中国古代不同体裁的史书撰述中，事件和人物是史书的主要内容，是否善于叙事成为评价史家优劣的标准之一。[①] 在这个意义上，记事和记人都包含在叙事所指的范围内。就记载某一事来讲，史家撰述时记载的内容，如时间、空间、事件、人物等，都属于叙事的要素。若单讲叙事之意，一般指的是将某个事件从头到尾地叙述出来，包括原因、经过和结果。

那么，应怎样认识史学上的叙事呢？中国古代史学有重视叙事的传统。唐人刘知幾称："夫史之称美者，以叙事为先"[②]，"夫国史之美者，以叙事为工"[③]，可以看出叙事对于史书撰述及史学批评的重要性。刘知幾要求"文而不丽，质而非野"[④]，具体说来，包括尚简和用晦。这是刘知幾对叙事的认识。今人白寿彝评价司马迁"寓论断于序事"[⑤]，指出司马迁在《史记》叙述中融入论断，能够引导读者品味撰述者的意旨。瞿林东总结古代史家的认识，对叙事作出这样的解释："什么是叙事？直白的说法就是叙述事情的过程，讲清楚事情的原因和结果。其实，叙事不那么简单。叙事，它是'才'和'学'的结合。"[⑥]

或许可以这样认为，史学上的叙事不单指记下某件事情，其内涵可以分成两个方面，一是过程的记录，二是原因及意义的展现。过程的记录包括事件本身的时间、地点、经过及涉及的人

---

① 20世纪70年代以来，叙事问题更加受到重视，学界围绕"历史叙事""历史叙述""叙事的复兴"等问题发表观点。这里暂不作讨论。

② 刘知幾：《史通·叙事》，浦起龙《史通通释》本，上海古籍出版社2009年版，第152页。

③ 刘知幾：《史通·叙事》，浦起龙《史通通释》本，上海古籍出版社2009年版，第156页。

④ 刘知幾：《史通·叙事》，浦起龙《史通通释》本，上海古籍出版社2009年版，第152页。

⑤ 白寿彝：《司马迁寓论断于序事》，载于《史学遗产六讲》，北京出版社2004年版，第209页。

⑥ 瞿林东：《历史撰述的叙事与议论》，《安徽史学》2004年第4期。

物；至于事件的原因和意义，可以通过用晦、评论等方式表达出来，这实际上要求史家有超出此事的宏观视野。从史书撰写来讲，叙事是撰述史实的过程，关系到史料的采择、编次，撰写的文辞，等等。

在中国古代史学上，史家对史书的叙事情况作出的相关评论，集中体现在史家对史才的评价和对良史的认识上，后文中将就此展开相关论述。魏晋南北朝时期的史家中，西晋陈寿撰三国时期的历史被称赞“善叙事”，东晋袁宏撰编年体的东汉历史则有较为明确的重视记人的特点。本节将分别对这两个问题进行论述。

这里，我们首先来看一下有“良史”之称的陈寿撰史的叙事之功。陈寿由蜀入晋，以史官之职仕于晋朝，被时人称赞“善叙事”[①]；除了《三国志》，他还有《益部耆旧传》《古国志》等。陈寿的史才主要表现在他优秀的叙事能力上，他的这一特点受到古人和今人的认可，但人们关于陈寿善叙事的表现看法不一。简单说来，从上文所说的叙事要求来看，陈寿行文“尚简”的特点是被普遍认可的，特别是与南朝刘宋裴松之的《三国志》注文相比，陈寿撰述选用的材料和撰述的文字都是极为精炼的。从文辞上讲，有陈寿“属文富艳”[②] 之说，这种说法与《晋书》的评价不同。另外，陈寿撰史在文字记载历史之外，叙事内容还蕴含深意。表面上看，陈寿的撰录维护了当朝统治，隐藏了部分

① 房玄龄等：《晋书》卷八二《陈寿传》，中华书局1974年版，第2137页。
② 常璩：《华阳国志》卷一一《后贤志》，《丛书集成初编》本，中华书局1985年版，第180页。

历史事实，清人赵翼称为“回护”[①]；而从另一方面来看，陈寿叙事设法保留了历史的真相，是其善叙事的表现之一。

陈寿撰写的《三国志》集中体现了他的叙事能力，其善叙事的特点可以从三个方面展开说明。

第一，陈寿将东汉末年黄巾起义到西晋建立这一段时期内的历史大事都妥善地安排在《三国志》中，把握住历史大势的发展趋向，为此白寿彝称赞陈寿具有“对三国历史有一个总揽全局的看法和处理”[②] 的史才。

一方面，《三国志》在帝纪和列传中记载历史的时间范围，包括东汉末年的黄巾起义，到西晋代魏后直至灭吴的这一历史时期。其中特别需要注意的是，陈寿较为完整地呈现出三国政权建立之前的各地割据势力的发展面貌。

《三国志》分《魏书》《蜀书》《吴书》，共六十五卷，由帝纪和列传组成。若从名称上看，《三国志》的三书[③]分别记载的是魏、蜀、吴三国的历史，但其叙事的时间、人物、事件都不以这三个鼎立政权的存在时间为界限。总体上说，《三国志》分别

---

① 赵翼：《廿二史札记》卷六“《三国志》书法”条，王树民《廿二史札记校证》本，中华书局 1984 年版，第 121 页。

② 白寿彝：《陈寿、袁宏和范晔》，《北京师范大学学报》（社会科学版）1964 年第 1 期。

③ 关于《三国志》的称谓和魏、蜀、吴“三书”的刊行问题，中华书局点校本“出版说明”认为，三书原本是各自为书，到了北宋雕版印刷时才开始合为一本，改称《三国志》（《三国志出版说明》，中华书局 1959 年版，第 2 页）。有的研究者认为，从西晋到唐初对该书均有《三国志》之称（缪钺：《〈三国志〉的书名》，《读书》1983 年第 9 期）。还有的研究者认为，该书的称谓不止一种，《三国志》之称一直存在，只是北宋前三书单独刊行，后才合为《三国志》（李纯蛟：《〈三国志〉书名称谓考》，《浙江学刊》1993 年第 3 期），另有学者论证了《三国志》本名《国志》、三书的排序及名称的由来（辛德勇：《陈寿〈三国志〉本名〈国志〉说》，《文史》2013 年第 3 辑）。

叙述了自东汉末年的黄巾起义到西晋灭吴这一时期中，存在于北方、东南、西南三个区域的不同的割据势力或政权的历史。

从帝纪来看，《武帝纪》叙述了东汉灵帝光和年间黄巾起义、曹操拒绝参与谋废灵帝、董卓入京、灵帝中平六年（189）曹操起兵反董卓等事，随后以编年之体记载了自献帝初平元年（190）春正月的要事，以这一时间点为开端；《三少帝纪》记陈留王曹奂于咸熙二年（265）禅位晋王司马炎，此为三国历史之终。从列传来看，陈寿将三国政权建立之前、东汉末年群雄混战间的关键人物都纳入《三国志》的撰述范围。有的被单独立传，有的是附传，还有的在其他人物传记中带叙写出。三国之中最先建国的是220年建国的曹魏，在曹魏建立之前的四十余年时间内，群雄并起。从黄巾起义到曹魏建国之间的历史和人物都被纳入《三国志》的撰述中，这是陈寿对三国历史全局把握的表现之一。[①]《三国志》的叙事下限涵盖了西晋建立之后、孙吴灭亡之前的西晋历史。

曹操、刘备、孙权并非一开始就掌握三分天下的局势，从东汉末年混战的局势变为三国三分天下的局势，经历了一个逐渐发展的过程。在这一过程中，东汉末年出现的群雄，有的在董卓乱京之前就雄踞一州，有的与魏、蜀、吴三国霸业的建立有着密切的关系。随着最初割据一方的诸雄势力开始衰弱，三国鼎立的局

① 关于陈寿撰述的这一特点，除了今人白寿彝，也有其他学者论及这一点，如刘隆有认为，陈寿的卓识表现在他不以王朝为断限，而以历史时期为断限（刘隆有：《漫谈陈寿的史学》，《求是学刊》1984年第5期）。

面才开始形成。陈寿不仅记载了魏、蜀、吴三国政权建立后的历史，还将此前东汉末年的群雄按照其割据势力的不同区域范围，分别记入不同书中。

其中，《魏书》以《武帝纪》开篇，叙述名义上仍为汉臣的曹操开拓曹魏政权势力的过程；在皇帝纪年及皇后列传之后，《魏书》以三卷的篇幅，为最初割据于北方、最终被纳入曹魏统辖范围的各地群雄立传，如作乱京师的董卓、冀州的袁绍、豫州的袁术、荆州的刘表、徐州的陶谦、幽州的公孙瓒、辽东的公孙度、汉中的张鲁，等等。《蜀书》设有西南地区益州牧刘焉、刘璋传记，位在《蜀书》之首。刘焉之所以请求任益州牧，正是因为听说“京师将乱，益州分野有天子气”[①]，可以看出刘焉有割据一方的意图。《吴书》卷首为《孙破虏讨逆传》记载的是孙坚和孙策，他们为孙吴政权能够三分天下奠定了基础。在《三嗣主传》后立《刘繇太史慈士燮传》，刘繇为扬州刺史，太史慈在泾县“立屯府，大为山越所附”[②]，士燮曾为交阯太守，这三人曾在吴地割据一方。

至于《三国志》叙事在时间上的下限，延伸至西晋时期。所述史事，有的与魏、蜀、吴三个政权有关，如魏帝禅位、西晋灭孙吴。《三少帝纪》记陈留王曹奂禅位于司马炎，西晋代魏建立。在列传中，如《陆抗传》述西晋时期羊祜与孙吴大将陆抗的战争，并记“天纪四年，晋军伐吴，龙骧将军王濬顺流东下，

① 陈寿：《三国志》卷三一《刘焉传》，中华书局1959年版，第865页。
② 陈寿：《三国志》卷四九《太史慈传》，中华书局1959年版，第1188页。

所至辄克，终如抗虑”[①]。有的记载是因为传主在西晋建立后受到了封赏，如《王基传》载“晋室践阼”后下诏表彰司空王基的德行，并赏赐奴婢二人作为奖励，[②]《谯周传》也记“晋室践阼，累下诏所在发遣周”[③] 等事。另外，还有的记叙发生于西晋时期的内容，是为了交代所载人物的结局、说明该事的始末。如《魏书》记，邓艾作为伐蜀功臣却因钟会的诬告而被杀，本传中记西晋时洗刷其谋逆之名，“泰始元年，晋室践阼”后颁布诏令，还有“三年，议郎段灼上疏理艾”之文，又有“九年，诏曰：‘艾有功勋，受罪不逃刑，而子孙为民隶，朕常愍之。其以嫡孙朗为郎中。’”[④] 这些发生在西晋时的事情被记入《三国志》，对保留三国历史叙事的完整性有帮助。

下面，具体来看陈寿基于整体的考虑，为了将这一时间范围内更多的事件与人物囊括其中而采用的撰述方法，其中尤为重要的是带叙法。陈寿将这种方法既用在对汉末群雄行事的处理上，也用在对其他历史人物的记述上。

陈寿为群雄立传，并将这些出现在三国政权建立之前的群雄分别置入三书，有周密的考量。陈寿记载这类人物，有的为其单独立传，有的是合传或附传。另外，还有的人物在《三国志》中并没有传记，但是他的行事在书中仍有记载，被记于与之相关的人物传记中。此法既符合了陈寿对这一时期历史总体上的见

① 陈寿：《三国志》卷五八《陆逊传附陆抗传》，中华书局 1959 年版，第 1360 页。
② 陈寿：《三国志》卷二七《王基传》，中华书局 1959 年版，第 756 页。
③ 陈寿：《三国志》卷四二《谯周传》，中华书局 1959 年版，第 1032 页。
④ 陈寿：《三国志》卷二八《邓艾传》，中华书局 1959 年版，第 782-783 页。

识，也保证了历史叙事的流畅和完整性。

也就是说，《三国志》中的人物传记，不仅记载传主的生平行事，还简洁、条理地叙述关系历史走向的其他事件。以《董卓传》为例，《董卓传》不仅记有董卓之人及董卓之事，还记有董卓之死对政局的影响，并带叙了董卓的旧部李傕、郭汜等人于他死后再乱京师之事。

《董卓传》叙述至董卓死后，叙事并未到此为止，接下来记载：

> 初，卓女婿中郎将牛辅典兵别屯陕，分遣校尉李傕、郭汜、张济略陈留、颍川诸县。[①]

这里，一个“初”字将历史叙事的时间带回至董卓死前，引出李傕、郭汜等人。在董卓之后，李傕等人再次引起东汉朝政混乱，献帝出逃流离失所，直至被曹操迎至许昌。正因为如此，曹操才在群雄争霸中掌握了政治优势，为曹魏政权的建立奠定基础。《董卓传》记载，董卓死后，他在凉州的这几位旧部“闻长安中欲尽诛凉州人，忧恐不知所为”[②]，这时在贾诩的建议下，起兵围攻京都洛阳城。他们逼走吕布、诛杀王允、劫掠百姓；擅

---

① 陈寿：《三国志》卷六《董卓传》，中华书局 1959 年版，第 180 页。

② 陈寿：《三国志》卷六《董卓传》，中华书局 1959 年版，第 181 页。《贾诩传》亦记此事，所记与《董卓传》大致相同。《贾诩传》中记贾诩对凉州诸将道：“闻长安中议欲尽诛凉州人，而诸君弃众单行，即一亭长能束君矣。不如率众而西，所在收兵，以攻长安，为董公报仇，幸而事济，奉国家以征天下，若不济，走未后也。”（卷一〇《贾诩传》，第 327 页）另外，《吕布传》也记道：“布自杀卓后，畏恶凉州人，凉州人皆怨。”（卷七《吕布传》，第 220 页）

政之后内部争权，质天子、烧宫殿。接着，杨奉、董承等人将献帝送至洛阳，马腾、韩遂等人谋诛李傕、郭汜。在记载董卓死后，陈寿叙述了李傕、郭汜等人引起的这一场变乱，在人民苦痛、朝政混乱的局势下，曹操迎献帝入许。《董卓传》不以董卓之死为叙事的终结，而是继续交代了参与董卓死后至献帝入许之间这场变乱的各个人物的结局，传末记马腾之子马超投奔刘备，后死于蜀，与《蜀书》中的《马超传》相互呼应。陈寿这种叙事方法，不仅维护了曹操及曹魏政权的合理性，并且更为清晰地描绘出历史大势的走向。

除了《董卓传》，陈寿还在《公孙瓒传》中带叙了刘虞的行事。陈寿将公孙瓒、陶谦、张杨、公孙度等合为一传。在东汉末年割据的群雄之中，统辖北方幽州地区的是公孙瓒和刘虞，南朝刘宋范晔撰写的《后汉书》中，将刘虞、公孙瓒、陶谦三人合传，《三国志》不像《后汉书》一样为刘虞立传。陈寿虽然没有为刘虞立传，但是在《公孙瓒传》中记有刘虞其人，他在叙述公孙瓒行事的过程中一直穿插叙述刘虞的行事。后南朝刘宋裴松之注《三国志》时，征引其他材料补充《三国志》对刘虞的记载。

《三国志》中对刘虞和公孙瓒的品评方法是不同的。《公孙瓒传》中借朝廷之口直接指明，刘虞因“有德义”“恩信流著”[1] 被任命为幽州牧，而作为传主的公孙瓒得到的直接评价是

---

① 陈寿：《三国志》卷八《公孙瓒传》，中华书局1959年版，第240页。

“有姿仪，大音声”[①]，传后评论中只是评说“公孙瓒保京，坐待夷灭”[②]，并未评论其是否有德、是否有名望。

陈寿不仅在直接评论上对二人评价不同，更是在叙述刘虞处理与少数民族关系的方法时，突出二者的不同。刘虞处理少数民族问题用的是“告以利害”[③] 的方法。文中用一个“喜”[④] 字形容辽西乌丸丘力居等少数民族叛军得知消息后的反应，这个字描述了他们长期抵抗公孙瓒武力镇压的疲敝，也表现了对刘虞所施政策妥协的可能性。此处无意对二人政策的优劣作出评价，而是以此说明陈寿编次史料的用意。

基于公孙瓒和刘虞不同的治理政策，陈寿着重叙述了公孙瓒对刘虞的真实态度及二人关系的转变。公孙瓒“害虞有功”，因此暗地里对刘虞做了手脚。书中写道，公孙瓒“阴使人徼杀胡使”，“阴教术执和”。从这里的两个“阴”字，可以看出，公孙瓒有意疏远刘虞。后来公孙瓒在袁术扣留刘虞儿子刘和事件中的做法，是二人关系破裂的关键点，“由是虞、瓒益有隙”。刘虞发现公孙瓒对自己的真实态度后，“惧瓒为变，遂举兵袭瓒”，公孙瓒也对此作出反击，“瓒诬虞欲称尊号，胁训斩虞”。[⑤]

陈寿接着记载刘虞之死对公孙瓒的影响，这也交代了公孙瓒无法继续称霸幽州的原因，最终公孙瓒自杀于袁绍的包围中。书

---

① 陈寿：《三国志》卷八《公孙瓒传》，中华书局1959年版，第239页。
② 陈寿：《三国志》卷八《二公孙陶四张传评》，中华书局1959年版，第266页。
③ 陈寿：《三国志》卷八《公孙瓒传》，中华书局1959年版，第240页。
④ 陈寿：《三国志》卷八《公孙瓒传》，中华书局1959年版，第240页。
⑤ 陈寿：《三国志》卷八《公孙瓒传》，中华书局1959年版，第240-243页。

中记道，刘虞死后，“瓒遂骄矜，记过忘善，多所贼害”[①]。文中对公孙瓒骄纵态度的记述，为公孙瓒最后“尽杀其妻子，乃自杀”[②] 的结局作了铺垫。

通过《公孙瓒传》中的记述，可以看到幽州地区公孙瓒与刘虞争夺势力的细节，在与刘虞行事对比的过程中，公孙瓒与刘虞二人个性的不同凸显出来。初平四年（193）刘虞被杀，此时董卓刚被吕布所杀，曹操还未迎献帝入许。在陈寿的撰述中，刘虞作为汉室宗亲，未收到董卓拜他为太傅的命令；韩馥、袁绍等拥立他为皇帝时他没有接受。刘虞身上表现出与当时地方割据势力不同的特点。

另外，带叙法不仅用于记载东汉末年的群雄，也应用于三国政权建立后出现的人物身上。如《王粲传》除了记王粲，还在传中记有当时的“建安七子”。文中记载：

> 始文帝为五官将，及平原侯植皆好文学。粲与北海徐干字伟长、广陵陈琳字孔璋、陈留阮瑀字元瑜、汝南应玚字德琏、东平刘桢字公干并见友善。[③]

在作出以上说明之后，《王粲传》记徐干、陈琳、阮瑀等七子行事，又粗略记下有文采的繁钦、丁仪、杨修、嵇康等人。虽

① 陈寿：《三国志》卷八《公孙瓒传》，中华书局 1959 年版，第 243 页。
② 陈寿：《三国志》卷八《公孙瓒传》，中华书局 1959 年版，第 244 页。
③ 陈寿：《三国志》卷二一《王粲传》，中华书局 1959 年版，第 599 页。

然叙事较为简单，但将建安时期知名文士都记录在册。

《三国志》还出现了在文末略记与传主有关人士的情况。《诸葛诞传》文末记唐咨之事，唐咨原为曹魏之人，后反叛逃往孙吴，诸葛诞叛魏，孙吴派唐咨等支援，后失败被俘。陈寿记此事是要以唐咨为例说明曹魏对降将的处理态度及影响。唐咨被俘后，曹魏并未杀死他，反而给予他职位，孙吴知道后也以同样方法对待投降者及家属。[①] 又如，《华佗传》后记吴普、樊阿的行事，他们是华佗的学生，按照华佗教授的方法保养、治病。[②] 再如，《诸葛亮传》中除了附记二子诸葛乔、诸葛瞻，还顺带写出董厥等行事。[③] 这类撰述方法的应用，是为了将更多的事件和人物纳入一定的撰述范围内，以呈现出一个整体的面貌。

另一方面，除了东汉末年的群雄，陈寿还通过在三书中对魏、蜀、吴三国的奠基者及历代国君的叙述，表现出三国政权建立之后整体的政治局势。

陈寿作为由蜀汉入晋的西晋臣子，以曹魏政权为三国时期的正统政权，以汉帝年号记曹魏政权建立之前的大事。同时，陈寿也将归降西晋的蜀汉、孙吴作为与曹魏三分天下的鼎足势力记载下来，三书之间所记之事得以互相参照，更完善地呈现出这一时期的全局。

《魏书》的前四卷为包括曹操在内的曹魏君主作帝纪。这

---

① 陈寿：《三国志》卷二八《诸葛诞传》，中华书局 1959 年版，第 774 页。
② 陈寿：《三国志》卷二九《华佗传》，中华书局 1959 年版，第 804 页。
③ 陈寿：《三国志》卷三五《诸葛亮传》，中华书局 1959 年版，第 931-933 页。

里，为曹魏君主作纪而不是传，为蜀、吴的君主立传而非纪，从纪、传所属不同来看，《三国志》的帝纪以曹魏政权为正统的特点是明确的，陈寿通过《魏书·帝纪》提纲挈领地叙述这一时期的大事。

在《魏书·帝纪》中，《武帝纪》以汉献帝的年号纪年，记载曹操为曹魏政权创业的过程；《文帝纪》在曹丕称帝之前用汉帝年号，之后用魏帝年号；《明帝纪》《三少帝纪》以魏帝年号纪年，记载曹魏建立之后的历年大事。“三少帝”中，曹芳、曹奂被废黜，曹髦被杀，在《三少帝纪》叙事时不称他们为“帝”，而分别称之为齐王芳、高贵乡公髦、陈留王奂，但陈寿仍然为这三人作帝纪。四卷帝纪将曹魏历史的发展叙述得有始有终，且将三国时期历史发展的总体走向呈现出来。

虽然《蜀书》《吴书》没有帝纪，但在叙述刘备称帝、孙权称帝之后的史事时，是以两国年号纪年；两国皇帝的传记，也与帝纪的形式相似，以事系日，以时系年，将该帝在位时政权中发生的大事一一记录在册。蜀汉政权建立前，《蜀书》以献帝年号纪年记事；政权建立后，以蜀汉年号记事，同时记有其余两国之事。刘备即帝位后，《先主传》记“章武元年夏四月，大赦，改年”①，章武是蜀汉政权的第一个年号，《先主传》接下来的记载与帝纪的形式没有太大差别，记载的内容包括立皇后、立皇太子、封王、出征等重要事件。《吴主传》中，在曹丕称帝前以东

① 陈寿：《三国志》卷三二《先主传》，中华书局1959年版，第890页。

汉年号“建安”纪年，曹丕称帝后孙权向曹魏称臣，吴国成为其藩属，文中以曹魏年号“黄初”纪年；在曹魏指责孙权多次拒绝遣子入朝一事后，“权遂改年，临江拒守”①，用孙吴年号“黄武”纪年；黄武八年（229），孙权称帝，改元黄龙。可以看出，蜀、吴两国史事的纪年方法的改变，反映出的是三国关系的变化。

陈寿以《魏书·帝纪》总揽全局。蜀汉、孙吴政权建立在曹魏政权之后，因此，在曹魏政权建立之前，《武帝纪》和《文帝纪》与记其他汉末群雄的方式一样，叙述蜀、吴开创者所做要事。然而，《魏书》帝纪中缺乏对蜀、吴两国政权建立等要事的记载。与此不同，《蜀书》《吴书》中都记有其余两国的大事。《蜀书·先主传》记，“二十五年，魏文帝称尊号，改年曰黄初”②。这是以汉献帝建安二十五年（220）记曹丕称帝一事。《后主传》记曹爽被诛，“十二年春正月，魏诛大将军曹爽等，右将军夏侯霸来降”③。“十二年”是指延熙十二年（249），这是用蜀汉政权的年号记曹魏之事。《蜀书》中也记载孙吴的大事，“是岁，孙权称帝，与蜀约盟，共交分天下”④“十五年，吴王孙权薨”⑤“吴大将军孙綝废其主亮，立琅邪王休”⑥，叙述这些孙吴大事均以蜀汉年号纪年。

---

① 陈寿：《三国志》卷四七《吴主传》，中华书局1959年版，第1126页。
② 陈寿：《三国志》卷三二《先主传》，中华书局1959年版，第887页。
③ 陈寿：《三国志》卷三三《后主传》，中华书局1959年版，第898页。
④ 陈寿：《三国志》卷三三《后主传》，中华书局1959年版，第896页。
⑤ 陈寿：《三国志》卷三三《后主传》，中华书局1959年版，第898页。
⑥ 陈寿：《三国志》卷三三《后主传》，中华书局1959年版，第899页。

《吴书》记，“二十五年春正月，曹公薨，太子丕代为丞相魏王，改年为延康”，“冬，魏嗣王称尊号，改元为黄初。二年四月，刘备称帝于蜀”。[①] 同时，它也记有“刘备薨于白帝”[②]“晋文帝为魏相国”[③] 之事。《三嗣主传》在述吴主大事时，也说明曹魏年号，如书孙亮即位“是岁于魏嘉平四年也”[④]、孙休即位“于魏甘露三年也”[⑤]、孙皓即位“是岁，于魏咸熙元年也”[⑥]。

再一方面，三书对魏、蜀、吴三个政权的叙事重点各有侧重，但都把握住了每个政权历史发展的关键点。

《三国志》中在四卷帝纪之外，均为列传。陈寿在《三国志》中对人物的分传较明显地表现出，陈寿立传以历史发展大势为依据。《魏书》中，在帝纪、后妃传、汉末群雄传之后，陈寿书曹魏历史，先立《诸夏侯曹传》记夏侯惇、夏侯渊、曹仁、曹洪等人。夏侯氏是曹氏的姻亲，曹仁等是曹操的从弟或族子，夏侯氏、曹氏是伴随曹操从起兵到成就霸业的宗亲功臣，在曹魏政权建立之后受封赏而身居要位，他们参与了魏文帝曹丕、魏明帝曹叡从居东宫、即位到寝疾、驾崩的过程。另外，曹爽、夏侯玄的几番沉浮起落则与取代曹魏的司马氏家族势力的发展有着密切的关系，可知曹氏、夏侯氏在曹魏政权中地位的变化，是

---

① 陈寿：《三国志》卷四七《吴主传》，中华书局 1959 年版，第 1121 页。
② 陈寿：《三国志》卷四七《吴主传》，中华书局 1959 年版，第 1130 页。
③ 陈寿：《三国志》卷四八《孙皓传》，中华书局 1959 年版，第 1163 页。
④ 陈寿：《三国志》卷四八《孙亮传》，中华书局 1959 年版，第 1151 页。
⑤ 陈寿：《三国志》卷四八《孙休传》，中华书局 1959 年版，第 1156 页。
⑥ 陈寿：《三国志》卷四八《孙皓传》，中华书局 1959 年版，第 1163 页。

“曹魏盛衰的一面镜子”[①]。接着，陈寿立《荀攸荀彧贾诩传》，这三位是帮助曹操建立曹魏政权基业的重要谋臣，征讨吕布、迎立献帝入许、官渡之战、曹操受封、立曹丕为太子等，这些关系曹魏政权建立的历史事件，都有他们的参与。[②] 接下来，陈寿又分别叙述曹操、曹丕、曹叡等不同时期的宗室、谋臣、武将、循吏、名士、文士、叛臣、方技、边族等事迹。

《蜀书》《吴书》的叙事，特别是人物立传的方法，都关照到其政权发展的关键问题，这点与《魏书》是基本相同的。二书立传中，为与一方政权的建立关系密切的人物立传，并将其置于重要位置，再分述其他。如《蜀书·后主传》着重叙述刘备死后，蜀汉与孙吴交好对蜀汉政权稳定的意义。另外，刘禅任君主时，前期多记诸葛亮行事，如诸葛亮南征、作木牛流马运送粮食等；在诸葛亮死后，尽管有蒋琬、费祎、姜维等人的全力维护，但是蜀汉政权内部存在的争权斗争、宦官干政等问题，使其走上衰败之路。由此可以看出诸葛亮对蜀汉后主的重要性，对蜀汉政权的重要性。《蜀书》在叙先主、后主事迹及妃子其事后，立《诸葛亮传》，其后再为关羽、张飞等人立传。虽然诸葛亮辅佐刘备的时间不及关羽等人早，但是他对蜀汉政权的建立和巩固有重要的意义，他的影响贯穿了刘备势力发展之初，直到蜀汉政权走向衰弱。诸葛亮参与了赤壁之战、建立政权、辅佐后主刘

---

① 白寿彝：《陈寿、袁宏和范晔》，《北京师范大学学报》（社会科学版）1964 年第 1 期。

② 陈寿未将程昱、郭嘉入此传，是由于二人“清治德业，殊于荀攸”。（陈寿：《三国志》卷一四《程郭董刘蒋刘传评》，中华书局 1959 年版，第 462 页）

禅、出师北伐等重要事件。可以说，从《诸葛亮传》能够看到蜀汉政权从弱到强、由盛转衰的过程。

孙吴政权的建立者是孙权，在孙权之前，陈寿在《吴书》中先为孙坚、孙策立传。陈寿撰《吴书》大致以孙吴官修国史为本。孙坚是孙权称帝之后才追谥的“武烈皇帝”，但是陈寿仍先记孙坚、孙策，这是以孙吴政权的奠基者为立足点的。《孙破虏讨逆传》从汉灵帝熹平元年（172）孙坚讨破妖贼讲起，到献帝建安五年（200）官渡之战时孙策偷袭许都被刺为止，将孙吴政权在江东立足、巩固、扩大的过程记述得清楚、明了。在这一基础上，《蜀书》《吴书》再将其余人物分类、立传，记不同时期的谋臣、武将、文士等各类人物。①

通过以上三个方面，可以看出陈寿记载了这一时期包括群雄争霸、三国鼎立、西晋灭吴在内的较为完整的历史面貌；另外，他还将魏、蜀、吴三国政权相互间的局势变动，以及各自的发展路径呈现了出来，反映了陈寿对这一时期历史大势的把握和他的全局视野。

第二，陈寿叙事常有隐讳之意，他尽可能多地描绘出所载之事的不同面貌，以保存历史的真相；真相往往掩藏在叙事之后，需要细细斟酌或对比不同的表述才能挖掘出来。这种叙事方法有

① 陈寿《三国志》立传记事记人仍有遗漏，这与三国时期战乱导致搜集史料的困难有关。不少学者指出了这一问题，如唐人刘知幾，今人缪钺、邱敏等指出，《三国志》缺少对马均、张仲景的记载，对屯田制、九品中正制等内容的记载过于简略。（刘知幾：《史通·人物》，浦起龙《史通通释》本，上海古籍出版社 2009 年版，第 221－222 页；缪钺：《陈寿与〈三国志〉》，《历史教学》1962 年第 1 期；邱敏：《陈寿的成就和〈晋书〉对他的评价》，《史学月刊》1984 年第 5 期）

的是通过运用同传上下文之间排比史料的技巧呈现的，有的则是在书中的不同位置从不同角度记载同一事件的不同面貌形成的。白寿彝称赞《三国志》“叙事往往做到隐讳而不失实录，扬善而不隐蔽缺点”[①]，是对此叙事方式的说明。

《三国志》所述事件或人物，有的只用少许文字记于文中某一处。陈寿为了保留历史的真实，重视排比史料的技巧，形成情节上的反差和对比，令读者通过逻辑即可推理出简洁文字背后的真相。这种情况多出现在《魏书》中。

《荀彧传》记荀彧之死，文中记载：

> 十七年，董昭等谓太祖宜进爵国公，九锡备物，以彰殊勋，密以谘彧。彧以为太祖本兴义兵以匡朝宁国，秉忠贞之诚，守退让之实；君子爱人以德，不宜如此。太祖由是心不能平。会征孙权，表请彧劳军于谯，因辄留彧，以侍中光禄大夫，持节，参丞相军事。太祖军至濡须，彧疾留寿春，以忧薨，时年五十。谥曰敬侯。明年，太祖遂为魏公矣。[②]

这段记载大致排比了这样几件事，其一，董昭建议曹操称魏公；其二，荀彧表示曹操不宜称魏公；其三，曹操听后心中不平；其四，曹操出征孙权，派荀彧留在军中，并给予封赏；其五，荀彧逝世；其六，曹操为魏公。文中记荀彧之死的死因为

---

① 白寿彝：《陈寿、袁宏和范晔》，《北京师范大学学报》（社会科学版）1964年第1期。

② 陈寿：《三国志》卷一〇《荀彧传》，中华书局1959年版，第317页。

“忧”，而未说明所忧的具体原因。然而，文中的“由是”“遂”两个表示承接、因果关系的字词，明确指出了叙事中的两处因果联系，间接地说明了荀彧的死因。可以推想，因为荀彧拒绝曹操称魏公，所以引起曹操的不满；荀彧死后第二年，曹操就成为魏公。裴注中征引《魏氏春秋》，记荀彧之死为自杀且是曹操之意[①]，这与陈寿通过编次史料而隐讳透露的史实是一致的。《三国志》叙述简洁，通过材料的排比形成一定的逻辑关系，引导读者推导出所叙之事背后的情况。

建安十八年（213），曹操进为“魏公”，这件事不仅与上文所讲的荀彧之死有关，而且关系三国历史的走向。《武帝纪》记载道，汉献帝封曹操为“魏公”，并附有潘勖撰写的策命文书。[②]该文历数曹操为汉室所立的功业，其中以“董卓初兴国难，群后释位以谋王室”[③] 来表曹操之忠。清人赵翼称之为“回护”之法。赵翼认为，《三国志》虽为私撰，但是“已开后世国史记载之法”，具体说来，就是对曹魏承汉一事，记载曹操为丞相、魏公、魏王，是东汉天子的旨意，是“汉帝之酬庸让德”，而不是曹操的本意。[④] 赵翼指出了身为晋臣的陈寿，撰史为西晋、曹魏求正统的意图。

---

① 陈寿：《三国志》卷一〇《荀彧传》，裴注引孙盛《魏氏春秋》，中华书局 1959 年版，第 317 页。

② 关于潘勖此文，萧统编《文选》收录为潘勖《册魏公九锡文》；刘勰在《文心雕龙》的《风骨》《诏策》《才略》中称赞潘勖此文的“风骨”“典雅”。

③ 陈寿：《三国志》卷一《武帝纪》，中华书局 1959 年版，第 37 页。

④ 赵翼：《廿二史札记》卷六“《三国志》书法”条，王树民《廿二史札记校证》本，中华书局 1984 年版，第 121 页。

这里，暂不讨论曹操所受封赏究竟是曹操之意还是汉帝之意，[①] 本文在此处需要强调的是，就陈寿为叙事而列出的史料来看，曹操被封为“魏公”一事，《武帝纪》中只附有潘勖撰写的天子册封文书。将它与裴松之的注文作比较，裴注中另征引王沈《魏书》中记载的曹操“三让”及诸臣“劝进”的内容，还有鱼豢《魏略》中记载的曹操受命后上书天子的内容。[②] 由此可见，陈寿在叙述天子加封曹操为“魏公”一事时，并未将裴注中征引的这些材料附于文中。陈寿之所以这样做，在于他在叙述曹操进为“魏公”一事时，没有将叙述重心放在刻画曹操接受天命的臣子形象上。这样的呈现形式是围绕曹魏主线和三国历史走向展开的，既能保持行文简洁，又符合了历史大势。[③]

《三国志》中另一处通过排比史料来揭露事实真相的地方，出现在《三少帝纪》中。司马师废齐王芳，另立高贵乡公曹髦为帝，不久，曹髦被杀，司马昭立曹奂为帝。曹髦的废立之事记于《三少帝纪》中。《三少帝纪》记载曹髦之立的经过是这样叙

---

① 如今人徐大英对此说作辨析，他比较《三国志》《后汉书》《资治通鉴》记载的相关内容，认为曹操任职是天子之命，并不是曹操自领，因此《三国志》的记载是直书，不同于范晔《后汉书》中贬抑曹氏的态度。（徐大英：《陈寿修史“多所回护”说辨析》，《史学史研究》1994 年第 3 期）

② 陈寿：《三国志》卷一《武帝纪》，裴注引王沈《魏书》、鱼豢《魏略》，中华书局 1959 年版，第 40-42 页。

③ 曹操迎献帝都许后，地位一直在提升。《三国志·武帝纪》记曹操所受的封赏：“天子命公赞拜不名，入朝不趋，剑履上殿，如萧何故事”（第 36 页），“五月丙申，天子使御史大夫郗虑持节策命公为魏公”（第 37 页），“三月，天子使魏公位在诸侯王上，改授金玺、赤绂、远游冠”（第 43 页），“夏五月，天子进公爵为魏王”（第 47 页），“夏四月，天子命王设天子旌旗，出入称警跸”（第 49 页），“冬十月，天子命王冕十有二旒，乘金根车，驾六马，设五时副车，以五官中郎将丕为魏太子”（第 49 页）。至于这些封号的来历，陈寿在《董昭传》记，魏公、魏王的称号“皆昭所创”（《三国志》卷一四《董昭传》，第 440 页）。

述的：

少好学，夙成。齐王废，公卿议迎立公。十月己丑，公至于玄武馆，群臣奏请舍前殿，公以先帝旧处，避止西厢；群臣又请以法驾迎，公不听。庚寅，公入于洛阳，群臣迎拜西掖门南，公下舆将答拜，傧者请曰："仪不拜。"公曰："吾人臣也。"遂答拜。至止车门下舆。左右曰："旧乘舆入。"公曰："吾被皇太后征，未知所为！"遂步至太极东堂，见于太后。其日即皇帝位于太极前殿，百僚陪位者欣欣焉。[①]

上文叙述曹髦初即帝位时的情景，呈现出的是一个谨慎、守礼的君王形象，虽然当时的曹髦只是一个十几岁的少年。在《三少帝纪》中，还记载了曹髦即位后，讲《尚书》、讲《礼记》、幸太学、诏令群臣研习经典著作，这是一副好学文雅的形象。《三少帝纪》叙述同样为司马氏所立的曹奂的方式，与叙述曹髦之立的方式是不同的。《三少帝纪》记载：

甘露三年，封安次县常道乡公。高贵乡公卒，公卿议迎立公。六月甲寅，入于洛阳，见皇太后，是日即皇帝位于太极前殿，大赦，改年，赐民爵及谷帛各有差。[②]

---

① 陈寿：《三国志》卷四《三少帝纪》，中华书局 1959 年版，第 131-132 页。
② 陈寿：《三国志》卷四《三少帝纪》，中华书局 1959 年版，第 147 页。

可以看出，这里叙述曹奂即位与上文叙述曹髦即位相比，更为简略，特别是缺少能够表现曹奂个性及表达他对即位之事态度的细节描写。《三少帝纪》叙述两位少帝即位的叙事方式存在这样明显的不同，自然会引起读者的关注和疑问。就后文记载二人结局的方式来看，以上的不同应是有意为之。

曹髦和曹奂的人生走向了不同的结局，但是更需要注意的是，陈寿在《三少帝纪》中选择了不同的方式强化了二人结局之不同。先说曹奂，陈寿没有刻画其即位时的形象；至于其结局，咸熙二年（265）记载：

> 十二月壬戌，天禄永终，历数在晋。……禅位于晋嗣王，如汉魏故事。……遂改次于金墉城，而终馆于邺，时年二十。[1]

文中叙述，此年曹魏政权终结，曹奂禅位给晋武帝司马炎；曹奂本人迁居邺城，这时他二十岁。裴注引《魏世谱》补充记载道，曹奂禅位于司马炎后，被封为陈留王，五十八岁时死去。

《三少帝纪》对曹髦和曹奂两人结局的叙述截然不同。《三少帝纪》中只记有“五月己丑，高贵乡公卒，年二十”[2] 一句，交代曹髦之死。接着，文中记载了三份文书，分别从不同的角度说明了曹髦之死的情况。

---

① 陈寿：《三国志》卷四《三少帝纪》，中华书局 1959 年版，第 154 页。
② 陈寿：《三国志》卷四《三少帝纪》，中华书局 1959 年版，第 143 页。

第一份文书是皇太后令，以太后之口说明曹髦“情性暴戾”、逆反顽劣，太后表示她向司马昭属意废帝，但遭到了拒绝；曹髦得知此事便计划毒杀太后，被发现后他直接带兵到西宫谋杀太后。基于此，太后在诏令中讲道，她宣布废曹髦为庶人。[①] 这是从皇太后的角度记载曹髦忤逆的言行。在太后令后，另有文书记太傅司马孚、太尉高柔等人进言，表示曹髦因言行悖逆而死，群臣也负有责任，并提议以王礼安葬。太后允诺了这个提议。[②] 最后，以司马昭的上言为曹髦之死作一了结。文书中记司马昭道：“高贵乡公率将从驾人兵，拔刃鸣金鼓向臣所止；惧兵刃相接，即敕将士不得有所伤害，违令以军法从事。骑督成倅弟太子舍人济，横入兵阵伤公，遂至陨命；辄收济行军法……”[③] 这里，司马昭讲出曹髦之死的详细经过，并表示要惩治凶手成济。

从上述三份文书可以看出，《三少帝纪》分别记载了曹髦在太后、群僚、司马昭眼中顽劣的形象，与初登帝位时史书中描绘的曹髦的形象有很大的不同。以上叙事所讲的是，在不到十年的时间里，曹髦由一个知书达理的儒雅少年变成了一个顽劣不堪的忤逆之子，如此则形成了极大的反差。这样的巨大改变似乎是不符合常理的。显然，书中叙述曹奂与曹髦的结局，采用了不同的叙事方式，实际上也为前文记二人即位时所用的不同方式作出了

---

① 陈寿：《三国志》卷四《三少帝纪》，中华书局 1959 年版，第 143 页。
② 陈寿：《三国志》卷四《三少帝纪》，中华书局 1959 年版，第 145 页。
③ 陈寿：《三国志》卷四《三少帝纪》，中华书局 1959 年版，第 146 页。

解释。

另外，《三少帝纪》叙事中隐讳地记下曹髦之死与司马昭有关。曹髦死于甘露五年（260）五月，据《三少帝纪》记载，就在曹髦死前发生了一件事，“五年春正月朔，日有蚀之。夏四月，诏有司率遵前命，复进大将军司马文王位为相国，封晋公，加九锡”[①]，文中紧接着记五月曹髦死去；曹髦死后，又记司马昭辞让这一封赏。司马昭被封为晋公的提议不是第一次记录在史册，甘露三年（258）夏五月就记有此事，但司马昭“前后九让乃止”[②]。《三国志》他处也记载此类封赏，据《武帝纪》记载，建安十八年（213）五月，曹操被封为魏公，加九锡，三年后又加封为魏王。[③] 东汉末年，曹操权倾朝野，之后其子曹丕建立曹魏代汉；上文记曹奂禅位于司马炎，称之“如汉魏故事”[④]，说明汉与魏、魏与晋之更替有着相似性。这样说来，《三国志》记这类封赏可以看作是所记人物完全掌握朝政大权的标志，那么《三少帝纪》记载司马昭被封为晋公、加九锡，再接着记曹髦死去一事，实际上将司马昭掌权同曹髦之死联系在一起。

书中不仅在《魏书》中存在通过采择史料的内容、排比史料的次序来保留真相的情况，《蜀书·后主传》也有相似的叙事方法。《后主传》记景耀元年（258）之事，上下文之间有意排比材料，形成反差。文中记道：

---

① 陈寿：《三国志》卷四《三少帝纪》，中华书局1959年版，第143页。
② 陈寿：《三国志》卷四《三少帝纪》，中华书局1959年版，第141页。
③ 陈寿：《三国志》卷一《武帝纪》，中华书局1959年版，第37、47页。
④ 陈寿：《三国志》卷四《三少帝纪》，中华书局1959年版，第154页。

景耀元年，姜维还成都。史官言景星见，于是大赦，改年。宦人黄皓始专政。吴大将军孙綝废其主亮，立琅邪王休。[①]

陈寿叙述此年之事，将姜维回成都、史官观星象、黄皓专政、孙綝废孙亮这样几件事先后排列在一起。除姜维返成都一事以外，后两件事的记述反映了吴、蜀两国发展的态势，它们与星象的记载形成了明显的对比。文中所记蜀汉史官观测到的是景星。《史记》记，景星是德星，"常出于有道之国"[②]。蜀汉因景星的出现而改元，但蜀汉的发展却不如景星昭示的那样顺遂，同年蜀汉出现了宦官黄皓专政，致使诸葛亮苦心经营的蜀汉政权面临灭亡的危机；同时，在孙吴内部，孙綝废孙亮，另立孙休，孙吴权力的更替也反映出政权的不稳定。虽然从表面上看，陈寿记载的是景耀元年（258）蜀汉和孙吴发生的两件事而已，但它们与景星的出现形成了鲜明对比，实际上昭示出的是历史接下来的走向。

除了通过排比上下文史料的方法保存历史真相，陈寿还常常在书中的不同位置叙述同一事件，反映不同的人对同一事件的看法。如此，倘若将他在书中不同位置的叙述综合起来看，可以揭示出所记之事的本来面貌。

董承之死，在《三国志》中不同地方的记载是不完全相同

① 陈寿：《三国志》卷三三《后主传》，中华书局1959年版，第899页。
② 司马迁：《史记》卷二七《天官书》，中华书局1959年版，第1336页。

的。董承是汉献帝妃嫔董贵人的父亲，京师大乱时护送献帝逃亡，随献帝跟曹操至许，后被曹操杀死。《武帝纪》记董承之事，书载："程昱、郭嘉闻公遣备，言于公曰：'刘备不可纵。'公悔，追之不及。备之未东也，阴与董承等谋反"，"五年春正月，董承等谋泄，皆伏诛"。[①] 这里叙述的主要事情是刘备被曹操派去征讨袁术，程昱等人表示反对；另外还记有刘备被派之前与董承秘密谋反之事，这里说的是董承的谋反之意；接着第二年，董承等人因谋反的阴谋泄露被杀，这里说的是董承谋反的结局。《武帝纪》叙述董承之死的原因是他和刘备等人打算谋反朝廷，但是计划泄露，刘备逃跑，董承等人被诛。从这个角度来看，曹操作为东汉大臣，镇压计划谋反汉室的叛贼，是合理的。但是，《武帝纪》只提到董承谋反的打算和被杀的结局，并未交代谋反的细节。

《蜀书·先主传》也记叙了董承之死，但是重点叙述的是董承密谋诛杀曹操，而非谋反朝廷，文中记载：

> 先主未出时，献帝舅车骑将军董承辞受帝衣带中密诏，当诛曹公。先主未发。……事觉，承等皆伏诛。[②]

根据《先主传》所记，董承计划谋反汉廷一事为假，汉献帝通过衣带传送密诏给董承、下达诛曹的指令为真。对比可知，

---

① 陈寿：《三国志》卷一《武帝纪》，中华书局 1959 年版，第 18 页。
② 陈寿：《三国志》卷三二《先主传》，中华书局 1959 年版，第 875 页。

上文记曹操惩治董承时声称他“谋反”，只是诛杀董承的借口，实际上董承等人奉的是汉献帝诛杀曹操之令，也就是说董承等人“反”的是曹操，而非汉献帝。这样看来，保护汉室汉帝只是曹操征讨群雄的借口，汉献帝此时已经失去了对东汉皇朝的统治权，他对曹操的反抗被镇压了下去。

《先主传》载刘备称“汉中王”上疏汉献帝的文书，也记有董承被诛一事。文中记载：

> 臣昔与车骑将军董承图谋讨操，机事不密，承见陷害，臣播越失据，忠义不果。遂得使操穷凶极逆，主后戮杀，皇子鸩害。①

刘备这里的说法与《先主传》对这一事件的叙述是一致的，陈寿应当是以刘备的这封文书为依据，在《先主传》中如此叙述曹操诛董承一事。虽然《武帝纪》中没有透露刘备关于此事的看法，但是陈寿在《先主传》中保留了它。董承被诛一事，在《武帝纪》和《先主传》中确有不同的叙述，在帝纪中有所隐讳，在列传中据实而书。

再如《陈思王传》中记曹丕称帝之后对曹植的处置，文中记载：

---

① 陈寿：《三国志》卷三二《先主传》，中华书局1959年版，第886页。

文帝即王位，诛丁仪、丁廙并其男口。植与诸侯并就国。黄初二年，监国谒者灌均希指，奏“植醉酒悖慢，劫胁使者”。有司请治罪，帝以太后故，贬爵安乡侯。[①]

曹丕即位之后，杀丁仪、丁廙等人，据史书所记，这些人是曹植的“羽翼”[②]；之后，监国谒者奏报曹植醉酒忤逆，请求治罪，但因为太后的干预，只是贬曹植为安乡侯。陈寿这里记曹丕杀丁仪等人，是说明曹丕铲除曹植势力的意图，说明曹丕对曹植势力的忌惮。以上是《陈思王传》中对此事的叙述。在《周宣传》中，也记有曹植获罪一事。传主周宣擅长占梦，本传记魏文帝曹丕向他问梦之事。文中记载：

帝复问曰：“吾梦摩钱文，欲令灭而更愈明，此何谓邪?”宣怅然不对。帝重问之，宣对曰：“此自陛下家事，虽意欲尔而太后不听，是以文欲灭而明耳。”时帝欲治弟植之罪，逼于太后，但加贬爵。[③]

这里以解梦的形式揭示了曹丕对曹植的态度。曹丕梦中的情境说明了他有强烈的愿望却遭到了阻挠，文中以周宣之口直接讲出，曹丕的愿望是想要铲除曹植的势力并打算加罪于曹植，却因

---

① 陈寿:《三国志》卷一九《陈思王传》，中华书局1959年版，第561页。
② 陈寿:《三国志》卷一九《陈思王传》，中华书局1959年版，第557页。
③ 陈寿:《三国志》卷二九《周宣传》，中华书局1959年版，第810-811页。

太后的反对而只将曹植贬爵，曹丕对此不甘心的情绪反映在梦中。接着，陈寿叙述曹丕想要治罪于曹植、被太后拦下的史事。《周宣传》叙述曹丕的梦及周宣的释梦，将《陈思王传》遮掩着的曹丕对曹植的态度揭示出来。

可以看出，陈寿以隐讳的方式保存历史真相，大致有两种情况，有的通过上下文史料的排比，以形成情节的反差；有的通过书中不同位置对同一事的记载，以所采史料的不同反映不同的情况。

第三，陈寿叙事时特别重视对细节的处理，或制造矛盾，以戏剧化的情节引起读者的思考或共鸣；或通过书中不同位置对同一人物、事件的记载，突显人物个性；或用动作、神情、语言描写等刻画人物形象，将读者代入真实的历史情境中。

《三国志》的撰述除了以时间先后叙述传主生平要事，还在叙述核心事件的过程中，利用插叙的方式，有意排比史料的次序，在情节上制造矛盾和冲突，增强戏剧化的色彩，从而达到引人入胜的效果。

《华佗传》在这一点上表现得尤为突出。传文叙述华佗医术高明，举出十余个他治病救人的例子，接着记曹操诏华佗专门为他看病。文中讲道，华佗并不满意这种生活，以妻子有病为由回家不返，曹操对此“大怒”，派人去调查其妻是否真的患病，结果曹操抓华佗入狱并要杀死他。这时，陈寿记述了荀彧向曹操替华佗说情的细节，文中记载：

荀彧请曰："佗术实工，人命所悬，宜含宥之。"太祖曰："不忧，天下当无此鼠辈耶？"[1]

荀彧强调华佗医术高明，关乎人命，求曹操的赦免，但曹操不以为然，坚持称华佗实为"鼠辈"而已。接着，陈寿又记华佗临死前在狱中授书的细节，文中记载：

佗临死，出一卷书与狱吏，曰："此可以活人。"吏畏法不受，佗亦不强，索火烧之。[2]

可以看出，狱中的华佗知道自己命不久矣，他将"可以活人"之书交给狱卒时，是抱有期待的，心中牵挂着自己身为医者救人性命的责任。而狱卒的拒绝斩断了华佗的这个念想，华佗要来火，亲手烧掉这本医书。可以想象，当时的华佗心已如死灰般平静，只等着死亡。华佗死后，陈寿又记曹操两次回忆起华佗，一次是在他头疼发作时，曹操仍坚持认为华佗不为他根治头疼病，是小人的做法，然而第二次，当曹操爱子曹冲得病后，曹操只能叹息道："吾悔杀华佗，令此儿强死也。"[3] 曹操心中只有争夺天下的大计，治病救人之术在他看来不过是"鼠辈"之技，但在爱子受病痛折磨时，曹操又后悔杀死华佗，不能让华佗施展

① 陈寿：《三国志》卷二九《华佗传》，中华书局 1959 年版，第 802 页。
② 陈寿：《三国志》卷二九《华佗传》，中华书局 1959 年版，第 802-803 页。
③ 陈寿：《三国志》卷二九《华佗传》，中华书局 1959 年版，第 803 页。

医术，救儿子的性命。

行文至此，文中已经交代清楚华佗被杀的原因及影响，但这些内容仍是围绕曹操与华佗的关系展开的。陈寿在此之外，还记载华佗与其他人之间的事，并渲染华佗之死对普通人的影响之大。在记华佗死后，《华佗传》插叙华佗生前为李成看病一事。文中记，华佗曾为李成看病，开给他两份药，其中一份是十八年后疾病复发时服用的。五六年后，李成的亲戚得了同样的病，他向李成求华佗的药剂时说道：

> 卿今强健，我欲死，何忍无急去药，以待不祥？先持贷我，我差，为卿从华佗更索。[①]

李成的亲戚认为，李成已经康复强健，自己眼下却病痛欲死，因而劝说李成先将药给自己，然后再请华佗开药方；于是李成将药给了亲戚，待再去找华佗开药时，却出现了未曾预料的情况，他看到华佗被曹操抓走，“匆匆不忍从求”，此事的结果是：

> 后十八岁，成病竟发，无药可服，以至于死。[②]

陈寿在华佗死后另记李成这件事，着力渲染了华佗医术的高明及华佗之死对普通人生死的影响。李成因“无药可服”致死，

① 陈寿：《三国志》卷二九《华佗传》，中华书局1959年版，第803页。
② 陈寿：《三国志》卷二九《华佗传》，中华书局1959年版，第803页。

是可悲的。联想前文曹操杀死华佗时的坚决、狱中华佗烧掉医书时的平静、李成亲人建议李成向华佗求药时的理所当然，再来看李成之死，能感受到当初曹操固执地要求杀死华佗，造成了无可挽回的可悲后果。

除了采择、组织材料营造情节上的冲突，陈寿还常将谣谚或梦境置于所叙之事发生之前或之后，渲染所叙之事的必然性。《吴主传》记："初，兴平中，吴中童谣曰：'黄金车，班兰耳，闿昌门，出天子。'"[①] 注文中解释昌门是苏州城西门，夫差所作。这句童谣说的是孙权将成为天子。当时刘备、曹丕已经称帝，这句童谣与前文所说的"苍梧言凤皇见"[②] 与"夏口、武昌并言黄龙、凤凰见"[③] 的奇异现象一起，预示着尚未称帝的孙权即将称帝。

又如，在叙述完诸葛恪之死后，书中记道："先是，童谣曰：'诸葛恪，芦苇单衣篾钩落，于何相求成子阁。'"[④] 这则童谣是讲，在诸葛恪死后，他的尸体将被潦草地用芦苇席子裹着，扔到荒野中的乱岗里。陈寿在叙述诸葛恪被孙峻诛杀之后记下这则童谣。联系童谣所讲的诸葛恪凄惨的结局，再看诸葛恪被孙峻杀死时的惨状，可以感受到在孙权死后孙吴内部权力争夺的激烈和残忍。

《邓艾传》记邓艾伐蜀之前做的梦及爰邵的解梦。在梦中，

---

① 陈寿：《三国志》卷四七《吴主传》，中华书局 1959 年版，第 1134 页。
② 陈寿：《三国志》卷四七《吴主传》，中华书局 1959 年版，第 1133 页。
③ 陈寿：《三国志》卷四七《吴主传》，中华书局 1959 年版，第 1134 页。
④ 陈寿：《三国志》卷六四《诸葛恪传》，中华书局 1959 年版，第 1441 页。

邓艾坐在山上，看到山上有流水经过，爰邵为他解梦说："往必克蜀，殆不还乎！"邓艾听到后"怃然不乐"。[①] 传中将此梦记于邓艾讨伐蜀汉成功却遭钟会陷害而死一事之后，已经知道邓艾被杀，再来读此梦的征兆，回想邓艾伐蜀前就从爰邵的解梦中预见了此行有去无回，可以理解当时邓艾心中的怅然若失，读者不免对邓艾的遭遇更为遗憾。可以推想，个性骄傲自大的邓艾，虽是伐蜀功臣，但不顾朝中掌权的司马昭的警告，坚持善待降将，加上钟会已有谋逆之心，最终邓艾受人诬告，终致被杀，确实为悲剧人物。

谣谚和解梦这类通俗却略显神秘的记载，往往能突出所记之事的色彩，使之显得更加浓厚，若为悲伤之事，则使人感觉更加悲伤。《三国志》中还有一类记载，虽不属于谣谚和解梦，但也有同样的效果。《鲁肃传》中，鲁肃责备关羽不归还所借的荆州，文中记人群中有一人插话道：

> 夫土地者，惟德所在耳，何常之有！[②]

孙吴借荆州给蜀汉，蜀汉拒绝归还。在这件事上，鲁肃认为蜀汉连三郡都不愿归还的做法是不对的。在叙述鲁肃责备关羽时，文中却插入了第三者的声音，表示有德者得土地。虽然书中记这个人被关羽呵斥离开，并没有指出是谁讲了这句话，但是这

---

① 陈寿：《三国志》卷二八《邓艾传》，中华书局 1959 年版，第 781 页。
② 陈寿：《三国志》卷五四《鲁肃传》，中华书局 1959 年版，第 1272 页。

句话是站在刘备一方的，表达了蜀汉的态度，即刘备以德得天下。

前文讲道，陈寿在书中不同位置记同一事件的不同面貌，隐讳地保留历史真相。还有的时候，陈寿在书中不同位置记载同一事件或同一人物，它们反映的情况是一致的，只是从不同角度来记载，这种叙事方式有助于加深对该事件或该人物的印象。如董卓乱京一事，不仅在《董卓传》中有所记载，书中他处也有叙述。《三国志·武帝纪》从灵帝末年黄巾起义记起，简单叙述了董卓之乱：

> 大将军何进与袁绍谋诛宦官，太后不听。进乃召董卓，欲以胁太后，卓未至而进见杀。卓到，废帝为弘农王而立献帝，京都大乱。卓表太祖为骁骑校尉，欲与计事。太祖乃变易姓名，间行东归。……卓遂杀太后及弘农王。太祖至陈留，散家财，合义兵，将以诛卓。[①]

在这段记述中，陈寿记载了董卓入朝之由、董卓的篡位行径、曹操起兵的原因等内容。陈寿用了“京都大乱”“间行东归”“将以诛卓”，记述了东汉末年董卓之乱对局势的影响，塑造了曹操反对董卓篡权、捍卫东汉皇朝统治的形象。

在各地群雄起兵之后，董卓迁献帝到长安，并焚烧宫室；各

---

① 陈寿：《三国志》卷一《武帝纪》，中华书局 1959 年版，第 5 页。

路诸侯持观望的态度，按兵不动。《三国志·武帝纪》记有曹操对这一事件的评论：

> 举义兵以诛暴乱，大众已合，诸君何疑？向使董卓闻山东兵起，倚王室之重，据二周之险，东向以临天下；虽以无道行之，犹足为患。今焚烧宫室，劫迁天子，海内震动，不知所归，此天亡之时也。一战而天下定矣，不可失也。[①]

曹操的这段言论，认为群雄率领的是“义兵”，董卓的行径是“暴乱”；董卓之乱，说明了“天亡之时”的到来。陈寿记载曹操对董卓之乱的评论，意在表明董卓之乱给天下带来的巨大灾难，也说明曹操在群雄之中的与众不同。董卓之乱时曹操并未称霸群雄，这段言论为曹操的崛起至曹魏的建立作出铺垫。

可以看出，两处记载相比，陈寿在《武帝纪》中叙述了董卓之乱的大概情况，在《董卓传》中详细记载了董卓其人其事。清人赵翼称赞陈寿的叙事方法，他讲道：“董卓之乱，曹操尚未辅政，故《魏纪》内不能详叙，而其事又不可不记，则于《卓传》内详之，此叙事善于位置也。”[②] 陈寿在《董卓传》中，不仅着力记载董卓的行事，塑造其人物形象，而且致力于呈现东汉末年动荡的局势。

---

① 陈寿：《三国志》卷一《武帝纪》，中华书局1959年版，第7页。

② 赵翼：《廿二史札记》卷六“《三国志》书事得实处”条，王树民《廿二史札记校证》本，中华书局1984年版，第125页。

《后汉书·吕布传》中也记有董卓之事。文中记，董卓入朝后，使吕布杀丁原并亲信吕布一事，“会进败，董卓诱布杀原而并其兵。卓以布为骑都尉，誓为父子，甚爱信之”①。《三国志·吕布传》中的叙述丰富了董卓在吕布斩丁原这一事件中扮演的具体角色。文中记载：

> 进败，董卓入京都，将为乱，欲杀原，并其兵众。卓以布见信于原，诱布令杀原。布斩原首诣卓，卓以布为骑都尉，甚爱信之，誓为父子。②

从上文可以看出，与《后汉书》的记载相比，《三国志》更详细地记载了这样几点细节：其一，董卓欲杀害丁原的原因；其二，吕布杀丁原受到董卓的引诱及命令；其三，吕布将丁原的头颅献于董卓，得到董卓的信任。首先可以看出，董卓在吕布杀丁原这件事中扮演着幕后凶手的角色。这件事的起因是董卓“将”作乱，想霸占丁原的兵力，这样一来，《三国志》在《吕布传》中，将董卓入京后想要快速增加兵力、谋权乱政的不臣之心揭露得更加彻底。董卓看出丁原信任吕布，才唆使吕布，“令”他杀死丁原。再看丁原之死，董卓无疑是最大的凶手。吕布斩丁原之首级，将其献于董卓，获得董卓的信任。《三国志》中没有写明董卓看到丁原首级的第一反应，但猜想能够尽收丁原兵马的董

① 范晔：《后汉书》卷七五《吕布传》，中华书局1965年版，第2444页。
② 陈寿：《三国志》卷七《吕布传》，中华书局1959年版，第219页。

卓，看到汉室政权离自己更近了，心中一定大喜。进献头颅的细节描写，表现出吕布的残忍，同样表现出凶残的董卓谋取政权的野心。

《司马朗传》记司马朗对董卓的看法，文中记载：“朗知卓必亡，恐见留，即散财物以赂遗卓用事者，求归乡里。”司马朗还直接指明：“董卓悖逆，为天下所仇，此忠臣义士奋发之时也。”[①] 这是从旁人的角度揭示董卓行径之残暴及必败的下场，并证明了天下豪杰起兵诛杀董卓的合理性。

陈寿叙事简洁，时常通过对人物的动作、语言、神情的描写，刻画生动的人物形象，揣摩人物心理，将读者代入历史情境中，而这些细节描写往往暗示了历史接下来的走向。

这类描写中，有的是通过某个字、词，一针见血地指出人物的状态或事情发展的程度。如刘备任安喜尉时，“督邮以公事到县，先主求谒，不通，直入缚督邮，杖二百，解绶系其颈着马柳，弃官亡命”[②]。刘备请求见督邮无果后，干净利落地处置了督邮，然后离开。这里的“直”字，表现出刘备遭到拒绝后的愤怒，他无须考虑更多，径直走进去把督邮捆绑起来。虽然刘备是汉廷任命的地方官，但他是藐视督邮及其做法的。在此之后，刘备“弃官亡命”，“直”字表现出刘备性格果断且胸有大志，并不以安喜尉为追求。

《满宠传》记曹洪的宾客犯法，满宠将其抓捕，曹洪向满宠

---

① 陈寿：《三国志》卷一五《司马朗传》，中华书局 1959 年版，第 467 页。
② 陈寿：《三国志》卷三二《先主传》，中华书局 1959 年版，第 872 页。

说情，满宠并不理睬；后来，曹洪将这件事告诉曹操，满宠得知了，“乃速杀之”，立即将犯法的宾客杀死。曹操听说了，“喜曰：‘当事不当尔邪？’”[①]“速”字说明动作之迅速、干脆利落，表现了满宠不惧权势的严格执法态度；“喜”字描绘出曹操欣喜的心理和神态，可见曹操十分满意满宠迅速杀死曹洪门客的做法。虽然被杀的是曹氏的宾客，但是在曹操看来，执法的重要程度高于庇护门客，满宠的做法无疑是正确的。

另外，有的地方以细致的动作、语言、神态描写，再现了史事发生的情境。如董承等人密谋诛杀曹操，《先主传》记下了这时曹操对刘备说的一句话，史载：

> 是时曹公从容谓先主曰：“今天下英雄，唯使君与操耳。本初之徒，不足数也。”先主方食，失匕箸。[②]

曹操与刘备论天下英雄，曹操“从容”地表示，他只认可刘备与自己是英雄；这时，正在吃饭的刘备掉落了手上的餐具。刘备“失匕箸”的动作描写，形象地描绘出刘备听到曹操所言后内心的慌张。自刘备到曹操这里后，曹操待他很好，刘备听到曹操的称赞，却作此反应。联想此时刘备已经知道汉献帝秘密诏令董承诛杀曹操一事，又加上刘备原本就有与曹操争夺天下的野心，那么曹操此言就算不得称赞，而是威胁。

① 陈寿：《三国志》卷二六《满宠传》，中华书局1959年版，第721页。
② 陈寿：《三国志》卷三二《先主传》，中华书局1959年版，第875页。

又如“曹公闻权以土地业备，方作书，落笔于地”[①]，这一描写记载在《吴书·鲁肃传》中。曹操听闻消息后，手中的笔坠落于地，该动作描写，表现了曹操内心之震惊。曹操是将刘备作为争霸天下的劲敌的，他知道刘备一旦有了自己的地盘，一定会迅速崛起。因此，当曹操听到孙权将荆州借给刘备时，除了感到意外，更多的是慌乱，才控制不住双手，握不住手中的笔，使笔掉落于地，可以想象，这支笔落地时的声响在安静的房间中显得格外清脆。

《关羽传》记关羽中箭受伤后，酒宴上大夫为他的左臂刮骨去毒的场景，文中记道：

> 时羽适请诸将饮食相对，臂血流离，盈于盘器，而羽割炙引酒，言笑自若。[②]

文中详细描写了大夫割开关羽左臂血液流溅在盘中的细节，可以令人感受到关羽正承受的刮骨疼痛。这种疼痛与关羽仍然说说笑笑的态度形成对比，使关羽英勇的形象跃然纸上。

还有的传记详细记载了一系列的细节，使其人物形象更为生动、人物关系更为清晰。《张昭传》以描写人物的对话、动作的方式记载了许多张昭与孙权相处的细节。如孙权酒宴宾客，张昭以“正色不言，出外车中坐”表明自己的态度，劝孙权不要像

① 陈寿：《三国志》卷五四《鲁肃传》，中华书局1959年版，第1270–1271页。
② 陈寿：《三国志》卷三六《关羽传》，中华书局1959年版，第941页。

商纣王一样醉酒，“权默然，有惭色，遂罢酒”。接着，记孙权拒绝以张昭为丞相，孙权对群僚讲，“此公性刚，所言不从，怨咎将兴，非所以益之也”；孙权上门请见张昭，“昭避席谢，权跪止之”；而张昭在孙权“案刀而怒”之下，坚持劝阻孙权派人出使公孙渊，并涕泣忆太后遗诏，孙权“掷刀致地，与昭对泣”。张昭因计策不为孙权所用而不再上朝，孙权用土封门，张昭就“于内以土封之”；孙权以火烧门，张昭“更闭户”；等等。[①] 这些生动的叙述，描绘出新任君主孙权与老臣张昭之间的君臣关系，将张昭略有固执但直言敢谏、一心向吴的忠臣形象刻画得淋漓尽致。

虞翻被陈寿称为“古之狂直”[②]，《虞翻传》叙事时常通过对其语言、动作、神情的描写，将其性格表现出来。孙吴战胜关羽后释放了被关羽关押的于禁，虞翻看到于禁和孙权一同骑马并行，“翻呵禁曰：‘尔降虏，何敢与吾君齐马首乎！’”[③] 虞翻乘船时遇到投降的麋芳的船只，可麋芳等人不肯让路，“翻厉声曰：‘失忠与信，何以事君？倾人二城，而称将军，可乎？’”[④] 有次他碰到孙权和张昭讨论神仙之事，“翻指昭曰：‘彼皆死人，而语神仙，世岂有仙人邪！’”[⑤] 陈寿叙述虞翻的这几次言论，并非以“曰”简单地记载他说的内容，而是用不同的字词形容

---

① 陈寿：《三国志》卷五二《张昭传》，中华书局 1959 年版，第 1221-1223 页。
② 陈寿：《三国志》卷五七《虞陆张骆陆吾朱传评》，中华书局 1959 年版，第 1341 页。
③ 陈寿：《三国志》卷五七《虞翻传》，中华书局 1959 年版，第 1320 页。
④ 陈寿：《三国志》卷五七《虞翻传》，中华书局 1959 年版，第 1321 页。
⑤ 陈寿：《三国志》卷五七《虞翻传》，中华书局 1959 年版，第 1321 页。

当时的情态。虞翻对于禁以“呵”，对糜芳以“厉声”。虞翻的不同声音表达了他不同的态度；虞翻用手“指”正在讨论神仙的张昭，这一动作描写表现了虞翻对张昭所讲神仙之事的不屑。

《三国志》行文中也出现了针对所记事情的直接评论，这种方式在叙述、描写等方式之外，更明确地指出所叙之事的特点。如书中记曹丕探望生病的荀攸，独自拜倒在他的床前，“其见尊异如此”[①]；诸葛诞叛乱，寿春城被包围，众多人出城投降，最终诸葛诞被杀，叛乱失败，文中记：“诞麾下数百人，坐不降见斩，皆曰：‘为诸葛公死，不恨。’其得人心如此。”[②] 再如，刘备领平原相后，郡民刘平不甘心在他之下，派自己的门客刺杀刘备，但刘平的门客却“不忍刺”，把这件事情告诉了刘备便离开了。此事到此已叙述完整，但行文中还有陈寿的评价：“其得人心如此。”[③] 是仪简朴，《是仪传》记，孙权不相信平素简朴的是仪会修大宅子，陈寿接着论道“其见知信如此”[④]；吴范多次预测局势灵验，被评论道“其占验明审如此”[⑤]；诸葛恪多次灵活应对不同的情况，被称赞“恪之才捷，皆此类也”[⑥]；至于世人对诸葛瞻的称赞，陈寿评价说“是以美声溢誉，有过其实”[⑦]。陈寿以撰述者的身份在叙事中作出评说，简单直接地将人物的个

---

① 陈寿：《三国志》卷一〇《荀攸传》，中华书局1959年版，第325页。
② 陈寿：《三国志》卷二八《诸葛诞传》，中华书局1959年版，第773页。
③ 陈寿：《三国志》卷三二《先主传》，中华书局1959年版，第872页。
④ 陈寿：《三国志》卷六二《是仪传》，中华书局1959年版，第1413页。
⑤ 陈寿：《三国志》卷六三《吴范传》，中华书局1959年版，第1422页。
⑥ 陈寿：《三国志》卷六四《诸葛恪传》，中华书局1959年版，第1430页。
⑦ 陈寿：《三国志》卷三五《诸葛亮传附诸葛瞻传》，中华书局1959年版，第932页。

性及事情的关键展示出来。

陈寿被称赞善叙事，从他撰写的《三国志》来讲，陈寿在史书叙事上确实表现突出。陈寿不仅叙述了这一时期并存的魏、蜀、吴三国政权的历史，还将三国鼎立之外的、各地群雄争霸的局势也记录下来。陈寿既把握住这一时期历史的发展大势，又有在时间上和空间上总揽全局的视野。三国历史具有多面性。作为晋人，陈寿撰三国历史以曹魏为正统，同时他也通过史料的运用技巧保存了字面叙述以外的历史真相，将三国时期的历史较为全面地展现出来。另外，陈寿叙事也讲究人物的塑造、情节的设置，他笔下的人物形象鲜明、饱满，所记之事具有强烈的代入感。综上，陈寿善叙事之称，名副其实。

二、袁宏重记人

东晋袁宏采众家东汉史著作撰集《后汉纪》三十卷。《后汉纪》编年叙事，以时间为脉络，述自光武帝刘秀到汉献帝刘协这一时期的东汉历史。袁宏以编年体记事，是对荀悦《汉纪》的继承，但《后汉纪》在《汉纪》“通比其事”① 的基础上有所发展，袁宏编年记事的同时尤其重视对人物的记录。袁宏在《后汉纪》的序文中表明了他对历史人物的关注，他讲道：

古者方今不同，其流亦异，言行趣舍，各以类书。故观

① 荀悦：《汉纪序》，载于《两汉纪》，张烈点校本，中华书局2002年版，第1页。

其名迹，想见其人。丘明所以斟酌抑扬，寄其高怀，末吏区区注疏而已。其所称美，止于事义；疏外之意，殁而不传，其遗风余趣蔑如也。今之史书，或非古之人心，恐千载之外，所诬者多，所以怅怏踌躇，操笔恨然者也。[1]

在这里，袁宏强调史书记人的重要性，并说明撰史面临的问题，即古人与今人不同，他认为不可以今人的立场妄加揣测古人之心；历史记载要能够给人带来直接的感受，通过读史，可以让人在脑海中树立起这个人物的形象，能够将人带到“事义”之外的情境之中。这也是袁宏重记人的原因。基于这一认识，袁宏说明了他在编年记事的过程中撰录人物的方法：“言行趣舍，各以类书”，这是说将历史人物分类记载，分类的依据是历史人物不同的言行。袁宏认为，用这样的方法可以避免史书中“非古之人心”的问题。袁宏采用编年体记事，与他以史宣扬名教的观点有关；而他在编年叙事中重视记人，反映出他重视人在历史事件中的作用。

袁宏在《后汉纪》序文中所说的编撰方法受到学者们的关注。《后汉纪》的今人校注者周天游指出它在史学上的创新之处，在于采用“类书”的形式撰史，或类举表现某人某种品德的事情，或将时代相近和德行相似的人物写在一起。[2] 瞿林东称，袁宏此举“把记事和写人结合起来，事因人而丰满，人依

① 袁宏：《后汉纪原序》，周天游《后汉纪校注》本，天津古籍出版社 1987 年版，第 2 页。
② 周天游：《后汉纪校注前言》，天津古籍出版社 1987 年版，第 6 页。

事而益显"[①]，阐释了袁宏吸收纪传体的优点撰史，为所记人和事带来的益处。除了关注《后汉纪》类书的方法，白寿彝还强调袁宏为了达到"观其名迹，想见其人"的效果，重视还原古人真实的"遗风余趣"。[②] 这是对袁宏重记人的另一方面的解读。

考察《后汉纪》的撰述，可以看出它确实如袁宏在序文中所讲，有着重记人的特点。袁宏采用编年体记载东汉历史，不仅以时间为线索叙述了东汉皇朝的大事和历史整体上的走向，而且将这一历史时期出现的人物有选择地记录在书中。这些人中有皇朝宗室，有谋臣武将，还有隐士孝子，等等。

袁宏重记人，他的这一撰述特点可以从记多个人物与记单个人物两方面考察。袁宏纪年叙事中所记人物，行事详略不同。袁宏有时集中记同属一类的若干人，或将有共同经历或共同品行的人撰录在一起，或将与叙事中核心人物相关的其他人物一并写出；从袁宏对单个人物的记载来看，他或将该人物的若干件事撰录在一起，指明其品行特点，或在书中多处记录同一人物所做的不同事情，丰富人物形象。从这个角度来看，《后汉纪》重视记人的特点可以从下面两个方面进行分析。

首先来看《后汉纪》中连续记录若干位人物的情况，这不仅包括了袁宏所讲的"言行趣舍，各以类书"，即记载具有相同经历或相似品行的一类人物，以同类型人物感染读者，加深印象；还包括了虽不具备同样的特征但是由叙事所及或记人所及，

---

① 瞿林东：《中国史学史纲》，北京出版社1999年版，第238页。
② 白寿彝：《陈寿、袁宏和范晔》，《北京师范大学学报》（社会科学版）1964年第1期。

遂将多人一并叙述的情况，这类记载表现了各个独立人物的特点，从整体上看还具有人物群像的效果。

《后汉纪》“类书”若干个人物，一是将有相同经历的人撰录在一处。

在类书相同经历的人物时，记录这些人物之前，编年叙事中往往指明他们的相同之处，罗列姓名并逐一介绍。在这类情况中，记录的人物都是所叙之事的直接参与者，他们在行文叙事的特定时期内有相同的经历。类传这类人物，在他们首次出现时，往往不对其一生作完整记录，主要介绍他们的基本情况及参与所记之事的具体情况，后文编年叙事中再记其参与的其他事件。《后汉纪》记载的新莽政权末年刘秀起义阶段出现的人物，多属于这种类型。《后汉纪》有《光武帝纪》八卷，范晔的《后汉书》中《光武帝纪》分上下部分共一卷，二者相比，《后汉纪》记光武帝刘秀所用卷帙更大，其中除了记有《后汉书》帝纪中的内容，还涵盖了《后汉书》的《皇后纪》及列传中的诸多人物。《后汉纪》将更始年间出现的众多人物通过这种方式展现出来。

《光武帝纪》中写道：

> 三月，世祖与诸将略地颍川，父城人冯异、内乡人铫期、颍阳人王霸、襄城人俊傅、棘阳人马成皆从世祖。[①]

① 袁宏：《后汉纪》卷一《光武帝纪》，周天游《后汉纪校注》本，天津古籍出版社 1987 年版，第 15 页。

这里首先指出刘秀率军攻取颍川的过程中与其一同奋战的将领，接着下文一一记录冯异、铫期、王霸、傅俊等人的行事，大致包括其字号、出身、归顺刘秀的过程等内容。

同属这种情况的还有记更始年间起兵的众多豪杰，文中记载：

是时豪杰并起：（李宪起）庐江，张步起琅邪，刘芳起安定，董宪起东海，秦丰起黎丘，其余赤眉、铜马、青犊、高湖、董达等众各数万，旬月之间，天下皆遍。[①]

虽然文中概括叙述并起的豪杰时，并未举出隗嚣和公孙述，但在记人时，袁宏先记隗嚣、公孙述起兵之始及势力的扩张，再记叙事中提到的李宪、张步、刘芳等人起兵之事。隗嚣割据西北，公孙述割据西南，更始年间起兵，东汉政权建立后其实力仍为刘秀之患。与对李宪、张步等人的记载相比，袁宏先记隗嚣和公孙述，且内容更为详细丰富，突出了二人的地位，也为他们在后文记事中的出场作出铺垫。

在叙述刘秀出抚河北时，录从行的人物。文中讲道：

于是冯异（、）铫期、坚镡、祭遵、臧宫、王霸皆以为掾吏，从至河北。[②]

---

① 袁宏：《后汉纪》卷一《光武帝纪》，周天游《后汉纪校注》本，天津古籍出版社1987年版，第21页。

② 袁宏：《后汉纪》卷一《光武帝纪》，周天游《后汉纪校注》本，天津古籍出版社1987年版，第25页。

接着，袁宏记前文未出现的坚镡、祭遵、臧宫等人，交代他们的基本情况及与刘秀相交的过程。叙述至此，袁宏又另外记录了若干位在河北跟随刘秀的人物，邓禹、耿纯、朱祐、贾复、陈俊等；并记王昌其人，王昌在邯郸城即皇帝位，后被受命镇抚河北的刘秀诛灭；还记耿弇其人，耿弇拒绝归顺王昌，选择投靠刘秀。更始年间，刘秀出抚河北，摆脱更始政权，为他发展自身势力、日后登基称帝奠定了基础，对东汉皇朝的建立意义重大。可以看出，在叙述刘秀受命率军镇抚河北之后的历史时，袁宏以一系列的人物小传串联起刘秀在河北的事迹，其中包括与他同去的将领、归顺他的大将，还包括他所诛灭的王昌政权。

在一些记载中，袁宏先记人物，再记其在该时间阶段做的事。如《光武帝纪》在叙述刘秀容貌、个性后，接着记有刘縯、邓晨、李通的基本情况，他们与刘秀最初起兵有关。文中记刘縯道：

> 兄縯，字伯升，慷慨有大节。王莽簒汉，刘氏抑废，常有兴复之志，不事产业，倾身以结豪杰，豪杰以此归之。[1]

前文叙事中并无刘縯所做之事的记载，此处直接介绍刘縯其人。刘秀最初是同大哥刘縯一同起兵，征讨天下，刘縯在刘秀之前就表现出推翻王莽、复兴汉室的愿望，在更始政权中也有威

① 袁宏：《后汉纪》卷一《光武帝纪》，周天游《后汉纪校注》本，天津古籍出版社 1987 年版，第 2 页。

望，可惜被更始帝杀害。在叙述到刘秀基本情况时，顺带记下刘缜，是合理的。至于邓晨，是刘秀的姐夫，作为刘氏姻亲与刘秀兄弟一起打天下，是关系东汉建立的重要人物。李通兄弟以“刘氏当兴”[①] 的谶语，说服刘秀起义，李通娶其妹妹刘伯姬，以刘氏姻亲的身份辅佐刘秀复兴汉室。而刘缜、邓晨、李通等人，他们在起兵初期、更始政权时，甚至有的在东汉建立后仍有作为，因此袁宏在叙事未及这些人物时，简单介绍他们的基本信息，有助于展现刘秀起义的缘起及起义初期的情况，为后文中叙述有关史事提供方便。

除了撰集相同经历的人物，袁宏还以类书的方法记载相似品行的人物，这是类书的第二种情况。

《后汉纪》行文中以类记人，有时在编年叙事中将同属某类的若干人物一一列出，他们都与编年中所叙之事有关；有时先记下由叙事而涉及某一个或某几个人，再列举出属于同一类型的多个人物，最后概括这类人物的相同之处，或由此抒发史论。后一种情况中，人物并未全部参与到了所叙之事中，其中与编年记载的事件没有直接关系的人物，被撰录到一处是因为与叙事中的人物具有相同的品行或个性。

在记录某项诏令的颁布之后，袁宏往往类传出编年叙事中品行相似的人物。《后汉纪》记载举荐文书或诏令后，记有被举荐的数人行事，他们是诏文中明确指出的同一类型人物。如建光元

① 袁宏：《后汉纪》卷一《光武帝纪》，周天游《后汉纪校注》本，天津古籍出版社 1987 年版，第 4 页。

年（121）安帝亲政后，尚书陈忠上疏建议征召天下隐逸之人，受诏的南阳冯良、汝南周燮，都“称疾不至”[①]，接着记有二人行事。这二人同为编年叙事中被征召的人，二人的小传附于纪年之后，是从编年中自然过渡来的。又如，桓帝延熹五年（162），《后汉纪》记“尚书令陈蕃荐五处士”[②]，并载奏文，其中陈蕃称赞豫章徐稚、彭城姜肱、汝南袁闳、京兆韦著、颍川李昙五人德行兼备；虽然皇帝下发诏令，但是五人依然称病不至。可以看出，徐稚等五人均为叙事中陈蕃上疏中推荐的，袁宏将五人类传于后，记录他们出身、品行及多次不应征召为官的处士行为，与编年所记之事相一致。同属这一情况的还有，灵帝中平五年（188），诏令征处士荀爽、陈纪、郑玄、韩融、李楷，他们均不就职。[③] 可以看出，这里袁宏所记人物均为编年叙事中提及的人物，袁宏于事后将他们的行事记录在一起。

袁宏除了将诏令中举出的一类人记录在事后，还有意归纳具备某种品行的人物，并将他们类传在一起。这是由撰述者决定的集中撰录相同品行人物的情况。如顺帝永和四年（139），文中记载：

是时良二千石初有任峻、苏章，后有陈琦、吴祐、第五

① 袁宏：《后汉纪》卷一七《安帝纪》，周天游《后汉纪校注》本，天津古籍出版社 1987 年版，第 465 页。

② 袁宏：《后汉纪》卷二二《桓帝纪》，周天游《后汉纪校注》本，天津古籍出版社 1987 年版，第 598 页。

③ 袁宏：《后汉纪》卷二五《灵帝纪》，周天游《后汉纪校注》本，天津古籍出版社 1987 年版，第 710 页。

访之徒，海内称之。[①]

其后略记任峻、苏章、陈琦、第五访行事，这是将此时的几位循吏归类到一处撰述。袁宏在叙事中直接概括“是时”属于良吏一类的人物，并逐一记录。这既是对编年叙事中完整列举出的同类人物的集中撰录，也是无关具体记事而由撰述者概括归纳的一类人物的记载。

《光武帝纪》于建武五年（29）载：“是岁，征会稽严光、太原周党。”[②] 文中记二人行事，严光称病不仕，周党坚守其志。接着，文中记与严光、周党一样隐居山林，避不为官的另外两人，书中记：

是时太原王霸、北海逢萌亦隐居养志，俱被聘。[③]

可以看出，王霸亦以疾归，逢萌也多次拒绝征辟。他们同严光、周党二人属于一类人物，共同特点是隐居山林、被征辟也不愿出仕。在《后汉纪》的编年叙事中，确切发生于“是岁”的是征辟严光、周党二人一事，但文中仍然以“是时”另记这一时期有隐居之志的王霸、逢萌，与严光、周党撰录于一处。袁宏

① 袁宏：《后汉纪》卷一九《顺帝纪》，周天游《后汉纪校注》本，天津古籍出版社 1987 年版，第 525 页。

② 袁宏：《后汉纪》卷五《光武帝纪》，周天游《后汉纪校注》本，天津古籍出版社 1987 年版，第 126 页。

③ 袁宏：《后汉纪》卷五《光武帝纪》，周天游《后汉纪校注》本，天津古籍出版社 1987 年版，第 128 页。

不以纪年为限，他有意将这四个怀有隐逸之志的人撰录在一起。另外，在记周党事时，文中附有光武帝的两封诏书，皆是表示皇帝的旨意，即允许持有这一志向的人归隐山林；在记人之后，袁宏在史论中讲，“有道之君，皆礼而崇之，所以抑进取而止躁竞也”①，表达了他对朝廷处理隐士问题的赞同。袁宏的史论更明显地表现出，袁宏类传严光等四人，是有意记录隐士这一类人及朝廷处理方式的。这里的隐士类传与上文《安帝纪》中记录被征召的隐士冯良、周燮的情况不同。

袁宏选择将具有孝顺德行的人物撰录在一起。《明帝纪》载，永平三年钟离意举荐刘平，其后记刘平其人，“始以孝行称”②。在叙述过刘平其人之后，袁宏接着记叙事中并未出现的、与刘平一样同为孝义之士的赵孝，将他们二人撰录到一处，“沛人赵孝，亦以义行，获宠”③，这里用“亦”字指明记录赵孝于此的原因。可以看出，袁宏记刘平是因该年记述了钟离意的推荐而写，与刘平不同，这里将赵孝记在刘平之后，是因为赵孝与刘平同为孝义之士。通过集中撰述，将孝义之士能令贼人感动的言行生动地记载下来，这样更能给读者深刻的印象。

《章帝纪》也记有几个孝顺的人物。书中载，建初元年（76），司空长史江革为五官郎将，“每朝会，天子常目礼之。时

① 袁宏：《后汉纪》卷五《光武帝纪》，周天游《后汉纪校注》本，天津古籍出版社1987年版，第129页。

② 袁宏：《后汉纪》卷九《明帝纪》，周天游《后汉纪校注》本，天津古籍出版社1987年版，第253页。

③ 袁宏：《后汉纪》卷九《明帝纪》，周天游《后汉纪校注》本，天津古籍出版社1987年版，第254页。

有疾不会，辄令大官送餐醪，恩宠莫与为比”[①]。在记江革受章帝恩宠后，文中进而记录江革若干事证实他的“江巨孝”之称。至此，文中已记有江革至孝一事，但《后汉纪》接着又记载同样以孝闻名的毛义、薛苞，并在传后附华峤论二人孝行的史论。可以看出，袁宏将与此年月无关，但同为孝子的毛义、薛苞二人的行事类传于江革之后，是他以类记人的又一处表现。

另外，在有的撰录中，袁宏并未直接指出类传中所记人物的共同品行，只是将他们撰集在一起。如文中记鲍永的直言敢谏，其后另以“初”这一时间标志，记宣秉、王良等人，他们与鲍永相似，都是这类良臣。[②]

以上两种情况中，袁宏在同一处记多个人物，因为他们具有相同的经历或相同的品行。在此之外，袁宏连续记载多个人物，是因为这些人物与所叙之事或所记之人关系密切。将他们撰录于一处，既有助于烘托叙事中核心人物的形象，以彰显所记之事，也有益于展现不同的人物个性，这些个人没有被湮没于编年叙事中，而是由一事或一人串联起来，呈现出历史多样的面貌。

如记窦融，先叙“窦融始据河西”[③] 之事，再记窦融其人，交代他的出身、据河西的前情，并说明窦融成为首领是在更始政权将要灭亡时，与酒泉太守梁统等人讨论后共同决定而被推举

---

① 袁宏：《后汉纪》卷一一《章帝纪》，周天游《后汉纪校注》本，天津古籍出版社 1987 年版，第 303 页。

② 袁宏：《后汉纪》卷六《光武帝纪》，周天游《后汉纪校注》本，天津古籍出版社 1987 年版，第 165-166 页。

③ 袁宏：《后汉纪》卷三《光武帝纪》，周天游《后汉纪校注》本，天津古籍出版社 1987 年版，第 72 页。

的。这里，在记窦融的过程中涉及梁统，于是文中略记梁统其人。又如，文中先叙明帝时广陵王刘荆有罪自杀一事，接着记录刘荆的出身、性格、密谋造反的经过及入狱后的不悛。在叙述刘荆其人的过程中，引出了负责审讯他并坚持诛杀他的樊倏，接着记樊倏其人，又记与他交好、受其举荐的承宫。[①]

以上这种由叙事所及而记一两个人物的情况出现得较多，但有的时候不只记下一两人，而是记载了更多人物。这种情况中，附加记录的人物与编年叙事中所记之事，或与叙事中核心人物的关系更为密切。如《后汉纪》文中记郭泰及多个人物，其中记人和记事之间、人物与人物之间的叙述是交织在一起的，郭泰是这段叙述的核心人物，这段叙述实际上是东汉末年人物的群像描写。郭泰被记载于编年叙述灵帝时第二次党锢之祸后。史书记载，建宁二年（169），灵帝听信宦官的进言，下令诛杀党人，波及百余人。在这一背景下，《后汉纪》叙述了“天下闻之，莫不垂泣”的情景，以及党人李膺和范滂坦然赴难的豪迈。其中，为党人痛哭的人中，有乡人，有县中督邮，也包括郭泰。[②] 史书记郭泰为党人痛哭，叹息国运不济，关于郭泰其人的记载也就在这里插入。

在叙述郭泰的出身、求学经历、他人的称赞之后，文中记录了有关郭泰的若干事，包括他对其他人的评价或引导、不愿为官

---

① 袁宏：《后汉纪》卷一〇《明帝纪》，周天游《后汉纪校注》本，天津古籍出版社 1987 年版，第 270-272 页。

② 袁宏：《后汉纪》卷二三《灵帝纪》，周天游《后汉纪校注》本，天津古籍出版社 1987 年版，第 643-645 页。

的个性、身形和爱好以及别人对郭泰的评价，之后又单独记载所述郭泰行事中涉及的人物，包括受郭泰尊敬欣赏的仇香和黄宪等人。文中不仅记有郭泰所做的事情、涉及的人物，还记录了石云考和宋子俊对郭泰的评论、撰述者袁宏作出的“弘明善恶”和“善诱”的评价，这是为了从不同角度展现出郭泰的人物特点。[①]

从整体上看，文中列举郭泰与他人交往的史事是证实郭泰为人的主要内容，通过叙述可以表现出郭泰擅长品鉴人物、弘明善恶、劝勉后学的个性特点，具体说来，文中记载了郭泰敬仰仇香，鼓励茅容、孟敏求学，考验前来求教的魏昭，评价袁阆、黄宪、黄允，劝导左原、贾子序为善，等等。袁宏在叙述这些事件时，模糊了时间的概念，如用“初”一词，记郭泰拜访袁阆和黄宪、摆酒食劝左原向善两事，至于其余多数事件也没有具体的时间标志；并且，就其中某件事的记载来讲，所记的不仅包括涉及郭泰的一时之事，而且还以与郭泰交往的人物为主，关照该人物做的其他事。[②]

如文中记郭泰与孟敏，史载，郭泰看到孟敏舍弃无用的裂甑，便与他交谈，郭泰认为孟敏是一个人才，便鼓励他读书求学，最终孟敏学有成就。叙述至此，袁宏已经通过记此事将郭泰慧眼识人、勉励后学的形象刻画出来，但袁宏仍继续记述了孟敏在家乡父老的督促下，不得已到县中为犯法的宗人求情一事。袁

---

① 袁宏：《后汉纪》卷二三《灵帝纪》，周天游《后汉纪校注》本，天津古籍出版社 1987 年版，第 646-656 页。

② 袁宏：《后汉纪》卷二三《灵帝纪》，周天游《后汉纪校注》本，天津古籍出版社 1987 年版，第 646-656 页。

宏记载此事始末，叙述了孟敏见到杨氏令“不言而退”的行为和杨氏令所讲的“孟征居高雅绝世，虽其不言，吾为原之矣”的言论，从正面描写和他人评价两方面呈现孟敏的形象。[①] 这些描写与郭泰关系不大，但是对另一个人物孟敏形象的塑造是有意义的。

对编年叙事中的核心人物郭泰来讲，这样的记述方法，叙述了他做的事情，反映了他的个性；而通过叙述郭泰的行事，又记下了与他有关的其他多个人物，围绕这些人物也记录他们的行事和性格。对其他人物的记载是丰富郭泰形象的基石，而其他人物因郭泰之事得以记载下来，并成为各自传记的核心。这样一来，袁宏呈现出来的是东汉末年不同个性的人物群像，而不仅是郭泰个人的传记。

袁宏重记人，不仅表现在《后汉纪》撰录多个人物于一处的情况，也表现在单独记录某一人行事的情况中。这时，所记的人物往往是直接参与到行文叙述的事件中的。在记录某个人物时，袁宏有时将所记人物所做的若干件同类事情撰录在一处，或在记录其某种行为后，直接点明所记诸事反映出的人物品性。在书中多处记同一人时，有时并不完全为叙事而记，而是为了人物形象更加丰满。

首先来看《后汉纪》记载某人出现的情况。单记一人是《后汉纪》记人时使用最多的方式，《后汉纪》记录某人的情况，是在编年叙事的过程中记下的，因此袁宏记人之处与编年体史书

① 袁宏：《后汉纪》卷二三《灵帝纪》，周天游《后汉纪校注》本，天津古籍出版社 1987 年版，第 648 页。

叙事的内容相关。编年体叙事大致主要记载帝王、将相、灾异、制度等内容，记人一般出现在叙述该人所做之事以后；或是先记其人，再交代他所做之事。

就《后汉纪》记人之处来看，人物往往记载在某人之死、委任新职、受到封赏、免官或被诛、上疏议政，外出征战、投降等事件后。[①] 其中，若人物的记载出现在记某个人物被委任新职或逝世之后，这个人物一般是王侯、功臣或居“三公”职位的重要人物。他们对朝廷政事多有参与，因此所做之事被分散地记于编年叙事之中，在任职后或逝世后，记录人物的基本情况。袁宏重视“三公”，他讲道：“凡三公居位或不书，史失之也。”[②] 还有一种情况，袁宏记人在于抒发史论。如叙述公孙述自立一事后，文中接着记“广濮人李业，字巨游”，公孙述屡次征辟李业被拒绝，李业坚持“丈夫内断于心久”，最终被鸠杀。[③] 袁宏记李业，并未先记其事，再记事中之人，而是在公孙述后，直接将他征辟过的人物李业作为撰述的主角；记人后，袁宏由李业之事而抒发对“名”的感叹。

由此可知袁宏在叙事中记载人物的基本情况。袁宏不仅记录

---

① 《光武帝纪》记人的情况与此略有不同。《光武帝纪》共八卷，刘秀即位改元之事记于卷三，东汉政权建立后主要力量在于平定各地的割据势力，建武十二年（36）公孙述被灭，主要割据势力被清除，此事记于卷六。因此，《光武帝纪》记人的情况与其余诸记中的情况不完全相同。如叙述了吴汉劝说彭宠归降刘秀、用计劝降彭宠的经过之后，再记吴汉的个性及被征召的缘由（卷二，第45页）；先记赤眉立刘盆子的经过，再记刘盆子其人（卷三，第64页）；等等。

② 袁宏：《后汉纪》卷一八《顺帝纪》，周天游《后汉纪校注》本，天津古籍出版社1987年版，第489页。

③ 袁宏：《后汉纪》卷三《光武帝纪》，周天游《后汉纪校注》本，天津古籍出版社1987年版，第57页。

了叙事所涉及的相关人物，而且还重视历史人物个性的展现，或列举能反映其品行的若干件事，或只举出代表性的一事。相同的是，在以上两种情况中，袁宏往往直接从撰述者的角度概括指明其品性特点。

在列举若干件事的情况中，将若干件同类事情撰录于某人传内，尤其能展现其性格特点。如光武帝建武元年（25）记，“甲申，以故密令卓茂为太傅，封褒德侯”，之后记卓茂其人，并列举若干事件着重记载卓茂治民的成就。文中首先说明“其治视民如子，举善而教，口无恶言”，这就勾画出卓茂治民的总体特点。接着，文中举出卓茂与民的一段对话，这段对话发生在民向卓茂举报亭长收受米肉一事后，卓茂以此教育民“律”与“礼”的不同。在这段对话后，袁宏讲道：

> 茂教民制法，皆此类也。[①]

这里在列举卓茂善治民的多件事情后，具体指明了卓茂治民的方法。通过整体概括及具体事例的记载，卓茂善于治民的形象显现出来。袁宏的记载并未到此为止，他接着还说明了卓茂治民的效果，经过他的治理，“教化大行，路不拾遗”，在他离任时，“吏民老小皆啼泣道路”，这些都从侧面加深了卓茂善治民的形象。可以看出，袁宏记卓茂，通过整体说明和具体实例的列举，

① 袁宏：《后汉纪》卷三《光武帝纪》，周天游《后汉纪校注》本，天津古籍出版社1987年版，第77页。

从正面上塑造了卓茂善治民的形象；不仅如此，袁宏还通过叙述卓茂治理的效果及民众对他的爱戴，从侧面烘托其形象。在记卓茂之后，袁宏抒发史论，意在以卓茂为例论说君王举贤的益处。①

袁宏记王丹也发生在光武年间。《后汉纪》载，建武五年（29）侯霸为司徒，文中记侯霸与王丹之事，从而引出王丹其人。书中记道，王丹知道身居司徒之位的侯霸想要结交他，却依然对其子侯昱行拜礼，并讲“君房有是言，丹未许也”②，以表示拒绝；他举荐的人获罪，自己被牵连免官，但王丹依然以平常的样子对待对方。通过叙述王丹的这些事情，可以看出王丹是一位不屈从于世俗的人物。袁宏接着交代王丹的出身，他被征召前“避世陇西”时乐善好施、鼓励民众敦厚勤勉。其中，《后汉纪》着重记载了王丹与豪杰陈遵的交往，这是能表现其高抗不屈的另一例证。文中载，陈遵想要结交王丹，但是王丹没有同意；更始帝时，陈遵出使匈奴，临行前王丹对陈遵讲道：“今子使绝域，无以相赠，赠子以不拜。”③ 据《汉书》载，陈遵在西汉末年及新莽时期名显一时，更始时任大司马护军。④ 王丹对地位显贵的陈遵不行拜礼，只是作揖，而他对侯霸的儿子却行拜礼，二者相

---

① 袁宏：《后汉纪》卷三《光武帝纪》，周天游《后汉纪校注》本，天津古籍出版社 1987 年版，第 76-78 页。

② 袁宏：《后汉纪》卷五《光武帝纪》，周天游《后汉纪校注》本，天津古籍出版社 1987 年版，第 124 页。

③ 袁宏：《后汉纪》卷五《光武帝纪》，周天游《后汉纪校注》本，天津古籍出版社 1987 年版，第 125 页。

④ 班固：《汉书》卷九二《游侠传》，中华书局 1962 年版，第 3714 页。

比较，王丹虽然没有直接答应与陈遵结交的请求，但他对陈遵的态度已经发生了改变，这种改变不是由陈遵的身份地位决定的，而是与陈遵将要出使匈奴的离别有关。袁宏在结尾题有“其高抗不屈，皆此类也”① 之言，与其列举的事件一起，塑造王丹不屈于权势的形象。

袁宏还以类似的方法塑造了重信义的朱晖形象。文载，章帝元和元年（84），“故临淮太守朱晖为尚书仆射”，此事后记朱晖其人。袁宏首先讲其“少以节操闻”，记朱晖拒绝地位显贵的帝舅阴就的拜访和礼物，又记朱晖因为“恐以货污君”而拒绝太守阮况，从这里可以看出朱晖不以身份和钱财为交往的前提。文中接着记事，叙述朱晖使用计策，从阴就“傲不奉法”的主簿那里得玉璧给刘苍，并针对此事记载了阴就和刘苍对朱晖的态度，阴就认为“朱掾义士，勿复求”、刘苍则感叹“属者掾自视孰与蔺相如邪”，说明二人对朱晖行事的欣赏，这是从旁人的评价来烘托朱晖义士的形象。在此事之外，袁宏还记朱晖任临淮太守时，治民重义；朱晖因冒犯上司被弹劾，回到乡里，乡里遇到饥荒，“晖尽其家货，分宗族故旧，不问余焉”；在交往不多但信任自己的友人张堪死后，朱晖替张堪赡养他的妻子和孩子。袁宏将朱晖重信义的行为集中撰录在一起，并在文中指明“其信义慎终皆此类也”②。可以看出，袁宏通过记载朱晖所做的若干

---

① 袁宏：《后汉纪》卷五《光武帝纪》，周天游《后汉纪校注》本，天津古籍出版社 1987 年版，第 125 页。

② 袁宏：《后汉纪》卷一二《章帝纪》，周天游《后汉纪校注》本，天津古籍出版社 1987 年版，第 341-343 页。

性质相似的事及身旁的人对他的作为的评价，使得朱晖重信义的形象得到了一次次的强化。

袁宏记乐恢也是这种方式。《后汉纪》编年叙事至和帝永元元年（89），记乐恢奏免把持朝政的窦宪的同党，遭到窦宪一派的怨恨，妻子劝乐恢不要与窦氏对立，乐恢感叹道，“何忍素餐立人朝乎”，表明乐恢作为朝臣坚持原则。虽然得不到回应，但乐恢坚持上疏奏议，最终在窦宪的逼迫下，饮药而死。这是编年叙事中所载的内容。袁宏接着记乐恢其人，乐恢不因杨正的诋毁而心生怨恨，他仍然举荐杨正的儿子为孝廉，可以看出乐恢公正坦荡，不记恨他人的恶语；文中还记乐恢不与掾吏交往、不与阴就交往二事，并录其所言“干主求禄，非平生操也”，点明乐恢不追求权贵和仕进的性格特点，这与编年叙事中所记乐恢奏免窦氏同党一事中反映出的性格特点是一致的。文末袁宏题道：“其不念旧恶，耻交进趋，皆此类也。”袁宏由记载的史事及文后的结语，突出表现了乐恢的个性。[①]

灵帝中平二年（185），太尉刘宽去世，文中记刘宽其人，重点叙述其宽容的性格特点。《后汉纪》首先记刘宽对待民众像对待自己的孩子，“口无恶言，吏民有罪，以蒲鞭鞭之”，这是对待民众的宽容；接着记有次客人让自己的下人去打酒，下人回来迟了，客人辱骂下人“畜产”，刘宽却派人去看望下人，“恐其自杀”；刘宽的妻子让婢女将一盂肉汤撒到刘宽的衣服上，刘

① 袁宏：《后汉纪》卷一三《和帝纪》，周天游《后汉纪校注》本，天津古籍出版社1987年版，第365-366页。

宽没在意衣服被弄脏的窘况，他担心的是婢女的手被烫伤，“徐，徐！羹烂汝手”。从文中记载的这三件事情可以看出刘宽为人宽容，袁宏在文末指出“其宽裕如此”，明确说明他的这一性格特点，接着作史论论刘宽宽容的性格和治民的方法。[①]

《明帝纪》将刘平、赵孝两个孝义之士撰录于一处，在记述刘平和赵孝其人时，也分别列举出多件两人所做的孝义之事。在记刘平时，记载了他舍弃自己的儿子而选择救助死去弟弟的女儿；他被贼人掳去后哀求回去喂养老母亲，事毕后实践诺言返回贼人处求死；在贼人的利刃下，他舍命保全上司孙萌的性命等事。文中更是记下刘平在这些事件中表现出的孝义得到了贼人的欣赏，“常闻烈士，今乃见之矣。吾不忍食子”，“义士也，勿杀”，刘平的孝义形象通过这几件事情表现出来。[②] 记赵孝时，记载赵孝在贼人俘虏他的弟弟赵礼后，自缚至贼人处，请求换弟弟回去，贼人被他的义行感动，让二人去取粮食，“孝不能得，即复往，愿就烹。贼义之，不害”，赵孝已经脱离贼人之手，仍坚持兑现当时的承诺，获得贼人的尊敬。[③] 这里，袁宏并没以“皆此类”等结语概括二人品行，但通过同类行事的罗列，仍然展现出刘平、赵孝的性格特点。

可以看出，上述袁宏对人物的记载，通过叙述能够表现其品

---

① 袁宏：《后汉纪》卷二五《灵帝纪》，周天游《后汉纪校注》本，天津古籍出版社 1987 年版，第 699 页。

② 袁宏：《后汉纪》卷九《明帝纪》，周天游《后汉纪校注》本，天津古籍出版社 1987 年版，第 253 页。

③ 袁宏：《后汉纪》卷九《明帝纪》，周天游《后汉纪校注》本，天津古籍出版社 1987 年版，第 254 页。

行的若干件事，兼以正面描写和侧面烘托的方法，塑造了人物的形象，文末大致都以概括性的语言指明其品行特点，有时袁宏还抒发史论。这种概括性的语言即“皆此类也”“其某某如此”，即为今人周天游所说的用来记某人品行的“品题式结语”[①]。

然而需要注意的是，袁宏记人的某种品行，有时并不像上文一样列举能表现其品行的多件事，而是仅记一事后就以“皆此类也”等结尾，点明其品行。比如书中编年叙述至顺帝死后，周举上疏议论殇帝庙次在顺帝之下一事，进而记周举其人。文中主要记周举一事，即周举受左雄举荐任尚书，但他不认可左雄任用曾入狱的冯直的做法，因而弹劾左雄。文末袁宏以“举公亮不挠，皆此类也”[②] 结尾，这里举出周举的一件事说明他正直的个性。可以说，在没有列举若干相似事例的情况下，袁宏文末的结语对周举形象的塑造作用甚大。另外，《后汉纪》记第五伦为公“无私”[③]、杨震“言行不愧于心”[④]、陈蕃“高简亮正”[⑤]、郭泰“弘明善恶”[⑥] 及“善诱”[⑦] 等，也不依靠若干史事的罗列，

---

① 周天游：《后汉纪校注前言》，天津古籍出版社 1987 年版，第 6 页。

② 袁宏：《后汉纪》卷一九《顺帝纪》，周天游《后汉纪校注》本，天津古籍出版社 1987 年版，第 544 页。

③ 袁宏：《后汉纪》卷一一《章帝纪》，周天游《后汉纪校注》本，天津古籍出版社 1987 年版，第 319 页。

④ 袁宏：《后汉纪》卷一七《安帝纪》，周天游《后汉纪校注》本，天津古籍出版社 1987 年版，第 479 页。

⑤ 袁宏：《后汉纪》卷二三《灵帝纪》，周天游《后汉纪校注》本，天津古籍出版社 1987 年版，第 639 页。

⑥ 袁宏：《后汉纪》卷二三《灵帝纪》，周天游《后汉纪校注》本，天津古籍出版社 1987 年版，第 650 页。

⑦ 袁宏：《后汉纪》卷二三《灵帝纪》，周天游《后汉纪校注》本，天津古籍出版社 1987 年版，第 651 页。

而主要以袁宏的结语指明其性格特点。

袁宏记人，除了以“皆此类也”指明某人的性格特点，还常以“如此”“若此”来强化所记之人或所记之事的意义，不仅使行文更加简洁，而且指向性更为明确，这对人物形象的塑造是有帮助的。这类情况是从史家的角度对所记人物、史事性质的直接说明，有时跟在正面描写之后，如光武帝怀念祭遵，“遵之见思若此”[①]；明帝嘉奖以义行闻名的赵孝兄弟，“其见优若此”[②]；孔融之“礼贤”[③]；等等。这种直接说明有时出现在以侧面描写的方式记人之后，如记光武帝“贵戚且敛手，以避二鲍”的言论，其后称“其见重如此”[④]，以光武帝的重视说明鲍永和鲍恢直言敢谏的意义；又如记刘宠离开会稽太守之任时，几个八十多岁的老翁拿很多钱财送给他，称赞刘宠治民得法，“自明府下车以来，吏稀至民间，狗不夜吠”，文后言“其清如此”，以老翁的回答说明刘宠从政的清廉[⑤]，等等。

另外，袁宏记录人物力图揣摩古之人心，还原人物的原貌。有时他以正面描写和侧面描写相结合的方式，营造情节上的冲突，塑造较为完整、丰满的人物形象；有时记人也不拘束在一

---

① 袁宏：《后汉纪》卷六《光武帝纪》，周天游《后汉纪校注》本，天津古籍出版社 1987 年版，第 156 页。

② 袁宏：《后汉纪》卷九《明帝纪》，周天游《后汉纪校注》本，天津古籍出版社 1987 年版，第 254 页。

③ 袁宏：《后汉纪》卷三〇《献帝纪》，周天游《后汉纪校注》本，天津古籍出版社 1987 年版，第 835 页。

④ 袁宏：《后汉纪》卷六《光武帝纪》，周天游《后汉纪校注》本，天津古籍出版社 1987 年版，第 164 页。

⑤ 袁宏：《后汉纪》卷二三《灵帝纪》，周天游《后汉纪校注》本，天津古籍出版社 1987 年版，第 639-640 页。

处，凡是在书中编年叙事与该人物有关之处都记下人物的言行，这些言行有时与所叙之事关系不大，但对于所记人物个性的展现是有帮助的。

前文讲道，《后汉纪》在郭泰为第二次党锢之祸中死去党人痛哭一事后，记郭泰其人。其中有的从正面记载其出身、求学的经历、身形、爱好、不愿为官等事，也以符融、李膺、韩卓、石云考、宋子俊之口，评论郭泰气质高雅、学识渊博，这是从侧面称赞郭泰的才学。文中记郭泰行事，以若干人物与郭泰的交往说明他善于劝勉后学，也擅长识人品鉴。袁宏叙述郭泰所做之事，常常营造一种转折的意味，在矛盾和冲突之下，凸显出郭泰的识鉴能力和劝勉作用。如文中记郭泰与袁阆、黄宪的交往，先记郭泰见名气很大的袁阆“不宿而退”，见名气不如前者大的黄宪“数日乃去”。这里并未直接记郭泰对二人的评价，而是先讲袁、黄二人的名望大小不同，郭泰对他们的态度却与其名望大小相反，这里通过记载史事，与预想形成落差，易引起读者兴趣。接着，从薛勤的口中提出疑问：为何郭泰的态度会出现这种差异？再记郭泰对这个问题的回答，也就是对二人的评价。[①] 这样一来，郭泰善于品鉴人物的性格特点更加突出。

袁宏有时在文中多处记录某个人物的行事，有时就叙事所及，交代涉及人物的基本情况，当在书中他处叙述至与该人物相关的事件时，再将其相关的言行记录下来。并且，袁宏的记载不

① 袁宏：《后汉纪》卷二三《灵帝纪》，周天游《后汉纪校注》本，天津古籍出版社 1987 年版，第 648-649 页。

仅与该人物在编年叙事中提到的事情有关，有的时候在记此事之外，还描述该人物个性的某个侧面。这种情况有时出现在叙述至某人死亡后，将他的个性特点、死后的追谥记录下来，补充该人物的事迹，以加深人物的整体印象。这样一来，该人物性格的多个方面都得以展现出来。这类人物往往是关系东汉政权的重要人物，参与的不是一个事件，也参与了皇朝历史发展的其他重要事件。

如马援是东汉开国功臣，他的基本情况记于他在《后汉纪》第一次出现后，建武三年（27）记："是冬，马援为隗嚣使来。"[①] 接着记他的出身、早年生活、受命于隗嚣、作为使者与刘秀的交往等内容。马援后来又出现在书中多处叙事中，向隗嚣盛赞刘秀、归顺刘秀、诛灭隗嚣、平定西羌、征讨岭南，等等。

书中除了记载马援在该年月所做之事，有时还记与编年关系不大的他事。一是发生在建武十六年（40），文中记载刘秀与马援就诛杀太守和刺史一事的讨论，从马援对此事的回答，袁宏概括道"其顺时不忤，皆此类也"[②]，这是指明马援"顺时不忤"的性格特点。接着，文中记道：

> 援长七尺五寸，疏眉美髯，博通多闻，闲于进对，善说前言往事。与上言旧时三辅长者、闾里豪杰，皇太子、诸王

① 袁宏：《后汉纪》卷四《光武帝纪》，周天游《后汉纪校注》本，天津古籍出版社 1987 年版，第 108 页。

② 袁宏：《后汉纪》卷七《光武帝纪》，周天游《后汉纪校注》本，天津古籍出版社 1987 年版，第 187 页。

听之无倦。上知援智有余，甚见亲重。[①]

可以看出，这段记载在所记之事以外，进一步说明刘秀好与马援探讨问题的原因，并且记下了马援的身量、长相，还记载了他见多识广、善于讲说前事的特点。这是在记述马援善战的特点之外，对马援外貌和见识的补充。

二是发生在建武二十二年（46），记马援回京师后令梁松等权贵不满一事。梁松是梁统之子，娶刘秀的女儿舞阴长公主，在当时受宠显贵；马援坦然接受梁松之礼，认为自己是梁松父亲的朋友，拒绝因梁松的身份而奉承他。从此事可以看出，马援坚持原则、不事权贵的个性。

此事是关于马援守礼的，接着文中记马援遵守礼仪的其他事，“援外坦薄而内备礼，事寡嫂，不衣冠不入闺”[②]，这是说马援以周全的礼数对待守寡的嫂子。袁宏还记道：

其于人泛爱多容。然见爵位而无实者，笑曰：“刀不应齿，士不闻耳，何足畜乎？”有奇异于众者，虽在少贱，必异待之。援有筹策，世祖曰：“伏波论兵，常与吾合。”[③]

---

① 袁宏：《后汉纪》卷七《光武帝纪》，周天游《后汉纪校注》本，天津古籍出版社 1987 年版，第 187 页。

② 袁宏：《后汉纪》卷八《光武帝纪》，周天游《后汉纪校注》本，天津古籍出版社 1987 年版，第 207 页。

③ 袁宏：《后汉纪》卷八《光武帝纪》，周天游《后汉纪校注》本，天津古籍出版社 1987 年版，第 207 页。

这里的记载与编年所叙之事关系不大，反映出马援其人的多个侧面，个性上他为人宽容、爱惜人才，不以地位尊卑区别待人；在能力方面，他善于谋划用兵。除此之外，文中还记马援写给侄子马严、马敦的信函，在信中马援劝诫他们不可随意议论别人长短，并鼓励他们学习龙伯高的敦厚谨慎，而不要效仿杜季良的豪侠重义。[①] 袁宏于此处记下马援的信函，不仅能看出马援对后辈的教育方法，还能看到马援对谨慎踏实性格的推重。

此处记载马援若干事，与所叙之事无直接、密切的联系，但都与马援为人处世的性格特点有关。这里的记载与前一处对马援的记载一起，丰富了马援的形象。马援是为刘秀征讨四方的功臣，除了他的将帅之才，马援的外形和性格等其他方面在《后汉纪》中都有记录；虽然这些记录随叙事而展开，略显零散，但是综合起来展现出的是一个丰满的人物形象。

可以看出，文中多处记载了马援其事，其中有的地方所记内容并不与编年中的事情有密切的关系，这类内容的撰录为的是丰富该人物的形象。除了记个人的情况，《后汉纪》还将某类群体作为一个整体记载，通过行文中记载的不同事情，烘托这个群体的特点。《后汉纪》记外戚窦氏可以作为其中一例。

外戚是作为一个整体被记载下来的，在书中多处记皇后或其父兄等人，都试图刻画该外戚集团的整体形象。外戚是影响东汉皇权的重要因素。范晔《后汉书》立《皇后纪》，撰录东汉“皇

---

① 袁宏：《后汉纪》卷八《光武帝纪》，周天游《后汉纪校注》本，天津古籍出版社 1987 年版，第 208 页。

统屡绝，权归女主”的情况，对于皇后的亲属，“亲属别事，各依列传”，若他处不能记载，则记入《皇后纪》。[①] 与《后汉书》不同，《后汉纪》为编年体，在记录对皇后的册封后记其人，有的同时记其父兄；另外，在叙事所及之处分别记下外戚的作为，在袁宏的记载下，他们并非是单独的某个人物，而是共同塑造了当时外戚的整体形象。

如章帝窦皇后，史载“三月癸巳，立皇后窦氏”[②]，之后记章帝窦皇后其人，并记窦宪因窦氏得宠而放纵进而受到章帝责备一事。袁宏此处记窦宪的跋扈，为后文和帝即位、窦太后临朝时窦宪的行为作出铺垫。《后汉纪》记此后第四年的废太子庆一事，同时记废太子的母亲宋贵人，载有窦太后因为嫉妒而陷害宋贵人姊妹之事。记他人之事，实际上都对窦太后形象的塑造有帮助。关于窦宪其人，在编年叙述至章帝死后、太后临朝一事时集中记载。史载：“于是侍中窦宪管掌机密，三弟罗列，并据大位。”[③] 之后记窦宪的个性及辅政之后的骄纵之态，这里才将窦宪其人较为完整地记载下来。可以看出，窦氏一族虽然被记在书中的不同位置，但记载的内容是相互照应的，共同塑造出章、和二帝时外戚窦氏一族的形象。

关于补充人物形象的记载，有时记在某人死后，特别是东汉

---

① 范晔：《后汉书》卷一〇上《皇后纪上》，中华书局1965年版，第401页。

② 袁宏：《后汉纪》卷一一《章帝纪》，周天游《后汉纪校注》本，天津古籍出版社1987年版，第313页。

③ 袁宏：《后汉纪》卷一二《章帝纪》，周天游《后汉纪校注》本，天津古籍出版社1987年版，第357页。

初年的功臣，他们逝世后，一般会补充记载有关该人物的轶事，这对于展现人物性格是有意义的。冯异是跟随刘秀开创霸业的功臣，《后汉纪》在刘秀创业之初就记冯异其事，之后冯异陪伴刘秀经历了更始帝杀刘缜的伤痛，他在刘秀失意时进献豆粥，帮助刘秀征讨天下。建武十年（34）冯异去世，袁宏补充记录冯异为“大树将军”[①] 一事，表明冯异不好争功邀赏的个性。邓晨与刘秀兄弟一同起兵，邓晨其人记在刘秀、刘缜事迹之后，叙述了他的个性及与刘秀的关系。建武二十五年（49）邓晨去世，文中记载了邓晨最初任太守时“皆有名迹，为吏民所爱”，及邓晨患病后“天子手书慰问，中宫及宁平公主皆为垂泣”的情景。[②] 可以看出，邓晨的为人处世颇得人心，他受百姓、同僚、皇室的爱戴。贾复其人记于书中他第一次出现时，即刘秀出抚河北之后，文中记载了贾复的出身、投奔刘秀的始末，随后编年中亦记录贾复参与的其他事情。建武三十年（54）贾复去世，文中补充说明了贾复个性刚直、慷慨，“诸将每论功，人人自伐、复独默不言”，这是讲贾复谦逊、大气的性格特点；文中还记有贾复死后，刘秀希望与贾复家结亲的愿望，可见贾复对于刘秀的重要性。[③] 在人物逝世后补录编年叙事之外的事迹，或丰富了人物形象，或突出人物个性，使其更为生动。

---

① 袁宏：《后汉纪》卷六《光武帝纪》，周天游《后汉纪校注》本，天津古籍出版社 1987 年版，第 159 页。

② 袁宏：《后汉纪》卷八《光武帝纪》，周天游《后汉纪校注》本，天津古籍出版社 1987 年版，第 214-215 页。

③ 袁宏：《后汉纪》卷八《光武帝纪》，周天游《后汉纪校注》本，天津古籍出版社 1987 年版，第 227-228 页。

袁宏用编年体撰东汉史，在以时间为线记载皇朝历史的同时，将东汉时期众多的历史人物展现了出来。就记载众多人物而言，袁宏有时以类列举，或是根据编年叙事的内容记载在一起，或是他本人有意撰集在一处。罗列具有相同经历或相似品行的同类人物，易引起读者的关注，使得读者加深对该类型人物的印象。在记载众多人物时，每个人物都有独立的个性，整体上又有助于支撑所叙之事，展现人物的群像。就记载某一个人而言，袁宏有时模糊了时间的限制，将能反映某人品行的事件撰录在一处，或从撰述者的角度指明其个性特点，或在书中多处记载该人物的不同面貌，从而突出了人物性格，丰富了人物形象。虽然这种撰述方法存在记载零乱的问题，涵盖的人物范围也不够广泛，但仍然可以称之达到了“观其名迹，想见其人”的效果。

魏晋南北朝时期的史家中，陈寿撰纪传体《三国志》，被称赞善叙事，袁宏撰编年体《后汉纪》，在记载人物上有所成就。通过以上论述可知，陈寿叙事，在于有全局意识，能把握住历史发展的大势；他以叙事的技巧隐讳地保留历史真相，并有意塑造了一个个鲜明的人物、记录了完整的事件。袁宏记人，在于记多个人物时分类撰述，加深该群体给人的印象；在记某个人物时，他要么集中记录能表现其个性的事件，要么在文中多处记有能表现其性格不同方面的事迹，使得人物形象栩栩如生。

第二节　关于史论的认识

一、范晔谈史论

史书撰述的内容，不仅包括叙述事件、记载人物等要素，还有一个重要的组成部分，也是最直接表达史家撰述意旨的途径，就是史书中的评论。史论是史书撰述的传统。在魏晋南北朝时期，史论取得了重大的成就。刘宋的范晔撰史尤其强调史论的撰写，他还从理论上对史论提出了要求。萧梁的萧统继之，将史论作为文体来看待。这一情况的出现，与人们对文史关系认识的变化有关。与此同时，范晔对史论在形式上的要求，越来越受到人们的重视。可以看出，史家对史论的评价促进了史论在文学上地位的提升。

中国史家记载历史有就所记内容发表自身看法的传统。瞿林东认为，“史论即关于客观历史如史事、人物、历史现象等问题的评论”[①]。有的史家将评论蕴藏于行文叙事或史书条例中，如司马迁“寓论断于序事”[②] 的方式；还有的史书设置史论部分专门用于抒发议论，如《春秋左传》中的“君子曰”，《史记》中的“太史公曰”，等等。虽然有的史家关注到史论存在优劣之分

---

① 瞿林东：《谈中国古代的史论和史评》，《东岳论丛》2008 年第 4 期。这里以瞿林东对“史论”概念的界定为标准，将包括序、赞、论等多种形式在内的对客观历史的评论统称为“史论”。

② 白寿彝：《司马迁寓论断于序事》，载于《史学遗产六讲》，北京出版社 2004 年版，第 209 页。

及可能存在的问题，[①] 但史论的撰写确实可以帮助史家表达对历史的认识，因而可以帮助读者体会史家撰史的意旨，以便更好地了解历史。

魏晋南北朝时期，史论作为史书中对史事等历史问题的评论，仍然是史书的重要组成部分，并越发受到史家的重视。皇朝史中有“评曰”“史臣曰”“赞曰”“总论”等以明文评论史事的形式，史家对史书的注释也保存了对所记历史的评论，可以看出，以上的史论形式大多属于史书的一部分。除此之外，这一时期还出现了史论专篇，如《六代论》《兴亡论》《晋承汉统论》等。[②] 这一时期出现的史论有优劣之别，如唐人刘知幾认为，干宝、范晔、裴子野的史论属上品，沈约、臧荣绪、萧子显属其次，孙盛、习凿齿、袁宏、谢灵运、王劭的史论多有不足。[③] 尽管史家所撰史论存在高下的差别，但是史家们对撰写史论的重视及坚持是值得肯定的。正因为如此，魏晋南北朝时期关于“史论”的认识才有可能取得许多成就。

史家在叙事之外，通过“史论”的形式评价历史，实际上反映了史家对史学的重视，因为这说明了史事评论是史书编撰体

---

① 隋初魏澹曾指出史论的弊端。他认为，后人一味仿照《史记》的史论形式，不是从史论惩劝的意义出发议论，而是刻意用繁琐的文辞表达不必要的观点。（魏徵等：《隋书》卷五八《魏澹传》，中华书局 1973 年版，第 1419 页）唐人刘知幾与魏澹的观点有相似之处。刘知幾撰《史通》列《论赞》一篇，总结了历代正史和私撰中史论的不同形式，并指出在每篇之后发有议论的做法始于《史记》，但这种形式有“强生其文”的弊端；魏晋以来，史论“大抵皆华多于实，理少于文，鼓其雄辞，夸其俪事”；他对史论有高下的品评；他认为，史论有“辩疑惑，释凝滞”的作用，但那些并非必要而是刻意发论的史论是“私徇笔端，苟衒文采”的不良风尚。（刘知幾：《史通·论赞》，浦起龙《史通通释》本，上海古籍出版社 2009 年版，第 75–76 页）

② 见马艳辉：《魏晋南北朝时期史论研究》，北京师范大学博士学位论文 2008 年。

③ 刘知幾：《史通·论赞》，浦起龙《史通通释》本，上海古籍出版社 2009 年版，第 76 页。

例的必要组成部分，它的地位是得到史家认可的。“史论”的形式在史书内容中的位置得到巩固，史家在撰写史论的过程中，对“史论”本身的认识也越来越成熟。“史论”的发展客观上反映了史家对史书的体例结构和史学意义的探索。这一时期的史书大致形成了“序论赞”相对固定的抒发史论的形式，“史论”的形式之美和内涵意旨得到了强调，这对后世史书的撰写和“史论”的撰写有重要的推动作用。在这些对“史论”的认识之中，南朝刘宋的范晔及萧梁的萧统的看法是值得关注的。他们二人对“史论”的认识不同。范晔认为，在史书的叙事之外，史论也处于重要的地位，他在《后汉书》中不仅撰写了诸多优秀的史论文章，还提出了有关“史论”理论的思考；在萧统编写的文学作品选集《文选》中，史论又作为一类文体出现，这与范晔时期对“史论”的认识有关联，但又呈现出明显的不同。从范晔到萧统，他们关于“史论”的认识是随着史论的发展而变化的，另外，这一变化也与时人对文史关系看法的改变有关。

学者们对魏晋南北朝时期史论的研究已有不少成果，涉及史论的形式、内容、特点等方面，特别是探究了史论表现出的史家对历史的认识。在前人研究的基础上，这里将要着重说明的是，魏晋南北朝时期在“史论”理论发展上取得突出成就的范晔和萧统的认识，并探讨“史论”在这一时期地位改变的原因，即从撰史时表达历史评论的方式到一种文体的演变，以此考察这一时期史家在史学批评认识上的发展。

南朝刘宋范晔对史论的推崇是特别突出的，瞿林东认为，

"范晔的历史评论，是《后汉书》的精华所在"[①]，"首次提出了'评论'这个范畴"[②]，他肯定了范晔在《后汉书》中撰写的史论具有重要的价值，也说明了范晔关于史论的认识对史学批评的意义。在《后汉书》的叙事之外，范晔撰有诸多史论，其中不乏优秀的篇章。不仅如此，范晔更将史论的优劣作为史书的评价标准，这一做法是不同于以往的。范晔重视史论，他对"史论"地位的强调，实际上推动了史论认识在理论上的进步；范晔强调史论对形式之美的追求，促使了它作为一种文体形式独立于史书、成为《文选》中的"史论"条目。下面具体来看范晔对史论的认识。

范晔经历了南朝代晋的更替，他撰《后汉书》时已是南朝刘宋时期。在范晔之前，从东汉到两晋，关于东汉历史的记载已有多家撰述，如刘珍、谢承、司马彪、华峤等人的纪传体撰述，还有袁宏、张璠的编年体记载。范晔的撰述是在此基础上完成的。范晔因得罪刘义康而被贬官，之后他"删众家《后汉书》为一家之作"[③]。

在众家东汉历史撰述中，范晔的《后汉书》得以流传下来，并与《史记》《汉书》《三国志》并称为前四史。可以看出，范晔的《后汉书》是获得后人肯定的。范晔《后汉书》以纪传体记东汉历史，有十纪、八十列传，范晔计划的志书并未保存下

---

① 瞿林东：《中国史学史纲》，北京出版社 1999 年版，第 242 页。
② 瞿林东：《中国古代史学批评纵横》，中华书局 1994 年版，第 104 页。
③ 沈约：《宋书》卷六九《范晔传》，中华书局 1974 年版，第 1820 页。

来；现在看到的八志，是萧梁刘昭取司马彪撰述中的志书补录而成的。范晔入狱后写有给甥侄的信，回顾了自己的一生，表达了对《后汉书》的期待。之后的史家评论范晔，基本赞同范晔在信函中对所撰之书的自我认识。其中，范晔的“自得之学”表现在他对史事的整理和对史事的评论上。就前者而言，范晔以类记人，将东汉人物分类记载，以反映人物的风貌及表达自己的撰述意图。

就范晔所作的史论内容来说，也多受学者的关注。《后汉书》中，范晔所作序、论、赞直接反映了范晔对历史的认识。前文讲刘知幾称赞它为上品的评论；清人赵翼也称赞范晔《后汉书》史论，大致“立论持平，褒贬允当，足见蔚宗之有学有识，未可徒以才士目之也”①；清人李慈铭称赞范晔“愚谓范氏此言，自诩非过”②，他将范晔的史论分为三等，这是从其所论的内容、旨趣和文采着眼的。③ 以上都是对范晔历史评论的肯定。然而，尽管范晔对《后汉书》自视甚高，但仍有学者并不看好，特别是宋代学者。④ 宋人指出的范晔论赞存在的问题，大

---

① 赵翼：《廿二史札记》卷四“《后汉书》编次订正”条，王树民《廿二史札记校证》本，中华书局1984年版，第82页。

② 李慈铭：《越缦堂读书记》，《后汉书》条，中华书局2006年版，第187页。

③ 李慈铭：《越缦堂读书记》，《后汉书》条，中华书局2006年版，第187页。

④ 如宋人陈振孙曾评论《后汉书》“颇有略取前人旧文者”，而赞论则“几于赘矣”。（陈振孙：《直斋书录解题》卷四《正史类》，上海古籍出版社1987年版，第98页）晁公武也指出，有人曾评论《后汉书》立《皇后纪》、史料取材有诡谲之事，及“赞辞佻巧，失史之体”。（晁公武：《郡斋读书志》卷五《正史类》，孙猛《郡斋读书志校证》本，上海古籍出版社1990年版，第180页）洪迈认为，范晔的序论“了无可取”。（洪迈：《容斋随笔》卷一五《范晔作史》，上海古籍出版社1978年版，第191页）高似孙认为，范晔所撰序论，“略具气象，然亦何能企固万一耶”。（高似孙：《史略》卷二《后汉书》，《丛书集成初编》本，中华书局1985年版，第30页）

致是以论赞的文辞、韵律来讲的。就内容来说，范晔的历史评论讨论了治乱得失的问题、人才的价值、学术的特点，还有朴素唯物的倾向，他在类传中的评论尤为精彩。[①]

既然范晔曾经表示出对史论的重视，在撰述中也作出优秀的史论，表现出他对历史的见识，那么范晔对史论本身持有怎样的看法呢？接下来从两个方面讨论这一问题。

其一，范晔看重史书中的历史评论，他对之前的史书作出的评价，不仅包括其叙事方面，也包括其评论方面，这反映出范晔对史论作用的重视。他讲道：

> 既造《后汉》，转得统绪，详观古今著述及评论，殆少可意者。班氏最有高名，既任情无例，不可甲乙辨。后赞于理近无所得，唯志可推耳。博赡不可及之，整理未必愧也。[②]

这里，范晔首先从“著述”和“评论”两个方面评价古今撰述，认为大多数的著作是不能让他满意的。具体来说，范晔评价班固《汉书》，并以自己的撰述和它作出比较。在范晔看来，《汉书》具有高名，它的优点是叙事广博、文字详赡，其中志书的撰述最为成功；但是《汉书》也存在缺点，在整理、排比史事方面，“任情无例”，在评论史事方面“于理近无所得”。可以

① 参见瞿林东：《中国史学史纲》，北京出版社1999年版，第242-249页。

② 沈约：《宋书》卷六九《范晔传》，中华书局1974年版，第1830页。

看出，范晔关注、评价的史书内容，不仅仅包括史书中与叙事相关的史事、文辞、体例，他还在叙事之外，明确评论了史书中的史论，这与评论史才时对史家提出的具备叙事和褒贬能力的要求是一致的。

史论是史书的组成部分，史书撰述历来有抒发史论的传统，但是在史书撰述中，叙述历史事件的来龙去脉和历史人物的生平等内容，在史书中始终占据重要的位置；与它相比，以明文对所记历史史实发表看法，一直作为叙事的附属存在。今人胡宝国指出，范晔"对史书中的'评论'部分不满意却是初次见到"[①]，他认为在范晔以前，常见史家对著述不满意，而少有对史论表示不满意。胡宝国强调的是，在范晔之前，史论不是史家评论的主要对象。这样看来，范晔的认识帮助了史学批评内容的扩大。实际上，在范晔之前，已经出现了史家评价史论的情况，只是多是以肯定的态度评论与史论有关的内容，如三国吴人华覈曾评论韦昭有"论次善恶"[②] 的能力，东晋葛洪称赞司马迁在史书中的评论"本于自然"[③]，等等；这类评论反映出，在范晔之前的史家就已经关注到史书中的评论，只是较为零散且缺乏系统。与他们相比，范晔明确地针对"史论"本身作出许多有意义的理论上的思考。

在评价前书的叙事和评论以外，范晔高度评价自己的撰述，

---

① 胡宝国：《汉唐间史学的发展》，商务印书馆 2003 年版，第 130 页。

② 陈寿：《三国志》卷六五《韦曜传》，中华书局 1959 年版，第 1464 页。

③ 葛洪：《抱朴子内篇》卷一〇《明本》，王明《抱朴子内篇校释》本，中华书局 1985 年版，第 184 页。

特别是书中撰写的史论，他认为这是自己引以为傲之处。范晔讲道：

吾杂传论，皆有精意深旨，既有裁味，故约其词句。至于《循吏》以下及《六夷》诸序论，笔势纵放，实天下之奇作。其中合者，往往不减《过秦》篇。尝共比方班氏所作，非但不愧之而已。欲遍作诸志，前汉所有者悉令备。虽事不必多，且使见文得尽。又欲因事就卷内发论，以正一代得失，意复未果。赞自是吾文之杰思，殆无一字空设，奇变不穷，同合异体，乃自不知所以称之。此书行，故应有赏音者。纪、传例为举其大略耳，诸细意甚多。自古体大而思精，未有此也。恐世人不能尽之，多贵古贱今，所以称情狂言耳。①

范晔以“称情狂言”的态度评价自己的《后汉书》，认为它是前所未有的体大思精。范晔夸赞的对象不仅包括诸志、纪传中的叙事等内容，还包括书中的历史评论。据范晔所讲，他撰写的历史评论有纪传中的序论、史论、赞语，在志书中也有发论。可以看出，范晔高度评价《后汉书》的重要原因，是他对自己撰写的史论的自信。与评价《汉书》中的史论“于理近无所得”相比，范晔评价《后汉书》的史论更为具体，这是以范晔对史

① 沈约：《宋书》卷六九《范晔传》，中华书局1974年版，第1830-1831页。

论的理论思考为基础的。可以说，他评价史论的切入点反映出他提出的撰写史论的要求。

另外，范晔也表达出史论应有“正一代得失”的作用，史书撰写需要供后世以借鉴，而史论作为史书中史家直接表达感情和态度的方式，要能够对所述一代的经验和教训予以总结。虽然范晔所说的这一作用是针对志书中的发论而讲的，但实际上在书中的纪传部分也有表现，这就反映了范晔身为史家的历史责任感和社会责任感。①

其二，范晔从史论的内涵和形式上提出对史论的要求，这也是史论优劣评价标准的两个方面。具体来说，一是要求历史评论能够表达史家的撰述意旨，二是要求历史评论需要具备文体和文辞上的特点。需要注意的是，以上问题的提出是范晔从理论层面对史论提出的要求，而不仅针对某个具体的评论。

上文讲道，范晔对自己撰写的史论作出了评价，从中即可看出这两方面的要求。具体来说，范晔评价《后汉书》中的杂传论“皆有精意深旨，既有裁味，故约其词句”，这是说自己所作传后的历史评论，能够通过简约的词句表现出形式上的裁剪之美和内在精深的意义旨趣。范晔称诸序论“笔势纵放，实天下之奇作”，侧重表现序论通过大气的文辞形式抒发饱满的感情，表现行文叙事中的“细意”。至于赞语，范晔更是推崇甚高，他称赞赞语道，“自是吾文之杰思，殆无一字空设，奇变不穷，同合

---

① 参见瞿林东：《关于范晔史学思想的两个问题》，《东岳论丛》2001 年第 4 期。

异体，乃自不知所以称之”，赞语是由四字韵语构成的，具备形式和韵律之美，身为文士的范晔认为，赞语集中体现了他撰文的精华。

由此可见，范晔评说自己撰写的不同形式的史论，大致是从意旨和形式两个方面作出的。除了具体的评价，范晔还对史论进行理论思考，这种思考是在魏晋南北朝时期“文”的范畴内进行的。察其思考的情况，也与上述两方面相关。范晔讲道：

> 常耻作文士。文患其事尽于形，情急于藻，义牵其旨，韵移其意。虽时有能者，大较多不免此累，政可类工巧图缋，竟无得也。常谓情志所托，故当以意为主，以文传意。以意为主，则其旨必见；以文传意，则其词不流。然后抽其芬芳，振其金石耳。此中情性旨趣，千条百品，屈曲有成理。自谓颇识其数，尝为人言，多不能赏，意或异故也。[①]

在范晔的自我认识中，他本来是文士，“未关史书”[②]，后来才撰史。上文中，范晔谈到了为文的关键，即为文时要正确处理“事”“情”“义”“韵”之间的关系。可以看出，范晔所说的“事”指的是所记述的事件，“情”是撰述者内心的情感，“义”是撰述背后的深意，“韵”是行文辞藻的形式。范晔又指出，“事”是文章的主体部分，却容易受到形式的限制；撰述者易受

① 沈约：《宋书》卷六九《范晔传》，中华书局1974年版，第1830页。
② 沈约：《宋书》卷六九《范晔传》，中华书局1974年版，第1830页。

自身感情的控制，而追求华丽的辞藻表述，以致忽视事件记述的流畅性；“义”是撰文要表达出的有意义的目的，有时会使得文章原本的撰述主旨发生改变；“韵”是为了满足一定的行文之美，可能会造成撰文拟表达的意义发生变化。因此，范晔提出了“以意为主，以文传意”的撰文方法和要求。史文是用来表达撰述者的某种旨意的，它是表达史家撰史意旨的中介。范晔指出，遵守以上方法撰写史书，可以使史文的旨趣表达起来更为方便，而撰述的文辞也不会陷于流弊。这些内容不是针对某个问题的具体论说，而是可以看作范晔对史论的理论思考；范晔从意旨和形式上对史论提出了要求，这也是他提出的史论评价的标准。

若要进一步理解范晔所讲的理论问题，则需结合范晔对文与事关系的认识、对撰文方法的认识来考察。范晔曾以“文”和“事”的不同特点来评论《史记》《汉书》。[①] 可以看出，范晔认为，评说史书之作，撰史文辞与所记之事是两个基本的要素。

关于撰文方法，范晔论道：

> 礼有五谏，讽为上。若夫托物见情，因文载旨，使言之者无罪，闻之者足以自戒，贵在于意达言从，理归乎正。曷其绞讦摩上，以衒沽成名哉？李云草茅之生，不识失身之义，遂乃露布帝者，班檄三公，至于诛死而不顾，斯岂古之狂也！夫未信而谏，则以为谤己，故说者识其难焉。[②]

① 范晔：《后汉书》卷四〇下《班彪列传论》，中华书局1965年版，第1386页。
② 范晔：《后汉书》卷五七《杜栾刘李刘谢列传论》，中华书局1965年版，第1853-1854页。

范晔此处所论的李云，以“草茅之生”的低微身份，贸然上疏皇帝，最后死在狱中。范晔对李云的遭遇表示同情及惋惜，他发出了以上的议论，也提出了只有掌握撰写文章的技巧，才能实现自己撰文的目的。范晔认为，文辞承载着作者的撰述旨趣，旨趣是撰文的目的，文辞是为旨趣服务的，同时也要注意“言”与“意”的一致，要表达出合乎“理”与“道”的正义。要理解范晔的史论观点，还应了解他对文学创作的看法。在《后汉书·文苑传》后，范晔又有下面的赞论：

赞曰：情志既动，篇辞为贵。抽心呈貌，非雕非蔚。殊状共体，同声异气。言观丽则，永监淫费。[①]

范晔这篇赞论是为文学之士而作，他指出，对文学创作来说，“情志”是为文的关键，先有“情志”的激发，再以文字撰写成文。虽是文学创作，范晔也不建议过分追求华丽辞藻，而是认为应该用心表达出牵绊感情之事。

以上几段议论虽然不是范晔直接表达出的对史论的看法，但是与范晔“史论”理论的观点是有密切关系的。它们涉及文，涉及事，涉及意，涉及理。总的来说，范晔的史论理论的内涵，首先要以表达撰述者的思想为核心，即“意”与“旨”，这又与史家思想的深度有关。其次是词句、笔势，也就是撰文讲究为文

---

① 范晔：《后汉书》卷八〇下《文苑列传赞》，中华书局1965年版，第2658页。

的技巧，重视史书文字的形式之美。范晔对史论的认识被大多数后代学者认可，同时人们对文与史的认识发生了变化，随之而来的是越来越多的学者关注到范晔提出的史论在情感和表述形式上的特点，此后到了萧梁萧统时史论被作为一种文体看待。

范晔通过理论思考提出对史论的看法，这与魏晋时期玄谈中的言意之辨有关。魏晋年间，玄谈兴起。范晔生活的东晋、刘宋之时，正是玄学影响较为显著的时期。《宋书》记“有晋中兴，玄风独振”[①]；《南齐书》载“江左风味，盛道家之言”[②]；《隋书》亦载“永嘉已后，玄风既扇，辞多平淡，文寡风力”[③]。可以看出这一时期玄学对人们思想的影响。言意之辨是玄谈的重要议题，它讨论的是语言文字与本意之间的关系。曹魏王弼主张得意忘象，即得意忘言，荀粲主张言不尽意，西晋欧阳建则有《言尽意论》。范晔讨论的“事”“情”“义”“韵”等问题，也可以看作言和意的范畴；范晔坚持要以意为主、以文传意，是他在二者之间重视意的表现。范晔对史论“精意深旨”的要求，针对的是史书的意义和修撰者秉承的旨趣，这是要求史书应追求内在之美与外在之美。

如前文所讲，虽然后有史家质疑范晔对史论的文辞、形式的追求是否恰当，但是范晔重视史书中史论的作用，并以史论作为评价的标准之一评判史书，还提出史论在理论上的要求，这些都

① 沈约：《宋书》卷六七《谢灵运传论》，中华书局 1974 年版，第 1778 页。
② 萧子显：《南齐书》卷五二《文学传论》，中华书局 1972 年版，第 908 页。
③ 魏徵等：《隋书》卷三五《经籍志四》集部大序，中华书局 1973 年版，第 1090 页。

是有意义的。范晔对史论提出的要求，与他对文的认识有关，他的要求是以情和旨为核心，情志受到触动而撰文，要以“意”为主；外在为文的形式，如形、藻、韵等，是为“意”服务的；这实际上是从意旨和形式两方面思考后提出的理论认识，对史论在文学上地位的提高有重要的作用。范晔以后，史论在萧梁时又有进一步的发展。

二、萧统谈史论

南朝梁武帝的长子昭明太子萧统，将史论作为一种文体看待。萧统，字施德，其事载于《梁书》卷八。他组织人编选诗文总集《文选》，分类收录诗歌、文赋等不同体裁的作品。其中，《文选》以“史论”为条目收录了两卷共十余篇史书中的历史评论，包括班固《汉书·公孙弘传赞》、干宝《晋纪·总论》、范晔《后汉书·皇后纪论》、沈约《宋书·谢灵运传论》等史论文章。萧统有明确的文学意识，他将“史论”作为一种文体纳入《文选》中，既可以看出这一时期史书的流传十分广泛，也可以看出史论作为史书的一个独特的部分，具有鲜明的文学作品的特征。对于萧统的研究，学者们往往讨论他在文学上的贡献，但是需要关注的是，萧统关于史论的认识在史学批评上也有重要的意义，他将史论作为文体收录于《文选》，反映出史论在这一时期的地位。有的研究者关注到这一点，如瞿林东认为，萧统重视史论中“事”与“义”的结合，“是他的卓见”[①]；胡宝国认为，史论的设置除了文学的原因，还有关于“南朝以来人们对史论的特别重视”[②]。

萧统在《文选》序文中表达了他对史学及史论的看法。萧统不仅指出史书与文学著作的不同之处，还解释了编选史论入《文选》的缘由。他说道：

> 至于记事之史，系年之书，所以褒贬是非，纪别异同，方之篇翰，亦已不同。若其赞论之综缉辞采，序述之错比文华，事出于沉思，义归乎翰藻，故与夫篇什，杂而集之。[③]

萧统明确表示史学著作和文学著作是不同的，二者的不同主要体现在史学著作是为了“褒贬是非”而作。可以看出，萧统此论是以史书重评论的特点为出发点的。萧统认为史书中的“赞论”实际上可以归为文体的一类，它与史学著作中以编年或纪传来叙事记人的部分存在明显区别。萧统进而阐释其原因有两个方面，一是“事出于沉思”，即史家评论历史是出于其主体意识，也就是出于史家的思考，二是“义归乎翰藻”，即史家撰史的意旨是通过优美的辞藻和文采来表达的。瞿林东将其提炼为“史事的沉思”和“史识的表达”。[④]

---

① 瞿林东：《中国古代史学批评纵横》，中华书局 1994 年版，第 107 页。
② 胡宝国：《汉唐间史学的发展》，商务印书馆 2003 年版，第 130 页。
③ 萧统：《文选序》，李善注本，中华书局 1977 年版，第 2 页。
④ 瞿林东：《中国古代史学批评纵横》，中华书局 1994 年版，第 107 页。

萧统与范晔对史论的看法有相同之处，也存在不同。总体上来说，萧统所说的“沉思”类同于范晔所说的“意”，“翰藻”则是范晔所说的“文”。然而，二人是站在文与史的不同立场进行探讨的，他们对史论本质的看法并不相同。范晔要求以意为主，以文传意，他认为辞藻是为撰述服务的。萧统认为，史论的两个核心要素是事与义，即所论之事和发论者的意旨，其中前者源自主观思考，后者通过文辞表达出来。在萧统看来，史论中起关键作用的，不是范晔所讲的史事本身或发论者的意旨，而是撰写者主观的思考和情感，以及史论的文采、辞藻。

范晔和萧统对史论的本质之所以存在不同的看法，是由于二人所处时代的学术环境发生了变化；范晔提出了史论在形式及文采上的要求，这使史书中的史论部分与史书的其他部分越发呈现出明显差别，史论遂在萧统时成为文体的一种。下面，将讨论范晔和萧统关于史论本质持有不同看法的原因，这与二人所处的学术环境之不同是分不开的。这个问题可以从两方面进行考察，其一是史学和文学①在二人所处时期不同的发展情况，其二是从刘宋到萧梁，人们越来越明确地强调文与史的区别。

从前文可知，魏晋南北朝时期思想领域活跃，学术发展繁荣。在这一时期，除了两汉经学继续发展，史学和文学也都获得了独立发展的空间。史学的发展前文论述已详，此处要讨论的是文学的发展情况。

---

① 这里所说的文学，指的是现代学科分类意义上所谓“文学”的概念涵盖的范围。

如前文所讲，文学作品的繁荣是这一时期文学发展的表现。除此之外，从文献分类上也可以看出文学发展的情况。《汉志》设有诗赋一类；《七志》中的《文翰志》，《七录》中的《文集录》，都是收录文学著作的类别；在四部分类中，集部收录的是文学著作，如《隋志》的集部。可以看出，文学著作一直在文献分类中占有独立的位置，这点与史书在文献分类中的地位时有变化不同。

从这一时期正史类传的设置来看，范晔撰《后汉书》继承前人撰史的类传传统，既仿照了《史记》《汉书》类传的设置，也学习了当时的其他史书。在范晔撰《后汉书》之前，出现了为文士设立的专传《文士传》[①]；另外，当时关于东汉历史已出现多家撰著，其中，在三国孙吴谢承、晋人司马彪等人所撰的东汉史书中，除了《儒林传》，还为文人设立了《文苑传》的类传形式。[②] 范晔继承了这一传统，在他之后，正史撰述大多在《儒林传》外立有《文苑传》[③]。另外，范晔还单独为班彪、班固父子立传。在范晔看来，儒士和文士是不同的，对此他有着明确的

---

① 《隋志》史部著录张隐撰《文士传》五十卷，《旧唐志》与《新唐志》均记为张骘所撰。清人姚振宗考张隐当为张骘。（姚振宗：《隋书经籍志考证》，载于王承略、刘心明主编：《二十五史艺文经籍志考补萃编》，清华大学出版社 2014 年版，第 823 页）

② 三国孙吴谢承撰《后汉书》设《文苑传》记有黄香、葛龚、王逸、侯瑾、高彪、祢衡等人的事迹，晋人司马彪撰《续汉书》也有《文苑传》，记黄香、崔琦、边韶、张升、赵壹等人的事迹。（见周天游辑注：《八家后汉书辑注》，上海古籍出版社 1986 年版）

③ 范晔《后汉书》之外，记载魏晋南北朝历史的正史中，除《三国志》《宋书》《周书》不立《文苑传》或《文学传》，其余正史均设有该传。其中萧子显《南齐书》和魏收《魏书》撰于这一时期，而《晋书》等六部正史则为唐人所修。需要指出的是，虽然《三国志》等三部正史不立该传，但在正史他传中也记有文士的事迹。此处需要说明的是，撰史者将文士合为类传的记载方式，从一定程度上表明史家有关“文”的认识是明确的。

认识。

范晔撰写的《后汉书·文苑传》记二十二人行事，并收录一些诗赋，传后有赞语，其中记载的人物多以文章之才闻名，如黄香"能文章"、边让"能属文"① 等；既记有李尤、刘珍、边韶等人参与《东观汉记》的撰修，亦记有侯瑾"案《汉记》撰中兴以后行事，为《皇德传》三十篇"②。萧子显《南齐书·文学传》记十一人行事，传后有论、赞，被萧子显记入《文学传》的人物，多与史书撰写有关，如丘灵鞠曾"掌知国史"、檀超"掌史职"、丘巨源"助徐爰撰国史"、王智深撰《宋纪》、崔慰祖有《海岱志》、王逡之任著作郎等。③ 魏收《魏书·文苑传》记八人行事，传前有序、传后有论。他所记人物多有"文思""藻思"，是"文藻富赡"的文学之才，④ 其中卢观任著作佐郎，封肃、裴伯茂、邢昕等人撰起居注。从这三部正史中《文苑传》或《文学传》所录人物可以看出，时人有关文学之才与史学之才区别的认识，不如有关文学之才与儒学之才区别的认识更为明确。⑤

同时，这一时期多有爱好文学的君主出现，他们重视文学教育，设立专门的教育机构。《宋书·隐逸传》记雷次宗至京师教

---

① 范晔：《后汉书》卷八〇《文苑列传》，中华书局 1965 年版，第 2614、2640 页。

② 范晔：《后汉书》卷八〇下《文苑列传下》，中华书局 1965 年版，第 2649 页。

③ 萧子显：《南齐书》卷五二《文学传》，中华书局 1972 年版，第 890、891、894、897、902 页。

④ 魏收：《魏书》卷八五《文苑传》，中华书局 1974 年版，第 1871、1872 页。

⑤ 撰写于这一时期的正史，除了设置《文苑传》或《文学传》集中记载具备文学之才的人，史书还为许多在文学史上取得了瞩目成就之人单独立传或将其与他人合传，原因在于这些爱好并擅长文章之人具有重要的地位。

授儒学一事，并讲道，“时国子学未立，上留心艺术，使丹阳尹何尚之立玄学，太子率更令何承天立史学，司徒参军谢元立文学，凡四学并建”[①]。《南史》也记有此事。宋文帝时，谢元受命立文学，这反映出时人将文学作为重要的学术组成部分。

从中国文学史上来看，魏晋南北朝时期，“文学发生了巨大的变化，文学的自觉和文学创作的个性化，在这些变化中是最有意义的”[②]。特别是人们对文学理论的认识，到了萧梁时逐渐成熟。这一时期包括文学批评在内的文学理论的发展是特别突出的，从三国时曹丕的《典论》、曹植的《与杨德祖书》，到晋人陆机的《文赋》、挚虞的《文章流别论》，再到南朝钟嵘的《诗品》、刘勰的《文心雕龙》、裴子野的《雕虫论》等，可见世人对文学作品的体裁分类愈发明晰起来，对文学本身的思考趋向理性；同时，世人也明确地提出文学和史学的差异。

随着文学和史学的发展，魏晋南北朝时期，人们关于文与史区别的认识经历了一个逐渐发展的过程。今人胡宝国曾论及“文章”与“文史”在这一时期的使用情况，“文章”是包括史书的，从南朝开始，“文章”一词的概念发生了变化，“文与史逐渐发生了分离”。[③] 他进而指出，汉魏之后，文史之间经历了“由混而不分到界限清晰的演变过程”[④]。这一认识是值得肯定的。

---

① 沈约：《宋书》卷九三《隐逸传》，中华书局1974年版，第2293-2294页。

② 袁行霈主编：《中国文学史》第二卷，高等教育出版社2014年版，第3页。

③ 胡宝国：《汉唐间史学的发展》，商务印书馆2003年版，第66页。

④ 胡宝国：《汉唐间史学的发展》，商务印书馆2003年版，第50页。

范晔和萧统对史论本质的认识是不同的，他们观点的不同是因为二人处于不同的文史理论思考发展阶段。在学术发展的环境中，时人越来越重视文与史的区别，即史书重记事及褒贬，文学著作重情感及辞藻；在他们看来，前者更重内容，后者更重形式。时人关于文史区别的认识大致经历了以下发展阶段。

在三国时期，人们以“文章”统称包括文学和史学作品在内的文字记载著作，他们认识到此类著作与经学著作不同。在当时，文与史仍然被看作传世的经典著作，曹魏曹丕称“盖文章，经国之大业，不朽之盛事”[①]，他所指的“文章”是包括文和史的。曹魏刘劭品评不同才性的人物，也可以看出他对文与史关系的看法。

三国魏人刘劭将“文章之才”作为史官之任的主要要求。刘劭，字孔才，广平邯郸人，其事载于《三国志》卷二一。他生活在汉魏之际，是博学多才之人。刘劭著有《人物志》，这是一部品评人才的理论性著作。刘劭认为人才有兼德、兼材、偏材之分，具体来说，人才的类型包括“文章”“儒学”“口辩”“雄杰”等十二类。刘劭是这样讲“文章”之才的：“能属文著述，是谓文章，司马迁、班固是也。”[②] 此处所讲具有“文章”之才的人，是擅长撰写文章的人，比如司马迁、班固。在辨别不同才能后，刘劭也指出它们对应的不同职位，其中擅长“文章”

---

① 曹丕：《典论·论文》，载于萧统编：《文选》卷五二《论二》，李善注本，中华书局1977年版，第720页。

② 刘劭：《人物志》，梁满仓译注本，中华书局2009年版，第38页。

之才，是“国史之任也”[①]。刘劭认为，具备“文章”之才的人，应该负责撰写国史，这一看法与刘劭认为司马迁、班固是“文章”之才代表人物的观点是一致的。可以看出，刘劭所讲的“文章”，是不同于儒学的，它应当指的是包括文和史在内的撰述之才，这类人才适合撰修国史，刘劭更看重撰述之才对史学的意义。

到了西晋年间，皇甫谧指出文史之区别。皇甫谧撰有《帝王世纪》《高士传》等，他认为，“然则美丽之文，赋之作也。昔之为文者，非苟尚辞而已，将以纽之王教，本乎劝戒也”[②]。皇甫谧此言出自他为左思《三都赋》撰写的序文。在此文中，皇甫谧强调赋体是“美丽之文”，他解释其“美丽”之处在于“尚辞”，指的是遣词造句的文辞和结构的“美丽”，也就是文章的形式之美。皇甫谧又指出“昔之为文者”，重王道、重劝诫，这是看重文章的政治意义和社会功用。皇甫谧所说的“文”，显然是包括重形式之美和重意义之要的，但同时皇甫谧也意识到二者是不同的。

在皇甫谧之后，到了东晋及南朝刘宋时期，政治局势发生了明显的变化，南北政权并立，晋室南渡，偏居东南；同时玄学盛行，宋文帝设立包括文学和史学在内的“四学”。在这种情况下，时人对于文史之别的认识又有了进一步发展。范晔生活在这

---

① 刘劭：《人物志》，梁满仓译注本，中华书局2009年版，第46页。

② 皇甫谧：《三都赋序》，载于萧统编：《文选》卷四五《序上》，李善注本，中华书局1977年版，第641页。

一时期，他称自己为“文士”而撰史书，前文已经从《文苑传》后的赞语考察了范晔对文的认识，他认可“情志”和“篇辞”对撰文的意义，但同时他更重视文辞背后的撰述者的意旨。可以看出，范晔认为文与史是两个不同的概念，但他还未从理论上明确文与史的界限。

大致与范晔同一时期的颜延之进一步明确文与史的区别，在他看来，“咏歌之书”和“褒贬之书”是不同的。颜延之，字延年，琅琊临沂人，其事载于《宋书》卷七三。他好读书，也善文章，与谢灵运齐名，“延之与陈郡谢灵运俱以词彩齐名，自潘岳、陆机之后，文士莫及也，江左称颜、谢焉”[①]。颜延之讲道：“咏歌之书，取其连类合章，比物集句，采风谣以达民志，《诗》为之祖。褒贬之书，取其正言晦义，转制衰王，微辞岂旨，贻意盛圣，《春秋》为上。”[②] 这里颜延之所说的源自《春秋》的“褒贬之书”是包括史书的。颜延之指出，“褒贬之书”不像“咏歌之书”一样追求特定的形式和用词，而是以微言大义记载一代政权的历史。由此可见，颜延之认为“咏歌”和“褒贬”两类著作有明显差别，它们早期的代表分别是《诗经》和《春秋》，颜延之明确地将文学著作和史学著作区分开来。然而，颜延之并未明确说明他所讲的“褒贬之书”与史书的关系；另外，经与史的关系与颜延之所论亦有关联，但他对此也未作出说明。颜延之的观点与皇甫谧的观点相似，都不够关注“褒贬之书”

① 沈约：《宋书》卷七三《颜延之传》，中华书局 1974 年版，第 1904 页。
② 颜延之：《庭诰》，载于严可均：《全宋文》卷三六，中华书局 1958 年版，第 2637 页。

文辞上的要求。

从范晔与颜延之对文史区别的认识可以看出，东晋至刘宋时期，时人讨论的“文”仍然指的是包括文与史在内的广义上的文，但是他们也认识到文与史的不同特征，提出重形式之美的著作与重褒贬之意的著作应该分属不同的类别。虽然这一认识并不是从理论上提出的，但是它反映出这一阶段的人们比前一阶段更明确地认识到文与史的区别。

齐、梁之际，文学上“诗体发生了重大变革”，“皇帝和太子周围聚集了一批文人”。[①] 其中诗体的变革反映了这一时期的人愈发重视文学作品在形式上美的要求。时人对文学理论思考的深入程度是空前的。刘勰生活在这一时期，他撰有《文心雕龙》，述评历代文体流变及优劣，并提出文学创作和文学鉴赏的理论问题。其中，刘勰立《史传》篇，以史传为文体的一种，但刘勰在《史传》篇中论说的主体是皇朝史，该篇是有史学特质的，可以看作对史学的综合考察，后文中将详细论述。现在一般认为，刘勰是以文章是否有韵作为不同类别的区分标准，其中，史传属于无韵文的一类。需要说明的是，刘勰讨论的“文”包括史书中的皇朝史。

从萧子显撰写的《南齐书》中，能看出他更清晰地认识到文史之不同，且在二者之中，他更加重文。《南齐书》与范晔《后汉书》一样，设有专记文学之士的《文学传》，但却没有设

① 袁行霈主编：《中国文学史》第二卷，高等教育出版社2014年版，第17页。

立《儒林传》;《文学传》的入传之人大多与史学相关。萧子显在该传后论说三类文章，并且提到，“三体之外，请试妄谈。若夫委自天机，参之史传，应思悱来，勿先构聚”①。萧子显这里是说，他认为文章之作不能刻意，应当从上天的旨意出发，遵循思绪的变化，同时参考史传的记载，自然而然地撰写成文。可以看出，萧子显将史传作为撰文的参考。虽然《文学传》中多录有撰史之士，但在萧子显看来，文学与史传分属不同类别，文学之士更值得单独立传。

简文帝萧纲、元帝萧绎是萧统之弟，他们也生活在萧梁时期，且二人更明确地认识到文史之才的区别。萧纲称裴子野的才华在于撰写史书，而“了无篇什之美”，即缺乏文学之才；至于世人仿效裴子野撰文的行为，萧纲指出“师裴则蔑绝其所长，惟得其所短”②。可以看出，在萧纲看来，史才与文才是不同的，而文章的形式、辞藻之美，是文学撰述追求的目标，不是史学撰述之所长。

萧绎在《金楼子》中指出古人之学与今人之学的区别，这一区别反映出了文与史的不同特征，萧绎还进一步区分文学中的文与笔的不同。萧绎，字世诚，萧统之弟。“侯景之乱”后，萧绎即位于江陵，其事载于《梁书》卷五。萧绎有才学，曾聚书十余万卷，可惜江陵城破时古今图书全部被他焚毁。《隋志》杂传类录有萧绎所撰《孝德传》《忠臣传》《怀旧志》，他还有

① 萧子显:《南齐书》卷五二《文学传论》，中华书局1972年版，第908页。
② 姚思廉:《梁书》卷四九《文学传上》，中华书局1973年版，第691页。

《汉书注》等著作。萧绎在《金楼子》一书中讲道："古人之学者有二，今人之学者有四。夫子门徒转相师受、通圣人之经者谓之儒。屈原、宋玉、枚乘、长卿之徒，止于辞赋，则谓之文。今之儒，博穷子史，但能识其事、不能通其理者，谓之学。至如不便为诗如阎纂，善为章奏如伯松，若此之流，泛谓之笔。吟咏风谣，流连哀思者，谓之文。"[①] 他认为，当时的学术可以分为儒、学、笔、文四类，其中后二者是根据文章是否有韵而作出的进一步细分。鲁迅认为，萧绎所说的"文"为有韵之文，"笔"为无韵之文，当时所说"文章"的含义并不确定，"盖其时文章界域，极可弛张，纵之则包举万汇之形声；严之则排摈简质之叙记，必有藻韵，善移人情，始得称文。其不然者，概谓之笔"[②]。虽然如鲁迅所讲，萧绎对文章的认识仍有不够明确之处，但与此前学者对文史问题的认识相比，到萧绎时，人们对文学的界定比之前更清晰，以文章是否遵循一定的形式美来区分文章的不同类别。

随着人们对文学认识的深入，特别是对文学形式美的追求，文史之间的区别愈发明显。范晔从广义的"文"的概念出发，完善了史书中的史论理论，在此之后，"史论"在史书中的特殊地位及其追求丰沛情感与形式美的独特属性也受到关注，作为广义"文"的一类，它的地位得到提升。萧统将其纳入《文选》中，作为文学作品的一个类别，这是文学发展的表现，是人们对

① 萧绎：《金楼子》卷四《立言》，《丛书集成初编》本，中华书局1985年版，第75页。
② 鲁迅：《鲁迅汉文学史纲要》，人民文学出版社1977年版，第5页。

文史区别的认识发生变化的结果，同时也反映出史论以其特殊属性在这一时期独立于史书。

人们对文与史的认识在魏晋南北朝之后仍在变化。到唐初，《隋志》史部大序先论“夫史官者，必求博闻强识，疏通知远之士……”① 再论，“史官废绝”后，“魏、晋已来，其道逾替”② 之况；集部则以“文者，所以明言也”③ 为集部大序之首，后历数“文体迁变”④ 的过程。可见唐人对文学著作和史学著作是有明确区分的。再看他们对文学家和史学家的认识，唐人修《晋书》，卷八二记十一个史家，可以看作史家的合传。将史家看作一个群体并为他们立传，这是唐人史学认识发展的表现。在一次学术座谈会上，今人白寿彝强调《晋书》卷八二在中国史学史上的重要地位。白寿彝指出：“唐初修的《晋书》，里面有一卷专记陈寿等十几个史学家，记他们的生平和著作，卷后还有评论。我看，这是一种比较原始形式的断代史学史的开端。在这以前似还没有这样把史学家集中在一起并加以评论的。”⑤《晋书》卷八二反映了一个时代的史家群体的风采，也折射出《晋书》的撰述者对史学自身价值的新认识。这不仅是对文学著作与史学著作的区分，更表达出文学与史学具备不同性质的看法。

可以看出，从三国到西晋，再到刘宋、萧梁，人们越来越明

① 魏徵等：《隋书》卷三三《经籍志二》史部大序，中华书局 1973 年版，第 992 页。
② 魏徵等：《隋书》卷三三《经籍志二》史部大序，中华书局 1973 年版，第 992 页。
③ 魏徵等：《隋书》卷三五《经籍志四》集部大序，中华书局 1973 年版，第 1090 页。
④ 魏徵等：《隋书》卷三五《经籍志四》集部大序，中华书局 1973 年版，第 1090 页。
⑤《座谈中国史学史之史》，《史学史研究》1985 年第 1 期。

确地认识到文与史的区别，在他们看来，文学著作重在抒发感情，也重在追求形式美，而史书关注的重点则是褒贬之义。萧梁时，文学著作以形式的不同被分为有韵文和无韵文，而在萧梁文献目录的分类中，阮孝绪将史学著作依照所记内容的不同分为十二类。虽然史学和文学同样具有广义上“文”的共同特点，比如二者都与撰述者的主观意识及客观的撰写对象有关，也都要在遵循一定形式要求的前提下用文字将对象表述出来。但是，在学术繁荣的环境中，史学和文学因特征不同而走上不同的发展路径，人们对二者范围的界定逐渐发生了变化。在这一背景下，史论作为抒发历史评论的“文”的形式，其独特性越来越受到关注。范晔在史书的叙事之外，重视史论的撰写，他将史论作为史家褒贬得失、表达撰述意旨的重要途径，并从理论上对史论撰写的文辞和史家意旨的表达提出了要求。其中，范晔强调的史论在文辞及情感上的要求，推动了史论文学性的发展，以此推动了它文学地位的提高。而到了萧梁萧统，时人对文与史范围的界定更为明确，其中，对于文学尤其关注它外在的形式之美和内含的丰沛情感。在这种情况下，史论以其特殊的文辞形式和鲜明的感情色彩，独立为文学体裁的一个门类，这与史论理论认识的进步是分不开的。

第三节　关于志书源流的认识

一、志书的发展

志书是史书内容的组成部分。皇朝史撰述有立志书的传统，司马迁《史记》立八书，班固《汉书》撰十志。因为志书记录的内容是典章制度的沿革，涵盖自然与社会各方面的知识，因此较之有关事件、人物的记载，更显得不易。日本学者内藤湖南说："《志》被认为是史书编纂中最难的工作，就连班固的《志》也遭到非难，可见不是所有人都能修好《志》的。"[①] 他还指出唐以前皇朝史中的志书具有贯通的特点："《志》在唐初以前则基本上保留了通史的意义，留下了超越历代记述制度沿革的方法。"[②] 可以看出，志书的撰写既需要涵盖自然、社会各方面的专业知识，又需要具备贯通的能力，实属不易。在流传下来的魏晋南北朝时期史家撰写的五部正史中，《后汉书》《宋书》《南齐书》《魏书》均有志书撰录，刘昭、沈约、魏收等人有关志书的认识也保留了下来。

现存范晔《后汉书》中的志书是晋人司马彪撰写的，由南朝刘宋刘昭增补而成，包括律历、礼仪、祭祀、天文、五行、郡国、百官、舆服。刘昭，字宣卿，平原高唐人，其事载于《梁

① 内藤湖南著，马彪译：《中国史学史》，上海古籍出版社 2008 年版，第 117-118 页。
② 内藤湖南著，马彪译：《中国史学史》，上海古籍出版社 2008 年版，第 118 页。

书》卷四九《文学传》。他擅长属文，并集众家后汉史著作来注释范晔《后汉书》。[①] 沈约修《宋书》设置的志书有律历、礼、乐、天文、符瑞、五行、州郡、百官。另外，萧子显撰《南齐书》有礼、乐、天文、州郡、百官、舆服、祥瑞、五行等志，魏收的《魏书》有天象、地形、律历、礼、乐、食货、刑罚、灵征、官氏、释老等志。就门类的设置来看，这四部皇朝史中的志书门类均包括礼乐、天文、五行或祥瑞、百官等内容，在其他门类上略有不同。

沈约在《宋书》、魏收在《魏书》中撰有志序，刘昭也有对志书的评价，他们三人中，沈约和刘昭均为南朝萧梁人，魏收为北朝人。可以看出，这里主要讨论的是南北朝时期的史家对志书的评价。史家对志书的评论主要包括两个方面，其一是梳理志书发展的历史、论说前人志书的撰修，其二有的史家明确表示出撰志旨趣。

这里首先来看史家在梳理志书发展过程时，发表的有关前代志书撰修的看法。其认识可分为两个方面，一是肯定司马迁《史记》和班固《汉书》对于志书撰修的重要意义，二是关注到后人修撰志书时在门类设置上对前人的承袭，及外部环境对志书修撰的影响。下面分别作出说明。

---

① 唐人刘知幾不看好刘昭对《后汉书》的补注。他认为："刘昭采其所捐，以为补注，言尽非要，事皆不急。譬夫人有吐果之核，弃药之滓，而愚者乃重加捃拾，洁以登荐，持此为工，多见其无识也。"（刘知幾：《史通·补注》，浦起龙《史通通释》本，上海古籍出版社 2009 年版，第 123 页）刘知幾是说刘昭采用范晔作《后汉书》时删掉的史料来注其书，因而刘昭比不上范晔的史识。然而，仍然可以这样认为，刘昭以司马彪《续汉书》的志来补范晔《后汉书》志书之阙，表现出他对志书的不凡认识。

其一，史家在追溯志书起源时，均肯定司马迁和班固的贡献。他们特别指出《史记》的八书和《汉书》的十志具有补充史书撰述内容的作用。其中，有的论说是概括性说明，魏收讲道：

> 昔子长命世伟才，孟坚冠时特秀，宪章前哲，裁勒坟史，纪、传之间，申以书、志，绪言余迹，可得而闻。①

魏收认为，司马迁和班固以其杰出的才学，在撰修史书时继承前人传统，于本纪和列传之外，立志书来记载纪传未能涵盖的内容，从而保存了这类史料。魏收还指出，“叔峻删缉后刘，绍统削撰季汉，十《志》实范迁、固”②，这里说的是，华峤和司马彪撰写东汉历史时设立志书的体例，继承了司马迁和班固设立志书的传统。

刘昭也肯定马、班二人对志书撰写的贡献，另外，他还明确地阐释了志书撰写涵盖的纪传之外的内容，他讲道：

> 昔司马迁作《史记》，爰建八书；班固因广，是曰十志。天人经纬，帝政纮维，区分源奥，开廓著述，创藏山之秘宝，肇刊石之遐贯，诚有繁于《春秋》，亦自敏于改作。③

---

① 魏收：《前上十志启》，载于《魏书》，中华书局 1974 年版，第 2331 页。
② 魏收：《前上十志启》，载于《魏书》，中华书局 1974 年版，第 2331 页。
③ 刘昭：《后汉书注补志序》，载于范晔：《后汉书》附录，中华书局 1965 年版，第 1 页。

刘昭认为，司马迁撰史设立志书，班固因循并丰富了志书的设置；二人设立八书和十志，在纪传的记人、记事之外，对天人关系、朝政制度等问题追根溯源，述其流变，丰富了史书撰述的内容，是十分有意义的。刘昭以“天人经纬，帝政纮维”说明志书记载的内容与天人、帝政有关，以“区分源奥，开廓著述”说明志书撰述的方式是分类记载，内容是考察其源流，接着刘昭高度称赞志书设置的意义，称志书内容之丰富如同一个秘密宝藏。可以看出，刘昭在称赞马、班二人贡献的同时，注重志书对纪传所载内容的补充作用。

另外，沈约也提到这一点，他讲道：

> 司马迁制一家之言，始区别名题，至乎礼仪刑政，有所不尽，乃于纪传之外，创立八书，片文只事，鸿纤备举。班氏因之，靡违前式，网罗一代，条流遂广。①

沈约指出，司马迁撰写《史记》，为了解决有关礼仪、刑政等内容在纪、传中得不到完整、清楚阐释的问题，因而创立八书。沈约所说的志书有关“礼仪刑政”，与刘昭所说的“天人”“帝政”基本是一致的。在肯定了司马迁的开创之功后，沈约也指出其撰述存在不完备的缺点。接着，沈约评论班固《汉书》对志书的发展，因《汉书》为断代史，所以班固为了将一朝内

① 沈约：《宋书》卷一一《志序》，中华书局1974年版，第203页。

容记载得更为丰富、分类得更为细致，他增加了志书的门类。

其二，史家评论历代志书的撰修，重视志书之间的承袭关系及社会环境对志书撰述的影响。沈约详细说明了班固对《史记》志书的因袭和完善。他说：

> 《律历》《礼乐》，其名不变，以《天官》为《天文》，改《封禅》为《郊祀》，易《货殖》《平准》之称，革《河渠》《沟洫》之名；缀孙卿之辞，以述《刑法》，采孟轲之书，用序《食货》。刘向《鸿范》，始自《春秋》，刘歆《七略》，儒墨异部，朱赣博采风谣，尤为详洽，固并因仍，以为三志。而《礼乐》疏简，所漏者多，典章事数，百不记一。《天文》虽为该举，而不言天形，致使三天之说，纷然莫辨。是故蔡邕于朔方上书，谓宜载述者也。[①]

这里，沈约较为详细地论述了班固撰写的志书在门类设置上对《史记》的继承和改变，如除了《律历志》和《礼乐志》，班固更改其他部分志书的名称，并增加了五行、艺文、地理、刑法等志。在班固的改造下，《汉书》的志书囊括了更丰富的内容。除了说明班固对《史记》志书的因袭情况，沈约还指出班固撰写的《礼乐志》《天文志》存在的不足。

刘昭梳理志书的发展情况，分为东汉、西晋、东晋若干时

---

① 沈约：《宋书》卷一一《志序》，中华书局1974年版，第203页。

期，刘昭所论就范围来说是较为全面的。他指出应劭、谯周、董巴对蔡邕的继承，也说明了司马彪在此基础上对蔡邕、董巴等人的承袭，以及谢沈、袁山松对前人志书的因袭。

刘昭指出，志书“至乎永平，执简东观，纪传虽显，书志未闻”[①]，这是说东汉年间的《东观汉记》并无志书门类的设置。他又分析在《东观汉记》之外、东汉年间志书的撰修情况道：

> 推检旧记，先有地理，张衡欲存炳发，未有成功。《灵宪》精远，天文已焕。自蔡邕大弘鸣条，实多绍宣。协妙元卓，律历以详；承洽伯始，礼仪克举；郊庙社稷，祭祀该明；轮骈冠章，车服赡列。于是应、谯缵其业，董巴袭其轨。[②]

刘昭认为，在志书各门类中，地理书较早出现，有东汉张衡撰《灵宪》。《灵宪》被《隋志》收入子部天文类，这是一部记载天象变化的著作，是天文志书的代表。刘昭又讲道，律历、礼仪、祭祀、舆服等志书在蔡邕的倡导下也已成型，应劭、谯周、董巴继承了志书的撰写事业。刘昭这里叙述东汉时期的志书，强调蔡邕对志书发展的贡献，并指出应劭等人是在蔡邕的基础上继续撰写志书的。

接着，刘昭分析司马彪八志对前人的继承，“律历之篇仍乎

---

① 刘昭：《后汉书注补志序》，载于范晔：《后汉书》附录，中华书局1965年版，第1页。
② 刘昭：《后汉书注补志序》，载于范晔：《后汉书》附录，中华书局1965年版，第1页。

洪、邕所构，车服之本即依董、蔡所立，仪祀得于往制，百官就乎故簿，并籍据前修，以济一家者也”①。这里刘昭将司马彪撰写志书的承袭关系作出了说明。然后，刘昭评论了华峤、谢沈、袁山松对前人志书的因袭，并分析其未能成功的原因。他讲道：

> 叔骏之书，是为十典，矜缓杀青，竟亦不成。二子平业，俱称丽富，华辙乱亡，典则偕泯，雅言邃义，于是俱绝。沈、松因循，尤解功创，时改见句，非更搜求，加艺文以矫前弃，流书品采自近录，初平、永嘉图籍焚丧，尘消烟灭，焉识其限，借南晋之新虚，为东汉之故实，是以学者亦无取焉。②

刘昭指出，华峤撰写十志，但没有完成，他的两个儿子继承并完成了十志的撰述，该书辞藻华丽，只是亡于西晋末年的混战中；而东晋史家谢沈和袁山松继承前人的志书事业，增加了《艺文志》以保存文献分类的记录，这点是有意义的，但是他们的撰述存在很多的问题。刘昭分析其问题出现的原因，一是谢沈和袁山松很大程度上只是摘抄他人的撰述，并没有自己的创见，又加上西晋永嘉年间社会动乱，大量典籍遭到焚毁，而二人位于偏安东南的东晋，撰写志书所需的材料是远远不足的。刘昭此处的评论，指出了撰写志书不仅要承袭前人的撰述，还需要史家的

---

① 刘昭：《后汉书注补志序》，载于范晔：《后汉书》附录，中华书局1965年版，第1页。
② 刘昭：《后汉书注补志序》，载于范晔：《后汉书》附录，中华书局1965年版，第1页。

见识、安定的环境和大量的文献资料。

刘昭重视志书的承袭关系，分析社会环境对志书的影响，这与他对史学的看法是一致的。刘昭认为，司马迁、班固撰写志书是在他们父亲的基础上撰修完成的，这说明志书的撰写工作需要几代人的积累。刘昭又提出史书有“相成之义”的传统：“昔褚生补子长之削少，马氏接孟坚之不毕，相成之义，古有之矣。引彼先志，又何猜焉！”[①] 这样看来，刘昭认为志书的撰写应当是代代相承的。另外，刘昭还指出，“岁代逾邈，立言湮散，义存广求”[②]，这里他讲的是由于时代的久远，前代留存的内容或遗失，或保存不完全，史家要做的是广泛征引他书，完善记载，志书的境遇也是这样。

魏收也关注到外界环境对志书撰写的影响，他讲道：

> 曹氏一代之籍，了无具体；典午终世之笔，罕云周洽。假复事播，四夷盗听，间有小道俗言，要奇好异，考之雅旧，咸乖实录。自永嘉丧圮，中原淆然，偏伪小书，殆无可取。魏有天下，跨踪前载，顺末克让，善始令终。陛下极圣穷神，奉天屈己，顾眄百王，指掌万世，深存有魏抚运之业，永念神州人伦之绪。臣等肃奉明诏，刊著魏籍，编纪次传，备闻天旨。[③]

---

① 刘昭：《后汉书注补志序》，载于范晔：《后汉书》附录，中华书局1965年版，第2页。
② 刘昭：《后汉书注补志序》，载于范晔：《后汉书》附录，中华书局1965年版，第2页。
③ 魏收：《前上十志启》，载于《魏书》，中华书局1974年版，第2331页。

魏收指出，曹魏和西晋的历史记载都不够具体、完善，原因是当时局势混乱，而传言、小说以其奇特、怪异的内容广为流传，但这类文字缺乏真实性。魏收还提出，从西晋“永嘉之乱”以来，东晋偏居东南，他们的撰述不值一提。他认为，只有在北朝统一和强大的政权之下，史书的撰修才有值得称道之处。需要注意的是，魏收指出了社会环境变化对志书撰写带来的不利影响，又从南北整体上考察志书的流变。可以看出，魏收是一个北朝史家，他站在北朝正统的立场上评论南方政权中史家的撰述，尽管他的观点存在片面性，但魏收考察志书撰写时视南北为一体的思想是值得肯定的。

除了评论他人撰志的承袭情况，沈约也表明自己撰写《宋书》志书承袭了前人的成果，并评价了刘宋何承天撰修的志书。沈约说：“元嘉中，东海何承天受诏纂《宋书》，其志十五篇，以续马彪《汉志》，其证引该博者，即而因之，亦由班固、马迁共为一家者也。其有漏阙，及何氏后事，备加搜采，随就补缀焉。”① 何承天，东海郯人，其事载于《宋书》卷六四。沈约表示，自己所撰因袭了何承天撰修的志书，特别是何书中论述详实、全面的部分；另外，沈约还搜集材料，补充何承天记载存在的缺略之处。

三位史家评述志书发展的历史，论说司马迁和班固开创志书撰写的贡献、东汉和两晋史家的承袭、刘宋志书的撰写等内容，

① 沈约：《宋书》卷一一《志序》，中华书局 1974 年版，第 205–206 页。

清晰梳理了志书发展的历程。他们强调志书是在前人的基础上撰写的，特别是志书的门类设置需要继承前人的成就，同时，史家们也关注到志书撰写会受到外界社会动乱的影响。以上两个问题反映出志书撰写的重要特征，即志书的贯通价值。

二、沈约论志书的撰述旨趣

志书作为记录制度变化的载体，与皇朝兴衰及社会生活都是密切相关的。志书的撰述是不易的，但也是极为重要的。不同史家撰志的旨趣亦有差异，如刘昭补司马彪志书于范晔书后，他认为司马彪八志有关“王教之要，国典之源”[①]，他肯定的是志书叙君主教化、备朝政制度的作用。这可以看作刘昭的补志旨趣。魏收认为，“窃谓志之为用，网罗遗逸，载纪不可，附传非宜。理切必在甄明，事重尤应标著，搜猎上下，总括代终，置之众篇之后，一统天人之迹。褊心末识，辄在于此”[②]。在魏收看来，志书的作用在于最大限度地保存不适于在本纪或传记中记载的史事，志书可以阐明其理，突出重点，以便总括天与人的未尽之事。魏晋南北朝时期，在这二人之外，沈约对志书撰述旨趣的论说表现得尤为突出。

沈约在南朝地位显赫，他撰《宋书》一百卷，包括本纪十卷，志书三十卷，列传六十卷。可以看出，志书在《宋书》中占据着不小的分量。沈约在《宋书自序》中称，他撰修《宋书》

---

① 刘昭：《后汉书注补志序》，载于范晔：《后汉书》附录，中华书局 1965 年版，第 1 页。
② 魏收：《前上十志启》，载于《魏书》，中华书局 1974 年版，第 2331 页。

沿用之前的旧本，在前人的基础上完成；志书也是如此，且诸志之前有沈约所作的序文，可见沈约对志书的重视。沈约在序文中说明了设立的志书门类，并陈述其原因，在这一过程中，沈约表达了他对撰志旨趣的认识。

其一，沈约撰写的《宋书》是断代史，但是他并未以断代之法决定志书的撰述。与之相反，沈约以古今贯通的态度考察志书门类的设立，旨在承接前人的志书记载，对前人所记阙略之处进行补充或完善。①

沈约指出，有的志书门类在很早之前就缺乏完备的记载，如《乐志》。他说：

> 《乐经》残缺，其来已远，班氏所述，政抄举《乐记》，马彪《后书》，又不备续。至于八音众器，并不见书，虽略见《世本》，所阙犹众。……今《志》自郊庙以下，凡诸乐章，非淫哇之辞，并皆详载。②

对于沈约来说，《汉书》中对乐的记载是不完善的，自此以后，司马彪《续汉书》中也没有完备地记载。因此，沈约提出要详细地将残缺已久的乐制记录于《宋书》中。《宋书》立《乐志》四卷，察其内容，记录了自秦汉以来有关乐的大事及乐章。

---

① 有的研究者关注到，《宋书》诸志所述内容有“仰包曹魏、囊括两晋”的特点，并指出何承天、沈约撰写志书表现出“接续前史、贯通古今”的思想。（瞿林东：《中国史学史纲》，北京出版社 1999 年版，第 258 页）

② 沈约：《宋书》卷一一《志序》，中华书局 1974 年版，第 204 页。

书载，秦朝时，“秦焚典籍，《乐经》用亡”[①]，接着一一记录西汉、东汉、三国、西晋、东晋、刘宋各个时期乐的基本情况及有关乐的讨论；流传到刘宋的乐章古词很少，“晋、宋以来，稍有增广”[②]，所以所记乐章多为晋、宋以来的创作；沈约讲的八音乐器也记于志中。可以看出，沈约不只记录刘宋的乐制，还记有当时能追溯到的最早时期的乐事；虽然班固、司马彪记有汉代的乐志，但是沈约并不满意，于是撰集秦汉以来史料记录在册。

有的制度已有前人的记载，沈约指出，《宋书》无须记录前史记载甚详的内容，要做的是记录它在前人记载以后，直至刘宋期间发生的变化。如《律历志》在《汉书》中记载甚详，于是沈约讲道：

> 窃以班氏《律历》，前事已详，自杨伟改创《景初》，而《魏书》阙志。及元嘉重造新法，大明博议回改，自魏至宋，宜入今书。[③]

沈约认为，《汉书·律历志》把在此之前的律历情况详细地记录下来，但是在它之后，律历的编制发生了变化，且史书中缺乏相关的记载。沈约讲律历的三次变化，一是三国时期杨伟改创《景初历》，二是刘宋时期元嘉年间何承天创制的新历，三是大

① 沈约：《宋书》卷一九《乐志一》，中华书局 1974 年版，第 533 页。
② 沈约：《宋书》卷一九《乐志一》，中华书局 1974 年版，第 549 页。
③ 沈约：《宋书》卷一一《志序》，中华书局 1974 年版，第 204 页。

明年间对元嘉新历进行广泛讨论，商议是否要改回去。沈约指出，自《汉书》以来律历出现的新变化，三国及之后的史书都缺乏记载，因此他建议将从三国到刘宋这一时期有关律历的新变化记载入《宋书》。沈约指出，同样因缺乏前朝记载，需要《宋书》补撰的还有《天文志》和《五行志》，它们“自马彪以后，无复记录”，不过有何、徐旧本可以因袭，“今以魏接汉，式遵何氏”。[①]

《宋书》中，承续前人撰述并录至刘宋的还有《礼志》。沈约讲道，“班固《礼乐》《郊祀》，马彪《祭祀》《礼仪》，蔡邕《朝会》，董巴《舆服》，并各立志”[②]，沈约表示《宋书》记礼，是将发生于前人记载之后的内容“总而裁之，同谓《礼志》”[③]。《宋书·礼志》共五卷，文载，“今抄魏氏以后经国诞章”[④]，说明该志记曹魏以后的礼仪制度；沈约还指出，针对汉末以来新出的各种论说，“名儒通学，诸所论叙，往往新出，非可悉载”[⑤]。可以看出，沈约记礼，继承班固等人的撰述从曹魏开始记载，并且有意识地筛选要记录的内容。

还有的志书，前史都有设立，但是到刘宋时出现了新的变化。如由于局势的混乱，州郡的名称或位置发生了改变，其志书的撰写比较困难，沈约则“以班固、马彪二志，晋、宋《起

---

① 沈约:《宋书》卷一一《志序》，中华书局 1974 年版，第 204-205 页。
② 沈约:《宋书》卷一一《志序》，中华书局 1974 年版，第 204 页。
③ 沈约:《宋书》卷一一《志序》，中华书局 1974 年版，第 204 页。
④ 沈约:《宋书》卷一四《礼志一》，中华书局 1974 年版，第 328 页。
⑤ 沈约:《宋书》卷一四《礼志一》，中华书局 1974 年版，第 328 页。

居》，凡诸记注，悉加推讨，随条辨析，使悉该详”[①]，这是说参考前志并在其基础上完善《州郡志》的记载。

对于此前已有详尽记载的内容，沈约表示有的可以不立该志，如《刑法志》《食货志》。他说：

> 《刑法》《食货》，前说已该，随流派别，附之纪传。[②]

关于刑法和食货，沈约认为前文记载详备，他撰述时没有必要单独立志，将有关内容在纪传中附带着记下就可以。同时，有的志书虽然之前已有记载，沈约却表示《宋书》也应设立，如《百官志》，“百官置省，备有前说，寻源讨流，于事为易”[③]。

通过以上分析可知，沈约所撰志书在时间上不以朝代为断限，而是以述明从古至今制度演变的过程为旨，这样的做法尽管受到陈振孙等史家的质疑，但也获得了其他史家的认可。宋人陈振孙引《馆阁书目》评价《宋书》的志书“其志兼载魏、晋，失于限断”[④]；《四库全书总目》指出，沈约述志书不以朝代为限，一方面“推原溯本，事有前规”，另一方面，魏晋两代延续时间不长，宋对前制多有因袭，所以沈约“详其沿革之由，未为大失”。[⑤] 贯通的思想显然是沈约设立志书遵循的原则，是值

---

① 沈约：《宋书》卷一一《志序》，中华书局 1974 年版，第 205 页。
② 沈约：《宋书》卷一一《志序》，中华书局 1974 年版，第 204 页。
③ 沈约：《宋书》卷一一《志序》，中华书局 1974 年版，第 205 页。
④ 陈振孙：《直斋书录解题》卷四《正史类》，上海古籍出版社 1987 年版，第 101 页。
⑤ 永瑢等：《四库全书总目》卷四五《史部正史类一》，中华书局 1965 年版，第 405 页。

得肯定的。然而，沈约以前人对《食货志》的记载详尽为由而不设此志，他的这一看法是值得商榷的。

其二，沈约认为志书的撰述应该从当前的需要出发，有的可以取消，有的则可以新设。

沈约取消了对当时社会影响不大的志书门类，如《沟渠志》。他指出，《汉书》撰此志是出于沟渠在当时的影响甚大，但是到了沈约撰《宋书》时，沟渠的作用发生了变化。具体来说，沈约认为，过去河流对人们生活的影响很大，或造成灾荒，或润泽沃土，他说：

> 沟渠沾溉之利，皆民命所祖，国以为天，《沟洫》立志，亦其宜也。[①]

也就是说，在河流严重影响人们生活的年代，沟渠对河流的制约作用很大，因此在《汉书》中立志是合理的。然而，沈约又指出，“世殊事改，于今可得而略”[②]，此说是讲由于时代环境发生了变化，沟渠的作用不及以前，因此可以不再立志。

沈约还从满足当朝统治者的需要出发，设立《符瑞志》。虽然沈约声称《符瑞志》之立是为了补前史之阙，但他为表君主“瑞命之纪”[③] 而新立《符瑞志》的意图是明确的。《宋书·符

① 沈约：《宋书》卷一一《志序》，中华书局1974年版，第204页。
② 沈约：《宋书》卷一一《志序》，中华书局1974年版，第204页。
③ 沈约：《宋书》卷一一《志序》，中华书局1974年版，第205页。

瑞志》共三卷，记录自上古伏羲到刘宋这一历史时期出现的预示帝王之命的各类征兆。沈约开篇先指出帝王生来能驱使万物、有受人爱戴的“圣人”之相，说“夫体睿穷几，含灵独秀，谓之圣人”[①]；接着指出乱臣贼子因不知帝王为天命，才会争夺帝王的天下。沈约极力证明帝王的帝位是上天授予的，是“夫龙飞九五，配天光宅，有受命之符，天人之应”[②]，这是说帝王即位时，总会有吉祥的征兆预示他将要接受天命。这样看来，虽然沈约称《符瑞志》是为补前史之阙而设，但显然其创设《符瑞志》是考虑到它对现实政治的意义，特别是可以证明帝王之位是上天所授。《符瑞志》之立与沈约个人的历史认识有关。[③]

沈约称自己从现实的需要出发设置了《符瑞志》。再来看看同样以现实需要为出发点撰《魏书》诸志的魏收，他与沈约立志的旨趣相似，但设立的志书门类却并不相同。魏收讲道：

> 《河沟》往时之切，《释老》当今之重，《艺文》前志可寻，《官氏》魏代之急，去彼取此，敢率愚心。[④]

魏收指出，撰写志书尤为重要的一点是史家应该以时代的需求来设置志书门类，比如河沟问题在过去是非常重要的，相比来

---

① 沈约：《宋书》卷二七《符瑞志上》，中华书局1974年版，第759页。

② 沈约：《宋书》卷二七《符瑞志上》，中华书局1974年版，第759页。

③ 有的研究者考察《符瑞志》的内容，讨论沈约撰写此志的政治意图。（胡祥琴：《试论〈宋书·符瑞志〉的政治意图及价值》，《求是学刊》2014年第4期）

④ 魏收：《前上十志启》，载于《魏书》，中华书局1974年版，第2331页。

说，在北朝就没有那么重要；文献分类的情况在之前文书中可以查到，因此对于当朝政权来说也显得不是那么急迫。魏收认为，对北朝来说，佛教、道教的迅速发展和职官制度的完善或是至关重要的问题，或是亟须解决的问题，因此志书撰修应从时代需求出发，设立《释老志》和《官氏志》。魏收对志书旨趣的评价，是从时代需求的角度出发的，这一点是值得肯定的。[①]

沈约和魏收都从时代的需要出发来设立志书门类，但他们二人所设却有差异。虽然魏收也设有与《符瑞志》相似的《灵征志》，但他同时继承《汉书》的门类设《食货志》，又创立《释老志》述佛教、道教的发展。与他不同，沈约新创《符瑞志》以证君主的祥瑞。这一不同是由二人所处的环境及思想的不同导致的。可以认为，与沈约相比，魏收设置《释老志》《食货志》的做法更有意义。关于《符瑞志》，陈振孙评价道，“至其所创《符瑞》一志，不经且无益，其赘甚矣”[②]，《四库全书总目》也称《符瑞志》“实为疣赘”[③]。可见沈约新创的《符瑞志》没有得到后人的认可。

需要指出的是，从沈约与魏收所立志书门类的区别来看，与沈约看法相似的还有萧梁的萧子显。前文提到，萧子显《南齐书》是依照萧齐时檀超、江淹撰修的国史旧本而作。尽管萧齐

---

① 关于今人对魏收《释老志》的研究，周一良在《魏收之史学》（载于《魏晋南北朝史论集》）一文中肯定它反映了魏收的卓识，向燕南讨论了《释老志》的史学价值（《〈魏书·释老志〉的史学价值》，《史学史研究》1993 年第 2 期）。

② 陈振孙：《直斋书录解题》卷四《正史类》，上海古籍出版社 1987 年版，第 101 页。

③ 永瑢等：《四库全书总目》卷四五《史部正史类一》，中华书局 1965 年版，第 405 页。

国史议例时王俭建议增加《食货志》，国史诏书也提出修撰该志的要求，但萧子显仍未立关乎“八政所先”“国富民实”[1]的《食货志》，反而在《五行志》之外，另立《祥瑞志》以“启觉天人之期，扶奖帝王之运”[2]。萧子显立志与沈约立志存在相同的问题，其出现的原因也应是相似的。

总的来说，史家评论了皇朝史中的志书撰写，重视其作用和因袭的关系，述其流变，指出它在流传中遇到的问题。至于志书的撰述旨趣，沈约认为志书的设立应有贯通的精神，也应服务于现实政治的需要。值得注意的是，由于史家历史认识的不同，他们对志书门类的设置出现了差异。

魏晋南北朝时期，史家的史学批评包括对史书的评价。除了前文已经论述过的内容，这时期的史家重视叙事和记人，陈寿和袁宏在这两方面作出了重要的贡献。史家重视史论，并提出撰写的理论原则，特别是范晔，他重视史论的内涵及形式，对史论理论的发展及地位的提高有推动作用。其中，范晔提出的有关史论在形式上的要求越来越受到关注，至萧统时史论作为一种文体进行讨论，这种情况的出现与这一时期人们对文史关系认识的变化有关。史家重视志书评论，梳理志书源流，并评价历代志书，他们强调志书撰写对前人的承袭及外界环境对志书的影响，强调志书古今贯通的特性；沈约论志书的撰述旨趣，除了肯定其贯通的意义，还提出志书门类的设置应满足现实的需要。

---

① 萧子显：《南齐书》卷五二《文学传》，中华书局 1972 年版，第 891 页。
② 萧子显：《南齐书》卷一八《祥瑞志》，中华书局 1972 年版，第 349 页。

第五章　关于史家素养与史学批评

史家是史书撰述的主体。评论者提出的史家素养要求表现了评论者对史学的认识，其中史家本身对史家素养的评价是其自我认识的反映，社会中其他人对史家素养的评说可以看出史家在社会中的地位。对史家的评价是史学批评的传统，其内容主要包括评论史家的作史态度、评论史家的史才、对“良史”等问题的认识。魏晋南北朝时期关于史家素养的评论，有的是针对某一位史家提出的要求，或是前朝史家，或为本朝史家；同时，有的评论是史家表示自己撰史的素养追求，还有的评论是对修史群体提出的要求。其中，史家评说自身或自己所处的群体，是撰史主体自觉意识发展的表现。此外，在这一时期，良史的概念可以指史家，也可以指史书。在世人眼中，良史最重要的特征是能够如实记载历史，良史又有万代流传的意义；因此，良史撰录成为规劝世人言行的重要途径。

第一节　评史家作史态度

一、评前代史家撰史态度

在史书编撰过程中，直书和曲笔是两种截然不同的作史态度。一方面随着史家地位的提高，直笔撰史有了保障，另一方面，被后人称赞的直笔却往往集中于私家撰述之中，而官修史书一般被认为多有回护。史家的态度决定着史书撰述的直书或曲笔。在《春秋》中，孔子称赞董狐书法不隐的态度，此后评论史家的作史态度成为史学批评的重要内容，这也是史学批评的根本原则之一。

瞿林东指出，史家作史态度的认识从孔子时的“书法无隐”发展到南北朝时期的“直笔”，反映出的是“史家在主体意识方面的增强”，并把它“作为一种史学传统或史家作风来看待”。[①]从魏晋南北朝时期史家关于作史态度的认识可以看出，他们不仅评价了前代史家或同时期史家的作史态度，也以直书、实录为标准来要求自己，申明自己的撰史原则。另外，这时期也出现了从史学传统或史学功用的角度，评论史家正确作史态度的情况。这不仅是对个别史家提出的要求，也不仅是对某部史书作出的评价，它实际上是将撰史者作为一个整体而对其阐发的议论，反映出的是史学批评的发展。同时，这一时期还出现了对史家撰史采

① 瞿林东：《中国古代史学批评纵横》，中华书局 1994 年版，第 34-35 页。

用曲笔原因的探讨，这说明史家主观意识与外界环境对撰史过程的影响受到评论者的关注，显然具有积极意义。下面，首先来看在魏晋南北朝时期，通过评论前代史家的作史态度而体现出的史学批评思想。

先秦时期的董狐、南史、孔子，秦汉时期的司马迁、班固，是讨论前代史家作史态度时最常涉及的对象。另外，前代史家也包括魏晋南北朝这一时期中、处在作出评论的史家之前的撰史者。有的评论是针对皇朝史撰述展开的，它看重的是史书记载是否受到礼制、统治者、自身情感等因素的影响，如杜预对《春秋》的称赞，葛洪对南史、董狐书法的评价，某些史家对《史记》“谤书”一说的讨论，等等。在这类评论以外，有些看法的提出针对的是前人所记史事是否符合客观历史、是否存在讹误的情况，如裴松之、郦道元通过考证史书记载具体内容的真实与否来评价史家的作史态度。

晋人杜预评价前人的作史态度，考虑的是撰史者如何记载不合礼制之事。前文提到，杜预指出的《春秋》五例中，“尽而不污”一例就是对孔子直笔撰史的称赞。他进一步阐释《春秋》直笔的表现，“直书其事，具文见意。丹楹刻桷、天王求车、齐侯献捷之类是也”[①]。杜预认为，《春秋》记载史实，能够根据客观历史来记载，完整阐述事实。至于是哪类“事”、何种“意”，他举出《春秋》直笔的三个例子，“丹楹刻桷”是说用朱漆漆宫

---

① 杜预：《春秋序》，载于阮元校刻：《十三经注疏》，中华书局2009年版，第3703页。

中的柱子、在木桷上雕刻花纹。《春秋》书，“丹桓宫楹”[①]，桓宫是桓公的庙，楹是庙的柱子，这是说将桓公庙中的柱子漆成红色。《春秋》又记，“刻桓宫桷”[②]，《左传》讲，“刻其桷，皆非礼也”[③]，杜预注“并非丹楹，故言皆”[④]。杜预解释此处《左传》用“皆”字，是表示庄公二十三年（前671）和二十四年（前670）丹楹、刻桷两事都不合乎礼制要求。“天王求车”记于《春秋》桓公十五年（前697），“天王使家父来求车”[⑤]，《左传》记，“天王使家父来求车，非礼也。诸侯不贡车服，天子不私求财”[⑥]，这是说周天子派大夫家父向诸侯求车并不合乎礼制，因为天子是不能向诸侯求取私财的。“齐侯献捷”记于庄公三十一年（前663），“六月，齐侯来献戎捷”[⑦]，《左传》书，“齐侯来献戎捷，非礼也。凡诸侯有四夷之功，则献于王，王以警于夷，中国则否，诸侯不相遗俘”[⑧]，可见齐侯向鲁国进献战争所得，即诸侯国之间的互相进献是违背礼法要求的。杜预认为，《春

① 《春秋左传》卷一〇“庄公二十三年”，载于阮元校刻：《十三经注疏》，中华书局2009年版，第3860页。

② 《春秋左传》卷一〇“庄公二十四年”，载于阮元校刻：《十三经注疏》，中华书局2009年版，第3861页。

③ 《春秋左传》卷一〇“庄公二十四年”，载于阮元校刻：《十三经注疏》，中华书局2009年版，第3861页。

④ 《春秋左传》卷一〇“庄公二十四年”，载于阮元校刻：《十三经注疏》，中华书局2009年版，第3861页。

⑤ 《春秋左传》卷七“桓公十五年”，载于阮元校刻：《十三经注疏》，中华书局2009年版，第3815页。

⑥ 《春秋左传》卷七“桓公十五年”，载于阮元校刻：《十三经注疏》，中华书局2009年版，第3816页。

⑦ 《春秋左传》卷一〇“庄公三十一年”，载于阮元校刻：《十三经注疏》，中华书局2009年版，第3869页。

⑧ 《春秋左传》卷一〇“庄公三十一年”，载于阮元校刻：《十三经注疏》，中华书局2009年版，第3869页。

秋》如实地记载以上违背礼制要求的事，能够规诫后人行事合乎礼制的要求，是其以直书的态度撰史的表现。

可以看出，杜预称赞《春秋》的直笔，指的是它如实记载违背礼法的史事，但在他之后，北方十六国政权之一的后燕昭武皇帝慕容盛有不同的看法。慕容盛认为周公时的历史记载并非直笔，慕容盛的这一认识与他对周公的看法有关。慕容盛，字道运，其事载于《晋书》卷一二四，也见于《十六国春秋》卷四六。慕容盛重视历史记载的价值，他以周公的事迹在经传、诗歌中流传，而提出后燕应当撰文歌颂太宰桓王慕容恪的行事。慕容恪是前燕建立者慕容皝之子，后燕建立者慕容垂的兄长，他曾与慕容垂一起立下赫赫战功。慕容盛认为，在前燕景昭帝慕容儁死后，慕容恪尽心辅佐幼主慕容暐，比周公更值得称颂，“勋道之茂，岂可与周公同日而言乎！”[①] 因此，他命人撰《燕颂》来称颂慕容恪之功。慕容盛又与群臣讨论周公的功绩，从中可以看出他并不认可史书的记载。慕容盛说：“见周公之诈，未见其忠圣也。”[②] 慕容盛对周公的偏见，从一定程度上来看，是少数民族政权的统治者，在寻求更好地利用中原文化为自己服务的过程中，作出的批判性思考。慕容盛认为后人之所以称颂周公，是由于周公时期没有坚持直笔的史官，因此周公真实的形象未能得到记录。他说：

① 房玄龄等：《晋书》卷一二四《慕容盛载记》，中华书局1974年版，第3100页。
② 房玄龄等：《晋书》卷一二四《慕容盛载记》，中华书局1974年版，第3101页。

周公亲违圣父之典而蹈嫌疑之踪，戮罚同气以逞私忿，何忠之有乎！但时无直笔之史，后儒承其谬谈故也。①

慕容盛认为，周公所处的时代并没有敢于直笔的撰史者，所以导致关于周公的历史记载与客观事实出现了偏差。慕容盛对周公的评价此处暂不作讨论，但慕容盛质疑有关周公的历史记载的真实性，从这一点来看，他是赞成史家直笔撰史态度的，他认为，由于当时的史家记载史事不能做到据实直书，因此后世无法了解事实的真相。

在慕容盛之前，与十六国并立的东晋时期，葛洪也提出直书撰史的要求，他称赞了南史、董狐等人书法无隐的态度。葛洪不任史职，但撰有《神仙传》，被《隋志》列入杂传；撰有《汉书抄》，被《隋志》列入杂史类；另外，他还撰有良吏、隐逸等传，并抄五经、《史记》，又有《西京杂记》。葛洪对史学问题多有见解，《抱朴子》载有他的许多看法。其中，葛洪推崇董狐和南史直书的作史态度。在谈及朝政中“辅翼”之人的“罪大恶积”和“见废之君”有“未必悉非”之处时，葛洪指出，即使有人知道这种情况，但又有谁敢说出来呢？他说：

虽知其然，孰敢形言？无东牟、朱虚以致其计，无南史、董狐以证其罪，将来今日，谁又理之？独见者乃能追觉

① 房玄龄等：《晋书》卷一二四《慕容盛载记》，中华书局1974年版，第3101页。

桀、纣之恶不若是其恶，汤、武之事不若是其美也。[①]

这里，葛洪以东牟侯、朱虚侯以及南史、董狐作为揭露“辅翼”者罪行和揭示事实真相的人。东牟侯刘兴居、朱虚侯刘章，二人是汉高祖刘邦的孙子、齐悼惠王刘肥的儿子。他们曾揭露吕氏一族的叛乱计划，在平定吕氏叛乱中立下功劳。[②] 春秋时期，齐国史官南史记载大夫崔杼弑君之行，晋国史官董狐直笔记下赵盾的行径。葛洪认为，南史、董狐坚持书法无隐，揭露了事实真相，使得后人能知晓当日朝中的实情。另外，葛洪还直接称赞直笔记载“国恶”的重要性。他在讨论孙吴亡国一事时，转述其师郑隐及先师左慈对孙吴灭亡原因的分析，继而文中记载：

抱朴子闻之，曰：二君之言，可为来戒，故录于篇，欲后代知有吴失国，匪降自天也。若苟讳国恶，纤芥不贬，则董狐无贵于直笔，贾谊将受讥于《过秦》乎？[③]

葛洪认为，两位老师的言论可以帮助后人了解孙吴亡国的真正原因，并为后世鉴戒，是值得记录下来的。在他看来，皇朝丑恶之处是史书不应该避讳不谈或不加批评的。葛洪再次赞赏董

① 葛洪：《抱朴子外篇》卷七《良规》，杨明照《抱朴子外篇校笺（上）》本，中华书局 1991 年版，第 288 页。

② 东牟侯、朱虚侯之事见《史记》卷五二《齐悼惠王世家》（中华书局 1959 年版，第 1999 页）。

③ 葛洪：《抱朴子外篇》卷三四《吴失》，杨明照《抱朴子外篇校笺（下）》本，中华书局 1997 年版，第 170 页。

狐，认为他如实记载史事来揭露当时真实局势的行为，是非常可贵的；他也指出，贾谊评价秦朝的过失，也是值得褒扬的。葛洪肯定南史、董狐直书的作史态度，认为他们不避国恶撰史，因此他们记载下来的真实历史可以供后人了解、鉴戒。

除了肯定南史、董狐的作史态度，葛洪对司马迁直笔撰史的精神，特别是司马迁以求真的态度“核实”史料、以“至理”为标准作出褒贬评论也给予称赞[1]。葛洪另外举出司马迁记载屈原、贾谊、景帝、武帝等事迹的实例，证实司马迁“恶事不避”[2] 的直书方法。葛洪的评论实际上有关史家如何在撰史过程中正确把握自己的主观意识，这涉及直笔撰史的关键问题。

关于司马迁的作史态度，南朝刘宋裴松之也持同样的观点，裴松之注称：

> 史迁纪传，博有奇功于世，而云王允谓孝武应早杀迁，此非识者之言。但迁为不隐孝武之失，直书其事耳，何谤之有乎？[3]

裴松之认为，王允称《史记》为谤书并无道理，他进而指出，司马迁撰述史书能够不遮掩汉武帝的过失、坚持直书的态度值得称赞。王肃、裴松之与葛洪一样，对《史记》谤书一说予

① 葛洪：《抱朴子内篇》卷一〇《明本》，王明《抱朴子内篇校释》本，中华书局1985年版，第184页。

② 高似孙：《史略》卷一《诸儒史议》，《丛书集成初编》本，中华书局1985年版，第8页。

③ 陈寿：《三国志》卷六《董卓传》，裴注，中华书局1959年版，第180页。

以否定，并表示对司马迁直书态度的支持。可以看出，司马迁所作《史记》是否为谤书的争议，实际上是对司马迁作史态度的讨论，它考察的是《史记》撰写是否受到司马迁情感好恶的影响。

刘勰评论班固撰《汉书》存在“遗亲攘美”“征贿鬻笔”[①]的问题。刘勰指出，班固否定父亲班彪的撰史贡献，同时又收受贿赂而撰述，因此刘勰认为，班固作史没有秉持正直的态度。但是，南朝刘宋范晔对此持不同的观点。范晔在《后汉书》中为班彪父子立传，在记二人行事后，范晔抒发赞论，认为班彪、班固父子“比良迁、董”[②]，董狐、司马迁是作史的典范，特别是董狐直笔撰史的形象深入人心。范晔这里的观点，显然是认可班彪、班固父子的作史态度的。

除了对《史记》《汉书》两部史学名著撰述者的作史态度进行讨论，这一时期的史家也指出前代史家存在不能直笔撰述的问题。比如，北朝魏收不认可前代韩显宗的撰史态度。北魏韩显宗曾自称坚持“实录”“直书”，但魏收在《魏书》中并不这样认为，他评论道：“显宗文学立己，屡陈时务，至于实录之功，所未闻也。”[③] 魏收评价韩显宗是有文学才能的，但是韩显宗所自称的直书著史的精神，魏收表示并未发现。

从以上对前朝史家作史态度的评价可以看出，直书的作史态度是获得史家一致认可的。在当时的人看来，所谓直书，往往以

---

① 刘勰：《文心雕龙·史传》，黄叔琳等《增订文心雕龙校注》本，中华书局2012年版，第205页。

② 范晔：《后汉书》卷四〇下《班彪列传赞》，中华书局1965年版，第1387页。

③ 魏收：《魏书》卷六〇《韩麒麟程骏传论》，中华书局1974年版，第1351页。

史家不加避讳地记载不合礼制之事、国恶之事、君主的过失等为标准。还有的观点重视史家是否达到一定的操守要求，记载史事能否不为自身情感左右，也不为世俗干扰。

同时，这一时期关于史家作史态度的认识，有的是通过考察史书记载具体内容的真实性来表现的。这类评价史家是否直书的情况，往往以所记史事是否真实为标准作出评论。这种情况通常存在于纠谬史事的史书注文中，如《三国志》裴注、郦道元《水经注》、杨衒之《洛阳伽蓝记》的自注，等等。

前文讲道，《三国志》裴注包含了裴松之对《三国志》的评论，裴松之看重撰述史实的真实性，以征引史料的方式来考察所记史事真实与否，从而订正史书记载的讹误，评价该历史记载是否是直笔、实录。在这类评论中，除了对《三国志》本身的看法，裴松之也评说了他所征引的其他的三国历史撰述。例如，在《三国志》记载“长安士庶咸相庆贺，诸阿附卓者皆下狱死”[①]时，裴松之征引谢承《后汉书》的记载，即蔡邕因叹息董卓之死而受到王允的责难，及王允认为司马迁《史记》是部“谤书”一事。裴松之随即指出，谢承的记载是“妄记”[②]，并非事实。裴松之纠正谢承所记的疏谬之处，指出谢承对这一事件的记载并非是直笔撰述。

同样注意考察史书所记史事真实性的，还有北魏郦道元。他在注释《水经》时，征引了大量材料，校订《水经》记载的讹

---

① 陈寿：《三国志》卷六《董卓传》，中华书局1959年版，第179页。
② 陈寿：《三国志》卷六《董卓传》，裴注，中华书局1959年版，第180页。

误处，同时也评价了撰述者的作史态度。如“余按周处此志为不近情，传疑则可，证实非矣。安可假木异名，附山殊称？强引大舜，即比宁壤，更为失志记之本体，差实录之常经矣”[①]。这里，郦道元否定了周处在《风土记》中记载的真实性。又如，“考诸地说，或言泗水于睢陵入淮，亦云于下相入淮，皆非实录也”[②]，这是指出地志记载的泗水流向是错误的。这类评价还可见于文中多处。

杨衒之撰《洛阳伽蓝记》，在行文中常缀有“按语”，评说前人的撰述。如记明悬尼寺时，他指出，刘澄之、戴延之认为明悬尼寺的建造时间在晋太康元年（280）的说法，“失之远矣”。接着评说二人记载出现讹误的原因，是由于二人并非本地人士，“至于旧事，多非亲览，闻诸道路，便为穿凿”[③]。杨衒之撰史，注重纠正前人记事之讹误，反映了他对直书撰史态度的追求。

可见，无论是称赞前代史家直书的作史态度，还是指出曲笔撰史存在的问题，都表现出魏晋南北朝时期的史学批评对待作史态度有直书的要求。这类评论可以分成两类：一类考察撰史者思想上形成这种作史态度的原因，即史书撰述是否受到外界的影响或个人主观情绪的影响，其中外界影响又可以包括礼制的限制和统治者的要求等方面。另一类则是从史书记载史事的真实性出

---

① 郦道元：《水经注》卷四《河水》，陈桥驿《水经注校证》本，中华书局2007年版，第107页。

② 郦道元：《水经注》卷二五《泗水》，陈桥驿《水经注校证》本，中华书局2007年版，第604页。

③ 杨衒之：《洛阳伽蓝记》卷二《明悬尼寺》，周祖谟《洛阳伽蓝记校释》本，中华书局2010年版，第56页。

发，以纠正记载的讹误之处为目的，这类评价主要出现在史书的注文中。前代史家作史态度及记载的真实性是受到魏晋南北朝时期史家重视的。

二、评本朝史家作史态度

魏晋南北朝时期不仅有对前代史家作史态度的评论，也有对同时期史家作史态度的评价。其中有的是称赞之论，如华峤、裴子野、程骏都被时人称赞有直书的作史态度，还有的明确指出其他史家作史态度存在的问题，如崔祖思、魏收等人的论说。这一时期，不仅出现对他人作史态度的评论，另有史家以直书撰史的要求约束自己的作史态度，特别是北朝史家高允、韩显宗、魏收等人，他们这一自我要求的提出往往与其史职之任或皇朝史撰述有关；同时，也出现了不任史职之人，或是撰写皇朝史之外的新兴史体史书的史家，他们对直书态度的自我要求。以上史家自我要求的出现是由于史家越来越深刻地认识到撰写史书是一项神圣的事业，也越来越认可史家撰史的主体身份，从而提出的要求。

晋刘惔在读过干宝的《搜神记》后称赞干宝道："卿可谓鬼之董狐。"[①]《搜神记》记载的内容多为鬼怪、传说、琐闻，刘惔将干宝比作董狐，可以看出在他的眼中，干宝的《搜神记》与董狐撰录在一定程度上具有一致性。

另外，就撰写皇朝史来说，华峤及其《汉后书》得到了同

---

① 刘义庆：《世说新语》卷下之下《排调》，余嘉锡《世说新语笺疏》本，中华书局2007年版，第937页。

朝多位大臣肯定。华峤，字叔骏，其事载于《晋书》卷四四，他撰有纪传体的《汉后书》[①]。华峤生前并未完成书中的十典，在他死后，其子华彻、华畅帮他完成。清人姚之骃、汪文台等人辑佚七家后汉史书包括华峤的撰述，后由今人周天游整理入《八家后汉书》中。史书载："时中书监荀勖、令和峤、太常张华、侍中王济咸以峤文质事核，有迁固之规，实录之风，藏之秘府。"[②] 刘勰也称赞它"准当"[③]。可以看出，西晋朝臣及南朝刘勰对华峤《汉后书》的称赞，是说它继承了司马迁、班固史书的传统，这里指的是他以实录的态度撰写史书，记载的内容准确恰当。

南朝裴子野撰史的直书态度也受到沈约的称赞。裴子野，字几原，河东闻喜人，他是裴松之的曾孙、裴骃的孙子，其事载于《梁书》卷三十。裴子野仕于齐、梁，裴松之曾受诏续修宋史却未完成，裴子野有志继承先业，删减沈约所撰的百卷《宋书》至二十卷《宋略》，《隋志》将它列入古史类，《宋略》的叙事和评论均得到他人的称赞。史书记载道：

> 及齐永明末，沈约所撰《宋书》称"松之已后无闻焉"。子野更撰为《宋略》二十卷，其叙事评论多善，而云"戮淮南太守沈璞，以其不从义师故也"。约惧，徒跣谢之，

---

① 《晋书》华峤本传著录其书名为《汉后书》，但《隋志》和《新唐志》著录华峤的撰述为《后汉书》，虽然名称不同，但应为同一著作。

② 房玄龄等：《晋书》卷四四《华表传附华峤传》，中华书局 1974 年版，第 1264 页。

③ 刘勰：《文心雕龙·史传》，黄叔琳等《增订文心雕龙校注》本，中华书局 2012 年版，第 205 页。

请两释焉。叹其述作曰："吾弗逮也。"[①]

这段文字记于《南史》卷三三，《梁书》裴子野本传亦记此事，但未详细说明沈约自认比不上裴子野撰述的原因，即《宋略》所载沈璞之事。如上文所记，裴子野在《宋略》中评说沈约父亲沈璞被杀的原因，是因为沈璞不响应宋孝武帝刘骏率领的义军的缘故。当时宋文帝的长子即太子刘劭杀死文帝，自立为帝，时任江州刺史的文帝三子刘骏率兵讨伐刘劭，并取得成功，刘骏率领的便是所谓的"义师"。从裴子野所记可知，沈璞之死与他对待刘骏的拒绝态度有关。

沈约曾自述家史，也记录了沈璞之死，但他所记沈璞之死的原因与裴子野的分析不同。《宋书》载，刘劭弑君自立后：

(璞) 日夜忧叹，以至动疾。会二凶逼令送老弱还都，璞性笃孝，寻闻尊老应幽执，辄哽咽不自胜，疾遂增笃，不堪远迎，世祖义军至界首，方得致身。先是，琅邪颜竣欲与璞交，不酬其意，竣以致恨。及世祖将至都，方有谗说以璞奉迎之晚，横罹世难，时年三十八。[②]

可以看出，沈约认为，沈璞之死的直接原因是沈璞曾得罪颜竣，颜竣记恨此事而向孝武帝刘骏进谗言，以沈璞未能及时迎接

---

① 李延寿：《南史》卷三三《裴松之传附裴子野传》，中华书局 1975 年版，第 866 页。
② 沈约：《宋书》卷一〇〇《自序》，中华书局 1974 年版，第 2465 页。

刘骏的义军为借口而杀死沈璞。沈约在《宋书》中说明沈璞反对刘劭弑君，但未明确说明他对待刘骏义军的态度。沈约还列出诸事分析沈璞没有远迎义军的原因，是因为沈璞长久忧叹导致身体不适，这是身体状况的客观情况造成的。

关于沈璞被杀的原因，将裴子野的撰述与沈约的记载相比较，不难发现，裴子野虽在沈约《宋书》的基础上删减作《宋略》，但他并未完全照搬沈约的记载。对于沈约撰述中他不完全认可的史实，裴子野根据自己对史料的掌握与理解重新梳理了部分历史事件的因果关系。裴子野显然没有顾忌沈约三朝重臣的身份而曲笔记载其父被杀的原因，这使沈约读后自知自己不如裴子野，他还赤足到裴子野面前致歉。虽然沈约曾讲裴松之之后裴氏无出色的后人，然而在他读过裴子野所撰史书后改变了主意。沈约对裴子野态度的改变，表现出沈约对裴子野作史态度的肯定。

北魏尚书李敷推荐程骏任史职时，称赞程骏能够据实直书。李敷，字景文，赵郡平棘人，其事载于《魏书》卷三六。李敷以谦恭的品性和文学之才受到文成帝拓跋濬的重用，“朝政大议，事无不关”[①]。程骏，字驎驹，广平曲安人，其事载于《魏书》卷六十。程骏求学于刘昞，好老、庄之学，拓跋濬时程骏任著作。李敷曾推荐程骏任史职，李敷讲道：“夫君之使臣，必须终效。骏实史才，方申直笔，千里之任，十室可有。请留之数载，以成前籍，后授方伯，愚以为允。”[②] 李敷认为程骏具备撰

① 魏收：《魏书》卷三六《李顺传附李敷传》，中华书局1974年版，第833页。
② 魏收：《魏书》卷六〇《程骏传》，中华书局1974年版，第1345页。

修国史的才能，他所说的才能主要指的是程骏能够直书撰史。

除了称赞同朝史家的作史态度，还有的史家指出同朝史家撰史缺乏直书的精神。如萧齐崔祖思评论当时史家群体的作史态度。崔祖思，字敬元，清河东武城人，其事载于《南齐书》卷二八。崔祖思对史官撰史提出了直笔的要求，他认为当朝的史官撰史缺乏直笔，这是亟须改正的。崔祖思这样说道：

> 古者左史记言，右史记事，故君举必书，尽直笔而不污；上无妄动，知如丝之成纶。今者著作之官，起居而已；述事之徒，褒谀为体。世无董狐，书法必隐；时阙南史，直笔未闻。①

崔祖思从古代史官讲起，对当朝史官撰史缺少直书精神的问题提出意见，并对史官素养提出要求。他指出，古代史家重视直书，凡君主的举动一定据实记载下来，因此君主感受到史官直笔的威慑力，不会胡乱行事。然而，在崔祖思看来，萧齐当时的史官却没有古代史官的直书精神；相反，记录史事的人往往只是为了赞美君主而阿谀奉承，他们对皇帝起居的简单记录，无法起到威慑、警戒的作用。崔祖思感叹道，将古代史官同当下史官相对比会发现，现在已经找不到像董狐、南史一样直笔不隐的史官了。崔祖思倡导直笔是史官的重要素养，他的看法是从直书记载

① 萧子显：《南齐书》卷二八《崔祖思传》，中华书局1972年版，第520页。

史事有威慑、规范君主行为的作用出发的。

以上史学批评的内容是对他人的作史态度提出看法，这一时期还有史家以坚持直书、实录的撰史态度作为自我要求，其中有的人是因为担任史职、负责皇朝史撰述而提出的，有的人则是在私撰史书时提出的。魏晋南北朝时期官修国史受到政权的重视和干预，有的史家在以史官之任撰修国史时，表示出以直笔要求自己的撰述，如北朝的高允、韩显宗、魏收等人。高允，字伯恭，渤海人，其事载于《魏书》卷四八。前文提到，他曾与崔浩等人一同撰修北魏国史。在高允寄与友人宗钦的诗赋中，可以看出高允有继承史书直笔撰写优良传统的决心，他说：

> 远思古贤，内寻诸己。仰谢丘明，长揖南史。遐武虽存，高踪难拟。夙兴夕惕，岂获恬止。①

高允表示，他要以远古贤能之人为楷模，学习左丘明的才华，学习南史的直笔精神，从而反省自己的修史行为。他表示要以左丘明、南史为标准，这是对自己的作史态度提出的要求。

又如前文提到的韩显宗，他的作史态度尽管没有得到魏收的肯定，但他确实明确表示自己撰写史书是以直书为标准的。韩显宗，字茂亲，昌黎棘城人，其事载于《魏书》卷六十。韩显宗在孝文帝太和年间任著作佐郎，参与国史撰修，孝文帝评价他不

① 魏收：《魏书》卷五二《宗钦传》，中华书局1974年版，第1157页。

如司马迁、班固，认为他只是以撰史为工作的史官而已，算不上优秀的史家，但韩显宗却否认这一看法，他认为自己能够做到“实录时事”[①]“直笔而无惧”[②]，在这一方面比司马迁、班固更为优秀。韩显宗强调自己作为史官，坚持以直书的态度来记载史事，尽到了应尽的职责。

同样以直书要求自己的还有魏收。魏收在文宣帝高洋询问他的志向时，称“臣愿得直笔东观，早成《魏书》”[③]。可见，“直笔”的作史态度是其撰史的追求。《北齐书》载，崔㥄博览群书，且有文才，但是生活奢侈，又贪恋钱财、美色，与兄弟不能和睦相处，因此常常受到他人的嘲讽。崔㥄为人如此，但他总忌惮自己被史官写在国史中的形象不佳。当时负责修撰国史的史官是魏收，崔㥄与魏收的关系一直不好，他担心魏收会将自己不妥的言行记录下来，因此讨好魏收说：“昔有班固，今则魏子。”崔㥄赞美魏收，将魏收比于班固，希望魏收能在史书中为自己美言，但“收笑而憾不释”[④]。魏收并没有因为崔㥄的讨好而在史书中对他作虚假的褒扬。由这段文字可以看出，史书记载对世人是有威慑力的，而魏收作史，至少在崔㥄一事上，是坚持了直书态度的。

南朝也有史家对自己撰史提出了直书的要求，沈约曾表示，

---

① 魏收：《魏书》卷六〇《韩麒麟传附韩显宗传》，中华书局 1974 年版，第 1342 页。
② 魏收：《魏书》卷六〇《韩麒麟传附韩显宗传》，中华书局 1974 年版，第 1343 页。
③ 李百药：《北齐书》卷三七《魏收传》，中华书局 1972 年版，第 487 页。
④ 李百药：《北齐书》卷二三《崔㥄传》，中华书局 1972 年版，第 335 页。

自己所撰“远愧南、董”[①]，这是表达对南史、董狐直书态度的追求。

对自己作史态度提出要求的，不仅有担任史职撰写皇朝史的史家，还有一些私撰史书的史家，他们的撰述多为皇朝史外的其他史体。南朝齐梁间的释僧祐并未撰修国史，但他在私撰史书时，也表达过对直书的追求。释慧皎的《高僧传》卷一一《明律》为十三位僧人立传，包括《齐京师建初寺释僧祐传》，该传记载了释僧祐其人其事。释僧祐，本姓俞氏，其先为彭城人，父世居建业。据本传载，释僧祐“大精律部”[②]，萧齐时，竟陵王萧子良、齐武帝萧赜命他为众人讲律，萧梁时梁武帝也常以佛事问于他。释僧祐以众人之力搜集材料，辑有《出三藏记集》《弘明集》等著作，撰有《文心雕龙》的刘勰曾与他在一处生活了十余年。

《出三藏记集》十五卷，辑录了东汉到南朝萧梁的佛教文献。据释僧祐所讲，该书为阐明经书的翻译、流传问题而作，“一撰缘记”是为说明印度佛经的缘起及中国译经的经过。书中不仅录有佛经文献名目，即“二铨名录”，也辑有佛经的序及记，即“三总经序”。需要注意的是，在文献目录之外，《出三藏记集》还记有三十二位翻译经书的高僧传记，即“四述列传”。释慧皎在《高僧传》中评价《出三藏记集》中的高僧传

---

① 沈约：《宋书》卷一〇〇《自序》，中华书局1974年版，第2468页。
② 释慧皎：《高僧传》卷一一《释僧祐传》，汤用彤校注本，中华书局1992年版，第440页。

记，认为它记录的高僧数量太少，不够全面。[①]

可以看出，《出三藏记集》的“四述列传”部分，旨在使“伊人之风可见”[②]，文中记录了域外及域内的译经高僧的生平事迹，能够将其看作一部记录从事译经工作的高僧人物史传。释僧祐在《出三藏记集》的序言中表明自己的撰述旨趣道：

> 参以前识，验以旧闻。若人代有据，则表为司南；声传未详，则文归盖阙。秉牍凝翰，志存信史，三复九思，事取实录。有证者既标，则无源者自显。庶行潦无杂于醇乳，燕石不乱于荆玉。但井识管窥，多惭博练，如有未备，请寄明哲。[③]

可以看出，释僧祐立志撰写列传要存“信史”，取“实录”。释僧祐表示，有可靠资料的史实将悉数撰录，否则不予记录。释僧祐为这三十二位僧人撰写的小传，尽管不被释慧皎认可，但是释僧祐的撰录都是以史料为根据、以直笔要求记载下来的，这是释僧祐对自己提出的记录真实可靠历史的要求。

魏晋南北朝时期，史家对同时期其他史家的作史态度的评价，是以直书为标准的，另外，有的史家还对自己撰史提出了要

---

① 释慧皎：《高僧传》卷一四《序录》，汤用彤校注本，中华书局1992年版，第524页。

② 释僧祐：《出三藏记集序》，载于《出三藏记集》卷一，苏晋仁、萧炼子点校本，中华书局1995年版，第2页。

③ 释僧祐：《出三藏记集序》，载于《出三藏记集》卷一，苏晋仁、萧炼子点校本，中华书局1995年版，第2页。

求。这类评价有的出现在史官修史的过程中；还有的史家不任史职，他们私撰史书，也以直书的作史态度作为追求。要之，撰史者对自身作史态度的直笔要求，不仅是因为受到外界的影响而提出的，而且他们也感受到史家撰史的神圣责任感。这一种情况是随着史学发展而出现的，反映了魏晋南北朝时期史家史学主体意识的提高。

三、论史家作史的正确态度

除了对前朝史家及本朝史家的作史态度提出批评，还有的史家讨论了作史的正确态度。这类评价不仅从继承“直书”传统的意义上来讲，更是从史官作用及史书作用的角度提出的看法，这是将史书撰述作为一项伟大的事业来看待，是对史家职业操守提出的要求。此外，较有意义的是，有的史家在评论他人作史态度的同时，也分析史书撰写中容易出现曲笔撰史的原因，这是对直书、曲笔作史态度原因的探讨，对完善有关正确作史态度的认识具有进步意义。

晋人王导认为，在记载君主、臣子事迹的国史撰修中，应以“实录”① 的态度如实记载成册，是为准则。南朝刘宋徐爰也有相似的看法，他讲道：“典谟缅邈，纪传成准，善恶具书，成败毕记。”② 这是讲撰修国史要以直书的态度兼记善和恶、成与败。

与王导、徐爰的评价相比，柳虬对史家作史态度的认识论述

---

① 房玄龄等：《晋书》卷八二《干宝传》，中华书局1974年版，第2149页。

② 沈约：《宋书》卷九四《恩幸传》，中华书局1974年版，第2309页。

得更为全面。柳虬，字仲蟠，其事载于《周书》卷三八。他曾“以史官密书，善恶末足惩劝”而上疏，且最终他的建议得到采纳。柳虬说道：

> 古者人君立史官，非但记事而已，盖所以为监诫也。动则左史书之，言则右史书之，彰善瘅恶，以树风声。故南史抗节，表崔杼之罪；董狐书法，明赵盾之愆。是知直笔于朝，其来久矣。①

柳虬先从古代的史官制度谈起，意在说明史官制度古已有之，并阐明其价值。柳虬指出，古代君主设立史官来记录君主的言行，不仅是把发生的事情保存下来而已，更重要的是要规范当朝君臣的言行，树立良好的风气，以鼓励善行、批评错误的行为。柳虬认为，南史、董狐都是直笔而书的典范，他们记载了崔杼、赵盾的过错。在柳虬看来，直笔而书是史官制度最重要的价值，只是之后史官制度的发展却出现了偏差。柳虬说道：

> 而汉魏已还，密为记注，徒闻后世，无益当时，非所谓将顺其美，匡救其恶者也。且著述之人，密书其事，纵能直笔，人莫之知。何止物生横议，亦自异端互起。故班固致受金之名，陈寿有求米之论。著汉魏者，非一氏；造晋史者，

① 令狐德棻等：《周书》卷三八《柳虬传》，中华书局1971年版，第681页。

至数家。后代纷纭，莫知准的。①

柳虬指出，汉、魏以来，记注不再公开，而是隐秘地记录起来；在当时，历史记载无法起到鉴戒的作用，更不能达到颂扬善行、规诫恶行的目的。柳虬认为，当时的人们根本无法了解记载者是否据实直书，这样一来，人们便乱发议论，比如有人说班固接受钱财的贿赂而撰史，又有人说陈寿求米立传。柳虬感叹道，撰写汉代、曹魏历史的不止一家，而撰写晋代历史的人更多了，但历史事实究竟如何，并不被后人知晓。在柳虬看来，汉、魏以来，史官记载史事的方式发生了变化，这是他不认可的，同时，他对这一时期史家撰写史书的态度也表示不能认同。柳虬还探究了这一情况发生的原因，因为这时的撰史者没有做到公开撰史、直书其事，更无法以此规范世人的行为。因此，柳虬提出先公开纳谏、再载入史书的建议。他说道：

伏惟陛下则天稽古，劳心庶政。开诽谤之路，纳忠谠之言。诸史官记事者，请皆当朝显言其状，然后付之史阁。庶令是非明著，得失无隐。使闻善者日修，有过者知惧。敢以愚管，轻冒上闻。乞以瞽言，访之众议。②

柳虬建议君主支持群臣的进谏纳言，而史官记事，也要先在

---

① 令狐德棻等：《周书》卷三八《柳虬传》，中华书局1971年版，第681页。

② 令狐德棻等：《周书》卷三八《柳虬传》，中华书局1971年版，第681页。

朝堂上禀明情况，然后再交付史阁保存。柳虬认为，这样可以不加隐讳、如实记录史事，以便彰显是非，实现史书的鉴戒价值。柳虬是从史书的功用上对作史态度提出看法的，他不是针对某个人的态度作出的评价，而是对史官群体提出的要求。

北方有柳虬对作史态度提出普遍性的要求，南方则有梁人刘勰提出“素心”的撰史要求，刘勰是从史学本身的角度提出这一看法的。刘勰说道：“故述远则诬矫如彼，记近则回邪如此，析理居正，唯素臣（心）乎！若乃尊贤隐讳，固尼父之圣旨，盖纤瑕不能玷瑾瑜也；奸慝惩戒，实良史之直笔，农夫见莠，其必锄也：若斯之科，亦万代一准焉。”[①] 刘勰首先指出，史传的撰写需要遵循“素心”的要求，也就是说要秉笔直书。但需要注意的是，刘勰所理解的“直笔”，包括“春秋大义”，在他看来“尊贤隐讳”“奸慝惩戒”也是良史之直笔。

魏晋南北朝时期，官修国史受到统治者的重视。他们加强史官制度及修史制度，表示自己支持史家撰史的“直笔”态度，特别是北朝统治者。《魏书》载，北魏太武帝拓跋焘诏崔浩撰修国史，“命公留台，综理史务，述成此书，务从实录”[②]。北魏孝文帝常对史官讲：“直书时事，无讳国恶。人君威福自己，史复不书，将何所惧。”[③] 北齐文宣帝诏魏收撰修魏史，他对魏收讲道：“好直笔，我终不作魏太武诛史官。”[④] 从这里所讲的“实

---

① 刘勰：《文心雕龙·史传》，黄叔琳等《增订文心雕龙校注》本，中华书局2012年版，第207页。
② 魏收：《魏书》卷三五《崔浩传》，中华书局1974年版，第824页。
③ 魏收：《魏书》卷七下《高祖纪下》，中华书局1974年版，第186页。
④ 李百药：《北齐书》卷三七《魏收传》，中华书局1972年版，第487页。

录”“直书”等要求可以看出，北朝君主期望史官撰史具备直笔的态度，这是君主对国史撰修之正确态度的认识。

但在魏晋南北朝时期的皇朝史记载中，往往多有回护。清人赵翼曾举例论《三国志》存在回护的问题，“自《三国志·魏纪》创为回护之法，历代本纪遂皆奉以为式”[①]，他认为这是不同于《春秋》书法的。有的史家在对作史态度提出要求的同时，也分析撰写史书容易出现曲笔的原因，如赵逸、崔浩、沈约、宗钦、萧大圜等人，这一方面的探讨对完善有关正确作史态度的认识有着积极意义。

东晋十六国时期，赵逸评价了十六国的历史记载，并指出它们在作史态度上存在的问题。赵逸，字思群，天水人，其事载于《魏书》卷五二。赵逸祖上仕于汉室，其父仕于后赵石勒。到了赵逸，他原本仕于后秦姚兴，并参与了后秦征讨大夏的战争，战败被俘，赫连勃勃任命他为著作郎。后来北魏攻破大夏都城，赵逸被北魏征辟。赵逸爱好坟籍，曾任史官，对于史家撰史有自己的看法。杨衒之《洛阳伽蓝记》记载了赵逸的评论。赵逸说道：

> 自永嘉已来二百余年，建国称王者十有六君，吾皆游其都邑，目见其事。国灭之后，观其史书，皆非实录，莫不推过于人，引善自向。[②]

---

① 赵翼：《廿二史札记》卷六“《后汉书》《三国志》书法不同处”条，王树民《廿二史札记校证》本，中华书局1984年版，第119页。

② 杨衒之：《洛阳伽蓝记》卷二《景兴尼寺》，周祖谟《洛阳伽蓝记校释》本，中华书局2010年版，第65页。

赵逸认为，记载十六国时期历史的史家，往往不能如实记录。赵逸分析这种“非实录”记载出现的原因是将过错归结于他人，将好处归功于自己。赵逸不仅评论了十六国史家的作史态度，还分析曲笔产生的原因。显然，赵逸所说的这类撰述无法如实记载史实，因为史家无法做到公平、客观地撰史。

赵逸评价十六国的史书，指出史家作史态度存在的问题，但是，曾为十六国大夏史官的赵逸，他对大夏历史的记载未能得到北魏君主的赞同。因此，崔浩曾劝说太武帝拓跋焘正确看待赵逸的撰述。崔浩，字伯渊，清河人，其事载于《魏书》卷三五。他在道武帝、明元帝、太武帝三朝为官，位居高位，他参与北魏朝政议事，并帮助其取得军事战争的胜利。崔浩参与北魏国史撰修，后太武帝拓跋焘借由此事，诛杀崔浩，崔浩之死与“国史之狱”有关。[①]

北魏灭大夏后，太武帝拓跋焘看到大夏著作郎赵逸对历史的记载，非常生气，“此竖无道，安得为此言乎！”[②] 显然，拓跋焘认为赵逸记载的史事不符合实际情况。在这样的情况下，崔浩提出，要结合史家所处的时代和环境来理解其撰述的观点，这一看法实际上涉及史学批评中知人论世的标准，也涉及对史家作史态度的评论。崔浩劝解拓跋焘道：

---

① 《魏书》载：“浩尽述国事，备而不典。而石铭显在衢路，往来行者咸以为言，事遂闻发。”（魏收：《魏书》卷三五《崔浩传》，中华书局1974年版，第826页）关于崔浩“国史之狱”及崔浩之死的实情学者多有探讨，且论述甚详，如陈寅恪有《崔浩与寇谦之》、何兹全有《崔浩之死》、周一良有《崔浩国史之狱》等等。

② 魏收：《魏书》卷五二《赵逸传》，中华书局1974年版，第1145页。

彼之谬述，亦犹子云之美新，皇王之道，固宜容之。[①]

崔浩认为，尽管赵逸的撰录实属荒谬，但是若要评论赵逸所撰，必须要考虑撰述者的经历与所处的特殊位置。崔浩又以扬雄《剧秦美新》[②] 为例劝说拓跋焘宽容看待此事。崔浩说道，扬雄曾上疏美化王莽的新朝，这与赵逸撰述中对大夏的美化是一致的。崔浩此言，指出扬雄、赵逸为自己所效命皇朝的记载并非直笔，并且崔浩还分析这一情况出现的原因，即史家撰史容易受到外在环境的影响，特别是受限于当朝政治的要求。崔浩倡导评论者关注撰史者的经历与所处，即史家主观态度对撰述史书的影响，这是值得肯定的，但若因此以"皇王之道"为由，不对史家作史态度提出要求，这显然不是有关作史态度的正确认识。

南朝沈约曾从当朝人撰当朝史的角度，指出史家难以直书的问题。他在撰修《宋书》时，评论前代记载刘宋历史的史书，"自永光以来，至于禅让，十余年内，阙而不续，一代典文，始末未举。且事属当时，多非实录，又立传之方，取舍乖衷，进由时旨，退傍世情，垂之方来，难以取信"[③]。沈约认为，从刘宋前废帝永光年间到萧道成称帝这段时间内，史书撰写并不完善，有的史事缺乏史书记载，有的虽有记载却存在失实的问题。沈约指出，后一问题产生的原因是当时人多用曲笔记载当时事。沈约

① 魏收：《魏书》卷五二《赵逸传》，中华书局1974年版，第1145页。

② 扬雄，字子云，他仕于西汉成帝；王莽建立新朝后，扬雄被征辟。扬雄仿照司马相如的《封禅文》上疏王莽，斥责秦朝，美化新朝，这就是《剧秦美新》。

③ 沈约：《宋书》卷一〇〇《自序》，中华书局1974年版，第2467页。

评论道，之前撰述刘宋历史的史家不能做到直笔作史，是由于他们记载的是当朝史，因而受到当朝统治者的压力，另外史书立传没有统一的标准，常需要屈从于当时人情世故的要求。

北魏宗钦曾探讨史书中出现曲笔的原因。宗钦，字景若，金城人，其事载于《魏书》卷五二。据本传载，宗钦撰《蒙逊记》，所记当为北凉历史，只是此书无足可称。太武帝拓跋焘平北凉后，宗钦被任命为著作郎，与崔浩、段承根、高允等人共修国史；后来他在崔浩国史案中受牵连，被诛。宗钦和高允交好，二人有多封信函往来。前文已讨论过高允写给宗钦的诗中表现出的高允对直笔的要求，同时在宗钦赠与高允的诗中，也表达了宗钦对历代修史的认识。宗钦写道：

> 南、董邈矣，史功不申。固倾佞窦，雄秽美新。迁以陵腐，邕由卓泯。时无逸勒，路盈摧轮。①

宗钦认为，像南史、董狐那样，坚持直笔的史官，已经很久都没有了；班固依附权势显赫的外戚窦宪，为他撰写颂文；扬雄撰写《剧秦美新》一文，歌颂王莽的新朝伪政权；司马迁因为受李陵的牵连而遭受腐刑，蔡邕则因为追随董卓而被诛。宗钦通过举出班固、扬雄、司马迁、蔡邕等人的例子，来评价史家在朝政中，会受到政治上的束缚。因此，他认为，要坚持撰写史书的

---

① 魏收：《魏书》卷五二《宗钦传》，中华书局1974年版，第1156页。

直笔态度，是很困难的一件事。

北周时，萧大圜和宇文逌也对这一问题有过讨论。萧大圜，字仁显，南兰陵人，其事载于《周书》卷四二。他是南朝萧梁简文帝之子，仕于北周、隋。史载，萧大圜好学，喜爱著述，撰有《梁旧事》三十卷，《隋志》将其列入史部旧事类。《史通》记有萧大圜撰《淮海乱离志》，但《隋志》古史类著录该书为萧世怡撰，记“侯景之乱”；《周书》又录该书为萧圆肃撰。据姚振宗考，两《唐志》所记与《史通》相同，因此该书很有可能是萧大圜所撰。[①] 周武帝建德四年（575），萧大圜同宇文泰的儿子滕闻王宇文逌交好。宇文逌其事载于《周书》卷一三，据本传载，宇文逌“少好经史，解属文”[②]。萧大圜和宇文逌讨论汉代史家撰史少有直笔的情况如下：

> 逌尝问大圜曰：“吾闻湘东王作《梁史》，有之乎？余传乃可抑扬，帝纪奚若？隐则非实，记则攘羊。”对曰：“言者之妄也。如使有之，亦不足怪。昔汉明为《世祖纪》，章帝为《显宗纪》，殷鉴不远，足为成例。且君子之过，如日月之蚀，彰于四海，安得而隐之？如有不彰，亦安得而不隐？盖子为父隐，直在其中；讳国之恶，抑又礼也。”逌乃大笑。[③]

---

① 姚振宗：《隋书经籍志考证》，载于王承略、刘心明主编：《二十五史艺文经籍志考补萃编》，清华大学出版社 2014 年版，第 599 页。

② 令狐德棻等：《周书》卷一三《文闵明武宣诸子传》，中华书局 1971 年版，第 206 页。

③ 令狐德棻等：《周书》卷四二《萧大圜传》，中华书局 1971 年版，第 758-759 页。

宇文逌问萧大圜，是否听说南朝梁元帝萧绎要撰梁代历史一说。在宇文逌看来，皇室撰写史书或许在列传中可以做到相对公正的褒贬，但是在君主纪年中由于记载的是祖辈君主的事迹，恐怕很难做到直笔而书。他指出，如果史书记载中有所隐讳，就不是实录；但如果如实记载，就不念及父子之情，没有遵循父子之礼。“攘羊”即偷羊，记见《论语》[①]。宇文逌提出的是史书修撰坚持直笔之难的问题。萧大圜回答道，并不存在梁元帝作梁史一说；倘若有此事，也是可以理解的。萧大圜继而讲道，汉明帝为父亲光武帝作纪，汉章帝为父亲明帝作纪，这是先例；况且人会犯错是不可避免的，也是隐藏不了的。萧大圜认为，如果有尚未被世人知晓的事情，要隐讳下去；儿子为父亲隐瞒，是有道理的，为皇朝避讳记录不好的事情，也是符合礼仪要求的。

宇文逌和萧大圜的这番言论是关于史家应持何种态度撰史的讨论，他们是从国家君主为父辈撰史的角度阐述的，其中包括据实直书的困难，也评论了东汉两位皇帝所撰父亲的帝纪是否以直笔撰史、是否符合礼仪要求。

从对史家作史态度的评价可以看出，魏晋南北朝时期对史家撰史正确态度的要求是坚持秉笔直书，反对曲笔撰史。这一要求不仅是从中国史学的传统提出的，也是为了保存历史事实的真实性而提出的。另外，史学经世功用的要求对直书态度的提出亦有

① 《论语·子路》载：“叶公语孔子曰：‘吾党有直躬者，其父攘羊，而子证之。’孔子曰：‘吾党之直者异于是：父为子隐，子为父隐。——直在其中矣。’”（《论语》，杨伯峻《论语译注》本，中华书局1980年版，第139页）

积极的作用。这一时期史家以直书的作史态度要求自己，并形成了较为一致的认识，这既与魏晋南北朝时期政权对史学的重视相关，也与日益明确的史家主体意识有关。史书撰述是一项伟大而神圣的事业，这一认识得到了世人的认可，评论者并以此提出史家职业操守的要求。魏晋南北朝时期也出现了对曲笔撰史原因的讨论，认为礼法和政治的束缚是直笔的主要阻碍。其中，关于原因的探讨是时人对作史态度认识发展的表现。

第二节　论史家修养

一、评司马迁、班固的史才

对史才的认识是史家素养批评的主要内容，这里所说的史家史才主要是指撰写史书的才能，从广义上讲包括唐人刘知幾提出的“史家三长”，即才、学、识，也包括清人章学诚所说的史德。前文已经讨论了对史家作史态度的评价，此处讨论的史家修养，主要是讲史家修史在才、学、识等史才方面要满足一定的要求。另外，因为对史才的评价往往是通过对史书的评价展开的，所以此处所讲也包括对史书的评价。史家的史才与史书的编撰和史家对史学的认识有关，是成就优秀史书撰述的保障。魏晋南北朝时期，对史家史才的评论虽未成体系，但仍是史学批评的重要内容。在史学批评中，司马迁和班固的史才是评论的主要对象，成为这一时期史家眼中的典范，他们撰写的《史记》和《汉书》

也是史学经典之作。上节讨论了这一时期史家对司马迁和班固作史态度的评价，除此之外，二人的撰述之才常常被后人称赞。

魏晋南北朝时期对司马迁和班固史才的评价有的是从总体上提出的，有的是针对具体史才内容的评论，比如对史书的体裁体例的把握、叙事的技巧、评论的才华等方面。首先来看史家有关马、班撰述之才的概论，在这种情况中，论说往往未明确指出史才的内容。荀勖、张华称赞陈寿的《三国志》，认为它比得上《史记》《汉书》，[①] 这实际上是将《史记》《汉书》作为历史撰述的典范之作。荀勖、张华对《三国志》的肯定，实际上也是对与之作比较的《史记》《汉书》撰述者史才的肯定。晋人华峤的著述被朝中大臣称赞，大臣将其与司马迁和班固的史书相比拟，认为它在文质上都沿袭了二书。[②] 江淹哀悼友人袁炳时，称他“文攀渊、卿，史类迁、固”[③]，这是以马、班为作史的杰出者。沈约在《宋书》的《自序》中称“近谢迁、固”[④]，崔鸿讲“善政如黄龚，儒学如王郑，史才如班马，文章如张蔡”[⑤]，高允亦有“史、班称达”[⑥] 的评价，也都是对二人的称赞。北魏君主对二人的史才也持肯定的态度，如孝文帝讲道：“若欲取况古人，班马之徒，固自辽阔。”[⑦] 在他们眼中，司马迁和班固具备

---

① 常璩：《华阳国志》卷一一《后贤志》，《丛书集成初编》本，中华书局 1985 年版，第 181 页。

② 房玄龄等：《晋书》卷四四《华表传附华峤传》，中华书局 1974 年版，第 1264 页。

③ 江淹：《伤友人赋》，载于严可均：《全梁文》卷三三，中华书局 1958 年版，第 3144 页。

④ 沈约：《宋书》卷一〇〇《自序》，中华书局 1974 年版，第 2468 页。

⑤ 魏收：《魏书》卷六七《崔光传附崔鸿传》，中华书局 1974 年版，第 1502 页。

⑥ 魏收：《魏书》卷五二《宗钦传》，中华书局 1974 年版，第 1157 页。

⑦ 魏收：《魏书》卷六〇《韩麒麟传附韩显宗传》，中华书局 1974 年版，第 1342 页。

史才，是史学家的楷模，创作了出色的史学著作。

有关司马迁和班固史才的称赞，除了从整体上表示，还有的史家明确指出了二人史才的内容，如文章撰述之才。曹魏刘劭称赞司马迁和班固撰述文章之功。[①] 南朝范晔称赞班彪、班固父子“二班怀文，裁成帝坟。……兼丽卿、云”[②]，这是说二人可以与司马相如（字长卿）、扬雄（字子云）的文赋之才相媲美。

魏晋南北朝时期，史官在受命撰修史书时，也常常称赞司马迁和班固的著作，并将它们作为优秀史书撰述的代表。孙吴华覈说道：“汉时司马迁、班固，咸命世大才，所撰精妙，与六经俱传。”[③] 华覈此处强调司马迁、班固二人的著作同“六经”一起流传下来，可见两部史著的重要性，他认为《史记》《汉书》居于史学著作的典范地位，这点是毋庸置疑的。前文征引了北魏李彪、高祐对编年和纪传史体的认识，其中涉及二人对司马迁、班固史才的欣赏。在李彪、高祐眼中，司马迁和班固二人才华广博，可谓通识之才，他们的叙事颇有条理，虽然存在缺点，但也是前人撰史的典范。[④] 李彪还说道，“臣窃谓史官之达者，大则与日月齐明，小则与四时并茂。其大者孔子、左丘是也，小者史迁、班固是也”[⑤]，“暨史、班之录，乃文穷于秦汉，事尽于哀平，惩劝两书，华实兼载，文质彬彬，富哉言也”[⑥]，李彪这里

① 刘劭：《人物志》，梁满仓译注本，中华书局2009年版，第38页。
② 范晔：《后汉书》卷四〇下《班彪列传赞》，中华书局1965年版，第1387页。
③ 陈寿：《三国志》卷五三《薛综传附薛莹传》，中华书局1959年版，第1256页。
④ 魏收：《魏书》卷五七《高祐传》，中华书局1974年版，第1260页。
⑤ 魏收：《魏书》卷六二《李彪传》，中华书局1974年版，第1396页。
⑥ 魏收：《魏书》卷六二《李彪传》，中华书局1974年版，第1394页。

称赞的是司马迁、班固二人叙事详实，评论中肯。

还有的史家称赞二人在史体方面的史才，具体来说评论的是二人对纪传体体裁的创制及发展以及他们对体例的看法。如前文所论，葛洪论《史记》创立纪传体，在纪、传的设置上多有值得称道之处，特别是《项羽本纪》《伯夷列传》反映出司马迁杰出的历史认识。[①] 这是对司马迁史才的褒奖。

除了纪与传，前文所述《史记》《汉书》的志书设置，受到刘昭、沈约、魏收等史家的称赞。这些史家都肯定二人志书设立的意义，即它涵盖了纪、传记载无法包含的历史事实，比如天人关系、朝政制度等问题；志书能够清楚地追溯这些问题的渊源流变，是对史书撰述范围的开拓和撰述内容的完善。这里称赞的是司马迁、班固反映在体例上的史才。

还有的评论讨论的是二人撰述史书采用的叙事技巧。葛洪称赞司马迁《史记》的叙事饱含强烈的情感，带有鲜明的意旨，但在叙事时又使人“悲而不伤”[②]。这是司马迁所用的叙事技巧。在叙事详略的技巧上，常璩认为司马迁、班固还有以下的特点：

> 善志者述而不作，序事者实而不华。是以史迁之记，详于秦、汉，班生之书，备乎哀、平，皆以世及事迹，可得而言也。[③]

① 葛洪：《西京杂记》卷四《司马迁良史》，中华书局1985年版，第25页。
② 葛洪：《西京杂记》卷四《司马迁良史》，中华书局1985年版，第25-26页。
③ 常璩：《华阳国志》卷一一《后贤志》，《丛书集成初编》本，中华书局1985年版，第173页。

常璩认为，司马迁、班固二人叙事语言平实，且在记述历史事件时都有详近略远的特点，如司马迁详细记录秦汉之事，班固详细记录哀帝、平帝之事。常璩称赞司马迁、班固语言平实、叙事详近略远，也是对二人史才的具体内容作出的评价。

范晔评说马、班之史才，除了上文讲到的叙事文辞上的特点，还包括二人在书中的褒贬评论，这是叙事之外史家史才的又一重要表现。在范晔看来，班彪父子与司马迁一样，他们评论的标准也“颇谬于圣人”[①]。范晔并未对二人评论历史的这一标准作出优劣的评判，他针对的是班彪父子对司马迁所撰史论的评价，范晔以此说明了班彪父子撰述中抒发史论的方法。裴骃也针对班彪父子对司马迁撰述的评价作出解释。他大致认可班氏父子的评价，并肯定了司马迁之史才，认为司马迁为“命世之宏才”[②]。

还有的史家评论马、班撰述中存在的问题，如前文论说的谯周，他重视《史记》，并作《古史考》。在谯周看来，司马迁采择史料的原则与方法存在问题。谯周认为，司马迁撰史不全依据“正经”[③]，因此谯周依据正统儒家经典，解释、补充、纠正《史记》的有关内容。可以看出，谯周对司马迁史才之采撰史料的原则并不认可。

以上对司马迁、班固史才的评价，往往侧重于评论其中一人

---

① 范晔：《后汉书》卷四〇下《班彪列传论》，中华书局1965年版，第1386页。
② 裴骃：《史记集解序》，载于司马迁：《史记》附录，中华书局1959年版，第1页。
③ 房玄龄等：《晋书》卷八二《司马彪传》，中华书局1974年版，第2142页。

的史才，针对其撰述中具体的史书体例、叙事、史论、取材等方面表现出的特点作出评价。另外，有的评价虽然兼顾他们二人，但大多是从整体印象上作出的，将二人的史才作为优秀史家应具备的能力。

与此不同，晋人张辅撰《名士优劣论》，在文中不仅兼论司马迁与班固的史才，而且有意将二人的史才作出优劣比较。张辅对《史记》《汉书》的评论前文中论之甚详，张辅比较司马迁、班固史才的评论，实际上包括了上文所说单论一人史才的诸多方面，在史书的体例、叙事、史论、取材等问题上都做出了讨论，最终得出司马迁优于班固之说。[①] 张辅的论断显然有值得商榷之处，但是他用比较的方法来论说二人的史才，反映出其史学批评思想的自发性与针对性，这一点是尤其值得关注的。

二、评其他史家的史才

除了赞赏司马迁、班固的史才，魏晋南北朝时期也出现对其他史家的史才及其撰述的评论，如两晋史家、王韶之、臧荣绪、裴子野、崔鸿、崔慰祖等人的撰史才华受到人们的关注。评论者有的是史家或史官，有的是社会中的其他人。[②]

两晋时期的史家撰写史书往往不过分追求以华丽的辞藻撰

---

① 张辅：《名士优劣论》，载于严可均：《全晋文》卷一〇五，中华书局1958年版，第2063页。

② 另外，对良史的评价也属于史才认识的范围，但良史的概念可作为独立的史学批评范畴讨论，这个问题在下一目中作出说明。

文。如刘知幾评价邓粲的《晋纪》“词烦而寡要”[①]，讲他文字多且烦乱，也无法抓住叙述的重点。另外，王隐著《晋书》，“隐虽好著述，而文辞鄙拙，芜舛不伦。……文体混漫义不可解者，隐之作也”[②]。在两晋史家中，王隐《晋书》存在的问题不仅是指文辞章句不够华丽优美，而且他的撰述在文辞和文体方面都有缺陷，因此史家撰述的意图也不能表述得清晰明了。可见，两晋史家撰述的史书，并不追求文字表述中华丽的辞藻和章句，而是注重叙事的方法，注意对史料的采择和分配，力求文字简洁且有深意，追求言辞背后的意义以及对客观历史事实的直书记录。两晋史家之所以有如此选择，同特殊的时代背景相关。

沈约修《宋书》时评论了宋人王韶之的史才。王韶之，字休泰，琅琊临沂人，其事载于《宋书》卷六十。《宋书》载，王韶之撰有《晋安帝阳秋》。该书是他根据父亲王伟之记录的“泰元、隆安时事”私撰的。其后，王韶之担任著作佐郎一职，续写史书至义熙九年（413），大致涵盖了晋安帝在位前后时期的史事。《宋书》评价该书“善叙事，辞论可观，为后代佳史”[③]。从这一评价中不难看出，《宋书》对王韶之史才的评价针对的是《晋安帝阳秋》的文辞和议论，认为此书在这两方面都有可圈可点之处，王韶之对史事的叙述及评论是十分擅长的。

可以看出，时人对史家撰述时的评论之才是非常关注的，这

① 刘知幾：《史通·序例》，浦起龙《史通通释》本，上海古籍出版社2009年版，第82页。
② 房玄龄等：《晋书》卷八二《王隐传》，中华书局1974年版，第2143页。
③ 沈约：《宋书》卷六〇《王韶之传》，中华书局1974年版，第1625页。

种关注与前文论述的史论在魏晋南北朝时期地位的提高有关，萧齐褚渊曾就臧荣绪《晋书》的赞论作出评价。褚渊，字彦回，河南阳翟人，其事载于《南齐书》卷二三。褚渊是宋文帝之婿，任刘宋著作佐郎、秘书丞等职，又帮助萧道成建立萧齐。臧荣绪，东莞莒人，其事载于《南齐书》卷五四《高逸传》。《隋志》著录臧荣绪《晋书》一百一十卷。据其本传记载，臧荣绪撰写的《晋书》从时间上包括西晋和东晋之事，包括纪、录、志、传等部分。后来唐修《晋书》便以此书为本。① 褚渊曾向齐高帝萧道成推荐臧荣绪的这本书，认为它“赞论虽无逸才，亦足弥纶一代”②。这里，褚渊关注臧荣绪《晋书》中赞、论的部分，认为它完整地总括了政权之更替，叙述了两晋的历史。

裴子野的史才也多被关注，如范缜、沈约、萧琛、萧纲等人都曾发表过看法。《梁书》载，裴子野幼年时“好学，善属文”③。朝中大臣范云、范缜等人都很佩服他的文才。萧梁时，徐勉推荐他为著作郎，修起居注及国史。当时那些博览群书的学界名流，如刘之遴、刘显、殷芸、阮孝绪、顾协、韦棱等人，对裴子野的才华极其推崇。萧劢和张缵在一起讨论古籍时，每遇意见不合，“咸折中于子野”④，也就是以裴子野的意见为判定是非的标准。裴子野博学的程度，由此可想而知了。范缜曾在一篇荐文中评论裴子野的才华道：

---

① 刘昫等：《旧唐书》卷六六《房玄龄传》，中华书局 1975 年版，第 2463 页。
② 萧子显：《南齐书》卷五四《高逸传》，中华书局 1972 年版，第 936 页。
③ 姚思廉：《梁书》卷三〇《裴子野传》，中华书局 1973 年版，第 441 页。
④ 姚思廉：《梁书》卷三〇《裴子野传》，中华书局 1973 年版，第 443 页。

家传素业，世习儒史，苑囿经籍，游息文艺。著《宋略》二十卷，弥纶首尾，勒成一代，属辞比事，有足观者。且章句洽悉，训故可传，脱置之胶庠，以弘奖后进，庶一夔之辩可寻，三豕之疑无谬矣。[①]

范缜肯定裴子野家学传统的影响，裴子野从小重视儒史、文艺的学习，阅读了大量经书文集。裴子野所著的《宋略》，范缜表示十分欣赏。范缜对《宋略》的评价包括以下几个方面："弥纶首尾，勒成一代"，即《宋略》撰述内容有头有尾，将刘宋历史完全涵盖；"属辞比事，有足观者"，即撰述中叙事的文辞及体例，可称赞之处很多；"章句洽悉"，即行文起承转合所用的章节、句子，将史事叙述得流畅详尽；"训故可传"，即对字词的解释也十分经典。范缜认为，以裴子野的学识和才能，安排他在学校教学，可以避免学生对经典的误读。

沈约也称赞过裴子野的《宋略》："其叙事评论多善，约见而叹曰：'吾弗逮也。'"[②]沈约三朝为官，声望很高，他认为自己所撰的《宋书》比不上裴子野的《宋略》。

萧琛对《宋略》中的评论尤为赞赏。萧琛，字彦瑜，南朝梁兰陵人，其事载于《梁书》卷二六。《梁书》记："琛常言：'少壮三好：音律、书、酒。年长以来，二事都废，惟书籍不

① 姚思廉：《梁书》卷三〇《裴子野传》，中华书局 1973 年版，第 442 页。
② 姚思廉：《梁书》卷三〇《裴子野传》，中华书局 1973 年版，第 442–443 页。

衰。’”[①] 就是萧琛这样一个遍读天下书籍之人，曾称赞《宋略》“其评论可与《过秦》《王命》分路扬镳”[②]。西汉贾谊的《过秦论》、东汉班彪的《王命论》是古代史论的经典之作，萧琛认为《宋略》的评论是可以与这两篇史论媲美的。

可以看出，裴子野具备的撰写史书的才能受到众人的肯定，他对史事的评论之功更是十分出彩。但是，梁简文帝萧纲认为裴子野欠缺文学上的才能，这个问题在前文讨论南朝之人对文史范围界定的问题时已有论述。在萧纲写给梁元帝萧绎的信中，萧纲对时人模仿裴子野的诗歌、文章进行创作的行为不满，他讲道：“裴氏乃是良史之才，了无篇什之美。”[③] 萧纲此论肯定了裴子野的史学才能，同时他指出裴子野的撰述缺乏“篇什之美”，他认为裴子野并不擅长需要优美文辞和韵律结构的文学创作。从萧纲对裴子野史才的评价可以看出萧纲对史才的要求，他认为史才与文学创作之文才是不同的，即使所撰史书不具备文学形式上的美感，也可以称撰史者为优秀的史家。

北朝崔鸿撰有《十六国春秋》，其子崔子元曾就此书评价崔鸿的史才。崔鸿，字彦鸾，崔光之弟崔敬友的儿子，东清河鄃人，其事载于《魏书》卷六七。在宣武帝时，他受命以本职撰起居注。孝明帝时，仍修孝文、宣武起居注。崔光临终前举荐崔鸿修辑国史，续写崔光所撰的“徒有卷目，初未考正，阙略尤

---

① 姚思廉：《梁书》卷二六《萧琛传》，中华书局 1973 年版，第 397 页。
② 李延寿：《南史》卷三三《裴松之传附裴子野传》，中华书局 1975 年版，第 866 页。
③ 姚思廉：《梁书》卷四九《文学传上》，中华书局 1973 年版，第 691 页。

多”[①] 的魏史。一直以本职修北魏起居注及国史的崔鸿，曾评价《史记》道：“谈、迁感汉德之盛，痛诸史放绝，乃钤括旧书，著成《太史》，所谓缉兹人事，光彼天时之义也。”[②] 这是崔鸿评论司马迁父子撰《史记》的原因，从中可以看出崔鸿撰《十六国春秋》的原因。崔鸿私撰记载十六国时期（304—439）历史的《十六国春秋》，《隋志》著录其为霸史类，这是了解十六国历史的重要资料。其子崔子元评价父亲崔鸿的史才说道：

> 臣亡考故散骑常侍、给事黄门侍郎、前将军、齐州大中正鸿，不殒家风，式缵世业，古学克明，在新必镜，多识前载，博极群书，史才富洽，号称籍甚。年止壮立，便斐然怀著述意。[③]

崔子元称父亲崔鸿继承了家学传统，一直都有撰述史书的志向，遍览群书，通晓古今，具有优秀的史才。崔子元接着说：

> 正始之末，任属记言，撰缉余暇，乃刊著赵、燕、秦、夏、凉、蜀等遗载，为之赞序，褒贬评论。先朝之日，草构悉了，唯有李雄《蜀书》，搜索未获，阙兹一国，迟留未成。去正光三年，购访始得，讨论适讫，而先臣弃世。[④]

---

① 魏收：《魏书》卷六七《崔光传附崔鸿传》，中华书局 1974 年版，第 1502 页。
② 魏收：《魏书》卷六七《崔光传附崔鸿传》，中华书局 1974 年版，第 1503 页。
③ 魏收：《魏书》卷六七《崔光传附崔鸿传》，中华书局 1974 年版，第 1505 页。
④ 魏收：《魏书》卷六七《崔光传附崔鸿传》，中华书局 1974 年版，第 1505 页。

崔子元概述《十六国春秋》的成书过程：崔鸿负责修起居注时，就在空余时间搜集史料，校证、考订十六国历史的史料，撰修成书；并对各国历史编写赞、序，以评价其得失；其中，李雄的《蜀书》得来不易，但不久后崔鸿便去世了。崔子元又指出：

> 凡十六国，名为《春秋》，一百二卷，近代之事最为备悉。未曾奏上，弗敢宣流。今缮写一本，敢以仰呈。傥或浅陋，不回睿赏，乞藏秘阁，以广异家。①

这是说《十六国春秋》在记载十六国史事上，详于近代历史的叙述。崔子元评价崔鸿的史才，包括崔鸿撰史对古今史事的完整掌握，搜集史料之详尽。他认为这样才有《十六国春秋》记载的完备。

除了评论史家叙事、文辞、褒贬、掌故之才，时人还评论了对专业知识要求高的史书之撰述者，此类评论看重的是其专业知识，这也是史家史才的一种表现。谢朓曾称赞崔慰祖渊博的地理知识。谢朓，字玄晖，陈郡阳夏人，其事载于《南齐书》卷四七。谢朓文才出众，是“竟陵八友”之一，与沈约同为永明体诗歌的倡导者。崔慰祖，字悦宗，其事载于《南齐书》卷五二《文学传》。他“好学，聚书至万卷”②，并常热情地借书给邻居

---

① 魏收：《魏书》卷六七《崔光传附崔鸿传》，中华书局1974年版，第1505页。
② 萧子显：《南齐书》卷五二《文学传》，中华书局1972年版，第901页。

们。崔慰祖撰《海岱志》，记载从太公到西晋的若干人物。这当是一部传记类通史，《隋志》入杂史类。史载，沈约、谢朓曾经与多位宾友在一起聚会，他们分别向崔慰祖询问了和地理有关的十多件不太清楚的事情，“慰祖口吃，无华辞，而酬据精悉，一座称服之。朓叹曰：‘假使班、马复生，无以过此。’”[①] 崔慰祖认真回答众人提出的问题，虽然他有口吃的毛病，也没有华丽的文辞，但在座诸位都佩服他引证史料的精准及论说之详细。谢朓将崔慰祖与司马迁、班固相比，认为崔慰祖之才华不比二人差。

魏晋南北朝时期对史家史才的评价大多是针对个人的，较少出现对史家整体作出的评论。评论者不仅有史家，还有皇朝统治者、朝中要臣及社会中的其他人。从对史家史才的评价可知，这一时期对史家史才的要求，尤其关注史家对历史旧事的掌握及撰述。另外，这一时期，特别是南朝人对史家史才的评论往往分为叙事和议论两个方面，并且史书中反映出的史才与文学之文才是被明确区分开的。

三、论史官素养

一般来说，史家指的是曾对历史、史学提出看法，或者是有历史、史学著述的人。史官指的则是担任史职，负责记注或撰述国史之人。史官中负责撰述之人，往往是优秀的史家。就所指的人物范围来讲，史家和史官有重合之处，也有不同之处；从一定

---

① 萧子显：《南齐书》卷五二《文学传》，中华书局1972年版，第901页。

意义上来说，史官也可被称为史家。史官们往往共同负责撰修国史，就群体认同感来讲，史官所指的范围是确定的，因此评论中对史官的要求也更为明确。在这一时期，对史官素养的要求得到较多关注，并屡见评论出现。如三国吴人华覈、萧梁任昉、陈杜之伟、北魏崔光等人都曾就史官素养提出要求。

华覈，字永先，其事载于《三国志》卷六五。华覆仕于孙吴，从孙权到孙皓四朝为官，曾多次参与孙吴国史的撰修，也多次上疏议政，“覈前后陈便宜，及贡荐良能，解释罪过，书百余上，皆有补益，文多不悉载”① 一说确实为真。华覈所荐“贤能”之中，韦昭和薛莹与国史撰修关系密切。孙亮时，华覈曾与二人共事撰修吴史。在韦昭和薛莹陷入危难时，华覈上疏孙皓，力保二人继续撰修国史。华覈对史官素养的要求便在上疏中表现出来。

孙权时，任命太史令丁孚和郎中项峻撰修史书，华覈认为，“孚、峻俱非史才，其所撰作，不足纪录”②。华覈极力推荐韦昭和薛莹撰修国史。他称赞韦昭的史才道：

> 曜运值千载，特蒙哀识，以其儒学，得与史官……曜自少勤学，虽老不倦，探综坟典，温故知新，及意所经识古今行事，外吏之中少过曜者。……汉武帝以迁有良史之才……今曜在吴，亦汉之史迁也。……宜得曜辈依准古义，有所改

① 陈寿：《三国志》卷六五《华覈传》，中华书局1959年版，第1469页。
② 陈寿：《三国志》卷五三《薛综传附薛莹传》，中华书局1959年版，第1256页。

立。汉氏承秦，则有叔孙通定一代之仪，曜之才学亦汉通之次也。……今《吴书》当垂千载，编次诸史，后之才士论次善恶，非得良才如曜者，实不可使阙不朽之书。如臣顽蔽，诚非其人。[1]

华覈看重韦昭，是因为他十分肯定韦昭的儒学底蕴，并认为韦昭的撰史之才表现在他对事实的褒贬之中。韦昭，字弘嗣，其事载于《三国志》卷六五。韦昭著有《汉书音义》《国语注》，他的《国语注》现在仍行于世。《三国志》称他为韦曜，注文解释韦昭“为晋讳”而改名[2]。韦昭依凭儒学才华得到史官一职，他通晓古今，掌握历代大事，还擅长褒贬评论。华覈所说的“良才”，正是肯定韦昭褒贬善恶的能力。华覈认为，韦昭的史才与境遇同司马迁是相似的。他还指出韦昭在典制仪礼方面的长处，认为韦昭不逊于汉代叔孙通。《三国志》评论说：“华覈文赋之才，有过于曜，而典诰不及也。”[3] 这里可以与华覈对韦昭史才的判断加以印证。华覈依次以韦昭与司马迁、叔孙通相比，有言过其实之处，但韦昭确有史才，华覈称赞他、担保他确实出于真诚之心。

至于薛莹，华覈评价他的史才道：

---

① 陈寿：《三国志》卷六五《韦曜传》，中华书局 1959 年版，第 1463-1464 页。

② 依《三国志》裴注的解释，韦昭之名应是因司马昭避讳，被改作韦曜。但《三国志》中的张昭、周昭等以“昭”为名的人并未因避讳而改名。钱大昕《廿二史考异》（上海古籍出版社 2004 年版，第 313-314 页）卷十七怀疑韦昭本来有两个名字。本文取是说。

③ 陈寿：《三国志》卷六五《王楼贺韦华传论》，中华书局 1959 年版，第 1470 页。

臣愚浅才劣，适可为莹等记注而已，若使撰合，必袭孚、峻之迹，惧坠大皇帝之元功，损当世之盛美。莹涉学既博，文章尤妙，同寮之中，莹为冠首。今者见吏，虽多经学，记述之才，如莹者少，是以慺慺为国惜之。实欲使卒垂成之功，编于前史之末。奏上之后，退填沟壑，无所复恨。①

华覈肯定薛莹的撰史之才，是称赞他的博学与文章。薛莹，字道言，其事载于《三国志》卷五三。《隋志》著录薛莹《后汉记》六十五卷，清人姚之骃辑众家后汉史书，记道，薛莹之书大半不存，但以薛莹对光武帝、明帝的评论来看，薛莹所作“波属云委，灏瀚苍郁，洵良史手”②。孙亮时，薛莹同韦昭、华覈等人一起被召修吴史。华覈指出，薛莹学识广博，“文章”尤其出色，这里所说薛莹的文章之才，指的是撰述文字，即文字表述的能力。华覈继而强调薛莹的记述之才是同僚中少见的，当朝史臣更多地擅长经学而非记述。华覈自谦自己的才华比不上薛莹，只能记载当下的史事，不能撰述成一部优秀的国史。

可以看出，华覈对史官的修养和史才是有明确认识的。韦昭擅长儒学，他掌握历史典故，擅长褒贬善恶，是撰史的良才；薛莹博学而擅长文章，他的文章之功、优美文笔，也是撰史的必备要求。史家对史官素养的要求往往不强调其才华的全面性，一般

---

① 陈寿：《三国志》卷五三《薛综传附薛莹传》，中华书局1959年版，第1256页。
② 姚之骃：《后汉书补逸》，载于周天游辑注：《八家后汉书辑注》附录，上海古籍出版社1986年版，第761页。

认为史官至少具备一个方面的才华即可。[①]

任昉也曾经对任史官的刘孝绰提出史官素养的要求。任昉，字彦升，小字阿堆，乐安郡博昌人，其事载于《梁书》卷一四，是“竟陵八友”之一，仕宋、齐、梁三朝。刘孝绰，字孝绰，小字阿士，本名冉，彭城人，其事载于《梁书》卷三三。《梁书》本传载，刘孝绰受到舅舅王融的看重，王融曾称赞刘孝绰的文章仅次于自己。刘孝绰的父亲刘绘同沈约、任昉、范云等人交好，他们都很欣赏刘孝绰的才华。梁武帝天监初，刘孝绰任著作佐郎，他作了首《归沐诗》赠予任昉，表示对任昉关照的感激，同时刘孝绰隐约表达任职中遇到的困难和自己的归隐之心。任昉回赠刘孝绰一首诗，勉励他肩负起史官的责任，这里任昉提出了对史官素养的要求。任昉说：“彼美洛阳子，投我怀秋作。讵慰耋嗟人，徒深老夫托。直史兼褒贬，辖司专疾恶。九折多美疹，匪报庶良药。子其崇锋颖，春耕励秋获。”[②] 任昉所说的“直史兼褒贬”，寄托了对刘孝绰所任史职的期望。在任昉看来，著作佐郎有直笔作史的职责，在如实记录史事的同时，也要评价所记史事的褒贬之处；“辖司专疾恶”是说史官的责任是对事情的善恶作出评断。任昉指出，“九折多美疹”，即史官不免因外界的压力而受到挫折，但是遇到的困难越多，对未来越有帮助。这里，任昉以前辈的身份表达了对刘孝绰的安抚及勉励，同时也指出史官应具备直笔记事、褒贬善恶的能力。

---

① 王姝：《三国吴人华覈的史学批评思想》，《苏州大学学报》（哲学社会科学版）2015年第4期。
② 姚思廉：《梁书》卷三三《刘孝绰传》，中华书局1973年版，第480页。

另外，还有史家强调撰史者应具备文采、掌故之才。如陈人杜之伟在推荐史官时，对史官素养进行评价。杜之伟，字子大，吴郡钱塘人，其事载于《陈书》卷三四《文学传》。《陈书》载，杜之伟从小学习经书，熟识文史和仪礼故事。仆射徐勉称赞他“有笔力”[①]。杜之伟仕南朝梁、陈二朝。陈建立后，杜之伟向武帝陈霸先请辞大著作一职，并在推荐沈炯等史官时提出了对史官素养的要求。他说：

> 臣以绍泰元年，忝中书侍郎，掌国史，于今四载。臣本庸贱，谬蒙盼识，思报恩奖，不敢废官。皇历惟新，驱驭轩、昊，记言记事，未易其人，著作之材，更宜选众。御史中丞沈炯、尚书左丞徐陵、梁前兼大著作虞荔、梁前黄门侍郎孔奂，或清文赡笔，或强识稽古，迁、董之任，允属群才，臣无容遽变市朝，再妨贤路。尧朝皆让，诚不可追，陈力就列，庶几知免。[②]

杜之伟认为，如今陈朝已经建立，国史编修是一件大事，应该选用更适合的人担任史官一职。在他看来，他推荐的沈炯等人，具备“著作之材”，是可以为新皇朝“记言记事”的人。他们中有的“清文赡笔”，这是说文笔清丽且叙事内容丰富；有的“强识稽古”，则是对古今掌故了若指掌。杜之伟称，这几人可

① 姚思廉：《陈书》卷三四《文学传》，中华书局1972年版，第454页。
② 姚思廉：《陈书》卷三四《文学传》，中华书局1972年版，第455页。

以胜任“迁、董”的职位，司马迁和董狐二人在此处作为史职之任的代表，也反映了杜之伟对史官一职要具备司马迁的史识和董狐直书之笔的看法。这里，杜之伟提出的史官具备的素养，也就是他对史官的要求，即要擅长文章、通识古今，才能胜任以司马迁、董狐为楷模的史官职位。

以上对史官素养的评论，多是就撰史的才能所说，另外北魏崔光评价史官的素养，不仅包括具体的撰史才能要求，他还提出史官应具备组织多人开展修史工作的领导能力要求。崔光，字长仁，东清河鄃人，其事载于《魏书》卷六七。他曾任著作郎，孝文帝太和年间与秘书丞李彪一起撰修国史。李彪因罪以白衣修史。宣武帝时，崔光请求让李彪重领史职。在这篇上疏中，崔光评价了李彪的史才。史载：

> 世宗亲政，崔光表曰：“伏见前御史中尉臣李彪，夙怀美意，创刊魏典，臣昔为彪所致，与之同业积年，其志力贞强，考述无倦，督劝群僚，注缀略举。虽顷来契阔，多所废离，近蒙收起，还综厥事。老而弥厉，史才日新，若克复旧职，专功不殆，必能昭明《春秋》，阐成皇籍。既先帝厚委，宿历高班，纤负微愆，应从涤洗。愚谓宜申以常伯，正绾著作，停其外役，展其内思，研积岁月，纪册必就。鸿声巨迹，蔚乎有章，盛轨懋咏，铄焉无泯矣。”世宗不许。①

---

① 魏收：《魏书》卷六二《李彪传》，中华书局1974年版，第1397–1398页。

崔光曾与李彪一起撰修国史。他认为，李彪意志坚定，考订史实认真细致，特别是他撰修国史的态度积极、史才突出，具备组织带领史官们一同编修史书的能力。可以看出，崔光对史官素养的要求不仅体现在具体的史书撰述中，还包括对史官领导力的要求。他的这一要求，是在北魏官方集体修史的情况下提出的。

可见，魏晋南北朝时期对史家素养的评价，往往是对某个史家或是对史官群体提出的，其内容除了上文提到的直笔撰史的态度，还包括叙事行文的文才、善恶褒贬的评论之才、对古今史事的掌故等方面。另外，编修国史是一件艰苦而繁琐的工作，坚定的意志力也是必须的，组织撰史的号召力也是完成集体修史的要求。需要指出的是，以上对史官史才的评价，并不要求史官兼备所有的史才，而是要各有所长，这是由魏晋南北朝时期官修史书的工作是多人共同参与完成来决定的。

第三节　关于“良史”的认识

一、史家对良史的评价

“良史”是史学批评的范畴之一。虽然在魏晋南北朝时期良史尚未作为一个明确的概念进行理论上的探讨，但是通过人们有关良史的讨论，也可以看出良史的内涵及价值。一方面，在评价某个史家、某本史书时，良史常常作为表示称赞的论断出现，有时该评价也阐释出良史所代表的史才；在另一方面，良史是对优秀史家、史书的泛称，它或成为评价史家撰史成就的标准，或成为后人鉴戒时的依据，在这种情况中，良史是获得世人的普遍认可的。不仅史家或史官对良史提出自身的看法，社会中的其他人也对此发表意见。首先来看史家对良史的评价，这实际上也是对史家素养提出的要求。

《左传》载孔子所言："董狐，古之良史也，书法不隐。"[①] 孔子提出"良史"一词，以赞扬晋国史官董狐秉笔直书的精神。"良史"一说也被后代学者继承下来。在董狐之后，司马迁被认可为良史。班固在《汉书》中引刘向、扬雄的言论来评价司马迁道："然自刘向、扬雄博极群书，皆称迁有良史之材，服其善序事理，辨而不华，质而不俚，其文直，其事核，不虚美，不隐恶，故谓之实录。"[②] 这里，刘向、扬雄称赞司马迁为良史，包括了对司马迁在历史撰述中实录笔法的认可。前文讲道，在魏晋南北朝时期，史家评价司马迁多以良史相称，如三国曹魏王肃以刘向、扬雄对司马迁的良史评价，来反驳魏明帝所讲的司马迁作"谤书"一说；孙吴华覈以韦昭与司马迁相比，认为韦昭也具备司马迁一样的良史之才；晋人张辅评价司马迁也以良史相称；到了刘宋，裴骃认可司马迁的"宏才"，也依从刘向、扬雄、班固对司马迁作出的良史的评价。

除了继承前人对司马迁良史的评价，魏晋南北朝时期，良史

---

① 《春秋左传》卷二一"宣公二年"，载于阮元校刻：《十三经注疏》，中华书局2009年版，第4054页。

② 班固：《汉书》卷六二《司马迁传赞》，中华书局1962年版，第2738页。

也被用于评论其他史家。《三国志》卷二九《方技传》记曹魏术士管辂事迹，裴松之在注释中增补了管辂的若干事，并评论学人阎缵道："近有阎续伯者，名缵，该微通物，有良史风。为天下补缀遗脱，敢以所闻列于篇左，皆从受之于大人先哲，足以取信者，冀免虚诬之讥云尔。"① 裴松之称赞阎缵有良史的风貌，是讲阎缵知识完备又学识贯通，敢于指明史书缺漏之处，并进行增补。

北魏时，孝文帝曾和韩显宗、程灵虬二人讨论良史问题，这次讨论中，孝文帝和韩显宗分别表达了对良史内涵的认识，并对其他史家是否为良史作出评价。前文提到，韩显宗曾以直书撰史为自我要求，他任史职，并撰有《燕志》《孝友传》等著作。韩显宗认为，良史的内涵主要与史家的作史态度相关。韩显宗任史职期间，多次上书孝文帝议定国事。如孝文帝决定迁都洛阳后，韩显宗提出"当今徭役宜早息"与"以俭约为美"等建议；② 对官吏的选拔，他建议选拔"贤才"，而不以"门望"为标准；③ 他还请求皇帝"以刑法为治"④。中书监高闾曾称他"博闻强识，颇有史才，粗解音律"⑤，李彪则称他有"文才"⑥。程灵虬，广平曲安人，其事载于《魏书》卷六十。程灵虬也"颇有文才"⑦，

---

① 陈寿：《三国志》卷二九《管辂传》，裴注，中华书局 1959 年版，第 828 页。
② 魏收：《魏书》卷六〇《韩麒麟传附韩显宗传》，中华书局 1974 年版，第 1338 页。
③ 魏收：《魏书》卷六〇《韩麒麟传附韩显宗传》，中华书局 1974 年版，第 1339 页。
④ 魏收：《魏书》卷六〇《韩麒麟传附韩显宗传》，中华书局 1974 年版，第 1340 页。
⑤ 魏收：《魏书》卷一〇七上《律历志上》，中华书局 1974 年版，第 2658 页。
⑥ 魏收：《魏书》卷六二《李彪传》，中华书局 1974 年版，第 1397 页。
⑦ 魏收：《魏书》卷六〇《程骏传附程灵虬传》，中华书局 1974 年版，第 1350 页。

他的伯父程骏是著作郎，程骏临终举荐程灵虬为著作佐郎。[①] 在三人的讨论中，孝文帝首先对史官素养提出要求，文中记道：

> 高祖曾谓显宗及程灵虬曰："著作之任，国书是司。卿等之文，朕自委悉，中省之品，卿等所闻。若欲取况古人，班马之徒，固自辽阔。若求之当世，文学之能，卿等应推崔孝伯。"[②]

孝文帝首先指出史官的职责是撰修国史，就修史的才能来说，古代史家中的司马迁和班固比韩、程二人都要优秀得多；在当时的修史者中，崔光的文学才能也是居于韩、程之上的。随后，孝文帝对韩显宗、程灵虬的史才作出评价：

> 又谓显宗曰："见卿所撰《燕志》及在齐诗咏，大胜比来之文。然著述之功，我所不见，当更访之监、令。校卿才能，可居中第。"又谓程灵虬曰："卿比显宗复有差降，可居下上。"[③]

孝文帝认为韩显宗近来所撰的《燕志》比之前的要好得多，

---

① 关于程灵虬其人，河南王拓跋曜的曾孙元鉴曾奏请罢免程灵虬的太守职位，"梁郡太守程灵虬，唯酒是耽，贪财为事，虐政残民，寇盗并起，黩音悖响，盈于道路，部境呼嗟，佥焉怨酷。梁郡密迩伪畿，丑声易布，非直有点清风，臣恐取嗤荒远。请免所居官，以明刑宪"。（载于魏收：《魏书》卷一六《元鉴传》，中华书局1974年版，第397页）

② 魏收：《魏书》卷六〇《韩麒麟传附韩显宗传》，中华书局1974年版，第1342页。

③ 魏收：《魏书》卷六〇《韩麒麟传附韩显宗传》，中华书局1974年版，第1342页。

但是孝文帝又指出韩显宗欠缺“著述”方面的成就。孝文帝所说的“著述”，当是二人正在撰修的国史。孝文帝认为，韩显宗的修史才能算是中等，程灵虬又在韩显宗之下。对于孝文帝这样的评价，韩显宗显然是不满的。他回应道：

> 臣才第短浅，猥闻上天，至乃比于崔光，实为隆渥。然臣窃谓陛下贵古而贱今，臣学微才短，诚不敢仰希古人，然遭圣明之世，睹惟新之礼，染翰勒素，实录时事，亦未惭于后人。昔扬雄著《太玄经》，当时不免覆盎之谈，二百年外，则越诸子。今臣之所撰，虽未足光述帝载，稗晖日月，然万祀之后，仰观祖宗巍巍之功，上睹陛下明明之德，亦何谢钦明于《唐典》，慎徽于《虞书》。[①]

韩显宗的这个回答有两点值得注意，其一，他特别重视撰修史书的直书精神，即据实而作；其二，韩显宗也看重史书价值随着历史的推进而不断增加。在他看来，国史是可以永远流传下去的，至百年之后，随着时代的发展，如实记载当朝史事的史书，虽然也许并不能“光述帝载”，但一定可以让后代子孙看到前代君主的功业。韩显宗进而又阐明了他作为史官的直书原则，这是他与孝文帝就良史内涵的争论。史载：

---

① 魏收：《魏书》卷六〇《韩麒麟传附韩显宗传》，中华书局1974年版，第1342–1343页。

高祖曰："假使朕无愧于虞舜，卿复何如于尧臣？"显宗曰："臣闻君不可以独治，故设百官以赞务。陛下齐踪尧舜，公卿宁非二八之俦。"高祖曰："卿为著作，仅名奉职，未是良史也。"显宗曰："臣仰遭明时，直笔而无惧，又不受金，安眠美食，此臣优于迁固也。"高祖哂之。①

孝文帝认为，韩显宗只能作为一个称职的史官，但称不上良史。孝文帝所说的良史的内涵，显然与他此前提到的司马迁、班固的史才以及崔光的文学之才有关。在他看来，优秀的史官应该具备"文学之能"和"著述之功"。面对孝文帝的质疑，韩显宗又一次强调史官应具备秉笔直书的精神。韩显宗坚持认为，自己据事直书，不惧权势，也不为外界利益所诱惑，这一点是比司马迁、班固更优秀的地方。

虽然韩显宗的这番言论受到孝文帝哂笑，但是从这段对话可以明显地看出韩显宗与孝文帝对良史的不同看法。孝文帝眼中的良史如马、班，需要著成一部伟大的、令后人惊叹的著作。孝文帝看重撰史者的个人才华，在当时的史官中，他十分欣赏崔光的"博"② 及其文才。孝文帝曾讲道："孝伯之才，浩浩如黄河东注，固今日之文宗也。"③ 李彪和崔光等人共同撰史，李彪的"直"和崔光的"博"是不同的。

---

① 魏收：《魏书》卷六〇《韩麒麟传附韩显宗传》，中华书局1974年版，第1343页。
② 魏收：《魏书》卷六二《李彪传》，中华书局1974年版，第1391页。
③ 魏收：《魏书》卷六七《崔光传》，中华书局1974年版，第1487页。

然而，对韩显宗来说，成为良史更为重要的一点，是作史态度。他认为，撰史者秉笔直书，保持其心性的纯洁，才是成为一个优秀史家的关键。可惜的是，韩显宗对自我的认识并没有得到魏收的认同，《魏书》传论称赞韩显宗在文学上有所成绩，对国事也积极献上计谋，但是并不认可他所说的国史撰修的“实录之功”①。

虽然魏收不认可韩显宗的撰述之才，但北魏史官李彪却被魏收称为良史，这反映出魏收对良史的认识。孝文帝时，李彪担任北魏秘书丞，参与撰修国史，他与秘书令高祐一同上书，建议改崔浩、高允时期所撰的编年体国史《国书》为纪传体史书。李彪后来任著作郎及御史中尉。由于他的性格刚直，不擅收敛，结果被罢免。宣武帝时，李彪请求继续撰修国史，得到许可后，李彪以白衣修史。前文已经论述了崔光对同朝李彪史才的评价，认为他的意志力坚定，勤于考订史料，也擅长领导撰史的工作。在《魏书》的传后评论中，魏收对李彪有良史之才的评价。《李彪传》后“史臣曰”是这样讲的：

> 李彪生自微族，才志确然，业艺夙成，见擢太和之世，輶轩骤指，声骇江南，秉笔立言，足为良史。逮于直绳在手，厉气明目，持坚无术，末路蹉跎。行百里者半于九十，岂彪之谓也?②

① 魏收：《魏书》卷六〇《韩麒麟程骏传论》，中华书局1974年版，第1351页。
② 魏收：《魏书》卷六二《李彪高道悦传论》，中华书局1974年版，第1402页。

《魏书》对李彪的评价是“行百里者半九十”，这是将李彪的一生分为前后两期。前期李彪出身寒族，才学和志向兼备，在太和年间担任史官，撰修国史，颇有成就，可以称得上良史；在掌有监察之权后，依然刚直严苛，不讲求工作方法。《魏书》对李彪良史的称赞，是基于李彪为人正直、作史直笔的态度来讲的，李彪以才志成业，得以被称为良史。由此可以看出，魏收认为良史应当具备直书的作史态度。

二、良史的特征

魏晋南北朝时期，有些史家及所撰史书被后人称为“良史”，特别是两晋史家，《晋书》记载了时人称赞华峤、陈寿等人为良史的评价，可以看出被称为良史的诸位史家具备共同的特征。华峤曾多次被评价为良史。裴松之引《晋诸公赞》记道：“（华峤）有才学，撰《后汉书》，世称为良史。”[①]《晋书》载：“以峤博闻多识，属书典实，有良史之志，转秘书监，加散骑常侍，班同中书。”[②] 前文也讲到荀勖等人将他比于司马迁、班固，也是对其良史之称的肯定。可见，华峤被称为良史，是因为他吸收了司马迁、班固撰史的优点，撰述文辞质朴，叙事详实准确，特别是在记载史事时做到直笔实录。

同样在晋朝被称赞为良史的还有陈寿、孙盛、干宝等人。陈

---

① 陈寿：《三国志》卷一三《华歆传》，裴注引傅畅《晋诸公赞》，中华书局 1959 年版，第 406 页。

② 房玄龄等：《晋书》卷四四《华表传附华峤传》，中华书局 1974 年版，第 1264 页。

寿“善叙事”，被时人称为良史，夏侯湛“坏己书”，张华以皇朝史托付，这些都能看出陈寿因良史之才受到时人的重视。[①] 北魏崔浩也曾经论及陈寿：“遂及陈寿《三国志》有古良史之风，其所著述，文义典正，皆扬于王廷之言，微而显，婉而成章，班史以来无及寿者。”[②] 另外，孙盛撰《晋阳秋》，“词直而理正，咸称良史焉”[③]。干宝《晋纪》，“其书简略，直而能婉，咸称良史”[④]。

这三个史家及其撰述虽然都被称为“良史”，但被称道之处却并不相同。陈寿《三国志》得到了夏侯湛、张华等人的称赞，是由于陈寿擅长史事的剪裁。陈寿的叙事之才是否是指文字表述优美呢？答案恐怕是否定的。范頵认为陈寿“文艳不若相如”[⑤]，可以看出陈寿撰述之长并非表现在辞藻艳丽上。这样看来，陈寿被称为良史，一方面是指他的直书之功，另一方面是指他剪裁合理与行文简洁。

清人李慈铭曾评价陈寿的良史之称：

> 承祚固称良史，然其意务简洁，故裁制有余，文采不足。当时人物，不减秦汉之际，乃子长作《史记》，声色百倍，承祚此书，黯然无华，范蔚宗《后汉书》较为胜矣。

---

① 房玄龄等：《晋书》卷八二《陈寿传》，中华书局 1974 年版，第 2137 页。
② 魏收：《魏书》卷四三《毛修之传》，中华书局 1974 年版，第 960 页。
③ 房玄龄等：《晋书》卷八二《孙盛传》，中华书局 1974 年版，第 2148 页。
④ 房玄龄等：《晋书》卷八二《干宝传》，中华书局 1974 年版，第 2150 页。
⑤ 房玄龄等：《晋书》卷八二《陈寿传》，中华书局 1974 年版，第 2138 页。

《晋书》《南北朝史》又专务文藻，而笔力不及，宜马班之高视千古也。[①]

李慈铭认为，就史书的文采来看，陈寿的《三国志》比不上范晔的《后汉书》，《三国志》的优点在于擅长“裁制”，用词简洁。如陈寿虽不尊蜀汉正统，却在他人传文中尊刘备为帝，李慈铭认为这是陈寿“最得《春秋》微而婉之旨者也”[②]。又如，陈寿作史尚简，但在《三国志·魏书》的《三少帝纪》中，“备载高贵讲学往复之言。……不厌其详，且高贵为司马氏之所最恶，而绝不顾忌，此其所以为良史也”[③]。在李慈铭之前，也有学者持同样的观点。刘勰称它“文质辨洽”，宋人晁公武称“实高简有法”[④]，实际上说的是《三国志》叙事安排得法。这种叙事得法、用词妥当的效果，也就是《晋书》所指“辞多劝诫，明乎得失，有益风化”[⑤]。这个问题在第四章评说陈寿的叙事之功时已有详细论述。此外，《三国志》在撰述上还有一个优点，裴松之称“寿书铨叙可观，事多审正”[⑥]；晋人范頵、唐人修《晋书》时，也认可陈寿对史料采择以事实为准的，且多用直笔。李慈铭指出，唐修《晋书》“舍承祚之直笔，而拾王沈之奸

① 李慈铭：《越缦堂读书记》，《三国志》条，中华书局2006年版，第195页。
② 李慈铭：《越缦堂读书记》，《三国志》条，中华书局2006年版，第199页。
③ 李慈铭：《越缦堂读书记》，《三国志》条，中华书局2006年版，第201页。
④ 晁公武：《郡斋读书志》卷五《正史类》，孙猛《郡斋读书志校证》本，上海古籍出版社1990年版，第181页。
⑤ 房玄龄等：《晋书》卷八二《陈寿传》，中华书局1974年版，第2138页。
⑥ 裴松之：《上〈三国志注〉表》，载于陈寿：《三国志》附录，中华书局1959年版，第1471页。

唾，满纸丑言，自成秽史，许敬宗辈真犬彘也”[1]。陈寿对史料的采择和运用，撰述文笔求直书不追求华丽，被后人称赞。

孙盛直笔撰述《晋阳秋》，阐明义理，也被称为良史。刘勰称赞《晋阳秋》“约举”，是指孙盛的撰述文辞简约，但却能通过它看到事情的全貌。孙盛的《晋阳秋》还有另一个优点，“词直而理正，咸称良史”[2]。《晋书》卷八二载桓温认为《晋阳秋》的直书记载对自己不利，责令孙盛删改，却遭到了拒绝，孙盛坚持以直书的态度记载史事，可以看出，对孙盛的良史之称在于他不畏强权的直书精神和对真实史事的如实记载。干宝的《晋纪》也以简略为胜，直书史事，又能用词委婉。刘勰称赞其“审正得序”，是说《晋纪》的体裁体例以《春秋》为准的，合乎史书之“义”。干宝《晋纪》的序例是刘知幾所称赞的，他认为从“定其臧否，征其善恶”来说，干宝撰写的序例“理切而多功”，可以称得上“美”。[3]

从史家对良史的评价和被称为良史的史家或史书具备的特征可以看出，良史之称作为一个范畴概念，虽然仍是对具体史家、史书的评价，并不是直接对概念内涵的讨论，但其要求是明确的，除了要求史家具备像董狐一样直书的作史态度、如实撰写史事，还要求史家能够在史料剪裁和结构安排上处理妥当；另外，议论和文辞也要达到一定的标准。

---

① 李慈铭：《越缦堂读书记》，《晋书》条，中华书局2006年版，第217页。

② 房玄龄等：《晋书》卷八二《孙盛传》，中华书局1974年版，第2148页。

③ 刘知幾：《史通·序例》，浦起龙《史通通释》本，上海古籍出版社2009年版，第81-82页。

三、世人对良史的认识

一般认为，良史记载有流芳百世、传至万代的作用，在史官或史家之外，世人对良史的评价都持赞扬的态度，良史被作为鼓励或劝诫后人言行的标准。魏晋南北朝时期，良史受到世人的认可，这类评论的阐发者并不任史职，也不撰史书，但都认同良史是优秀史家、史书的代表，并以良史记载为荣。[①] 如曹操以“良史记录，必不坠于地矣”[②] 来称赞姜叙母亲之贤；晋人韩咸、曹轸以“良史书过，岂不痛心”[③] 阻止郭槐违背礼法、以外孙韩谧为贾充之后；阎缵以“身虽云没，书名良史”[④] 称赞周处；孙惠以惠帝以来王室内部的争斗会导致“良史书过，后嗣何观”[⑤] 来劝说司马冏关注政事；等等。从这些言论可以看出，在当时人的眼中，良史具备的特点是史家如实记载史事，且撰述能够为现实鉴戒。另外，还有人详细阐释良史的作用，并对良史作出评价。

魏文帝曹丕曾写信给前来投靠的孟达，信中说：

> 昔伊挚背商而归周，百里去虞而入秦，乐毅感鸱夷以蝉蜕，王遵识逆顺以去就，皆审兴废之符效，知成败之必然，

① 三国时期，曹魏刘劭称：“梓慎、裨灶，古之良史。”（陈寿：《三国志》卷二一《刘劭传》，中华书局1959年版，第617页）《晋书》《宋书》在《礼志》中也引用刘劭此言。梓慎是春秋时鲁国人，裨灶是春秋时郑国人，二人都以占卜、天象为长。刘劭所说的良史显然与撰有史书的史家是不同的，此处不将其纳入史学批评对良史问题讨论的范围内。

② 陈寿：《三国志》卷二五《杨阜传》，中华书局1959年版，第702页。

③ 房玄龄等：《晋书》卷四〇《贾充传》，中华书局1974年版，第1171页。

④ 房玄龄等：《晋书》卷五八《周处传》，中华书局1974年版，第1571页。

⑤ 房玄龄等：《晋书》卷五九《齐王冏传》，中华书局1974年版，第1607页。

故丹青画其形容，良史载其功勋。闻卿姿度纯茂，器量优绝，当骋能明时，收名传记。[①]

曹丕以史书记载伊挚等人的事迹，来安抚投奔自己的孟达。曹丕认为，良史的作用是记载为皇朝作出杰出成就的人才的功绩，这些人才往往能够审时度势，看清历史发展的大势和潮流；至于他们是否更换了效忠的对象，则不作考量。这样看来，曹丕眼中的良史，能把握时代发展大势，能记载顺应时代潮流的功勋人物。

曹魏时，高堂隆曾以良史记载有流传后世的作用向魏明帝提出建议。高堂隆，字升平，泰山平阳人，其事载于《三国志》卷二五。他曾在魏明帝曹叡大兴土木、建造宫殿时上疏谏言。他讲道：

昔周景王不仪刑文、武之明德，忽公旦之圣制，既铸大钱，又作大钟，单穆公谏而弗听，泠州鸠对而弗从，遂迷不反，周德以衰，良史记焉，以为永鉴。[②]

高堂隆以前代史官对史事的直笔记载来劝说曹叡。他认为，良史坚持如实记录，如前代史官记载了周景王不听劝阻、奢侈浪费的行为，这样的直书撰述将会流传下来，成为后代的借鉴。因此，他建议曹叡停止建设宫殿。

王朗以良史记事重礼制来称赞孙策为刘繇处理后事的做法。

---

① 陈寿：《三国志》卷三《明帝纪》，裴注引鱼豢《魏略》，中华书局1959年版，第93页。
② 陈寿：《三国志》卷二五《高堂隆传》，中华书局1959年版，第709页。

王朗，字景兴，东海郯人，其事载于《三国志》卷一三。刘繇曾为汉室朝廷出战，孙策料理了他的后事，王朗称赞孙策的做法，他说：

（孙策）知敦以厉薄，德以报怨，收骨育孤，哀亡愍存，捐既往之猜，保六尺之托，诚深恩重分，美名厚实也。昔鲁人虽有齐怨，不废丧纪，《春秋》善之，谓之得礼，诚良史之所宜藉，乡校之所叹闻。正礼元子，致有志操，想必有以殊异。威盛刑行，施之以恩，不亦优哉！①

王朗认为，良史应该载录的是符合礼制之事，这在《春秋》中就有先例，如鲁国人不因对齐人有怨忌而废弃丧礼之制；以此观之，孙策的做法也会被良史记载入史书，并作出正面褒奖的。

晋人傅玄对班固《汉书》有“实命代奇作”② 的称赞，但他同时指出班固“非良史也”，刘知幾《史通》记载了傅玄的这一看法。傅玄，字休奕，北地泥阳人，其事载于《晋书》卷四七。傅玄擅长属文，为朝政之事屡次上疏。他评价《汉书》：“论国体则饰主阙而折忠臣，叙世教则贵取容而贱直节，述时务则谨辞章而略事实。”③ 这样看来，傅玄认为班固不能被称为良史，是由于班固的作史态度不正确，具体来说，班固在叙事时存在不能

---

① 陈寿：《三国志》卷四九《刘繇传》，中华书局 1959 年版，第 1185-1186 页。
② 刘知幾：《史通·核才》，浦起龙《史通通释》本，上海古籍出版社 2009 年版，第 233 页。
③ 刘知幾：《史通·书事》，浦起龙《史通通释》本，上海古籍出版社 2009 年版，第 213 页。

据实直书的问题。

南朝刘宋扶令育认为，良史记载有传至万代的意义，因此他上表请求皇帝赦免被废的彭城王刘义康，他说："臣伏愿陛下上寻往代黜废之祸，下惟近者谗言之衅。庐陵王既申冤魂于后土，彭城王亦弭疑愆于宋京，岂徒皇代当今之计，盖乃良史万代之美也。"[①] 扶令育请求宋文帝再三考虑废黜刘义康的决定，他的依据是良史记载可以传美名于后代百世。

萧齐何昌寓曾称良史记载会影响人在后世的声望。何昌寓，字俨望，庐江灊人，其事载于《南齐书》卷四三。刘宋时，建平王刘景素因举兵反叛后废帝刘昱而被杀，何昌寓在写给褚渊的信函中为刘景素之死抱不平。他讲道："天下之可哀者有数，而埋冤于黄泉者为甚焉。何者？百年之寿，同于朝露，挥忽去留，宁足道哉！政欲阖棺之日，不陨令名，竹帛传芳烈，钟石纪清英。是以昔贤甘心于死所者也。若怀忠抱义，而负枉冥冥之下，时主未之矜，卿相不为言，良史濡翰，将被以恶名，岂不痛哉！岂不痛哉！"[②] 可以看出，在这封信函中，何昌寓感叹人的性命不能永存，如果埋冤黄泉更值得悲哀。何昌寓认为，刘景素之事若以叛乱之行被史官记录下来，那么刘景素将在后世被人痛骂，背负恶名。何昌寓之所以为刘景素有如此担忧，正是由于何昌寓认同良史撰述可以流传后世，且良史记载褒贬善恶，会影响后人对所记之人与事的认知。

---

① 沈约：《宋书》卷六八《彭城王义康传》，中华书局 1974 年版，第 1794 页。
② 萧子显：《南齐书》卷四三《何昌寓传》，中华书局 1972 年版，第 760 页。

世人认识到的良史的鉴戒作用，受到了史家的认可。如沈约作《郊居赋》，描绘郊外居所的景象并对此抒发感慨，同时表露出对良史地位的尊重。沈约在结尾处感叹道："惟以天地之恩不报，书事之官靡述；徒重于高门之地，不载于良史之笔。长太息其何言，羌愧心之非一。"[①] 这里，他表达出希望有所成就，被良史记于笔下、载入史书之心情，这实际上是对良史撰史抱有敬畏感。

魏晋南北朝时期的史学批评包括对史家的评价，这些评价大多是针对个人的，同时也出现对史官群体的普遍要求。其中，他们注意前朝史家如司马迁、班固的作史态度及史才，也有对同时期史家作史态度和史才的评价，还有的对自我提出要求。在这些评价的基础上，史学批评中"史才""良史"等概念的内涵得以进一步丰富和完善，对史家不能如实记载的原因也有所探讨。总的来说，魏晋南北朝时期对前朝史家大多是持肯定的态度，肯定他们在作史态度、文辞、叙事、议论、体裁、体例上的贡献。对同时期史家史才的评价，所关注的重点与前者基本相同，也包括直书、史论、叙事等方面。在这一时期，不仅史家重视评论良史，不撰史书、不任史职的普通人也表示对良史的尊崇，并以良史如实的记载能够流传后世来鉴戒自己和旁人的言行。可以看出，这一时期世人眼中的良史，其内涵表现为直书的作史态度，同时，作为优秀史书的良史还有永久流传的意义。良史肩负着时代的责任，受到后人的尊敬，因此这也促使史家对撰写史书产生敬畏感。

① 姚思廉：《梁书》卷一三《沈约传》，中华书局1973年版，第242页。

第六章　一个重要的标志性成果

——《文心雕龙·史传》篇

魏晋南北朝时期史学批评的对象往往是个别史家、史书或具体的史学问题，还有的是对史官群体、某类史书作出的评价。从整体上来看，这一时期的史学批评其系统化和理论上深入思考的特点并不明显。尽管如此，这一时期的史学批评出现了综合考察的趋势，集中体现在南朝萧梁刘勰撰写的《文心雕龙·史传》篇（本章后简称《史传》篇，标题、引文、注释、参考文献除外）中。《史传》篇是这一时期史学批评发展的一个标志性成果。在《史传》篇中，刘勰总结前人对古今关系的看法，并提出"载籍"以"居今识古"的理论问题，这是史学认识的一个重要成就。与此同时，刘勰评述了历代史学的发展，可以清晰地看出史学在不同阶段的特点；在评论的过程中，刘勰在史体、史例、史家素养、史料采撰等问题上都提出了认识。《史传》篇的出现，无疑是史学批评进步的显著表现。

第一节 《文心雕龙·史传》篇的史学特质

一、刘勰和《文心雕龙》

从文学史的发展来看，《文心雕龙》是中国文学批评史上一部重要的著作。《史传》作为其中的一篇，与《文心雕龙》有着密不可分的关系。与此同时，《史传》篇又有不同于《文心雕龙》其余诸篇的特点，表现出史学的特质。

刘勰，字彦和，东莞莒人，其事载于《梁书》卷五十《文学传》。刘勰家世贫寒，年少好学，他曾在撰有《出三藏记集》《弘明集》的释僧祐处住了十余年。梁武帝时，刘勰始为官，受到昭明太子萧统的喜爱。刘勰深谙佛理，晚年时出家为僧。刘勰撰《文心雕龙》五十篇，起先不为世人看重，但刘勰对《文心雕龙》自视很高，他想办法求见当时声名显赫的沈约，果然得到沈约的称赞，沈约"大重之，谓为深得文理"①。因此《文心雕龙》开始受到瞩目。

《文心雕龙》是在"文学进入自觉的阶段"② 的魏晋南北朝时期出现的。它的主旨，据《梁书》讲，是论古今文体。宋人晁公武评《文心雕龙》道，"评自古文章得失，别其体制，凡五十篇，各系之以赞云。……今勰著书垂世，自谓尝梦执丹漆器，

① 姚思廉：《梁书》卷五〇《文学传下》，中华书局 1973 年版，第 712 页。

② 袁行霈主编：《中国文学史》第二卷，高等教育出版社 2014 年版，第 18 页。

随仲尼南行，自负不浅”[①]。据刘勰讲，《文心雕龙》讨论的对象是“夫文心者，言为文之用心也”[②]，说明《文心雕龙》旨在论说撰文的意旨；刘勰又讲到：“古来文章，以雕缛成体，岂取驺奭之群言雕龙也?”[③] 这是说撰文要注重外在的表现形式。在《文心雕龙》中，刘勰将史传作为文体的一类进行研究。

魏晋南北朝时期，“文”和“文章”不仅指现代意义上的文学作品，也包括历史撰述，许多学者均认同这一看法。[④] 这一时期所说的“文”或“文章”，范围很广。魏收曾讲：“夫文之为用，其来日久。自昔圣达之作，贤哲之书，莫不统理成章，蕴气标致，其流广变，诸非一贯，文质推移，与时俱化。”[⑤] 可以看出，魏收认为，“文”是传达撰述者意旨的载体形式，并随着时间发展而发生变化。再看萧子显对文的认识，他说：“文章者，盖情性之风标，神明之律吕也。蕴思含毫，游心内运，放言落纸，气韵天成。”[⑥] 萧子显强调，文是表达撰者感情的载体。从二人所论可以看出，这一时期，人们对“文”或“文章”内涵的看法并不相同，但大体上认可它是表达撰述者感情或意旨的载体，历史撰述也被包含其中。

另外，在这一时期史家撰写的正史中，《文苑传》或《文学

---

① 晁公武：《郡斋读书志》卷二〇《文说类》，孙猛《郡斋读书志校证》本，上海古籍出版社 1990 年版，第 1076 页。这里，晁公武还对刘勰以《论语》之后才有“论”一说提出不同看法，认为《尚书》中已有“论道经邦”的说法。

② 刘勰：《文心雕龙·序志》，黄叔琳等《增订文心雕龙校注》本，中华书局 2012 年版，第 606 页。

③ 刘勰：《文心雕龙·序志》，黄叔琳等《增订文心雕龙校注》本，中华书局 2012 年版，第 607 页。

④ 胡宝国：《汉唐间史学的发展》，商务印书馆 2003 年版，第 63 页。

⑤ 魏收：《魏书》卷八五《文苑传》序，中华书局 1974 年版，第 1869 页。

⑥ 萧子显：《南齐书》卷五二《文学传论》，中华书局 1972 年版，第 907 页。

传》记有史家事迹，如《南齐书》中载有檀超、王智深、崔慰祖、王逡之、王珪之之事。[①] 在前文讨论史论问题时，大致梳理了人们有关文史关系认识的变化，可以看出，魏晋南北朝时期的人逐渐认识到文学著作与史学著作的不同、文人与史家的不同，但他们所说的“文”是包括历史撰述的。这样看来，对刘勰的《文心雕龙》是可以从史学意义上进行探讨的。

刘勰在《序志》中阐述了撰写《文心雕龙》的原因。其一，撰文可以扬名于后。他讲道：“岁月飘忽，性灵不居，腾声飞实，制作而已”[②]，时间飞逝，人的形体会消亡，只有撰写下来的文字可以流传千载，扬名万代。其二，撰文可以申明圣人之旨意。刘勰因梦到追随圣人孔子而感到喜悦，他希望解读圣人的经典，注经的方法不是自己擅长的，因此他选择“论文”以阐发圣人之意。他说：

> 唯文章之用，实经典枝条，五礼资之以成，六典因之致用，君臣所以炳焕，军国所以昭明，详其本源，莫非经典。[③]

刘勰认为，文章是由圣人经典衍生来的，可以实现五礼、六典的要求，记载君臣之功、军国之事。但是刘勰也指出文章撰写

---

① 在唐人所修的这一时期正史中，《文苑传》或《文学传》中也记有史家事迹，特别是南朝史家，如《晋书·文苑传》记有李充、袁宏等，《梁书·文学传》记有刘昭、周兴嗣、吴均等，《陈书·文学传》记有杜之伟、许亨、何之元等，《南史·文学传》记有檀超、檀道鸾、王智深、崔慰祖、刘昭、周兴嗣、吴均、杜之伟、何之元等史家。

② 刘勰：《文心雕龙·序志》，黄叔琳等《增订文心雕龙校注》本，中华书局2012年版，第607页。

③ 刘勰：《文心雕龙·序志》，黄叔琳等《增订文心雕龙校注》本，中华书局2012年版，第607页。

存在的种种问题，他指出：

> 去圣久远，文体解散，辞人爱奇，言贵浮诡，饰羽尚画，文绣鞶帨，离本弥甚，将遂讹滥。①

这里，刘勰提出撰文存在的问题，大致可以包括体例、内容、取材、文辞等方面。在这样的情况下，刘勰从文章的重要作用出发，考虑到它存在若干需要注意的问题，才决定撰写《文心雕龙》一书，以阐释撰文的基本原则，评述不同的文体、评论文之创作。

《文心雕龙》的主旨及撰述的原因如上文所讲，从刘勰自述的撰述原因中，不难看出《文心雕龙》的撰述遵循征圣宗经的原则。这一原则不仅表现在刘勰梦到追随圣人并论文以阐发圣人意旨之中，而且反映在《史传》篇中。

由此可见，《文心雕龙》的主旨是论文，刘勰为申明圣人旨意而撰写此书。刘勰论文，是以文体的不同来分类论述的，其中他所谓的“文”包括了历史撰述，虽然《文心雕龙》将史传作为一种文体进行讨论，但是与其他篇目相比，《史传》篇有着明显不同，刘勰论史传具有史学批评上的意义。

二、《史传》篇在《文心雕龙》中的位置

《史传》篇是《文心雕龙》第十六篇。它以其独特的史学特

① 刘勰：《文心雕龙·序志》，黄叔琳等《增订文心雕龙校注》本，中华书局2012年版，第607页。

点受到研究者的关注，如金毓黻作《史传》篇的疏证，他在前人研究的基础上，对《史传》篇的史学意义重新解读，具有重要的价值。[①] 瞿林东认为，《史传》篇是“讨论史学发展的专文，预示了史学工作即将进入一个更加自觉的历史时期”[②]。可以看出，《史传》篇论述的内容对史学研究有着重要的推动意义。尽管《文心雕龙》将史传作为一种文体进行论述，但《史传》篇有不同于其余诸篇的史学特点。下面就这个问题作出说明。

刘勰讲道，“论文叙笔，则囿别区分”[③]，可知，刘勰将史传作为一种文体形式来评论。关于刘勰此处所讲的“文”与“笔”，黄侃作出区分道：“六朝人分文笔，大概有二途：其一以有韵者为文，无韵者为笔；其一以有文采者为文，无文采者为笔。谓宜兼二说而用之。”[④] 前文讨论了萧梁时人们对文史的不同认识，以及对文才与史才的不同要求。由此可知，若以是否有韵，或是否有文采作为区分依据，史书与文学作品有明显差别。尽管史书撰述也追求优秀文辞的价值，但是文学作品显然更重视文章的形式之美，即韵律和文采，而史书则更注意撰述的真实性与鉴戒意义。以此来看，刘勰所论《史传》篇，属于“叙笔”无疑。

《史传》篇的结构及内容大致与《文心雕龙》中的其他篇目相似。刘勰在《序志》中已经指出：“原始以表末，释名以章

---

① 金毓黻：《〈文心雕龙·史传〉篇疏证》，《中华文史论丛》1979 年第 1 辑。

② 瞿林东：《中国史学史纲》，北京出版社 1999 年版，第 227 页。

③ 刘勰：《文心雕龙·序志》，黄叔琳等《增订文心雕龙校注》本，中华书局 2012 年版，第 608 页。

④ 黄侃：《文心雕龙札记》，中华书局 2014 年版，第 193 页。

义，选文以定篇，敷理以举统，上篇以上，纲领明矣。”[①] 可以看出，《文心雕龙》篇目的内容首先考察该文体的来源及演变的过程，其次阐释其义，然后选出代表性的篇章加以评价，进一步阐发其内涵。《史传》篇也分为这三个部分，它首先考察了史传的起源及流变，并在考察过程中阐释史传的内涵、明确其范围，同时也评价了多篇史传。

然而，刘勰论史传与论其他文体的诸篇又有不同，他不完全是从文学批评的角度展开的，这点已有多位学者指出。如牟世金讲《史传》篇“未能着重从文学的角度来总结古代历史散文和传记文学的特点”[②]；周振甫也指出《史传》篇，“过多地讲历史，对历史散文讲得不够”，“过多地讨论历史书的各种体裁的优缺点，对纪传体历史书的传记文学没有认识”。[③] 两位学者皆是从文学的角度对刘勰史传之论提出看法。但是从史学批评的角度来看，二人所讲的问题，却能反映出《史传》篇具有明显的史学特质。因此，可以将《史传》篇作为史学批评的专篇来看待。

那么，刘勰所说的“史传”在当时指的是什么呢？在《史传》篇中，刘勰也说明“传”的意义及其缘起，他认为“史传”可溯源至左丘明《春秋左传》所创的传体。刘勰讲道：“传者，转也；转受经旨，以授于后，实圣文之羽翮，记籍之冠冕也。”[④]

---

① 刘勰：《文心雕龙·序志》，黄叔琳等《增订文心雕龙校注》本，中华书局2012年版，第608页。

② 刘勰：《文心雕龙·史传》，陆侃如、牟世金《文心雕龙译注》本，齐鲁书社2009年版，第246页。

③ 刘勰：《文心雕龙·史传》，周振甫《文心雕龙今译》本，中华书局2013年版，第140–141页。

④ 刘勰：《文心雕龙·史传》，黄叔琳等《增订文心雕龙校注》本，中华书局2012年版，第204页。

这就是说，“传”的意义在于阐释圣人经文中的微言大义。从刘勰对“传”的解释可以看出，传文是为解释经文而存在的，这与刘勰征圣宗经的思想是一致的。

考察史书记载，“史传”一说，大致在两晋南北朝较为盛行，特别是南北朝时期。在正史记载中，多见评价所载之人对“史传”的通晓或擅长。如《晋书》有“（郑方）博涉史传”[①]，《宋书》中有“兄坦，颇涉史传”[②]，《梁书》有“（高祖郗皇后）善隶书，读史传”[③]，《陈书》有“（裴忌）颇涉史传”[④] 等。北朝正史中，《魏书》载明元帝“礼爱儒生，好览史传”，而孝文帝“史传百家，无不该涉”[⑤]。除了君主，《魏书》还记有“（薛谨）颇览史传”[⑥] 等。《北齐书》载“（司马消难）博涉史传”[⑦]，《周书》有“（王褒）博览史传，尤工属文”[⑧]。刘孝标注《世说新语》引《晋中兴书》之文，“（高）崧少好学，善史传”，刘

---

① 见《晋书》卷五九《齐王冏传附郑方传》，第1611页。《晋书》还有“（段业）博涉史传，有尺牍之才”（卷一二九《沮渠蒙逊载记》，第3192页），中华书局1974年版。

② 见《宋书》卷六五《杜骥传》，第1720页。《宋书》还有“（刘湛）博涉史传，谙前世旧典”（卷六九《刘湛传》，第1815页）、“（刘劭）好读史传，尤爱弓马”（卷九九《二凶传》，第2423页），中华书局1974年版。

③ 见《梁书》卷七《高祖郗皇后传》，第157页。《梁书》还有“（鲍泉）博涉史传，兼有文笔”（卷三〇《鲍泉传》，第448页），中华书局1973年版。

④ 见《陈书》卷二五《裴忌传》，第317页。《陈书》还有“（阴铿）博涉史传”（卷三四《文学传》，第472页），中华书局1972年版。

⑤ 分别见《魏书》卷三《太宗纪》（第64页）、卷七下《高祖纪下》（第187页），中华书局1974年版。

⑥ 见《魏书》卷四二《薛辩传附薛谨传》，第941页。《魏书》还有“（郦道慎）涉历史传”（卷四二《郦范传附郦道慎传》，第951页）、“景远好史传，不为章句”（卷四三《房法寿传附房景远传》，第983页）、“（李瑒）涉历史传，颇有文才”（卷五三《李孝伯传附李瑒传》，第1177页）、“（崔勉）颇涉史传，有几案才”（卷五七《崔挺传附崔勉传》，第1269页）、“（庾道）历览史传，善草隶书”（卷七一《江悦之传》，第1592页），中华书局1974年版。

⑦ 李百药：《北齐书》卷一八《司马子如传附司马消难传》，中华书局1972年版，第240页。

⑧ 令狐德棻等：《周书》卷四一《王褒传》，中华书局1971年版，第729页。

义庆也有“南阳刘骥之，高率善史传”① 等说法。以上“史传”之意，当是史书记载，一般用于说明某人的学识，可以看出“史传”之意与“文笔”“章句”有明显不同，不属于文学著作，而是对历史撰述的统称或习惯上的说法。

另一种情况中，在后代撰史时，往往征引“史传”的内容来考证记载的真实性，或鉴戒后人的行为。如《水经注》在注文中多次征引史传的记载，进行考证②，《拾遗记》也有“汉初发此冢，验诸史传，皆无列仙龙凤之制，则知生埋匠人之所作也”③，等等。至于为后人鉴戒的意义，东晋十六国时期，慕容皝曾以史传记载的外戚乱朝之事来威胁庾冰以使自己获得朝廷的承认，他讲道，“每睹史传，未尝不宠恣母族，使执权乱朝，先有殊世之荣，寻有负乘之累，所谓爱之适足以为害”④；萧齐王融也曾以史传记载的忠臣事迹表达自己为国尽忠之意，“臣每览史传，见忧国忘家，捐生报德者，未曾不抚卷叹息，以为今古共情也”⑤；等等。可见，史传记载的真实性是获得后人普遍认可的，它对后人行事有明确的鉴戒作用。

通过以上考察，可以看出“史传”屡见于两晋南北朝时期

---

① 分别见刘义庆：《世说新语》卷上之上《言语》（第165页）、《世说新语》卷下之上《栖逸》（第770页），余嘉锡《世说新语笺疏》本，中华书局2007年版。

② 如“余诊诸史传”（《水经注》卷一《河水》，第4页），“悼、敬二王，稽诸史传，复无葬处”（《水经注》卷一五《洛水》，第368页），“余按史传，周灵王之时，谷、洛二水斗，毁王宫”（《水经注》卷一六《谷水》，第391页），等等。（见郦道元：《水经注》，陈桥驿《水经注校证》本，中华书局2007年版）

③ 王嘉：《拾遗记》卷五《前汉上》，齐治平《拾遗记校注》本，中华书局1981年版，第119页。

④ 房玄龄等：《晋书》卷一〇九《慕容皝载记》，中华书局1974年版，第2820页。

⑤ 萧子显：《南齐书》卷四七《王融传》，中华书局1972年版，第822页。

的史书记载中。从史书记载中“史传”的用法来看，在南北朝时期，“史传”大致指的是历史撰述，特别是皇朝史撰述，常用来指称某人的学识，或是将其作为引证的材料及鉴戒的标准。这样看来，刘勰在《史传》篇中讨论的对象也应该是以皇朝史为主的历史撰述。

《文心雕龙》是刘勰撰写的论文之书，是一部文学理论的经典著作。在魏晋南北朝时期，“文”与“史”的区别愈发受到人们的关注，这时的历史撰述被包含在广义的“文”的范围之内。另外，此时“史传”之称一般是指皇朝史。由此看来，虽然刘勰将史传作为无韵文的文体进行论述，但他所设立的《史传》篇与其他诸篇相比，呈现不同的特征，具备史学的特质。该篇没有将历史散文或传记文学作为论述重点，它明确了历史撰述与其他文学著作的不同；并且《史传》篇围绕历史撰述展开的讨论，更是史学批评发展史上值得关注的标志性成果。

第二节　一篇卓越的史学批评史论纲

一、提出了一个重要的理论问题——“居今识古，其载籍乎”

《文心雕龙》论说萧梁之前的各类文体，其《史传》篇所论实为以皇朝史为主的历史撰述，具有在史学上讨论的可能性。在《史传》篇中，刘勰所论的问题对史学批评研究来讲，至少在两个方面是有重要贡献的。其一，刘勰明确提出“居今识古，其载籍乎”的看法，如此一来肯定了史籍在人认识古今关系上的意义。其二，刘勰论说萧梁之前的皇朝史史书，实际上起到了史学批评史论纲的作用。《史传》篇在这两方面取得的成就，较为集中地反映了刘勰的史学批评思想。下面分别作出说明。

在中国古代的历史观念中，对古与今关系的认识是重要的命题[①]，特别是古与今是否有联系、古与今有怎样的变化等问题，这些问题关系史学的社会功用。随着人类实践的不断深入、经验的不断总结，对古今关系的认识也逐步发展。史家居今日撰述史书，是今日之人对过往历史的记录；居今日读史书，今日之人可以认识过往的历史。可以看出，史书是人们居今日、识古史的重要媒介，具有重要的社会意义。刘勰在《史传》篇中的认识推动了关于古今关系看法的发展。[②]

《史传》篇，开篇称：

> 开辟草昧，岁纪绵邈，居今识古，其载籍乎！[③]

这里，刘勰首先指明，他作为一名今人，距离“开辟草昧”

---

① 瞿林东：《中国史学的理论遗产：从过去到现在和未来的传承》，北京师范大学出版社2013年版，第88-92页。

② 《光明日报》2017年6月12日刊文《“居今”何以“识古”——关于中国古代史学发展一个核心观念的对话》。这篇文章中，瞿林东、江湄、孙卫国、刘开军诸位嘉宾讨论了在中国古代史学的发展过程中，历代史家对古今关系、载籍的作用等问题思考深化的过程，《对话》亦解读了“居今识古”相关问题对现实的意义。（瞿林东、江湄、孙卫国等：《“居今”何以“识古”——关于中国古代史学发展一个核心观念的对话》，《光明日报》2017年6月12日，第14版）

③ 刘勰：《文心雕龙·史传》，黄叔琳等《增订文心雕龙校注》本，中华书局2012年版，第204页。

的远古历史，在时间上是非常遥远的。同时，他也指出，若要居今日、识古史，跨越古今的时间鸿沟，一定需要通过“载籍”，即文字形式的历史记载。可以看出，在刘勰看来，时间上的古与今存在显著不同，历史记载在人的认识之“居今识古”中起着重要的作用。

刘勰所说的“载籍”与“居今识古”的问题值得进一步探讨。一方面，在实践上，今人“识古”是可能发生的。刘勰认为，尽管古今存在时间上的鸿沟，但并非不可认识，他指出连接古与今的媒介是“载籍”。在文字出现之后，“载籍”成为“识古”的媒介，人们通过阅读有关前人言行的记录来了解旧事。而在文字出现之前，人们则是通过口耳相传、亲眼所见的方式“识古”。

在另一方面，“居今识古”可以促进人们认识的进步。刘勰指出，若通过“载籍”来“居今识古”，这是赞同“识古”对今人有益的观点。正如古人言，“君子多识前言往行，以畜其德”。可以看出，今人“识古”，能够观察到前人的某一行为及其所带来的结果，这样便能获取知识，从而规范自己的行为，以获得道德上的提高，进而促进社会的和谐，这也是史学社会功用的体现。司马迁讲道“居今之世，志古之道，所以自镜”①。他提出，要将过去发生的事情作为一面镜子，来比照自己的今日作为，以提高自我的修养。通过“居今识古”的方式来获取智慧，是中

① 司马迁：《史记》卷一八《高祖功臣侯者年表》序，中华书局1959年版，第878页。

国古人在不断实践中总结的经验。

正是由于“居今识古”的可能性与必要性，“载籍”在这一过程中扮演的角色才显得尤为重要。“载籍”是什么？是文字记载，特别是对过去历史的文字记载。最初进行史书撰述的是一朝之中身居史官之位者。《汉书》记道，皇朝统治者设立史官，“君举必书”，“左史记言，右史记事，事为《春秋》，言为《尚书》”。[①] 中国古代有史官撰史的传统，统治者以史书的记载规诫自己的言行，史书以文字的形式记录了前人或时人之行事。唐人刘知幾讲，“苟史官不绝，竹帛长存，则其人已亡，杳成空寂，而其事如在，皎同星汉”[②]，肯定的是史官撰录史书，能够将过去发生的史事保存下来，使之不因时间的流逝而亡佚，直至不间断地流传至今日。在史官撰史之外，不居史职之人也会私撰史书，这类记录过去的史书同样可以作为今人“识古”的媒介。从春秋时期到近代，随着“载籍”的数量、种类的丰富，人们可以通过“载籍”了解过去来获得“知识、教养、经验”，从而使“智慧也不断提升”。[③]

然而，“载籍”虽为对过去历史的记录，但却是史家通过搜集史料、编次史料再撰写而成。因此，“载籍”中对客观历史的撰述，会受到史家主观因素影响，“包含着基于现实需要的历史

---

① 班固：《汉书》卷三〇《艺文志》，中华书局1962年版，第1715页。

② 刘知幾：《史通·史官建置》，浦起龙《史通通释》本，上海古籍出版社2009年版，第280页。

③ 瞿林东：《“居今”何以“识古”——关于中国古代史学发展一个核心观念的对话》，《光明日报》2017年6月12日，第14版。

认识者的‘思想’”[①]。中国古代史学有追求直笔撰述的传统，但是仍然不能否认史家主观因素对历史撰述的影响。因此，刘勰提出“素心”之说要求撰史“析理居正”[②]，清人章学诚提出“尽其天而不益以人”[③]作为史德的要求。可以看出，若要有效地利用“载籍”来“居今识古”，就不能忽视“载籍”的这一特殊属性。

刘勰上述所言，是一个重要的理论问题。他不仅认识到“居今识古”的必要性，也肯定了“居今识古”的可能性。“载籍”作为沟通古今的中介，其特殊性也是需要关注的。刘勰“把先秦以来的这些思想提炼为一句文字简短、指向明了、意蕴丰富的话”[④]。刘勰提出的这个问题，促进了“居今识古”这一传统的形成，在他之后，对这个问题的关注与讨论越来越多。

二、清晰的史学批评史论纲

刘勰推崇“居今识古”，看重史书在这一方面帮助人的认识发展的作用，因此刘勰在《史传》篇中一一评说历代史书撰述，特别是皇朝史撰述。刘勰从不同的角度评论历代史书，使《史传》篇具有清晰的史学批评史论纲的特点。

刘勰大致依照历史发展的脉络，对皇朝史作出评论。刘勰从

---

① 江湄：《“居今”何以“识古”——关于中国古代史学发展一个核心观念的对话》，《光明日报》2017年6月12日，第14版。

② 刘勰：《文心雕龙·史传》，黄叔琳等《增订文心雕龙校注》本，中华书局2012年版，第207页。

③ 章学诚：《文史通义·史德》，叶瑛《文史通义校注》本，中华书局1985年版，第220页。

④ 刘开军：《“居今”何以“识古”——关于中国古代史学发展一个核心观念的对话》，《光明日报》2017年6月12日，第14版。

上古轩辕之世说起，历数西周、春秋、战国、秦、两汉、三国、两晋的史书撰修情况。刘勰评论历代史书，有的按照撰修者所处的时代，有的则按照史书记录的时代，如魏晋南北朝时期涌现出了大量的史书及史家，刘勰是按照史书内容记录的年代，分别论述后汉史、三国史、晋史的撰述情况。

远古时期是史学起源的时期，远古口耳相传的神话、传说保存了史学最初萌芽的影子；先秦时期则是史学的兴起阶段。然而，在刘勰看来，要找寻史学发展之源起，不能从神话传说开始追溯，而是要从撰修皇朝史的执笔史官算起。因此，刘勰梳理史学发展的历史从轩辕之世执史笔的仓颉开始评说。轩辕时代是远古的三皇五帝时期。《史记》记："黄帝者，少典之子，姓公孙，名曰轩辕。"[1] 刘勰追溯撰史的开端，是从轩辕之世即黄帝之时的主文一职的仓颉开始讲起，他认为：

> 轩辕之世，史有仓颉，主文之职，其来久矣。[2]

在刘勰看来，仓颉所任之职负责记录文字，记载了当时发生的许多史事，仓颉所作，就是史书，这是刘勰对远古黄帝时期史学的评论。

在论说史书的最初形态后，刘勰接着分别评论了西周时期的两部经典的史书——《尚书》与《春秋》，他说：

---

① 司马迁：《史记》卷一《五帝本纪》，中华书局 1959 年版，第 1 页。

② 刘勰：《文心雕龙·史传》，黄叔琳等《增订文心雕龙校注》本，中华书局 2012 年版，第 204 页。

古者，左史记事者，右史记言者。言经则《尚书》，事经则《春秋》。唐虞流于典谟，商夏被于诰誓。①

这里，刘勰将史书大致分为记言与记事两类，并举出《尚书》和《春秋》作为两类的代表性著作。② 《尚书·虞书》有《尧典》《舜典》《大禹谟》《皋陶谟》等篇，《夏书》有《甘誓》等篇，《商书》有《汤誓》《仲虺之诰》等篇。刘勰首先讲道，唐尧、虞舜、夏、商的历史，记载于《尚书》诸篇中。

在西周史学的发展中，周公对历史撰述的贡献是刘勰十分肯定的。在刘勰看来，周公确定了史书撰述所需依据之法，“紬三正以班历，贯四时以联事”③，就是说周公确立以编年的方法记录历史。刘勰所论实际上是周公对史书的体例、体裁的认识。

在论说西周史学之后，刘勰将春秋战国时期的史学分为两个阶段，以孔子修《春秋》为界。前一阶段是从周平王到孔子修《春秋》之前。刘勰认为，从东周周平王开始，由于周王室的衰微，周公创立的撰史之法已不为后人遵循。这是第一个阶段。在刘勰看来，春秋战国史学发展的第二个阶段是从孔子修《春秋》至秦统一天下。刘勰讲道，孔子修鲁史《春秋》，重新采纳周公所创之法，重申王道教义及史书撰述重“义”的传统，并发展

① 刘勰：《文心雕龙·史传》，黄叔琳等《增订文心雕龙校注》本，中华书局2012年版，第204页。

② 前文所记《汉书·艺文志》“左史记言，右史记事”的说法与此处相反（班固：《汉书》卷三〇《艺文志》，中华书局1962年版，第1715页），但中国古代皇朝确有设置左史与右史以记言与记事的传统。

③ 刘勰：《文心雕龙·史传》，黄叔琳等《增订文心雕龙校注》本，中华书局2012年版，第204页。

出以“传”解“经”的史书撰述方式；此后至秦之前，春秋战国诸侯争霸的局势之下，各国仍设有撰史之职，但是保存东周后期历史的《战国策》，仍以文献的汇编为目的。可以看出，刘勰将孔子重修《春秋》作为春秋战国时期史学发展的要事，他关注时代局势对史书撰述的影响，并以史书撰述褒贬之意的阐发作为历史记载优劣的评判标准。

两汉史学是中国古代史学正史的创立阶段。刘勰评说两汉史学，论及《楚汉春秋》等著作，但讨论的重点在于西汉的《史记》与东汉的《汉书》。刘勰评论司马谈、司马迁父子撰史：

> 爰及太史谈，世惟执简；子长继志，甄序帝绩。[①]

刘勰认为，司马谈父子以史官之任撰史，刘勰对《史记》的评论侧重于它继承并发展传统、叙事记人得序的特点。《史记》开创了纪传体撰述的史书体裁，这有别于此前周公、孔子所采用的编年记事之法。《史记》所设的本纪、世家、列传、书、表等部分，记录人物、事件、制度等，涵盖了从远古黄帝到武帝太初年间之事。虽然《史记》在体裁上有别于《春秋》，但是在刘勰看来，《史记》在史书体裁上继承了《吕览春秋》中“纪”的设置，并在此基础上有所发展，使得史书有条有理地记载了历代君主。同时，刘勰也指出《史记》之缺点，在这一问

---

① 刘勰：《文心雕龙·史传》，黄叔琳等《增订文心雕龙校注》本，中华书局2012年版，第205页。

题上他基本认同班固所论。[1]

至于《汉书》，刘勰认为它大体上是“因循前业”[2]，承袭《史记》所作。另外，刘勰也指出，《汉书》的志书及赞序，在文辞、旨意上都值得揣摩。同时，时人所讲的《汉书》的缺陷，即无视父亲班彪的撰述成就、受贿以记人等问题，刘勰也都一一指出。显然，这是刘勰不认可的。刘勰对司马迁、班固为女性立纪的方法也提出质疑，这是刘勰历史认识的局限所在。

两汉之后，三国两晋直至刘勰生活的南朝萧梁之前，中国古代史学的发展呈现出新的面貌，官方与私人纷纷撰史，大量不同种类的史书涌现。面对这一时期的史学发展情况，刘勰评论的分类依据不是史家所处的历史时期，而是史书所记史事发生的年代，他分别评述了东汉史、三国史、晋史的撰述。从总体上看，刘勰对诸家史书的评论大体是允当的。其中，刘勰肯定《东观汉记》作为东汉历史撰述的起源，称赞司马彪、华峤的记载，刘勰还认为袁山松、张莹、薛莹等人所撰东汉历史，在真实性、客观性上难以让人满意。有关三国的多家历史记载中，刘勰给予陈寿的《三国志》以极高的评价。在刘勰看来，晋史之作，官方史官陆机、王韶之所撰不如干宝、孙盛所撰有特色；邓粲承袭周公、孔子撰史的传统，重申史书的体例。[3] 刘勰论这一时期的史学，并未像前文论《史记》《汉书》一样，追求论说某一史著

① 刘勰：《文心雕龙·史传》，黄叔琳等《增订文心雕龙校注》本，中华书局2012年版，第205页。

② 刘勰：《文心雕龙·史传》，黄叔琳等《增订文心雕龙校注》本，中华书局2012年版，第205页。

③ 刘勰：《文心雕龙·史传》，黄叔琳等《增订文心雕龙校注》本，中华书局2012年版，第205-206页。

之全面、深入，而是兼论多家有关同一历史时期的撰述成就，并作出优劣评判。刘勰采用不同的方法评论不同时期的史学，是根据不同时期史学发展的特点作出的选择。这样一来，较为明显地呈现出不同时期史学发展的阶段性特征。

《史传》篇中，刘勰按历史阶段评论史学的发展，清晰地描绘出远古、西周、春秋战国、秦汉、三国、两晋史学的面貌，并对出现的重要问题作出讨论。由此可以说，《史传》篇具有史学批评史论纲的性质。刘勰以评论为目的作《史传》篇，梳理了在他之前史学发展的轨迹，既探寻了史学的源头，也论述了重要的史家的贡献及史书的特点。从刘勰的评论可以清晰地看出各个时期史学发展的情况；同时，也可以认识到，在刘勰眼中，官方修史、史书的体例、史学与时代的关系等问题的重要性。

第三节　论史官修史与信史原则

一、论史官修史与史学功用

刘勰在《史传》篇中，评述了历代史书，梳理了史学的发展脉络；与此同时，刘勰论及史书的体例、体裁、史家的作史态度、史料采撰等问题。刘勰的史学批评思想通过他对史传历史的考察和评价得以表现，由此也可以看出《史传》篇的史学批评特点。在《史传》篇这一个史学批评专篇中，刘勰对史官修史及信史的评说是值得关注的，主要有以下几个方面。

刘勰评论了历代皇朝史的编修传统，他对史学功用的看法就是在这一基础上提出的。刘勰在《史传》篇论述史传发展的过程，实际上讲的是官修史书的发展历程。他追溯史传的缘起，是从黄帝时“主文之职”的仓颉开始的，也就是所谓的“史肇轩黄”。刘勰讲道：

> 《曲礼》曰：“史载笔。左右。”史者，使也；执笔左右，使之记也。[①]

刘勰追溯史传起源到黄帝时代的仓颉，认为仓颉执掌的“文”为史传的早期形态。由此可以看出，刘勰肯定担任史职的史官对史传起源的重要作用。东汉许慎《说文解字》讲：“黄帝之史仓颉，见鸟兽蹄迒之迹，知分理之可相别异也，初造书契。”[②] 关于黄帝时仓颉的传说，在传世文献中多有记载，大致依据《世本》的记载而来。[③] 据传说所言，仓颉有造字之功，同时他是黄帝身边负责起草、记载文书的官吏，这样看来，仓颉所记载下的无疑是当时的历史、早期的史书。刘勰讲史传，以负责记载史事的史官所记的文书为开始，表现出的是他对史职和国史

---

① 刘勰：《文心雕龙·史传》，黄叔琳等《增订文心雕龙校注》本，中华书局2012年版，第204页。

② 许慎：《说文解字》第十五上，中华书局2013年版，第316页。

③ 黄叔琳注《文心雕龙》，引《世本》：“黄帝之世，始立史官，仓颉沮诵，居其职矣。”（刘勰：《文心雕龙·史传》，黄叔琳等《增订文心雕龙校注》本，中华书局2012年版，第207页）范文澜亦录仓颉为史官之起源的诸例。（刘勰：《文心雕龙·史传》，范文澜《文心雕龙注》本，人民文学出版社1958年版，第288-289页）

的重视。在史官仓颉之后，刘勰解释“史”的意义在于“使”[①]，也就是说，撰史者是接受君主命令而记载其言论和史事的人，这也强调了撰修国史的传统。

刘勰讲道，在此之后，周公定史书的体裁为编年，诸侯各国都有国史，编年体史书的体例由此确定下来。刘勰接下来讲“史职”是在战国时，他说：

> 及至纵横之世，史职犹存。[②]

刘勰指出，战国时史官之职仍然存在。汉代的史官修史制度也受到刘勰的关注。他说：

> 是以在汉之初，史职为盛，郡国文计，先集太史之府，欲其详悉于体国；必阅石室，启金匮，抽裂帛，检残竹，欲其博练于稽古也。[③]

刘勰强调史职之盛在汉代初年。他描述当时官方修史的盛况：各地的文件，都要先集中于史官所在之处，以便加深史官对各地和朝廷局势的了解。刘勰指出，除了对当朝政事的了解，史

① 金毓黻对此说提出异议，他更认同《说文解字》中对“史”的解释，即“史，记事者也”，他说：“盖以史、使同音而曲为之解，仍以记事者为史之义为正。”（金毓黻：《〈文心雕龙·史传〉篇疏证》，《中华文史论丛》1979年第1辑，第211页）

② 刘勰：《文心雕龙·史传》，黄叔琳等《增订文心雕龙校注》本，中华书局2012年版，第205页。

③ 刘勰：《文心雕龙·史传》，黄叔琳等《增订文心雕龙校注》本，中华书局2012年版，第206页。

官还需要广泛地掌握前代的情况，他们可以阅览珍藏于朝廷的前代文书，也可以查阅留存下来的帛书、竹简，这样才能对古代历史有较好地掌握。这是对史官一职提出的要求。①

刘勰论史传之起源始于官方设史职修史，这是考虑到官方修史对史学发展的意义，刘勰评价了史书的作用，实际上也表达了他对史学的看法。

其一，史学的作用是通过史书的形式表现出来的。刘勰《史传》篇开篇点明史学的作用之一是了解过去，他说："开辟草昧，岁纪绵邈，居今识古，其载籍乎！"② 这是说我们生活的时代距离历史最初的时候，已经过去很长时间了，生活在今天的我们认识古代，是通过文字记载保存下来的史料。这是史学的第一个作用，也是最重要的作用。

其二，刘勰还强调国史对皇朝统治的作用，"诸侯建邦，各有国史，彰善瘅恶，树之风声"③。刘勰认为，史学不仅是了解过去历史的一种途径，还有彰显善恶和是非、鉴戒后人的作用；通过史事的记载和褒贬，可以引导人的行事扬善避恶，从而树立好风气。由此可以看出刘勰对官方撰修史书作用的重视。

在刘勰看来，史学的这两个作用中，更为直接的显然是"彰善瘅恶"这一作用。刘勰特别看重孔子修《春秋》对史学的意义，《春秋》可以褒贬善恶，彰明是非，从而起到鉴戒的作

---

① 刘勰对汉代史官制度兴盛的论述，尚有可以商榷之处，此处暂不讨论。

② 刘勰：《文心雕龙·史传》，黄叔琳等《增订文心雕龙校注》本，中华书局2012年版，第204页。

③ 刘勰：《文心雕龙·史传》，黄叔琳等《增订文心雕龙校注》本，中华书局2012年版，第204页。

用。刘勰认为，孔子私撰《春秋》是在“王道之缺，伤斯文之坠”的背景下出现的，那么《春秋》编修的目的正是宣王道，正礼乐，帮助统治者恢复统治秩序。刘勰说：

> 昔者夫子闵王道之缺，伤斯文之坠，静居以叹凤，临衢而泣麟，于是就太师以正《雅》《颂》，因鲁史以修《春秋》，举得失以表黜陟，征存亡以标劝戒：褒见一字，贵逾轩冕；贬在片言，诛深斧钺。[①]

刘勰认为，在“自平王微弱，政不及雅，宪章散紊，彝伦攸斁”[②] 的情况下，政权的礼法和制度都没有办法得到有效地施行，孔子为了强化王道、兴正礼乐而修订《雅》和《颂》，并私修《春秋》。刘勰指出，《春秋》是孔子根据鲁国国史编修的，它是一部史书，且是一部为了王道之兴而私撰的史书，因此《春秋》的作用在于记载人物的得与失来表明其言行的对与错，记载皇朝的存与亡来表明其命运的走向，以此警示后人；也就是说，孔子以他对史事、人物的评价来规劝王道。刘勰还指出孔子评价的方法，在“一字”“片言”之中表达赞赏或批评。另外，刘勰讲道：

> 原夫载籍之作也，必贯乎百氏，被之千载，表征盛衰，

① 刘勰：《文心雕龙·史传》，黄叔琳等《增订文心雕龙校注》本，中华书局2012年版，第204页。
② 刘勰：《文心雕龙·史传》，黄叔琳等《增订文心雕龙校注》本，中华书局2012年版，第204页。

殷鉴兴废；使一代之制，共日月而长存，王霸之迹，并天地而久大。[1]

刘勰看重的史书是记载一朝兴衰的国史，他评论史书功用就是从这一点出发的。刘勰认为，史书的内容在横向上要包举百家之事，在纵向上又肩负着流传千载的责任。基于这样的要求，刘勰认为史书的撰述要能够展现出一朝兴盛和衰败的历史，以便作为后人的鉴戒，这也正是史书的作用，即令一朝的典章制度和皇朝业绩通过史书的记载而长久地流传下去。

可以看出，在刘勰看来，记载着古人言语或行为的文籍流传至后世，后人可以通过此类文籍了解古时之情况，这就是能够用来“居今识古”的“籍”。然而，刘勰所说的“史传”，也就是皇朝史，显然还需要具备体裁体例和主旨上的要求。其一应具备一定的体裁和体例，其二要具备征圣宗经的意义。下面首先讨论刘勰对史传体裁和体例的评价。

二、论史书体裁、体例

刘勰在《史传》篇中，评论了史书的体裁、体例。他认为，史书撰写应当遵循一定的体裁、体例要求。在刘勰看来，史书的早期形态是一般的文籍，如《尚书》等，虽然保存了发生于当时的史料，但大多只是对文字的摘录，在史料的编排上欠缺

① 刘勰：《文心雕龙·史传》，黄叔琳等《增订文心雕龙校注》本，中华书局2012年版，第206页。

“叙”的方式，即不符合史书在史体上的要求。今人范文澜与刘勰的看法基本一致。范文澜认为，《尚书》中的记载，“虽为古史，而体例未具，非史之正宗。至周公制《春秋》，编年之体，于是起也”①。在范文澜看来，以编年来记事的《春秋》才是史书的“正宗”。刘勰认为，史书讲究编年的体裁体例，是从周公开始的。他说：

> 自周命维新，姬公定法，紬三正以班历，贯四时以联事。②

刘勰指出，周公制定了史书的编撰之法，开始编年记事，这对史书发展来说是非常重要的。“三正”是夏、商、周三代以历法统正朔的制度，“四时”即杜预所释“史之所记，必表年以首事，年有四时，故错举以为所记之名也”③，也就是依照时间先后来记载史事。杜预曾讲，孔子作《春秋》承“周公之垂法”④，从这里看，刘勰当是受到杜预的影响，以周公为史书编年之始。刘勰赞同编年体记事的价值，而在周公之后，诸侯国都有官修国史，后来孔子在君权衰微的情况下，继承周公之制，根据鲁史而私撰《春秋》，史体与史例逐渐完备，即《史传》篇赞语所说的

---

① 刘勰：《文心雕龙·史传》，范文澜《文心雕龙注》本，人民文学出版社 1958 年版，第 289 页。

② 刘勰：《文心雕龙·史传》，黄叔琳等《增订文心雕龙校注》本，中华书局 2012 年版，第 204 页。

③ 杜预：《春秋序》，载于阮元校刻：《十三经注疏》，中华书局 2009 年版，第 3696 页。

④ 杜预：《春秋序》，载于阮元校刻：《十三经注疏》，中华书局 2009 年版，第 3700 页。

“体备周孔”[1]。

随着编年体史书的发展，左丘明传《春秋》。左丘明对史体的贡献也得到刘勰的肯定，他说：

> 然睿旨存亡幽隐，经文婉约，邱明同时，实得微言，乃原始要终，创为传体。传者，转也；转受经旨，以授于后，实圣文之羽翮，记籍之冠冕也。[2]

刘勰认为，孔子修《春秋》文字简练，在字、句之间透露着褒贬之意，左丘明所作《左传》是解释《春秋》中微言大义的史书。在刘勰看来，《左传》不同于以往史书记载言论或记载史事的方式，而是“原始要终”，创制了“传体”；《左传》是为解读《春秋》经文而撰，挖掘《春秋》简洁经文背后的始末和意义，以讲授给后人。刘勰指出，《左传》继承了孔子《春秋》的旨意，算得上记载中的“冠冕”。刘勰此说也与杜预的观点相符合。杜预认为，左丘明“受经于仲尼”，他作《左传》“传或先经以始事，或后经以终义，或依经以辩理，或错经以合异，随义而发”[3]，均为对《春秋》经文的阐发。

刘勰认为，周公定法史书为编年体，经过孔子、左丘明的发展，出现了《战国策》。刘勰评论《战国策》缺乏体裁与体例上

---

① 刘勰：《文心雕龙·史传》，黄叔琳等《增订文心雕龙校注》本，中华书局2012年版，第207页。
② 刘勰：《文心雕龙·史传》，黄叔琳等《增订文心雕龙校注》本，中华书局2012年版，第204页。
③ 杜预：《春秋序》，载于阮元校刻：《十三经注疏》，中华书局2009年版，第3700页。

的特点，认为它只是言论和策略的汇编，并没有系统编次的体例。[①] 他说：

> 秦并七王，而战国有策，盖录而弗叙，故即简而为名也。[②]

刘勰认为，《战国策》记载了战国年间的游说人士提出的政治主张和谋划策略，在刘勰看来，这类言论和文书实际上反映了战国到秦统一六国这一时期的历史，但由于这类文籍只是对谋略的简单记录，缺乏条理及明确的旨趣，因此只是以“策”为名，而不称之为“传”。

刘勰接着讲道，其后“汉灭嬴项，武功积年，陆贾稽古，作《楚汉春秋》”[③]，陆贾考订史料，作《楚汉春秋》记载秦末汉高祖灭秦及项羽的历史，这部史书在体裁体例上尚无突出的特点；直到西汉司马迁撰《史记》、班固撰《汉书》，史书体裁体例才获得进一步发展。在刘勰看来，《史记》《汉书》采用的纪传体的体裁有利于人物事迹的记载。刘勰分析《史记》在体裁、体例上的特点说道：

---

① 西汉刘向校《战国策》，指出其体例、内容、名称的混乱，他说：“所校中《战国策》书，中书余卷，错乱相糅莒，又有国别者八篇，少不足。臣向因国别者略以时次之，分别不以序者以相补。除复重，得三十三篇。……臣向以为，战国时游士辅所用之国，为之策谋，宜为《战国策》。”（刘向：《战国策书录》，载于严可均：《全汉文》卷三七，中华书局 1958 年版，第 331 页）

② 刘勰：《文心雕龙·史传》，黄叔琳等《增订文心雕龙校注》本，中华书局 2012 年版，第 205 页。

③ 刘勰：《文心雕龙·史传》，黄叔琳等《增订文心雕龙校注》本，中华书局 2012 年版，第 205 页。

比尧称典，则位杂中贤；法孔题经，则文非元圣。故取式《吕览》，通号曰纪，纪纲之号，亦宏称也。故本纪以述皇王，列传以总侯伯，八书以铺政体，十表以谱年爵，虽殊古式，而得事序焉。尔其实录无隐之旨，博雅宏辩之才，爱奇反经之尤，条例踳落之失，叔皮论之详矣。①

刘勰称，司马迁继承其父司马谈的撰史之志作《史记》。刘勰特别看重《史记》在史体方面的创制，司马迁改变周公“紬三正以班历，贯四时以联事”的编年体，创为以记人为核心的纪传体。刘勰认为司马迁对史体的这一改变可以称为“得事序焉”，史事得以记载得有条有理；在体例上，《史记》立本纪、列传、书、表记载不同的内容②。刘勰指出，《史记》的纪传体与《左传》编年体相比，有以下长处：

观夫左氏缀事，附经间出，于文为约，而氏族难明。及史迁各传，人始区详而易览，述者宗焉。③

刘勰认为，司马迁《史记》所用的纪传体相对于《春秋左传》的编年体来说，是史体上的进步；《春秋左传》行文是对

① 刘勰：《文心雕龙·史传》，黄叔琳等《增订文心雕龙校注》本，中华书局2012年版，第205页。

② 刘勰并未提及《史传》篇中的“世家”。范文澜认为，“本篇不言世家，恐有脱误。疑当据班彪《〈史记〉论》……文始完具”。(刘勰：《文心雕龙·史传》，范文澜《文心雕龙注》本，人民文学出版社1958年版，第292页)

③ 刘勰：《文心雕龙·史传》，黄叔琳等《增订文心雕龙校注》本，中华书局2012年版，第205页。

《春秋》经文的解释，文辞简约，编年叙事。刘勰指出，《史记》的叙事方式是通过为历史人物立传记的方法，以人物为核心讲述史实。他讲道，这两种记事之体相比，纪传体单独叙述作为事件主体的人物及其事，每个人经历的史事被记载得更为详细，也更容易梳理明了，因此受到后代撰述者的推崇。

对于《汉书》，刘勰则着重称赞其志书的撰写，肯定它促进了史书体裁、体例的进步。他说：

> 及班固述汉，因循前业，观司马迁之辞，思实过半。其十志该富，赞序弘丽，儒雅彬彬，信有遗味。至于宗经矩圣之典，端绪丰赡之功，遗亲攘美之罪，征贿鬻笔之愆，公理辨之究矣。①

刘勰说，班固撰《汉书》文辞典雅、意味深远，在体例上大体因袭《史记》，但仍有所创制，特别是《汉书》在《史记》八书的基础上设立十志，不仅继承了律历，改平准为食货，还增加了刑法、艺文等志书，使得史书内容更加丰富。

在评论了《史记》和《汉书》在体裁、体例上的贡献后，刘勰还指出撰修纪传体史书应注意的问题。刘勰认为，司马迁、班固在立纪标准上存在不足，他说：

---

① 刘勰：《文心雕龙·史传》，黄叔琳等《增订文心雕龙校注》本，中华书局2012年版，第205页。

> 及孝惠委机，吕后摄政，班史立纪，违经失实。何则？庖牺以来，未闻女帝者也。汉运所值，难为后法。牝鸡无晨，武王首誓；妇无与国，齐桓著盟；宣后乱秦，吕氏危汉：岂唯政事难假，亦名号宜慎矣。张衡司史，而惑同迁固，元帝王后，欲为立纪，谬亦甚矣。寻子弘虽伪，要当孝惠之嗣；孺子诚微，实继平帝之体：二子可纪，何有于二后哉？[①]

刘勰认为，《史记》立《吕太后本纪》，《汉书》立《高后纪》，都不符合经书的要求，也有悖于历史事实；同时，刘勰也否定张衡试图为汉元帝皇后立本纪的主张。他认为，吕后[②]、汉元帝皇后[③]既为女性，不应为其立纪。刘勰的这一看法是不符合历史事实的。刘勰认为，自古以来君主都是男性，像秦宣后、汉吕后这样的女性专权对朝政来说，是“乱”，是“危”，是不正常的、不合理的。既然不应为吕后、元后立本纪，那么史书应当如何立纪呢？刘勰认为，在史书中能够列入本纪的只有男性君主，吕后专政时，皇朝的代表是汉惠帝之子刘弘，元后听政时，皇朝的代表是刘婴，史书应为这两位男性君主立纪。他认为，吕后、元后虽然是朝政大权的实际掌握者，但因其女性身份也不应

---

① 刘勰：《文心雕龙·史传》，黄叔琳等《增订文心雕龙校注》本，中华书局2012年版，第205页。

② 吕后，即吕雉，汉高祖刘邦的皇后。汉高祖死后，十六岁的刘盈继承王位，是为汉惠帝。惠帝在位七年死去，其嫡长子四岁的刘恭继承王位，是为前少帝。刘恭在位四年被吕后废黜，吕后立惠帝子常山王刘义为帝，改名刘弘，是为后少帝。

③ 元后，即王政君，汉元帝刘奭的皇后，其子刘骜为汉成帝。刘骜死后，元后立刘欣为汉哀帝；刘欣死后，立刘衎为汉平帝；刘衎死后，刘婴即位，王莽借辅佐之机篡夺刘汉皇权。

被当作君主看待；刘弘、刘婴位居高位时虽然不握实权，但他们拥有皇嗣的身份，史书应为他们立纪。刘勰坚持要求在史书撰写中书君主“名号”，实际上反映了刘勰与司马迁等人在历史认识上的分歧，他的看法不符合历史事实，也不受后人的认同。

虽然刘勰针对《史记》《汉书》为皇后立纪一事提出异议，但他对二书纪传体的史体及史例仍是肯定的。刘勰认为，在史书纪传体的体裁体例确定下来之后，史书的体裁和体例问题遭到后人忽视；直到晋人邓粲、孙盛等人撰史时，才开始重新重视史书的体裁和体例要求。他说：

> 按《春秋》经传，举例发凡；自《史》《汉》以下，莫有准的。至邓璨《晋纪》，始立条例，又摆落汉魏，宪章殷周，虽湘川曲学，亦有心典谟。及安国立例，乃邓氏之规焉。①

刘勰肯定《春秋》经传对史书体例的作用，他的这一认识应是受到杜预对《春秋》体例解读的影响。他认为，晋人邓粲撰《晋纪》重申史书的条例，孙盛在他之后又有继承。刘勰认为，虽然邓粲偏居湖南湘江，但《晋纪》的体裁体例承袭了殷、周，即《尚书》《春秋》等史书，它们大致是以编年为体。只是，邓粲对体例的认识，现在已无法见到，实为可憾之事。

---

① 刘勰：《文心雕龙·史传》，黄叔琳等《增订文心雕龙校注》本，中华书局2012年版，第206页。邓璨，即邓粲。

刘勰不仅在评价史书时注意从体例、体裁方面展开，还从一般意义上指出史书在内容编撰上可能遇到的困难。他说：

> 然纪传为式，编年缀事，文非泛论，按实而书，岁远则同异难密，事积则起讫易疏，斯固总会之为难也。或有同归一事，而数人分功，两记则失于复重，偏举则病于不周，此又铨配之未易也。故张衡摘史班之舛滥，傅玄讥《后汉》之尤烦，皆此类也。①

刘勰指出，史书在编撰上不能随意编次，而是要以历史事实为基础。他指出，编撰史事要兼顾人物和事件两方面的因素，所以在叙事上就会遇到“总会”和“铨配”的问题。刘勰进而解释道，“总会”是由于史书记载涵盖古今之事，事件发生的时间距记载时越远，事实真相越难把握；史事越多，每件事的始末越难了解。刘勰又解释“铨配”，某一事件往往牵涉多人，但在以人为中心来记载史事的史书中，如果参与事件的每个人的传记中都记录此事，容易重复；如果只在其中一人的传记中记载，就容易出现记载不周全的问题。在刘勰看来，总会和铨配的问题很容易出现，张衡曾经批评司马迁和班固史书中的错误，傅玄批评后汉史书的不足，实际上都属于这两类问题。②

---

① 刘勰：《文心雕龙·史传》，黄叔琳等《增订文心雕龙校注》本，中华书局2012年版，第206页。

② 金毓黻认为，刘勰所说的总会和铨配，分别指的是编年体和纪传体两类史书。（金毓黻：《〈文心雕龙·史传〉篇疏证》，《中华文史论丛》1979年第1辑，第254-255页）

另外，刘勰还提出史书编撰的其他几项原则，如“寻繁领杂之术”[①]，是指从众多烦杂的史料、事件中找到关乎事情发展的关键线索；“务信弃奇之要”[②]，是指选择史料不能抱有猎奇的心态，而是要求史料真实、可信；“明白头讫之序”[③]，是指对史事的掌握要明白清晰、有头有尾；“品酌事例之条”[④]，是指公允地评价史事的得失；等等。这些要求是针对撰史的具体过程提出的，包括史料搜集、编次，史书行文中的叙事和评论，大致涵盖了史料搜集、整理、史书撰写的过程。

从上文的论述可以看出，刘勰在评价史书时注重其体裁和体例的成就，他分析编年体和纪传体的特点，及《史记》《汉书》在体例上的创制，他称赞晋人邓粲、孙盛在重立凡例上的贡献，还对史书编撰方法提出普遍性的意见。尽管刘勰对纪传体立纪标准的看法有不允当之处，但他对史体、史例的看法仍有积极意义。

三、“信史”观与“素心”说

刘勰对史家作史态度的认识是明确的，在《史传》篇中，他评价前代史书在信史问题上的得失，对史家作史态度提出普遍性要求，具体说来是以“素心”撰写“信史”，记载真实可靠的历史。刘勰的这一认识与史学求真、历史撰述追求直笔的传统相符。另外，这一时期的史书，在记载内容的范围与史料采撰的来

① 刘勰：《文心雕龙·史传》，黄叔琳等《增订文心雕龙校注》本，中华书局2012年版，第207页。
② 刘勰：《文心雕龙·史传》，黄叔琳等《增订文心雕龙校注》本，中华书局2012年版，第207页。
③ 刘勰：《文心雕龙·史传》，黄叔琳等《增订文心雕龙校注》本，中华书局2012年版，第207页。
④ 刘勰：《文心雕龙·史传》，黄叔琳等《增订文心雕龙校注》本，中华书局2012年版，第207页。

源等问题上，与前一阶段相比发生了变化，以上情况与刘勰观点的提出亦有关联。

在魏晋南北朝时期，除了皇朝史的撰述，史书记载的内容及史料采撰的范围都扩大了，史书的形式也出现多样化。特别是在这一时期，琐言、鬼怪、神异之事都成为史家记载的对象，出现了像《博物志》《搜神记》一类的著作。

在这种情况下，刘勰以追求信史的态度，对史料的采撰提出了要求，即史书一定要记载真实的历史事实；他也指出世人"爱奇"的心理对史书采撰的消极作用。这就是刘勰的"信史"观。需要注意的是，刘勰对"信史"的追求，不仅是针对当时诸多史体收录琐闻、鬼怪之事的现象提出的，而且他还就皇朝史叙事记人的真实性问题提出了撰述的方法。

一方面，刘勰在评价司马迁、班固的撰述时，关注所记之事记载的真实性，如他认同班彪父子评论司马迁"实录无隐之旨……爱奇反经之尤"① 的观点，也揭示出班固"遗亲攘美之罪，征贿鬻笔之愆"② 的问题。另外，在论及魏晋南北朝时期的皇朝史撰述时，他的评价是针对撰述内容的真实性展开的。他说：

> 至于后汉纪传，发源《东观》。袁张所制，偏驳不伦。薛谢之作，疏谬少信。若司马彪之详实，华峤之准当，则其冠也。及魏代三雄，记传互出。《阳秋》《魏略》之属，《江

① 刘勰：《文心雕龙·史传》，黄叔琳等《增订文心雕龙校注》本，中华书局2012年版，第205页。
② 刘勰：《文心雕龙·史传》，黄叔琳等《增订文心雕龙校注》本，中华书局2012年版，第205页。

> 表》《吴录》之类，或激抗难征，或疏阔寡要。唯陈寿《三志》，文质辨洽，荀张比之于迁固，非妄誉也。至于晋代之书，繁乎著作。陆机肇始而未备；王韶续末而不终；干宝述《纪》，以审正得序；孙盛《阳秋》，以约举为能。[①]

可以看出，刘勰评价史书优劣以其内容的真实性为评价标准。在他看来，司马彪、华峤、陈寿、干宝、孙盛的著述是上乘，其余史家的史著不能与这几位相比较。具体来说，袁、张所作指的是晋人袁山松和张莹的撰述，《隋志》著录袁山松《后汉书》九十五卷，张莹《后汉南记》四十五卷；刘勰评价二人的撰述“偏驳不伦”，是指所记内容杂乱偏颇，不合常理。刘勰所说的薛是指薛莹，但他提到的谢氏是何人则有不同的看法，范文澜称“彦和所指，未知何人”[②]，金毓黻以为此处指的是谢承《后汉书》[③]。据《隋志》记载，撰后汉史的谢氏有孙吴谢承、晋谢沈两家。清人姚之骃记谢承所撰为“东汉第一良史……半为范《书》所遗”[④]，谢沈被同朝何充、庾冰等人称“有史才”[⑤]。这样看来，范文澜称不知谢氏为何人的疑问确实存在。刘勰评价二人所作“疏谬少信”则是说其记载多见疏漏错误，达不到真

---

① 刘勰：《文心雕龙·史传》，黄叔琳等《增订文心雕龙校注》本，中华书局 2012 年版，第 205-206 页。

② 刘勰：《文心雕龙·史传》，范文澜《文心雕龙注》本，人民文学出版社 1958 年版，第 298 页。

③ 金毓黻：《〈文心雕龙·史传〉篇疏证》，《中华文史论丛》1979 年第 1 辑，第 243 页。

④ 姚之骃：《后汉书补逸》，载于周天游辑注：《八家后汉书辑注》附录，上海古籍出版社 1986 年版，第 758-759 页。

⑤ 房玄龄等：《晋书》卷八二《谢沈传》，中华书局 1974 年版，第 2152 页。

实可信的要求。《阳秋》是晋人孙盛所撰，《魏略》是曹魏鱼豢所撰，刘勰称它们“激抗难征”指所载内容不够平实允当，也难以证实其真实性；西晋虞溥的《江表传》和张勃的《吴录》，刘勰称它们“疏阔寡要”，是指内容粗疏、不得撰述重点。与它们相反，刘勰称赞晋人司马彪撰述“详实”，华峤撰述“准当”，干宝撰述“审正得序”，孙盛《晋阳秋》“约举为能”。在刘勰看来，这些撰述都是优秀的史书，它们的共同点是内容详实、可靠，有的叙事得序，有的简约扼要；对陈寿《三国志》“文质辨洽”的评价，是指其行文叙事的形式与撰述内容都有可称道之处。从刘勰对这一时期史书的评价可以看出，撰述的真实性，即是否为信史，成为其评价的主要标准。

另一方面，刘勰也提出撰写信史的方法。他关注史家所记史事发生时间距今之远近不同，说：“故述远则诬矫如彼，记近则回邪如此，析理居正，唯素臣（心）乎！”[①] 刘勰在这里分别指出记载远近之事可能存在的问题，并提出要以“素心”解决这些问题。具体来说，其一，关于记载距今久远的史事，刘勰说：

> 若夫追述远代，代远多伪，公羊高云“传闻异辞”，荀况称“录远略近”，盖文疑则阙，贵信史也。然俗皆爱奇，莫顾实理。传闻而欲伟其事，录远而欲详其迹，于是弃同即异，穿凿傍说，旧史所无，我书则传，此讹滥之本源，而述

① 刘勰：《文心雕龙·史传》，黄叔琳等《增订文心雕龙校注》本，中华书局2012年版，第207页。

远之巨蠹也。[①]

在刘勰看来，事情发生的时间距离记载下来的时间越久，越容易产生失实的问题，在这种情况下，史家应该抱着“文疑则阙”的态度，若有疑义，则不记入史书。但刘勰也指出，世人皆爱好罕见的、不寻常的事，因此在撰史中，有的史家会选择背弃“信史”的要求，来附和大众的猎奇心理，对旧史中没有记载的事情，根据各种不同的传闻穿凿附会，用大量笔墨渲染。刘勰提出的“述远”时应注意的问题，与前文中所说的“总会”的困难是一致的，不同之处在于，刘勰讲“总会”时强调困难的客观性，这里则是从史家主观的作史态度提出的要求。与此同时，针对“记近”时史家的作史态度，刘勰又说：

至于记编同时，时同多诡，虽定哀微辞，而世情利害。勋荣之家，虽庸夫而尽饰；迍败之士，虽令德而常嗤；理欲吹霜煦露，寒暑笔端，此又同时之枉，可为叹息者也。[②]

刘勰认为，史家记载与其同时代的史事，会因为“世情利害”而导致史家作史态度之不正。在刘勰眼中，孔子虽是圣人，但在《春秋》中，孔子记载与他约同时代的鲁定公、鲁哀公的

① 刘勰：《文心雕龙・史传》，黄叔琳等《增订文心雕龙校注》本，中华书局2012年版，第206-207页。
② 刘勰：《文心雕龙・史传》，黄叔琳等《增订文心雕龙校注》本，中华书局2012年版，第207页。

史事时，也多用隐讳的方法。因此，刘勰指出，史家会根据所记之人在当时地位的不同而“尽饰”或“常嗤”，往往不能如实记载史事，显然是有悖于“信史”要求的。

刘勰所说的信史是指符合历史真实的记载，需要注意的是，“信”也是刘勰对撰文提出的一般要求，不仅针对撰史。刘勰赞成孔子所言“情欲信，辞欲巧”①，并认为这是为文的“玉牒”“金科”②。这是要求撰述者感情要真实，文辞要美妙，还有的研究者认为这里说的是内容和形式的要求，即内容的真实和形式的恰当。刘勰也称赞《老子》之文美且信。③ 除了感情要“信”，刘勰还从效法经书的好处出发，对所记之事提出“信”的要求，即“事信而不诞”④，事实真实可信而不荒诞，这显然是从《春秋》而来。刘勰还指出，“言既身文，信亦邦瑞，翰林之士，思理实焉”⑤，是说撰文者都应当做到如实记载，包括撰写劝说之辞要坚持“忠与信”⑥。《文心雕龙》评论各类文体，均要求撰文以“信”为要求，那么在史书的撰写上，刘勰更是以撰述真实与否为标准评价历代史书，并提出撰写信史的具体方法。

除了以信史为标准评价史书优劣并指出撰写信史的困难，刘勰还对史家的作史态度提出明确的要求。刘勰指出，史家如果想要避免“述远”和“记近”时可能存在的问题，只能用“素

① 《礼记》卷五四《表记》，载于阮元校刻：《十三经注疏》，中华书局2009年版，第3568页。
② 刘勰：《文心雕龙·征圣》，黄叔琳等《增订文心雕龙校注》本，中华书局2012年版，第17页。
③ 刘勰：《文心雕龙·情采》，黄叔琳等《增订文心雕龙校注》本，中华书局2012年版，第411页。
④ 刘勰：《文心雕龙·宗经》，黄叔琳等《增订文心雕龙校注》本，中华书局2012年版，第27页。
⑤ 刘勰：《文心雕龙·书记》，黄叔琳等《增订文心雕龙校注》本，中华书局2012年版，第345页。
⑥ 刘勰：《文心雕龙·论说》，黄叔琳等《增订文心雕龙校注》本，中华书局2012年版，第246页。

心”来保持“析理居正”的态度，达到追求信史的要求。刘勰所说的“素心”指的是撰史者的主观意识，即以何种态度面对撰史一事。那么刘勰所谓的“素心”指的是怎样的态度呢？

对“素心”的理解，学界有这样几种不同的观点。黄叔琳注本记其为“素臣”，称“元作‘心’，今改”[①]。黄叔琳引《春秋序》“说者以仲尼自卫反鲁，修《春秋》，立素王，邱明为素臣”[②]，以为素臣是指左丘明，与素王孔子相对。金毓黻也称之为“素臣”。牟世金以为原文应为“素臣”，“从下句说‘尼父之圣旨’看，刘勰正是以‘素臣’‘素王’并举”。[③] 周振甫认为，“素心”应为“素臣”，是与孔子的“素王”之称相对的，“左丘明作《左传》来解释孔子的《春秋》，所以称素臣”[④]。这是以“素心”应为“素臣”的观点。与以上学者的看法不同，范文澜引纪昀的观点，认为“素心，犹言公心耳”[⑤]。杨明照也认为此处应为“素心”，他以《文选》注中引《礼记》、郑玄所言，及《南齐书》《江文通文集》等文中的“素心”为例。[⑥]这里，将采用有关“素心”的第二种解释。

不仅在《史传》篇中，刘勰在《文心雕龙》的其余诸篇中也言及“素心”。《养气》篇中，刘勰就有此论。《养气》篇是论

① 刘勰：《文心雕龙·史传》，黄叔琳等《增订文心雕龙校注》本，中华书局2012年版，第207页。

② 刘勰：《文心雕龙·史传》，黄叔琳等《增订文心雕龙校注》本，中华书局2012年版，第211页。

③ 刘勰：《文心雕龙·史传》，陆侃如、牟世金《文心雕龙译注》本，齐鲁书社2009年版，第259页。

④ 刘勰：《文心雕龙·史传》，周振甫《文心雕龙今译》本，中华书局2013年版，第152页。

⑤ 刘勰：《文心雕龙·史传》，范文澜《文心雕龙注》本，人民文学出版社1958年版，第306页。

⑥ 刘勰：《文心雕龙·史传》，杨明照校注拾遗，载于黄叔琳等《增订文心雕龙校注》本，中华书局2012年版，第226页。

文之创作的篇章。刘勰在《养气》篇中说道：

> 夫学业在勤，功庸弗怠，故有锥股自厉，和熊以苦之人。志于文也，则申写郁滞，故宜从容率情，优柔适会。若销铄精胆，蹙迫和气，秉牍以驱龄，洒翰以伐性，岂圣贤之素心，会文之直理哉?[①]

刘勰这里论述的是，文之创作需要平日里养气，在撰写时注意“从容率情”“优柔适会”。他讲道，撰写要顺从情感的指引，给予感情释放的空间，在这一空间中，将感情用文字表达出来。刘勰不赞成过度消耗精力、损害体中之“气”。他认为，这样做显然不是为文之道，不是圣贤“素心”的要求。可见，在刘勰看来，“素心”是圣贤才有的。诸位学者对刘勰此处所讲的“素心”并无《史传》篇中的争议，一般译为“平常的心愿”[②]，或“本意”[③]，等等。这样看来，《史传》篇中提出的“素心”应该是可以成立的，即圣贤的“素心”可以帮助史家在撰史时做到“析理居正”[④]，不管所记是远是近，都能以端正的作史态度对待地位不同的人，不偏袒也不贬低，根据他们的行事来作褒贬。

---

① 刘勰：《文心雕龙·养气》，黄叔琳等《增订文心雕龙校注》本，中华书局2012年版，第508页。

② 刘勰：《文心雕龙·养气》，周振甫《文心雕龙今译》本，中华书局2013年版，第375页。

③ 刘勰：《文心雕龙·养气》，陆侃如、牟世金《文心雕龙译注》本，齐鲁书社2009年版，第539页。

④ 金毓黻指出刘勰以“析理居正”“箴述古记今之失”，金毓黻还认为《史记》析理，能以“实录”“博雅”贯通古今；《汉书》居正，能以“宗经”“丰赡”载一代霸业。（金毓黻：《〈文心雕龙·史传〉篇疏证》，《中华文史论丛》1979年第1辑，第261页）

由此可见，刘勰对“信”的追求贯穿于《文心雕龙》的始终，他所说的“信”既包括真实感情的表露，也包括所记之事的真实性。他认为，“素心”的主观意识可以帮助撰文，撰史是帮助史家做到“析理居正”，记近事和记远事，都能把握住古今贯通的趋势，掌握一朝王霸之业的兴盛，以记载真实可信的历史。

四、征圣、宗经的史学宗旨

一般认为，《文心雕龙》一书贯彻了征圣宗经的原则。刘勰在《序志》中讲道：“盖《文心》之作也，本乎道，师乎圣，体乎经，酌乎纬，变乎骚，文之枢纽，亦云极矣。”[①] 这里，他明确阐释出该书的主旨，即论文的关键在于道、圣、经、纬、骚。全书前五篇《原道》《征圣》《宗经》《正纬》《辨骚》是紧扣“文之枢纽”这一主题展开的。

“文”是《文心雕龙》论述的核心。刘勰认为，“文”与自然、天地一同产生，“文”对圣人传“道”有重要意义，即“道沿圣以垂文，圣因文而明道”[②]。在刘勰看来，“文”的价值在于成为圣人宣扬“道”的途径。因此，他提出在论文、撰文时，要以圣人的思想为依据，即“征圣”；同时，要以圣人所作的《周易》《尚书》《诗经》《礼记》《春秋》的经文为标准。刘勰指出，在讨论经书时，依照经书验证纬书，即可发现纬书是伪的；《楚辞》与经书相比，是经文发展的变化；“正纬”和“辨

① 刘勰：《文心雕龙·序志》，黄叔琳等《增订文心雕龙校注》本，中华书局2012年版，第608页。
② 刘勰：《文心雕龙·原道》，黄叔琳等《增订文心雕龙校注》本，中华书局2012年版，第2页。

骚”实际上是针对现实中撰文出现的问题，对其性质加以辨明而提出的必要要求。

刘勰“征圣宗经”的思想也可见于《史传》篇，“史”是“文”的一种，自然也需遵循这一原则，他对史传的批评是在此基础上展开的。刘勰说：

> 是立义选言，宜依经以树则；劝戒与夺，必附圣以居宗；然后诠评昭整，苛滥不作矣。[①]

刘勰指出，撰史要以经书为标准确立主旨、选择文辞，还要根据圣人孔子的要求来对史事作出评判，以规劝或鉴戒后人。他认为，在征圣宗经的基础上，史书的旨意、褒贬、文辞都有了保证，史书撰写才能够有条理且评论得当，不至于出现记载不实、评论不当的情况。

具体来说，依照经文和圣人的旨意所撰的史书有怎样的要求呢？刘勰说：

> 若乃尊贤隐讳，固尼父之圣旨，盖纤瑕不能玷瑾瑜也；奸慝惩戒，实良史之直笔，农夫见莠，其必锄也：若斯之科，亦万代一准焉。至于寻繁领杂之术，务信弃奇之要，明白头讫之序，品酌事例之条，晓其大纲，则众理可贯。[②]

① 刘勰：《文心雕龙·史传》，黄叔琳等《增订文心雕龙校注》本，中华书局2012年版，第206页。
② 刘勰：《文心雕龙·史传》，黄叔琳等《增订文心雕龙校注》本，中华书局2012年版，第207页。

刘勰提出了可以通行万代的撰史基本准则，即“尊贤隐讳”和“奸慝惩戒”。刘勰认为，所谓“尊贤隐讳”，指的是撰史要为尊者和贤人隐讳。刘勰称，这是圣人孔子的宗旨，这样做的原因在于，小的问题或缺陷是不能掩盖尊者和贤人的优点的。刘勰还提出“奸慝惩戒”的要求，是指撰史要惩罚、训诫奸邪之人，就像农夫看到不利于庄稼生长的野草，一定要铲除它。刘勰的这点认识是基于良史所应该具备的据事直书的作史态度来讲的，即赞语所说的“腾褒裁贬，万古魂动”[①]，史书要实现褒贬、鉴戒的功用。

在刘勰看来，撰史的首要原则有两点，其一是为尊者讳、为贤者讳的避讳原则，其二是对奸邪之人要予以揭露，以示惩戒。刘勰的这一看法也是承袭孔子修《春秋》的原则，《春秋公羊传》记：“《春秋》为尊者讳，为亲者讳，为贤者讳。”[②] 杜预称《春秋》“五例”之说中的“惩恶而劝善”，讲的是史书的鉴戒意义。刘勰提出撰史“万代之一准”的这两个原则，是他思想上征圣宗经的表现。

刘勰提出史传“征圣宗经”的要求，立足点是史书的作用和史家的责任。他说：

> 然史之为任，乃弥纶一代，负海内之责，而赢是非之

① 刘勰：《文心雕龙·史传》，黄叔琳等《增订文心雕龙校注》本，中华书局2012年版，第207页。
② 《春秋公羊传》卷九“闵公元年”，载于阮元校刻：《十三经注疏》，中华书局2009年版，第4871页。

尤，秉笔荷担，莫此之劳。迁固通矣，而历诋后世。若任情失正，文其殆哉！[1]

刘勰提出，撰史是重要的，且是要承担一定风险的，这就要求史书的撰写在时间上要能够涵盖一代皇朝的史事，在空间上要能包举全国的范围；正是由于它所包含的内容多，容易遭受非议。刘勰认为，撰写史文所要承担的压力和负担是各类撰文中最重的，因此像司马迁、班固这样出色的史家，都遭到后代的批评。刘勰还指出，倘若不考虑撰史的要求和责任，任由个人感情来写史，这样写出的史书是非常为危险的。赞语讲，“辞宗邱明，直归南董”[2]，是对史传的撰写提出了文辞上和态度上的要求。刘勰认为，撰史在文辞上，要宗《春秋左传》，依照一定体裁体例来诠释圣人之意；在态度上，要以南史、董狐的直笔精神撰写史书，以褒贬善恶、惩劝后人。

南朝萧梁刘勰的《文心雕龙》论文章撰写，其中《史传》一篇评论的对象实际上是以皇朝史为主的史书，也论及史学的其他问题。他看重史书在人认识过去的活动中起到的媒介作用，并评述历代史书，使该篇具备史学批评史论纲的性质。刘勰评论的对象多为皇朝史，他指出史书的功用在于褒贬善恶、为后世鉴戒；他重视史书的体裁和体例，并肯定孔子、左丘明、司马迁、

① 刘勰：《文心雕龙·史传》，黄叔琳等《增订文心雕龙校注》本，中华书局 2012 年版，第 207 页。

② 刘勰：《文心雕龙·史传》，黄叔琳等《增订文心雕龙校注》本，中华书局 2012 年版，第 207 页。

班固等人在开创及完善史体上的贡献；刘勰还为史家撰史提出了以直笔撰写信史的要求，并强调以素心的态度来培养史家撰史析理居正的能力；刘勰的认识受到征圣宗经思想的影响。刘勰在《史传》篇中表现出的史学批评思想，形成了一定的体系，综合考察了包括史家作史态度、史书的体裁体例、史学功用，及史料搜集和撰写的具体原则等方面的问题，是对魏晋南北朝时期史学批评的总结，也是这一时期史学批评发展的表现，并对后世产生重要影响。

第七章　魏晋南北朝时期史学批评的三个特点

中国古代史学批评的成就是中国史学理论遗产的重要部分。瞿林东认为，史学批评的宗旨是“对批评对象的评价或商榷”[①]。通过考察人们对史家、史书、史学现象等问题的评论，可以看出人们对史学的思考和反思，这是把握史学发展脉络的重要途径。史学发展与所处的时代是紧密联系着的，它生长在特定的时代中，又反映着时代的需求。从总体上来看，魏晋南北朝时期的史学批评处于史学批评的初步发展阶段，它与这一时期史学的发展有着密切的联系，并在时代的影响下呈现出与其他时期不同的面貌。本章就这一时期史学批评的特点讲几点认识。

① 瞿林东：《代序：史学批评的宗旨和史学文化的意义》，载于《史学批评与史学文化研究》，黑龙江人民出版社2009年版，第1页。

第一节　史学批评主体的广泛性

魏晋南北朝时期的史学在整体上表现出多途发展的特征，而史学批评也有多途发展的表现，不论是评论的主体，还是批评的对象或方式，在这一时期都呈现出多样化的面貌。

首先，魏晋南北朝时期发表史学批评的主体是广泛的，主要包括三类人，其一是指参与史书撰修的人，其二是指不参与史书撰修而有一定地位者，其三是不参与史书撰修的一般人。其中第一类大概指的是史官或史家，第二类是指包括君主在内的皇族人员、朝廷要臣。[①]

撰写史书或担任史职的史家论史的现象较为普遍。有的史家以史职之任编修国史，有的人在任史职的同时也私撰史书，有的人不任史职却私撰史书。这类史学批评往往是史家在撰修史书的过程中提出的，与他们的史书撰述是有关的。围绕官修史书而提出的史学批评，涉及的内容较为全面，如史书的体裁、体例，史家的素养、史书的作用，等等；这类史学批评的政治意义也表现得最为突出。三国时期的孙吴前后四次组织本朝史撰修[②]，华覈曾在奏疏中概述国史撰修的情况，他说道：

---

① 前文讲到，魏晋南北朝时期是学术发展繁荣的时期，两汉经学独大的学术情况开始发生改变，史学、文学开始与经学分离，但学术发展有其惯性存在，史学、文学等其他学术尚处于独立发展的早期阶段，世人的学术研究往往有综合性的特点。因此，本文讨论这时期评论史学者的身份，不以文学家、经学家、政治家等称谓来区分。

② 牛润珍：《汉至唐初史官制度的演变》，河北教育出版社 1999 年版，第 95 页。

大皇帝末年，命太史令丁孚、郎中项峻始撰《吴书》。……至少帝时，更差韦曜、周昭、薛莹、梁广及臣五人，访求往事，所共撰立，备有本末。昭、广先亡，曜负恩蹈罪，莹出为将，复以过徙，其书遂委滞，迄今未撰奏。[①]

华覈多次参与本朝史的撰修，他的这次上疏发生在孙皓在位期间，当时国史撰修缺乏人才，于是华覈请求君主赦免因罪获刑的韦昭和流于外地的薛莹，这一事件已详见于前。另外，在这之前，孙休在位时，华覈还曾上疏救入狱的周昭。据《三国志》载："周昭者字恭远，与韦曜、薛莹、华覈并述《吴书》，后为中书郎，坐事下狱，覈表救之，孙休不听，遂伏法云。"[②] 可以看出，华覈在孙休在位时，上表救入狱的周昭；孙皓在位时，在周昭、梁广已亡的情况下，华覈上疏救入狱的韦昭，继而推荐被徙的薛莹继续撰修国史。这样看来，华覈的确是推动吴国国史撰修，并使之没有彻底中断的关键人物。在《吴书》的多次修撰过程中，孙亮在位时，华覈与韦昭、周昭、薛莹、梁广五人共同受诏撰修是极为重要的一次。正是出于撰修本朝史的需要，身为史官的华覈评价司马迁、班固的史才，对之前《吴书》的修撰提出意见，从而表达对史家素养的要求，他还论及国史有垂训后世的作用，这些都反映出华覈的史学批评思想。[③]

---

① 陈寿：《三国志》卷五三《薛综传附薛莹传》，中华书局 1959 年版，第 1256 页。

② 陈寿：《三国志》卷五二《步骘传》，中华书局 1959 年版，第 1242 页。

③ 王姝：《三国吴人华覈的史学批评思想》，《苏州大学学报》（哲学社会科学版）2015 年第 4 期。

又如，北魏崔浩参与国史撰修，他重视史书对皇朝功业的记载。崔浩说道："国家积德，著在图史，当享万亿，不待假名以为益也。"[①] 这是说国家的统治者应该积累德行，所作所为都会著录在图集史册中，这样一来，国家一定有万亿年的国运。可见，崔浩认为国史的作用在于记载国家功德。

私撰史书者的史学批评往往集中于史学的某一个方面，通常为了自己撰写史书而评价之前此类史书的撰修情况，并通过评论表达自己的撰述意旨，因此其史书批评的内容多以评价前代史书为重点，且与史书编撰有关，如讨论史书的体裁、体例等具体问题，而关于史家素养的问题则较少涉及。另外，私人撰修史书也讨论史书的作用，但与参与官修国史的史官的看法不同，私人撰述对史书作用的评价一般与个人撰述的原因有关。据史书记载，晋人华峤在晋武帝太康年间典中书著作，担任史职；惠帝时，又任秘书监，但华峤撰写的《汉后书》却为私撰，起因是华峤"以《汉纪》烦秽"[②]，他对史书记载不满意，而曹魏末年华峤任尚书郎，"会为台郎，典官制事，由是得遍观秘籍，遂就其绪"[③]，才得以私撰颇得后人称赞的《汉后书》。华峤还提出史书编撰体例上的建议，"以皇后配天作合，前史作外戚传以继末编，非其义也，故易为皇后纪，以次帝纪。又改志为典，以有《尧典》故也"[④]，这是提出立《皇后纪》、改志的称谓为典等具

① 魏收：《魏书》卷三五《崔浩传》，中华书局 1974 年版，第 822 页。
② 房玄龄等：《晋书》卷四四《华表传附华峤传》，中华书局 1974 年版，第 1264 页。
③ 房玄龄等：《晋书》卷四四《华表传附华峤传》，中华书局 1974 年版，第 1264 页。
④ 房玄龄等：《晋书》卷四四《华表传附华峤传》，中华书局 1974 年版，第 1264 页。

体要求。

又如陆云参与陆机私撰《吴书》一事，陆云对《吴书》的作用和体例都作出评论。在史书作用的认识上，陆云从个人的情感出发，重视的是史书保存家族和政权历史的作用，并流露出以撰史求不朽的愿望。而在体例上，陆云对可列入《儒林传》的人物提出建议，也指出常侍的事迹应写在尚书传后。[①]

他又说道：

> 《辩亡》则已是《过秦》对事，求当可得耳。陈寿《吴书》有《魏赐九锡文》及《分天下文》，《吴书》不载。[②]

陆云认为，史书中应载入重要的诏令文书，如《魏赐九锡文》《分天下文》等，以前的孙吴历史撰述不记载这类文字是不应该的。除了关于《吴书》体例和内容上的认识，陆云还提出，“彼见人赞叙者，当与令伯伦（论）吴百官次第、公卿名伯，略尽识，少交当具”[③]，这是建议陆机在撰写赞论的时候，应当与了解其事的人讨论，因为他们熟悉孙吴官吏的等级，与名人高官也都有交往，这实际上是从史料的采撰和处理以及论赞的撰写方面提出的要求。

---

① 陆云：《与兄平原书》，载于严可均：《全晋文》卷一〇二，中华书局 1958 年版，第 2044 页。

② 陆云：《与兄平原书》，载于严可均：《全晋文》卷一〇二，中华书局 1958 年版，第 2041 页。

③ 陆云：《与兄平原书》，载于严可均：《全晋文》卷一〇二，中华书局 1958 年版，第 2044 页。

君主及皇族成员对历史感兴趣，阅读史书成为他们的爱好。梁元帝在十二岁时，就忍受着手不能握、膝不能屈的病痛，“率意自读史书，一日二十卷，既未师受，或不识一字，或不解一语，要自重之，不知厌倦”[①]。十六国的君主关注中原文化，对中原传统史书《春秋》《史记》《汉书》等都十分感兴趣。

君主们不仅以读史为兴趣，还关注史书的撰写，有的自己撰史或注史，有的命人撰史。据《隋志》著录，魏明帝、梁武帝、梁元帝等君主都曾撰写史书。[②] 君主重视史书，积极命人修史，这点在南北朝的君主身上表现得特别突出。如南朝宋文帝“以晋氏一代，自始至终，竟无一家之史”[③]，于是令谢灵运撰修《晋书》；他授意平定汉中的萧思话讲述平定始末，以供史官记载；[④] 宋文帝还命裴松之注陈寿《三国志》，促成一部不朽之作。[⑤] 萧齐时，齐武帝重视前朝史的修撰，他让沈约撰《宋书》，令王智深撰《宋纪》。[⑥] 萧梁时，梁武帝命陆云公撰《嘉瑞记》[⑦]，他还命吴均撰《通史》，“起三皇，讫齐代”[⑧]，自称“此书若成，众史可废”[⑨]，可见梁武帝撰述通史的野心。北朝君主也常督促

---

① 颜之推：《颜氏家训》卷三《勉学》，王利器《颜氏家训集解》本，中华书局 2013 年版，第 239 页。

② 《隋志》著录魏明帝撰《海内先贤传》入杂传类；梁武帝撰《通史》入正史类；梁元帝撰《孝德传》《忠臣传》《丹阳尹传》《怀旧志》《全德志》《同姓名录》入杂传类，并注《汉书》；等等。

③ 沈约：《宋书》卷六七《谢灵运传》，中华书局 1974 年版，第 1772 页。

④ 沈约：《宋书》卷七八《萧思话传》，中华书局 1974 年版，第 2013 页。

⑤ 沈约：《宋书》卷六四《裴松之传》，中华书局 1974 年版，第 1701 页。

⑥ 萧子显：《南齐书》卷五二《文学传》，中华书局 1972 年版，第 896-897 页。

⑦ 姚思廉：《陈书》卷三〇《陆琼传》，中华书局 1972 年版，第 397 页。

⑧ 姚思廉：《梁书》卷四九《文学传上》，中华书局 1973 年版，第 699 页。

⑨ 姚思廉：《梁书》卷三五《萧子恪传附萧子显传》，中华书局 1973 年版，第 511 页。

史官撰史。

无论是否撰史，君主都表现出对史学的关注。他们对史学相关问题的评论集中于对史家素养的要求。各个政权的君主多次对史官提出直笔撰史的作史态度要求，如北朝君主赞赏史家直笔记载的传统，北魏太武帝拓跋焘、孝文帝拓跋宏、北齐文宣帝高洋都曾对史官表示鼓励他们持如实记载历史的态度。还有的重视史官素养中撰史的才华，如北魏孝文帝与韩显宗、程灵虬两位史官讨论史官应具备的素养，孝文帝对史官提出的要求是以司马迁、班固、崔光的才华为标准，他看重的是史官的叙事之才；南方君主也出现萧梁简文帝萧纲对裴子野史才的评价，简文帝之子萧大圜也讨论过史家的作史态度；等等。

除了君主，统治集团中的大臣也表达出对史学的见解。在这一时期，朝代更替频繁，官方撰修史书成为惯例，撰史成为关系政权合法性和稳定性的一件大事。因此，关于史书撰修的相关问题，君主和朝中大臣都会参与讨论、发表看法；在大臣为君主的上疏谏言中，有的是专门为撰修史书而提出的。另外，有的朝中大臣以本职身份直接参与史书的修撰并提出史学认识，从这类认识可以看出史官的史学批评思想。此处讨论的是不任史职、不统领修撰的大臣对史学提出的看法。总的来说，朝中大臣提出的史学批评一方面是在国史议例讨论中提出对史书体例和体裁的看法，另一方面是对史家提出素养的要求。就前一方面来说，西晋时贾谧提出以泰始元年（265）为本朝史的开始，此后朝中参与国史议例讨论的有很多不任史职的大臣，如王戎、王衍、乐广等；又如北齐与魏收争论国史起元的阳休之，他也不任史职。这一类评论者是针对史官已经提出的史书体例表达自己的观点，一般情况下不作进一步阐发。后者如萧梁范缜、萧琛评价裴子野的《宋略》等，这类评价往往是对具体的史家、史书提出的看法。另外，也有的大臣以为朝政纳谏的方式作出评论，如晋人王导上疏建议命史官修史，评论了史书的传统和作用；萧齐崔祖思为齐高帝萧道成屡献谏言，涉及礼乐、刑法等多方面，其中包括对当朝史官作史态度和史才的要求。

在这一时期，不参与撰史的人也对史书有兴趣，萧梁有个叫臧逢世的人，二十多岁时借《汉书》来读，为了长时间研读，他用姐夫的名帖、书札的纸头之类边角的位置抄写《汉书》，并"卒以《汉书》闻"[①]。这里所说的不参与撰史的人，有的无官职，还有的虽在朝政中担任一定的职务，但相对来说，他们发表与史学相关的评论是自发的，较直接地反映出史学在社会中的反响和位置。这类史学批评的思想更开放，表达方式更多样，评价内容更为丰富。比如说，良史作为史学概念受到世人的关注，这是有关史家素养的评价；世人普遍地认为，良史记载可以彰显是非和善恶来规劝君主或他人，这点在有关良史作用的认识中表现的特别突出。另外，晋人张辅以比较的方式评价在各个领域表现突出的名士，其中在史学领域他选择评论了司马迁、班固撰述的优劣，这说明在这一时期世人的认识中，撰有史书的史家是一个

① 颜之推：《颜氏家训》卷三《勉学》，王利器《颜氏家训集解》本，中华书局 2013 年版，第 240 页。

重要的社会群体，是不容忽视的。

史学批评是人们提出的有关史学的商榷性看法，其主体范围的扩大是随着史学的发展而表现出来的。与史书撰述相关的史官和史家在撰史过程中表达自己的观点，不参与修史且具有一定地位的人也关注史学，其他不参与修史的普通人也通过史学批评反馈意见。这是魏晋南北朝时期史学批评的第一个特点。

第二节　史学批评意识的自觉性

两汉时期，“中国古代史学开始有自觉的史学批评”①。到了魏晋南北朝时期，自觉的史学批评意识在前一阶段的基础上不断增强，这是史学批评的特点之一。它的发展表现在，史学批评的提出不只是在撰写史书的过程中进行的，也不只是在读史过程中偶然触及的，更是出现了有明确针对性的史学评论。

对前两者而言，这类史学批评多与史书的撰写和阅读有关，已有研究者指出，博议辩论、序录、论赞、奏表等都属于这类史学批评的形式。比如，这一时期出现的国史议例大都以博议辩论的形式展开，朝中上下对国史的体例和体裁均发表见解；史官在修史或史家在私撰史书时，往往评价前代史书的优劣，其中有对内容的评价，也有对编撰的评价，他们还申明自己的撰史意图，这与他们对史书作用的认识相关，这些内容大都存在于史书的序

① 瞿林东：《中国古代史学批评纵横》，中华书局1994年版，第25页。

录中；史书的论赞部分，特别是史家传记的论赞部分，有撰史者对所记史家及其史书的评价；在为国史或私撰而上疏君主以求得到认可的奏表中，也包含对国史、史官、史书的认识。[①]

这里要说明的是，当时撰史有立凡例的传统。刘知幾在《史通》的《烦省》篇中，提及干宝撰有《史议》，并以干宝在《史议》中对《左传》的评价说明他对史书烦省的认识。刘知幾说：

> 昔荀卿有云：远略近详。则知史之详略不均，其为辨者久矣。及干令升《史议》，历诋诸家，而独归美《左传》。[②]

刘知幾这里指出，干宝在《史议》中推崇《左传》叙事简略，批评其余诸家史书撰述。这样看来，干宝在《史议》中评价诸家史书，并阐释其史学看法。干宝重视史书体例，《史通》原注中也有“事具干宝《晋纪·叙例》中”[③] 一说，由此不难理解，刘知幾称赞干宝在《春秋》之后重立凡例。研究者们也关注到，在干宝之后，《后汉书》《宋书》《南齐书》《魏书》等史书都设有专文论述该书的体例。[④] 这类对史书凡例的申明，一般是通过评价前史展开的，常以序录的形式存在。这样集中评论史学某一问题的专文，是尤其值得关注的史学批评形式。

---

① 赵俊：《魏晋南北朝史学批评述论》，《中国社会科学院研究生院学报》1990 年第 3 期。
② 刘知幾：《史通·烦省》，浦起龙《史通通释》本，上海古籍出版社 2009 年版，第 244 页。
③ 刘知幾：《史通·申左》，浦起龙《史通通释》本，上海古籍出版社 2009 年版，第 395 页。
④ 金毓黻：《中国史学史》，商务印书馆 2010 年版，第 101 页。

从整体上说，以上博议辩论、序录、论赞和奏表这四类史学批评的形式仍然是为了史书修撰而发的，它们往往是在史书修撰之前、过程中、之后发表看法，与议论者的史家身份是密切相关的。可以说，这类史学批评从一定程度上讲，不能看作史家自发地、主动地评论史学的表现。

与以上情况不同，这一时期人们史学批评的自觉意识增强，出现了为了评论而阐发史学看法的情况。这一种情况特别突出地表现在三类史学批评的形式中，一是史书的注文，二是专门讨论某部史书的评论性著作，三是史学批评专篇。这三类形式不是在撰修史书的过程中出现的，它们都是独立地、自觉地对史学问题发表见解。

首先来看史注形式的史学批评。关于史注在这一时期的发展、史家对史注的认识及后人的研究，前文中论之甚详，这里讨论的重点是作为史学批评形式之一的史注。魏晋南北朝时期，史注大量涌现了出来，最为突出的是杜预注《春秋左传》、裴骃注《史记》、裴松之注《三国志》、刘昭注《后汉书》、刘孝标注《世说新语》、杨衒之自注《洛阳伽蓝记》、郦道元《水经注》，等等。至于这一时期史书注释出现的原因，研究者也有探讨，主要观点是受经学注释的影响和佛教著作注释体例的影响。[①] 东汉郑玄采众家之说注释经书对后世影响很大，范晔评论郑玄道：

① 汤用彤、陈寅恪、逯耀东、刘治立等人对这一问题都有相关论述。

郑玄括囊大典，网罗众家，删裁繁诬，刊改漏失，自是学者略知所归。王父豫章君每考先儒经训，而长于玄，常以为仲尼之门不能过也。及传授生徒，并专以郑氏家法云。①

可以看出，范晔对郑玄以众家之说注释经书的做法是持肯定态度的，而范晔《后汉书》也是在删订众家后汉史书的基础上撰述的。有的研究者指出这一时期学术研究的特点，“杜预、韦昭而下，集解之风大倡，莫不检取众家之长，而定一是之说。专家之学息，而异说纷起，江左以来，遂滔滔莫之能止”②。这一特点同样适用于史学。魏晋南北朝时期，史书大量出现，人们聚书、抄书的风尚为注释史书提供了可能。

至于史注的类型，一方面注史者作出过说明，另一方面《史通》《四库全书总目》等著作也有区分。史注大致是通过征引各家的说法，以完善史事的记载、考订所记之事的真实性。在这一过程中，注史者对史书中记载的史家的评价，仍然属于随撰述而发论的范围；但他们对各家记载会有优劣的判断，对撰史者的作史态度也有评论，这些内容反映的是迈向自觉的史学批评，裴松之、郦道元等人的注文中都有此类史学批评的内容。尽管史注中对史学问题的评价仍与史家注史的过程紧密相关，但是这类评论是注史者抱着评判的初衷作出的，不仅评论了史书记载的内容，也对史书本身提出了要求。这是史学批评逐渐自觉的阶段。

---

① 范晔：《后汉书》卷三五《张曹郑列传论》，中华书局 1965 年版，第 1213 页。
② 蒙文通：《中国史学史》，上海人民出版社 2006 年版，第 41 页。

其次，这一时期还出现了评论某部史书的专著，特别是《三国志》的评论专著。该问题在讨论晋人对《三国志》的评论时已经涉及，《隋志》著录有这类撰述的名称，即晋人何琦的《论三国志》、徐众的《三国志评》、王涛的《三国志序评》等。显然，它们是针对某一部史书而专门撰写的评价，但是限于材料的遗佚不能作出更多的阐释。现在可知其中有对历史的评价，推知其中应当也有对史书的评价。这类著作以“论”“评”为题，可以看出撰述者的批评意识，这显然也是自觉的史学批评。

最后，再来看这一时期的史学批评专篇《文心雕龙·史传》篇。前文已经指出，这是一篇对史学相关问题作出综合考察的专篇。需要说明的是，它的撰述者刘勰不以史学为业，也不撰史书，《文心雕龙》一书讨论的主体是文。在刘勰所处的萧梁时期，文的意义与现代意义上文学的内涵更为接近，与史的内涵有所区别。但刘勰《史传》篇主要讨论史书中的皇朝史撰述，不管是对历代史书的评论、史书作用的认识，还是对史书编撰的看法，或是对史家素养的要求，刘勰都是以评论史学问题为核心展开的。虽然在《史传》篇中刘勰的一些论断的正确性有待商榷，理论性的思考也有待深化，但可以认为，《史传》篇以专篇的形式评论诸多史学问题，是这一时期史学批评最重要的进步，它反映出的是自觉的史学批评的开展。在此之后，到了唐人刘知幾撰《史通》，自觉地形成了系统的史学批评。

魏晋南北朝时期史学批评的展现形式是多样化的，而以上详细阐述的三种形式，即史注、评论某书的专著、评论史学的专篇，与此前史学批评的形式有明显不同。它们是专门针对史学而发的，是史学批评自觉意识发展的表现。

第三节　史学批评思想的多元性

多元思想对史学批评的影响，是这一时期史学批评的又一个特点。思想的活跃和多元是魏晋南北朝时期显著的时代特点，蒙文通讲道，这一时期“儒家之说已坠，异说以兴。……技巧滋益，释道踵武，则思想之解放而为变古者极矣。文也，史也，靡不革新”①。这里讲的是史学生长在思想解放、学术变革的环境中。魏晋南北朝时期的史学批评也受多元思想的影响。

讨论史学批评受多元思想的影响之前，先来看一下当时史家的思想倾向。首先，魏晋时期主要是传统经学影响史家的思想。陈寿年少时师从精通儒学的谯周。陈寿受学时，“治《尚书》《三传》，锐精《史》《汉》”②。虞溥曾提出为学的首要且基本的目的是“孝悌忠信”，“君子内正其心，外修其行，行有余力，则以学文，文质彬彬，然后为德”。③ 这实际上是儒家治学的目标。王隐“以儒素自守，不交势援，博学多闻”④。虞预“雅好经史，憎疾玄虚，其论阮籍裸袒，比之伊川被发，所以胡虏遍于

① 蒙文通：《中国史学史》，上海人民出版社2006年版，第42页。
② 常璩：《华阳国志》卷一一《后贤志》，《丛书集成初编》本，中华书局1985年版，第180页。
③ 房玄龄等：《晋书》卷八二《虞溥传》，中华书局1974年版，第2140页。
④ 房玄龄等：《晋书》卷八二《王隐传》，中华书局1974年版，第2142页。

中国，以为过衰周之时”①，他甚至认为朝政衰亡与阮籍等玄学家的放纵行为有关。谢沈“博学多识，明练经史”②，他曾回答张祖高、王氏L等人提出的礼仪问题。③ 关注礼制问题是两晋史家的特点。④ 尽管南朝时期的人在学术、思想上不专以儒家经学为主，但仍有史家治经学，如陈杜之伟出生儒学世家，尤善礼制。⑤

东晋南朝的史家思想多元的倾向明显。玄学是史家思想的来源之一，如孙盛“博学，善言名理”⑥，“名理”是玄学讨论的问题。孙盛经常参加清谈，殷浩是东晋擅长玄学论辩的名士，“尤善玄言，与叔父融俱好《老》《易》。……由是为风流谈论者所宗”⑦。有一次孙盛同殷浩论辩时，情绪激烈，挥掷麈尾的羽毛落入饭中，讨论时间很长，以至饭菜凉了又热有四次之多，而两人所论之理尚无结果。还有一次，孙盛同殷浩、王濛、谢尚等人一起论辩，殷浩和孙盛讨论“易象妙于见形”，“孙语道合，意气干云。一坐咸不安孙理，而辞不能屈”⑧，在座的人都辩论不过他，直到请来刘惔与之辩论。孙盛擅长论辩，在玄学方面是有

---

① 房玄龄等：《晋书》卷八二《虞预传》，中华书局1974年版，第2147页。

② 房玄龄等：《晋书》卷八二《谢沈传》，中华书局1974年版，第2152页。

③ 杜佑：《通典》卷四八《礼典》，中华书局1984年版，第276页。

④ 两晋史家关注礼制的重建，如虞溥、陈寿、干宝等人都参与到朝中“王昌前母服”事的争论，发表不同的见解。《晋书》卷二〇《礼志中》载：“太康元年，东平王楙上言，相王昌父毖，本居长沙，有妻息，汉末使入中国，值吴叛，仕魏为黄门郎，与前妻息死生隔绝，更娶昌母。今江表一统，昌闻前母久丧，言疾求平议。”（中华书局1974年版，第635页）史家参与朝中的这次讨论，他们的言论在《晋书》《通典》《全晋文》中都有收录。

⑤ 姚思廉：《陈书》卷三四《文学传》，中华书局1972年版，第454页。

⑥ 房玄龄等：《晋书》卷八二《孙盛传》，中华书局1974年版，第2147页。

⑦ 房玄龄等：《晋书》卷七七《殷浩传》，中华书局1974年版，第2043页。

⑧ 刘义庆：《世说新语》卷上之下《文学》，余嘉锡《世说新语笺疏》本，中华书局2007年版，第282页。

独立思考的，将儒家经学同玄学思想结合，这也是玄学发展到东晋时期的特点。

干宝的《晋纪》被称为良史，他在《晋纪·总论》中对两晋皇朝兴衰原因的分析鞭辟入里，但干宝曾为《周易》作注，“性好阴阳术数”[①]，明显带有易学家的色彩。干宝撰《搜神记》记录鬼神之事，他认为《搜神记》有“发明神道之不诬”的作用，即要证明鬼神的存在。但在另一方面，他也称自己以记载真实历史的态度来记载鬼神故事，关注史料的采择方法，也追求史书撰述的真实性。

还有的史家受到不止一种思想的影响。如葛洪虽然以儒学闻名，但“好神仙导养之法”[②]。他认为，“道者，儒之本也；儒者，道之末也”[③]；若要修道，先要立德，也就是说，“欲求仙者，要当以忠孝和顺仁信为本”[④]。葛洪要求的是将道教和儒家传统结合起来。又如习凿齿撰写的《汉晋春秋》是尊崇儒家倡导的正统观念而作；他也爱好玄学清谈，“时清谈文章之士韩伯、伏滔等并相友善”[⑤]，和韩伯、伏滔等清谈之士有交谊之情。同时，习凿齿也爱好佛理，受佛教影响很深。释道安是东晋著名的佛教学者，习凿齿称赞他“理怀简衷，多所博涉，内外群书，

---

① 房玄龄等：《晋书》卷八二《干宝传》，中华书局1974年版，第2150页。
② 房玄龄等：《晋书》卷七二《葛洪传》，中华书局1974年版，第1911页。
③ 葛洪：《抱朴子内篇》卷一〇《明本》，王明《抱朴子内篇校释》本，中华书局1985年版，第184页。
④ 葛洪：《抱朴子内篇》卷三《对俗》，王明《抱朴子内篇校释》本，中华书局1985年版，第53页。
⑤ 房玄龄等：《晋书》卷八二《习凿齿传》，中华书局1974年版，第2153页。

略皆遍睹，阴阳算数，亦皆能通，佛经妙义，故所游刃”①。习凿齿对释道安阴阳、佛法方面的造诣十分肯定且信服，还曾经以弟子之名写了一封情词恳切的信函，邀请释道安到襄阳讲授佛法。习凿齿写道：

> 承应真履正，明白内融，慈训兼照，道俗齐荫。……且夫自大教东流，四百余年矣。虽蕃王、居士时有奉者，而真丹宿训，先行上世，道运时迁，俗未佥悟。藻悦涛波，下士而已。……上考圣达之诲，下测道行之验，深经普往，非斯而谁？怀道迈训，舍兹孰降？是以此方诸僧，咸有倾想，目欣金色之瑞，耳迟无上之箴，老幼等愿，道俗同怀，系咏之情，非常言也！②

可以看出，习凿齿尊崇佛法，佩服释道安的佛法造诣。同样有多元思想的还有北朝颜之推，他撰写的《颜氏家训》既包含了《教子》《治家》《风操》《勉学》等篇中对儒家治家及经世思想的推崇，也有《养生》《归心》等篇中对道家、佛教思想的宣扬。在《归心》中，他提出儒、佛为“内外两教，本为一体”③，并为世俗对佛教的质疑作辩护。

---

① 习凿齿：《又与谢安书称释道安》，载于严可均：《全晋文》卷一三四，中华书局1958年版，第2229页。

② 习凿齿：《与释道安书》，载于释僧祐：《弘明集》卷一二，四部丛刊初编本，第149–150页。

③ 颜之推：《颜氏家训》卷五《归心》，王利器《颜氏家训集解》本，中华书局2013年版，第445页。

还有的史家通晓百家学术，南朝的史家特别擅长文学。如徐广不仅著有《车服仪注》一卷，《礼答问》十一卷，解答婚丧嫁娶等礼仪问题，他也“百家数术，无不研览”[①]。萧梁庾诜“经史百家无不该综”[②]。史家爱好文学的现象在东晋南朝较为普遍，如袁宏、谢灵运、裴子野以文闻名。曾受诏撰《晋书》的谢灵运“文章之美，江左莫逮”[③]，他又是著名的山水田园诗人。同时，谢灵运崇尚佛教，《高僧传》载“陈郡谢灵运笃好佛理”[④]，谢灵运常与高僧探讨佛教义理，“负才傲俗，少所推崇，及一相见，肃然心服”[⑤]。另外还有萧齐的刘祥“少好文学”[⑥]、袁彖“好属文及玄言”[⑦]、檀超“少好文学，放诞任气”[⑧]、袁炳“有文学”[⑨]及萧梁萧子显、吴均，等等。

在北方，十六国时期的君主及史家颇有关注经学者，而北朝文人则多兼通经史，如崔浩、王遵业、高间、张彝、崔鸿、阳休之等，撰有《魏国统》的梁祚还“历治诸经，尤善《公羊春秋》、郑氏《易》，常以教授”[⑩]。北朝史家的历史撰述也受到佛教的影响，如魏收在《魏书》中立《释老志》记佛教发展，杨衒之《洛阳伽蓝记》记佛教寺院的兴衰，等等。

---

① 沈约：《宋书》卷五五《徐广传》，中华书局 1974 年版，第 1547 页。
② 姚思廉：《梁书》卷五一《处士传》，中华书局 1973 年版，第 750 页。
③ 沈约：《宋书》卷六七《谢灵运传》，中华书局 1974 年版，第 1743 页。
④ 释慧皎：《高僧传》卷七《释慧睿传》，汤用彤校注本，中华书局 1992 年版，第 260 页。
⑤ 释慧皎：《高僧传》卷六《释慧远传》，汤用彤校注本，中华书局 1992 年版，第 221 页。
⑥ 萧子显：《南齐书》卷三六《刘祥传》，中华书局 1972 年版，第 639 页。
⑦ 萧子显：《南齐书》卷四八《袁彖传》，中华书局 1972 年版，第 833 页。
⑧ 萧子显：《南齐书》卷五二《文学传》，中华书局 1972 年版，第 891 页。
⑨ 萧子显：《南齐书》卷五二《文学传》，中华书局 1972 年版，第 897 页。
⑩ 魏收：《魏书》卷八四《儒林传》，中华书局 1974 年版，第 1844 页。

经学、玄学、佛学等思想是中国古代思想的重要组成部分，这一时期的史家有不同的思想倾向，对史家个人来说，其思想呈现出多样化的特点。魏晋时期史家的思想以经学为重，东晋以后史家的思想与前一时期相比多元性更为突出，玄学、佛学、文学的色彩尤为显著。北方史家与南方史家较为不同，北方史家受到经学的影响更为明显。

这一时期的史学批评受到传统儒家经学的影响，特别是《春秋》《孟子》等儒家经典著作；另外，在刘勰的《文心雕龙·史传》篇中也有集中体现。具体来说，在评价史书体例、良史直书的作史态度上，史学批评遵循了孔子在《春秋》中的认识；对史书作用的评价中，褒贬善恶、为后世鉴戒的作用受到世人的认可，这点主要源自孟子对《春秋》的评价。

第一，史家撰史讲究史书的体例。《春秋》是儒家经典，也是记载春秋时期历史的编年史。《春秋》表现了孔子“属辞比事”和用例的史学意识。西晋杜预重视《春秋》，他阐释《春秋》凡例及《左传》发例的特点，使《春秋》重例的观点深入人心。陈寿重视体例对史书撰写的意义，他的《三国志》被时人称赞“辞多劝诫，明乎得失，有益风化”[1]。虽然陈寿直接评论史书体例的言论不载于书，但《三国志》叙事简洁，并以隐讳的方式记录真实的史实，这点是受到研究者普遍认可的。陈寿由蜀入晋，《三国志》遂在体例上尊曹魏为正统，但在撰述中，

① 房玄龄等：《晋书》卷八二《陈寿传》，中华书局1974年版，第2138页。

陈寿委婉地揭示曹魏篡夺汉室政权一事。又如，这一时期史家重视史论，史书不仅记述史事，而且设置了“史臣曰”之类的史论结构，到了范晔时，他对史论提出史学理论上的要求。史家对史论的重视的确受司马迁“成一家之言”的影响，但孔子所讲的“其义则丘窃取之”[①]中提出的历史撰述“义”的要求实际上是其根源所在。

第二，这一时期史家对良史的认识、对史家作史态度的评价，均以董狐和南史为楷模。孔子在《春秋》中树立了董狐书法不隐的良史标准[②]，提出了据事直书的作史态度要求；南史也以记载崔杼弑君之事成为优秀史家作史态度的代表。在魏晋南北朝时期，史家的作史态度是史学批评的重要内容，而董狐和南史如实记载史事的态度受到普遍关注；同时，史家也以他们二人的作史态度作为评价史家是否为良史的标准，这点获得了南方和北方较为一致的认可。

第三，孟子讲道，“孔子成《春秋》而乱臣贼子惧”[③]，这是说孔子于乱世中编《春秋》，书中的褒贬之义使乱臣贼子害怕，从而有规劝世人的作用。孟子对《春秋》作用的认识影响到魏晋南北朝时期对史书作用的评价和内容记载的要求。在这一时期，史家重视史书彰显是非、为人鉴戒的作用。下面就这一问题作出说明。

---

① 《孟子》卷八《离娄章句下》，杨伯峻《孟子译注》本，中华书局1960年版，第192页。

② 《春秋左传》卷二一“宣公二年”，载于阮元校刻：《十三经注疏》，中华书局2009年版，第4054页。

③ 《孟子》卷六《滕文公章句下》，杨伯峻《孟子译注》本，中华书局1960年版，第155页。

魏晋南北朝时期史家，有的重视史书保存史料的作用，还有的强调史书有彰明得失、为后世鉴戒的作用，因此要以记载君主、能臣的事迹为主，如华覈、桓范、王导、李彪、沈约等人都表明过这一看法。

孙吴华覈特别强调史学的这一价值。他评论道："臣闻五帝三王皆立史官，叙录功美，垂之无穷。"① 华覈认为，史官撰史的传统要追溯到五帝三王时期，那时已经设立史官来记载当朝之事，记录的内容主要是当政者的功业美德；官修国史的影响是通过流传后世得到实现的。在华覈看来，史书作用甚大，记载当朝事，可以流传后世，"今《吴书》当垂千载……实不可使阙不朽之书。……使成书业，永足传示，垂之百世"②。华覈认为，记载当朝统治者功业的官修国史，可以流传百世、千载，所记载的内容可以供后人资鉴、垂训，充分反映出了华覈深沉的历史意识。③

曹魏桓范提出史官应该记载对百姓有贡献的杰出人物。桓范，字元则，其事略记于《三国志》卷九《曹爽传》裴注引《魏略》中。桓范说：

> 实有勋绩，惠利加于百姓，遗爱留于民庶，宜请于国，当录于史官，载于竹帛。上章君将之德，下宣臣吏之忠。若

① 陈寿：《三国志》卷五三《薛综传附薛莹传》，中华书局1959年版，第1256页。

② 陈寿：《三国志》卷六五《韦曜传》，中华书局1959年版，第1464页。

③ 王姝：《三国吴人华覈的史学批评思想》，《苏州大学学报》（哲学社会科学版）2015年第4期。

言不足纪，事不足述，虚而为盈，亡而为有，此圣人之所疾，庶几之所耻也。[①]

就史书撰述内容来讲，桓范所说的包括了两方面内容：其一是史官应当记载有功勋、对百姓有恩惠的人，并注“赞语”于人物画像旁；其二是以此撰写的史书可以达到彰显君主的仁德和表彰官吏忠心的作用。

曹魏末年嵇康也重视史书的这一作用。嵇康，字叔夜，谯国铚人，其事载于《晋书》卷四九。嵇康是“竹林七贤”之一，他的《声无哀乐论》是为音乐所论，主旨是说音乐本无哀乐之感情，而人以感情附会其上。在这篇论说中，嵇康强调政治对音乐的影响。在他看来，国史与政治密切相关，他说：“是故国史明政教之得失，审国风之盛衰，吟咏情性，以讽其上，故曰：‘亡国之音哀以思’也。”[②] 嵇康认为，国史要明察政治教化的得失。他的这种观点，应是源自《毛诗序》：“国史明乎得失之迹，伤人伦之废，哀刑政之苛，吟咏情性，以风其上，达于事变而怀其旧俗者也。”[③]

东晋时，王导也认为史书有供后人借鉴的作用。他首先讲道：“夫帝王之迹，莫不必书，著为令典，垂之无穷。”[④] 他认

---

① 桓范：《世要论·赞象》，载于严可均：《全三国文》卷三七，中华书局 1958 年版，第 1263 页。

② 嵇康：《声无哀乐论》，载于严可均：《全三国文》卷四九，中华书局 1958 年版，第 1329 页。

③ 《毛诗序》，载于阮元校刻：《十三经注疏》，中华书局 2009 年版，第 567 页。

④ 房玄龄等：《晋书》卷八二《干宝传》，中华书局 1974 年版，第 2149 页。

为，史书要记载君主的行事、功绩，这些记载有树立典范的作用，对后代影响深远。王导历数西晋皇朝的奠基者司马懿、建立者司马炎的事迹，认为他们有至高的功绩，但是却没有史文记载。王导建议晋元帝司马睿应该下令命人撰修国史，得以“上敷祖宗之烈，下纪佐命之勋，务以实录，为后代之准，厌率土之望，悦人神之心，斯诚雍熙之至美，王者之弘基也”①。王导认为，所撰的国史应该如实记载晋朝先祖的功绩和辅政朝臣的功勋，这样一来，史书所记的内容可以成为后代君主及大臣行事的标准，这是造福当世和后代的伟业。

持同样观点的还有南朝裴松之，他论及史书有“总括前踪，贻诲来世”② 的作用。北魏李彪也认为：“臣闻龙图出而皇道明，龟书见而帝德昶，斯实冥中之书契也。自瑞官文而卑高陈，民师建而贱贵序，此乃人间之绳式也。是以《唐典》篆钦明之册，《虞书》铭慎徽之篇，《传》著夏氏之《箴》，《诗》录商家之《颂》，斯皆国史明乎得失之迹也。”③ 李彪以历史上的史书记载来说明彰明得失的作用是史书记载的传统，同时他又讲道，“故能声流于无穷，义昭于来裔。是以金石可灭而流风不泯者，其唯载籍乎？”④ 李彪认为，前人的声名和世间的道理，都可以通过史书的记载流传万代，教诲后人。但是，李彪指出史书记载遇到

① 房玄龄等：《晋书》卷八二《干宝传》，中华书局 1974 年版，第 2149 页。

② 裴松之：《上〈三国志注〉表》，载于陈寿：《三国志》附录，中华书局 1959 年版，第 1471 页。

③ 魏收：《魏书》卷六二《李彪传》，中华书局 1974 年版，第 1394 页。

④ 魏收：《魏书》卷六二《李彪传》，中华书局 1974 年版，第 1396 页。

的问题：“所以言及此者，史职不修，事多沦旷，天人之际，不可须臾阙载也。是以谈迁世事而功立，彪固世事而名成，此乃前鉴之轨辙，后镜之蓍龟也。”① 这里李彪强调在史书记载出现残缺的情况下，要加强史官制度，加强史书撰写，因为史书记载是后代鉴戒、判断是非的标准。

沈约看重史书训诫后人的作用。宋明帝泰始初年，沈约撰《晋书》。齐武帝萧赜永明年间，沈约兼任著作郎，负责撰修起居注。永明五年（487），沈约被敕令撰修《宋书》，并在永明六年（488）二月完成。他另有《齐纪》二十卷、《高祖纪》十四卷等撰述。

沈约论史书的作用，从大禹、周文王的功业记于史书讲起，“大禹刊木，事炳虞书，西伯戡黎，功焕商典”②，继而称萧齐皇朝在前代已经树立功勋，在建立皇权后，君主的权威更加巩固。那么在这种情况下，沈约称撰修前代史书是有其重要性的；史书可以记载皇朝的兴衰，为后代皇朝提供借鉴，“若不观风唐世，无以见帝妫之美，自非睹乱秦余，何用知汉祖之业”③。沈约此说是讲，通过史籍了解到唐尧时期的社会，才能明白此后虞舜统治下的盛业；通过史籍了解到了秦朝末年的战乱景象，才能明白汉高祖刘邦统一天下的伟业。沈约认为，前代皇朝统治的经验或教训，可以通过历史记载的方式保存下来，后代皇朝则可以通过

---

① 魏收：《魏书》卷六二《李彪传》，中华书局 1974 年版，第 1396 页。
② 沈约：《宋书》卷一〇〇《自序》，中华书局 1974 年版，第 2466 页。
③ 沈约：《宋书》卷一〇〇《自序》，中华书局 1974 年版，第 2466-2467 页。

有关前代历史的记载继承经验或规避错误；这样看来，对萧齐的统治者来说，记载刘宋皇朝历史的史书是可以为当朝统治提供借鉴的。沈约讲道，考虑到记载刘宋历史的史书缺乏，萧齐统治者应诏令当朝史官撰写刘宋皇朝的历史。

鉴于史书的这一作用，沈约指出史书要记载的，首先是英明的君主和贤能的大臣的事迹，他们对国家作出的贡献“足以勒铭钟鼎，昭被方策”①，是值得记载下来予以纪念的；其次，沈约提出史书还应该记载刘宋皇朝暴虐君主的统治，他认为这是前代皇朝中较为罕见的，“国衅家祸，旷古未书，又可以式规万叶，作鉴于后”②，采择这类史料入史，可以鉴戒后人以避免此类祸难的再次出现。

儒家思想对史学批评的影响，除了在史家对史书作用的评价中有所表现，还集中体现在刘勰的《文心雕龙·史传》篇中。刘勰信奉佛法，成长于寺庙，晚年出家为僧，应当是受到了佛教思想的影响，这为他撰写《文心雕龙》讨论理论问题奠定了基础。深谙佛理的刘勰撰《史传》篇，表现出的是受儒家思想影响的特点。刘勰在《史传》篇中谈论的是皇朝史修撰，他重视史书作用、史家素养、史书编撰、史料采撰，他的认识是以传统史学的要求为标准提出的，如惩恶劝善、坚持直书、重视体例，特别是追求信史，即不能盲目采撷怪异、奇特的史料来吸引人耳目，等等。实际上，刘勰的很多看法与杜预对《春秋左传》的

---

① 沈约：《宋书》卷一〇〇《自序》，中华书局 1974 年版，第 2467 页。
② 沈约：《宋书》卷一〇〇《自序》，中华书局 1974 年版，第 2467 页。

认识是一致的。可以看出，刘勰对史学有明确的认识，他对史学的评价是从史学本身出发的，这无疑是刘勰史学批评的价值所在。

除了儒家经学，玄学和道家思想也影响着史学批评思想，其影响主要表现在两个方面：其一是促进理论思考的发展；其二是拓展了史家对史书内容、材料来源的认识，也肯定了史书保存史料的价值。就第一个方面来讲，玄学由品评人物的清议发展而来。在正始年间，玄学开始讨论诸如有无、本末、言意等抽象概念的内涵及相互之间的辩证关系，这引导了时人思维方式的变化。就这一时期的史学批评来讲，虽然评论的对象仍以具体的史家或具体的史书为主，但也出现了理论思考的萌芽。范晔对史论提出的理论认识受到玄学言意之辨的影响，他提出了“意”“旨”“辞”“韵”等与史论相关的概念，并讨论它们之间相互的关系，从史书撰述上来讲，范晔探讨的是史文的形式与史文的内容及意旨之间的关系。

又如，这一时期人们对史书内容的认识丰富了，不仅记载君主、朝臣等朝政大事，也记录家族、地理等内容。这一时期甚至出现了记载琐言、鬼怪等内容的著作，在时人看来，这类著作是将以上内容作为真实发生的“历史”记载下来的，肯定的是史书保存史料的价值。如干宝要求《搜神记》记载鬼怪传说要真实、准确，他考证材料的记载、走访故老收集遗佚之事，以求所撰内容的准确性，但是这一要求是针对记录荒诞的鬼神故事提出的。又如萧绮整理前秦王嘉的《拾遗记》，他以史书为标准评价

《拾遗记》记载的内容。在现在看来，这类史学批评以历史撰述的真实性为标准要求怪异之事的记载，本身是矛盾的，因为史著和小说是两种不同性质的撰述形式。但当时人们的思想是在特殊的思想环境中形成的，他们确实抱着记载历史保存史料的态度撰述成书，这是由于玄虚之学在当时受到人们的认可，“虚实”才有相混的可能。

另外，佛教对这一时期史学批评的影响不可脱离活跃的思想领域孤立看待，因为作为一种外来的宗教思想，能够在魏晋南北朝，特别是南北朝时期得到社会各阶层的广泛传播，是由于它与当时社会原有的思想有着紧密的联系，前文提到的玄学思想就与佛教思想有着众多相似之处。它们在探讨抽象理论、拓展撰述范围上，都有着较为一致的追求。佛教本身具有系统的佛法义理，它研究的是抽象的概念；佛经也记载怪诞之事。从这两点来看，它与玄学思想一样，在史学批评上有促进史家抽象思维发展、理论思考深入的作用，也促使怪异之事的记载得到人们的接受。

这一时期思想领域活跃，学术发展繁荣，人们不仅有儒家经学的传统，更接触或学习到玄学、佛教等其他思潮的观念。多元的思想影响着人们思想的形成，也不同程度地影响了史学批评的内容，使其呈现出与其他时期不同的特点。

结　语

研究魏晋南北朝时期史学批评发展的情况，需要关注的是在史学发展的过程中，时人提出的有关某些史学问题的意见。魏晋南北朝时期人们的史学批评意识明显增强，这是有别于前一时期的特点之一。也就是说，这一时期史家更加自觉地、主动地对史学问题作出评论，并且出现了对理论的总结。其中，对《史记》《汉书》《三国志》等史书、史家及其群体的评说延续了前代的史学批评路径，并有所发展。除此之外，这一时期史学批评的自觉性最突出地表现在史注、评论史书的专著及论说史学的专篇上。

首先，来看史书注文。周一良称，为史书作注及初步的史事考订，虽然略为“勉强”，但也可将其看作“与史学研究相接近的学术活动”。[①] 所谓“学术活动”，显然是从理论思考的意义上

① 周一良：《魏晋南北朝史学著作的几个问题》，载于《魏晋南北朝史论集》，北京大学出版社2010年版，第357页。

来讲的。史注对于史学批评的意义之重大，成为研究者们的共识。[①]

但是，关于史注出现的原因，学者们有不同的看法。陈寅恪称：

> 裴世期之注三国志，深受当时内典合本子注之薰习。[②]

陈寅恪认为裴松之注史受到了佛教合本子注文方法的影响。所谓“合本”，陈寅恪解释道，“‘合本’之比较，乃以同本异译之经典相参校”[③]。这是说，对于佛经来讲，“合本”是指集合不同译本，以比较探讨其内在经义。周一良、胡宝国对此说提出了不同意见，他们看法相似，大致以裴注的内容多为“补遗订误”为由，认为这与佛经合本子注并不相同。[④]

的确，陈寅恪所说的“合本子注”更接近于将相异处列出以备参考，这是广泛地搜集材料并加以记录的工作。而裴松之自称注文有“惩妄”“论辩”的意义，这点在裴注中可以得到证实。显然，裴松之注史不仅罗列出不同的史料，还有意对其作出

---

① 参见逯耀东《魏晋史学的思想与社会基础》(中华书局2006年版)、胡宝国《汉唐间史学的发展》(商务印书馆2003年版)。

② 陈寅恪：《陈述辽史补注序》，载于《金明馆丛稿二编》，生活·读书·新知三联书店2015年版，第264页。

③ 陈寅恪：《支愍度学说考》，载于《金明馆丛稿初编》，生活·读书·新知三联书店2015年版，第185页。

④ 周一良：《魏晋南北朝史学著作的几个问题》，载于《魏晋南北朝史论集》，北京大学出版社2010年版，第359页。另外，胡宝国赞成周一良的质疑，认为“补遗订误”是裴注的本质，与合本子无关。(胡宝国：《汉唐间史学的发展》，商务印书馆2003年版，第80页)

评论。因此，将裴注的出现仅仅归因于佛经“合本子注”的影响，是不妥的。裴松之自觉的史学批评意识是值得肯定的。

其次，当时出现的专评某部史书的著作未能流传下来，不过，南朝刘勰的《文心雕龙·史传》篇得以完整保存，它是该时期史学批评意识发展的标志性成果。《文心雕龙》是一部理论批评专著，其《史传》篇评论了魏晋南北朝时期的诸多皇朝史及这一时期出现的史学现象，可以看作是史学批评史论纲。有关这一点，前文所论已详。这里要说明的是，《史传》篇对理解魏晋南北朝时期史学及史学批评发展情况的意义。

一方面，《史传》篇中，刘勰对魏晋南北朝时期出现的皇朝史作了总结。可以这样认为，《史传》篇表现出的史学理论认识的进步，正是以该时期众多史家撰修的史书为基础的。这一时期朝代频繁更迭，南北政权对立。许多皇朝持续时间只有几十年，其中有的新皇朝奠基者在前一皇朝尚未灭亡时已占据主导地位。这样一来，新皇朝建立后，如何官修史书证明政权合法性成为统治者关注的问题。因此，此时官修史书多讨论史书的体例、体裁。两晋南朝史家在官修本朝史时，讨论重点由皇朝史断限起元，转变为讨论史书结构与内容等具体问题。对于北朝史家来说，官修史书过程中有关皇朝史体裁、体例的讨论，特别是其断限问题，集中体现出北朝史家的史学批评思想。由此可以看出，相对于南方史学批评思想的理论性与多元化，北方史学批评思想呈现出单一的政治化倾向。

在另一方面，《文心雕龙·史传》篇指出采撰史料录近事及远事时，都应当避免以爱奇之心穿凿附会来补前史之阙，当为刘勰追求“信史”的表现。该看法主要是对萧梁之前的皇朝史来讲的；但考虑到这一时期新兴史书体裁的独特性可以推测，刘勰此论应该也是面对魏晋南北朝时期琐言、鬼怪类撰述被当作史书的现实情况而提出的反对意见。

魏晋南北朝时期，撰修史书不仅受到皇朝统治者的重视，也成为吸引普通人积极参与的一项事业。私家撰史者对史书体裁、体例进行评论，包括且不限于编年、纪传等多种史书体裁。令人可惜的是，由于当时动荡的时局，大量史书遭到亡佚。这样一来，保存史料成为这一时期史家认可的史书功用之一。在这股修史热潮中，撰史者——特别是私家撰史者——以更加开阔的视野采择史料并用不同体裁将其记录下来，它们数量之多、种类之繁，在《隋志》《史通》等史书分类中可以看到。

那时人们热衷于记载街头巷议及鬼怪传说，因此在上述史书分类中，出现了许多被后人看作猎奇的撰述。虽然这样的撰述内容在今天看来很难称得上真实可信，但是它们的撰述者的确是以保存史料为目的来采择材料，将其记录下来的。不仅如此，在对其进行评价时，时人亦以对史书的要求进行辨伪、提出看法。鲁迅称，六朝人认为“人鬼乃皆实有，故其叙述异事，与记载人间常事，自视固无诚妄之别矣”。[①] 因此，对于史学批评的发展

---

① 鲁迅：《中国小说史略》，上海古籍出版社 1998 年版，第 24 页。另外，胡宝国在此基础上，指出小说与史学的密切关系。（胡宝国：《汉唐间史学的发展》，商务印书馆 2003 年版，第 52 页）

来说，此类撰述的撰写者及其评论者的认识是具有时代赋予的独特的多元性的。这样的独特性推动着史学认识的进一步深入，至唐刘知幾撰《史通》，针对这一问题更明确地提出史料采择、史书撰述的要求。

还应当注意的是，从《文心雕龙》来看，它一直被当作传统的文学批评经典著作，其论说的“文”实际上是广义的概念，现代学科分类上的文与史都被包含其中。但是《文心雕龙》又特意设立《史传》一篇，单独讨论重视褒贬善恶、帮助人们“居今识古”的皇朝史撰述。这反映出的是在经史分途之后，文史关系的变化。有关当时人对文史的认识，前文已有讨论。也就是说，在史学与文学脱离经学获得独立发展空间之后，二者的不同特征逐渐被人们所认识，并在理论上进一步明确区分。

前文讨论从范晔到萧统对史论本质持有不同看法，特别是范晔对史论的重视、在理论上对史论提出要求，这些都推动了史论从史书中独立成为一种文体。大约在南朝萧梁时，人们对文史之区分较前一时期更加明确，这点是可以确定的。胡宝国以萧统编《文选》不收史书著作，作为“文”排斥“史”的标志。[①] 然而，从另一个角度来看，“史”对“文”并没有排斥。史书有重视文字表述的传统，在魏晋南北朝时期亦然，陈寿“善叙事”为人称道，范晔提出史论应追求形式之美，也是继承这一传统的表现。具体说来，真实、质朴、简洁、含蓄之美是对史书文字表

① 胡宝国：《汉唐间史学的发展》，商务印书馆2003年版，第67-68页。

述提出的要求。[①]

东晋袁山松撰《后汉书》，他曾评论撰写史书之“五难”：

> 书之为难也有五：烦而不整，一难也；俗而不典，二难也；书不实录，三难也；赏罚不中，四难也；文不胜质，五难也。[②]

可以看出，袁山松论撰史之难，是对史书撰述提出的要求。周一良认为，袁山松提出的五条之中，有三条有关文字表达；周一良继而指出，袁山松对文字的重视，与他的才士身份有关。[③]周一良所说的三条是指“烦整”“俗雅”“文质”三点，而袁山松提出的另外两难“实录”与“赏罚”，要求的是史书撰述真实与褒贬允当。

从“实录”与“赏罚”的要求来看，袁山松所论针对的是史书撰述，而非一般意义上的撰文之作，这是毋庸置疑的。因此，袁山松的看法表现出撰史者兼顾意旨与形式两个方面来对历史撰述作出评价，且袁山松以更多的条目要求史书的文字表述之美。袁山松论说的是“书之为难”，因此他提出的不同方面的要求应与当时历史撰述遇到的实际问题有关。虽然具体的内容不同，但整体上这与范晔对史论提出的“以意为主，以文传意”

---

① 瞿林东：《中国古代史学批评纵横》，中华书局 1994 年版，第 99-101 页。

② 刘知幾：《史通·摸拟》，浦起龙《史通通释》本，上海古籍出版社 2009 年版，第 208 页。

③ 周一良：《魏晋南北朝史学著作的几个问题》，载于《魏晋南北朝史论集》，北京大学出版社 2010 年版，第 355 页。

的要求是一致的。可见，这一时期史学批评兼顾文字表述与撰述意旨两个方面。

魏晋南北朝时期史学批评发展还有许多其他的表现，但从总体上来看，其史学批评呈现出的特点与它所处的时代有着密切关系。正是在学术繁荣、思想活跃的环境下，人们的理论思考得以发展，史学批评意识明显增强，这是史学批评初步发展的表现，在此基础上，隋唐时期史学批评得以继续深入发展。

主要参考文献

一、马克思主义经典著作

中共中央马克思恩格斯列宁斯大林著作编译局：《马克思恩格斯文集》，北京：人民出版社 2009 年版。

中共中央马克思恩格斯列宁斯大林著作编译局：《列宁专题文集》，北京：人民出版社 2009 年版。

毛泽东：《毛泽东选集》，北京：人民出版社 1991 年版。

二、历史文献

司马迁：《史记》，北京：中华书局 1959 年版。

班固：《汉书》，北京：中华书局 1962 年版。

袁宏：《后汉纪》，周天游《后汉纪校注》本，天津：天津古籍出版社 1987 年版。

汪文台辑：《七家后汉书》，周天游校，石家庄：河北人民出版社 1987 年版。

周天游辑注：《八家后汉书辑注》，上海：上海古籍出版社1986年版。

范晔：《后汉书》，北京：中华书局1965年版。

刘劭：《人物志》，梁满仓译注，北京：中华书局2009年版。

谯周：《古史考》，《丛书集成初编》本，北京：中华书局1991年版。

陈寿：《三国志》，北京：中华书局1959年版。

汤球辑：《三十国春秋辑本》，吴振清校注，天津：天津古籍出版社2009年版。

傅玄：《傅子》，《丛书集成初编》本，北京：中华书局1985年版。

张华：《博物志》，范宁《博物志校证》本，北京：中华书局1980年版。

干宝：《搜神记》，李剑国《新辑搜神记》本，北京：中华书局2007年版。

葛洪：《西京杂记》，北京：中华书局1985年版。

葛洪：《抱朴子内篇》，王明《抱朴子内篇校释》本，北京：中华书局1985年版。

葛洪：《抱朴子外篇》，杨明照《抱朴子外篇校笺（上）》本，北京：中华书局1991年版。

葛洪：《抱朴子外篇》，杨明照《抱朴子外篇校笺（下）》本，北京：中华书局1997年版。

常璩：《华阳国志》，《丛书集成初编》本，北京：中华书局

1985年版。

王嘉撰，萧绮录：《拾遗记》，齐治平《拾遗记校注》本，北京：中华书局1981年版。

汤球、黄奭辑：《众家编年体晋史》，乔治忠校注，天津：天津古籍出版社1989年版。

房玄龄等：《晋书》，北京：中华书局1974年版。

刘义庆著，刘孝标注：《世说新语》，余嘉锡《世说新语笺疏》本，北京：中华书局2007年版。

沈约：《宋书》，北京：中华书局1974年版。

萧子显：《南齐书》，北京：中华书局1972年版。

刘勰：《文心雕龙》，范文澜《文心雕龙注》本，北京：人民文学出版社1958年版。

刘勰：《文心雕龙》，黄叔琳、李详、杨明照《增订文心雕龙校注》本，北京：中华书局2012年版。

萧统编：《文选》，李善注，北京：中华书局1977年版。

萧绎：《金楼子》，《丛书集成初编》本，北京：中华书局1985年版。

释慧皎：《高僧传》，汤用彤校注，北京：中华书局1992年版。

释僧祐：《弘明集》，四部丛刊初编本。

释僧祐：《出三藏记集》，苏晋仁、萧炼子点校，北京：中华书局1995年版。

姚思廉：《梁书》，北京：中华书局1973年版。

崔鸿：《十六国春秋》，汤球辑补，《丛书集成初编》本，北京：中华书局 1985 年版。

郦道元：《水经注》，陈桥驿《水经注校证》本，北京：中华书局 2007 年版。

杨衒之：《洛阳伽蓝记》，周祖谟《洛阳伽蓝记校释》本，北京：中华书局 2010 年版。

魏收：《魏书》，北京：中华书局 1974 年版。

颜之推：《颜氏家训》，王利器《颜氏家训集解》本，北京：中华书局 2013 年版。

庾信：《庾子山集》，倪璠《庾子山集注》本，许逸民校点，北京：中华书局 1980 年版。

李百药：《北齐书》，北京：中华书局 1972 年版。

令狐德棻等：《周书》，北京：中华书局 1971 年版。

姚思廉：《陈书》，北京：中华书局 1972 年版。

李延寿：《北史》，北京：中华书局 1974 年版。

李延寿：《南史》，北京：中华书局 1975 年版。

魏徵等：《隋书》，北京：中华书局 1973 年版。

释道宣：《广弘明集》，四部丛刊本。

道宣：《续高僧传》，郭绍林点校，北京：中华书局 2014 年版。

杜佑：《通典》，北京：中华书局 1984 年版。

虞世南：《北堂书钞》，天津：天津古籍出版社 1988 年版。

徐坚：《初学记》，北京：中华书局 1962 年版。

刘知幾：《史通》，浦起龙《史通通释》本，上海：上海古籍出版社 2009 年版。

刘昫等：《旧唐书》，北京：中华书局 1975 年版。

欧阳修、宋祁：《新唐书》，北京：中华书局 1975 年版。

王溥：《唐会要》，北京：中华书局 1955 年版。

欧阳询：《艺文类聚》，汪绍楹校，上海：上海古籍出版社 1965 年版。

李昉等：《文苑英华》，北京：中华书局 1966 年版。

李昉等：《太平御览》，北京：中华书局 1960 年版。

洪迈：《容斋随笔》，上海：上海古籍出版社 1978 年版。

高似孙：《史略》，《丛书集成初编》本，北京：中华书局 1985 年版。

陈振孙：《直斋书录解题》，上海：上海古籍出版社 1987 年版。

晁公武：《郡斋读书志》，孙猛《郡斋读书志校证》本，上海：上海古籍出版社 1990 年版。

张溥辑：《汉魏六朝百三名家集》，南京：江苏古籍出版社 2002 年版。

严可均辑：《全上古三代秦汉三国六朝文》，北京：中华书局 1958 年版。

赵翼：《陔余丛考》，北京：中华书局 1963 年版。

赵翼：《廿二史札记》，王树民《廿二史札记校证》本，北京：中华书局 1984 年版。

钱大昕：《廿二史考异》，上海：上海古籍出版社 2004 年版。

王鸣盛：《十七史商榷》，上海：上海古籍出版社 2013 年版。

牛运震：《读史纠谬》，济南：齐鲁书社 1989 年版。

李慈铭：《越缦堂读书记》，北京：中华书局 2006 年版。

永瑢等：《四库全书总目》，北京：中华书局 1965 年版。

章学诚：《文史通义》，叶瑛《文史通义校注》本，北京：中华书局 1985 年版。

阮元校刻：《十三经注疏》，北京：中华书局 2009 年版。

章宗源：《隋书经籍志考证》，收入王承略、刘心明主编：《二十五史艺文经籍志考补萃编》，北京：清华大学出版社 2014 年版。

姚振宗：《隋书经籍志考证》，收入王承略、刘心明主编：《二十五史艺文经籍志考补萃编》，北京：清华大学出版社 2014 年版。

三、近人及今人专书

鲁迅：《鲁迅汉文学史纲要》，北京：人民文学出版社 1977 年版。

吴泽编选，袁英光主编：《中国史学史论集》，上海：上海人民出版社 1980 年版。

陈寅恪：《隋唐制度渊源略论稿》，上海：上海古籍出版社 1982 年版。

刘节：《中国史学史稿》，郑州：中州书画社 1982 年版。

白寿彝主编：《史学概论》，银川：宁夏人民出版社 1983 年版。

张孟伦：《中国史学史》上册，兰州：甘肃人民出版社 1983 年版。

陈桥驿：《〈水经注〉研究》，天津：天津古籍出版社 1985 年版。

陆侃如：《中古文学系年》，北京：人民文学出版社 1985 年版。

尹达主编：《中国史学发展史》，郑州：中州古籍出版社 1985 年版。

万绳楠整理：《陈寅恪魏晋南北朝史讲演录》，合肥：黄山书社 1987 年版。

刘汝霖：《汉晋学术编年》，北京：中华书局 1987 年版。

陶懋炳：《中国古代史学史略》，长沙：湖南人民出版社 1987 年版。

雷家骥：《中古史学观念史》，台北：台湾学生书局 1990 年版。

刘汝霖：《东晋南北朝学术编年》，上海：上海书店 1992 年版。

白寿彝：《白寿彝史学论集》，北京：北京师范大学出版社 1994 年版。

陈桥驿：《郦道元评传》，南京：南京大学出版社 1994 年版。

瞿林东：《中国古代史学批评纵横》，北京：中华书局 1994

年版。

张大可：《司马迁评传》，南京：南京大学出版社1994年版。

白寿彝总主编，何兹全、黎虎主编：《中国通史》第五卷《中古时代·三国两晋南北朝时期》（上下卷），上海：上海人民出版社1995年版。

乔治忠、姜胜利编著：《中国史学史研究述要》，天津：天津教育出版社1996年版。

鲁迅：《中国小说史略》，上海：上海古籍出版社1998年版。

杨耀坤、伍野春：《陈寿裴松之评传》，南京：南京大学出版社1998年版。

牛润珍：《汉至唐初史官制度的演变》，石家庄：河北教育出版社1999年版。

瞿林东：《中国史学史纲》，北京：北京出版社1999年版。

刘师培：《中古文学史讲义》，上海：上海古籍出版社2000年版。

胡宝国：《汉唐间史学的发展》，北京：商务印书馆2003年版。

庞天佑：《中国史学思想通史·魏晋南北朝卷》，合肥：黄山书社2003年版。

邱敏：《六朝史学》，南京：南京出版社2003年版。

汪荣祖：《史传通说》，北京：中华书局2003年版。

白寿彝：《史学遗产六讲》，北京：北京出版社2004年版。

李传印：《魏晋南北朝时期史学与政治的关系》，武汉：华中科技大学出版社 2004 年版。

陈垣：《中国佛教史籍概论》，上海：上海书店出版社 2005 年版。

郝润华：《六朝史籍与史学》，北京：中华书局 2005 年版。

白寿彝主编：《中国史学史》，上海：上海人民出版社 2006 年版。

逯耀东：《魏晋史学的思想与社会基础》，北京：中华书局 2006 年版。

逯耀东：《从平城到洛阳——拓跋魏文化转变的历程》，北京：中华书局 2006 年版。

蒙文通：《中国史学史》，上海：上海人民出版社 2006 年版。

瞿林东、李珍：《范晔评传》，南京：南京大学出版社 2006 年版。

杨翼骧：《中国史学史讲义》，天津：天津古籍出版社 2006 年版。

李小树主编：《秦汉魏晋南北朝史学史稿》，北京：中国人民大学出版社 2007 年版。

王仲荦：《魏晋南北朝史》，北京：中华书局 2007 年版。

周一良：《魏晋南北朝史札记》，北京：中华书局 2007 年版。

内藤湖南著，马彪译：《中国史学史》，上海：上海古籍出版社 2008 年版。

乔治忠：《中国官方史学与私家史学》，北京：北京图书馆出版社 2008 年版。

谢保成：《中国史学史》，北京：中国社会科学出版社 2008 年版。

仓修良：《中国古代史学史》，北京：人民出版社 2009 年版。

汤用彤：《魏晋玄学论稿》，北京：生活·读书·新知三联书店 2009 年版。

白云：《中国古代史学批评史论纲》，北京：人民出版社 2010 年版。

杜维运：《中国史学史》，北京：商务印书馆 2010 年版。

金毓黻：《中国史学史》，北京：商务印书馆 2010 年版。

李宗侗：《中国史学史》，北京：中华书局 2010 年版。

郭绍虞：《中国文学批评史》，北京：商务印书馆 2010 年版。

唐长孺：《魏晋南北朝史论丛》，北京：商务印书馆 2010 年版。

张三夕：《批判史学的批判——刘知几及其史通研究》，武汉：华中师范大学出版社 2010 年版。

周一良：《魏晋南北朝史论集》，北京：北京大学出版社 2010 年版。

侯外庐等：《中国思想通史》第三卷，北京：人民出版社 2011 年版。

李凭：《北魏平城时代》，上海：上海古籍出版社 2011 年版。

梁启超：《中国历史研究法》，上海：上海古籍出版社 2011 年版。

乔治忠：《中国史学史》，北京：中国人民大学出版社 2011

年版。

汤用彤：《汉魏两晋南北朝佛教史》，北京：北京大学出版社 2011 年版。

田余庆：《东晋门阀政治》，北京：北京大学出版社 2012 年版。

谢贵安：《中国史学史》，武汉：武汉大学出版社 2012 年版。

瞿林东：《中国史学的理论遗产：从过去到现在和未来的传承》，北京：北京师范大学出版社 2013 年版。

杨翼骧：《增订中国史学史资料编年》，北京：商务印书馆 2013 年版。

王志刚：《家国、夷夏与天人：十六国北朝史学探研》，北京：北京师范大学出版社 2013 年版。

瞿林东：《中国简明史学史》，上海：上海人民出版社 2014 年版。

黄侃：《文心雕龙札记》，北京：中华书局 2014 年版。

唐燮军：《史家行迹与史书构造》，杭州：浙江大学出版社 2014 年版。

袁行霈主编：《中国文学史》，北京：高等教育出版社 2014 年版。

陈寅恪：《金明馆丛稿初编》，北京：生活·读书·新知三联书店 2015 年版。

陈寅恪：《金明馆丛稿二编》，北京：生活·读书·新知三联书店 2015 年版。

朱维铮：《中国史学史讲义稿》，上海：复旦大学出版社2015年版。

徐冲：《中古时代的历史书写与皇帝权力起源》，上海：上海古籍出版社2018年版。

索 引

D

E

F

G

H

J

K

L

M

R

S

T

W

X

Y

Z

图书在版编目（CIP）数据

中国古代史学批评的初步发展：魏晋南北朝时期 / 王姝著． —长沙：湖南人民出版社，2020.7（中国古代史学批评史 / 瞿林东主编；第二卷）
ISBN 978-7-5561-2436-7

I. ①中… II. ①王… III. ①史学史—研究—中国—魏晋南北朝时代 IV. ① K092.35

中国版本图书馆 CIP 数据核字（2020）第 036448 号

ZHONGGUO GUDAI SHIXUE PIPING DE CHUBU FAZHAN（WEIJINNANBEICHAO SHIQI）
中国古代史学批评的初步发展（魏晋南北朝时期）

主　　编　瞿林东
著　　者　王　姝
责任编辑　黎晓慧　贺　娅
装帧设计　杨发凯
责任印制　肖　晖
责任校对　夏光弘

发行出版　湖南人民出版社［http://www.hnppp.com］
地　　址　长沙市营盘东路3号
邮　　编　410005
经　　销　湖南省新华书店

印　　刷　长沙超峰印刷有限公司
版　　次　2020年7月第1版
　　　　　2020年7月第1次印刷
开　　本　710 mm × 1000 mm　1/16
印　　张　32.5
插　　页　1
字　　数　337千字
书　　号　ISBN 978-7-5561-2436-7
定　　价　162.00元

营销电话：0731-82681529　（如发现印装质量问题请与出版社调换）